Tous Continents

Au moment même

Le récit de l'homme

À propos de l'auteure

Écrivaine de renommée internationale, Carol Shields a obtenu de nombreux prix pour ses romans et ses nouvelles. Pour *Une soirée chez Larry*, elle a remporté le prix Orange et a été finaliste au prix Giller. Pour *La Mémoire des pierres*, elle a reçu le prix Pulitzer, le prix du Gouverneur général du Canada et le National Book Critics Award, en plus d'être finaliste au prix Booker. Elle a à son actif onze autres romans et recueils de nouvelles, trois recueils de poèmes, de nombreuses pièces de théâtre et une biographie de Jane Austen. Dans son dernier roman, *Bonté*, elle redonne vie à Reta Winters, avec qui les lecteurs ont fait connaissance dans « The Scarf », texte du recueil de nouvelles intitulé *Dressing Up for the Carnival*. Carol Shields est décédée en 2003.

Unique en son genre, ce roman en deux récits parallèles raconte un épisode de la vie d'un couple. Contre leur habitude, Jack et Brenda Bowman, mariés depuis longtemps, passent quelques jours chacun de son côté. À la maison, Jack, qui doute de sa valeur en tant qu'homme et historien, se mesure à des crises domestiques et à deux adolescents un peu frustes. Voyageant seule pour la première fois, Brenda, en proie à une foule d'émotions dans une ville étrangère, envisage d'être infidèle. Intime, perspicace mais jamais mièvre, *Au moment même* trace le portrait lucide d'un mariage et s'attarde aux différences entre homme et femme qui, malgré le sentiment d'isolement qu'elles génèrent, insufflent la vie aux relations les plus tendres.

Ce qu'on a dit de ce titre :

« Faisant preuve d'une adresse stupéfiante, Carol Shields rend compte de l'aliénation inhérente à la plupart des relations amoureuses… Une œuvre empreinte de compassion, amusante et fouillée, d'une remarquable perspicacité. »

The Sunday Times

« Écrire des pages magnifiques et convaincantes à propos d'une famille heureuse, ou encore renouveler notre perception de l'homme d'âge moyen, relève de l'exploit. Dans *Au moment même*, Carol Shields réussit l'un et l'autre. »

The Winnipeg Free Press

« *Au moment même* est un véritable régal. Pour une fois, nous avons droit à un personnage masculin sympathique — non seulement intelligent, mais aussi porté à l'introspection, d'une sensibilité et d'une tendresse désarmantes. »

Flare

De la même auteure (en français)

Bonté, roman ; traduit de l'anglais par Céline Schwaller-Balaÿ, Éditions Calmann-Lévy, 2003.

Jane Austen, roman ; traduction de Corinne Durin avec la collaboration de Christiane Mayer, Éditions Fides, 2002.

La Mémoire des pierres, roman ; traduit de l'anglais par Oristelle Bonis, Éditions Calmann-Lévy, 1995.

Miracles divers ; suivi de *Traduire la polyphonie* [microforme] / par Benoit Léger, Bibliothèque nationale du Canada, 1992.

Miracles en série , nouvelles ; traduit de l'anglais par Benoit Leger, Éditions Triptyque, 2004.

La République de l'amour, roman ; traduit de l'anglais par Oristelle Bonis, Éditions Calmann-Lévy, 1993.

Une saison de célibat, roman, Carol Shields, Blanche Howard ; traduit par Pierre DesRuisseaux avec la collaboration d'Émile et Nicole Martel, Éditions Bibliothèque québécoise, 2005.

Une soirée chez Larry, roman ; traduit de l'anglais par Céline Schwaller-Balaÿ, Éditions Calmann-Lévy, 1998.

Swann , roman ; traduit de l'anglais par Oristelle Bonis, Éditions Calmann-Lévy, 1992.

Carol Shields

Au moment même

Le récit de l'homme

Traduit de l'anglais
par Lori Saint-Martin
et Paul Gagné

QUÉBEC AMÉRIQUE

Catalogage avant publication de Bibliothèque et Archives Canada

Shields, Carol, 1935-2003
[Happenstance. Français]
Au moment même
(Tous continents)
Traduction de : Happenstance.

ISBN 2-7644-0435-2

I. Saint-Martin, Lori. II. Gagné, Paul.   III. Titre. IV. Collection
PS8587.H46H3614 2005   C813'.54   C2005-941806-0
PS9587.H46H3614 2005

Cette traduction a été rendue possible grâce à une subvention du Conseil des Arts du Canada.

 Conseil des Arts **Canada Council**
du Canada **for the Arts**

Québec ::

Nous reconnaissons l'aide financière du gouvernement du Canada par l'entremise du Programme d'aide au développement de l'industrie de l'édition (PADIÉ) pour nos activités d'édition.

Gouvernement du Québec – Programme de crédit d'impôt pour l'édition de livres – Gestion SODEC.

Les Éditions Québec Amérique bénéficient du programme de subvention globale du Conseil des Arts du Canada. Elles tiennent également à remercier la SODEC pour son appui financier.

Titre original : *Happenstance*, **Copyright © 1980, 1982 Carol Shields Literary Trust. Publié avec l'accord de Random House Canada, une division de Random House of Canada Limited.**
1, Toronto Street, Suite 300
Toronto, Ontario
Canada, M5C 2V6
Carol Shields, 1935-2003

 En couverture : Sylvain Bolle, *Duel*,
1999, pyrogravure sur merisier rouge,
71,1 cm X 30,5 cm.

Québec Amérique
329, rue de la Commune Ouest, 3e étage
Montréal (Québec) Canada H2Y 2E1
Tél.: (514) 499-3000, télécopieur: (514) 499-3010

Dépôt légal : 4e trimestre 2005
Bibliothèque nationale du Québec
Bibliothèque nationale du Canada

Conception graphique : Isabelle Lépine
Mise en pages : André Vallée – Atelier typo Jane
Révision linguistique : Diane Martin et Danièle Marcoux

À Anne

Chapitre un

Au restaurant, Jack aurait voulu parler à Bernie de Harriet Post, une fille dont il avait été amoureux. Il aurait voulu poser la tête sur la table et pousser de gros gémissements de rage. À la place, il prit un ravioli et déclara sur un ton raisonnable :

— L'histoire consiste en une succession de fins.

Bernie avait la tête ailleurs ; il était distant, aujourd'hui. Le regard vide, absent, il déchiquetait un bout de pain rassis en contemplant la rue. Une pluie froide tombait. Depuis près d'un an maintenant, leurs conversations du vendredi midi portaient sur la définition de l'histoire. De quoi s'agissait-il, au juste ? À quoi servait-elle ? Jack se rendit compte que Bernie en avait peut-être ras le bol de l'histoire. « Trop, c'est trop », aurait dit sa femme, Brenda.

— L'histoire est eschatologique, ajouta Jack.

Il piqua de sa fourchette sa petite salade, composée de laitue, d'oignon, de céleri et de radis.

— L'Histoire avec un grand H ne se résume pas au déploiement d'une seule histoire. Elle ne se résume pas au récit lui-même. Elle signifie plutôt la fin du récit.

— Hmmmm.

Les yeux de Bernie se tournèrent de nouveau vers la fenêtre dépourvue de rideaux, rendue doublement opaque par la pluie ruisselante et par une épaisse couche de graisse de cuisson.

— Je peux savoir à quel moment tu as tranché cette épineuse question ? demanda-t-il en mâchouillant un bout de pain.

— Hier. Hier soir. Vers minuit. Ça m'est venu tout d'un coup. Le sens ultime de l'histoire. J'ai fini par comprendre. Ce sont les fins.

— Les fins?

— Eh oui, les fins.

— Une fulgurance? demanda Bernie.

— Si tu veux, oui. On pourrait aussi parler d'un jalon empirique. Cette fois, Bernie sourit ouvertement en prenant un air supérieur.

— Vas-y, ris, si ça t'amuse. Je suis sérieux, pour une fois.

— Une fois n'est pas coutume.

— L'histoire, ce n'est rien de plus que le moment où l'espèce humaine distingue la fin. L'histoire – écoute-moi bien, Bernie –, c'est l'empreinte digitale qu'on laisse sur la vitre du mur pour voir le mur. La conclusion d'une époque qui définit l'époque en même temps qu'elle l'invente.

— J'ai l'impression que tu l'as répété, ton petit boniment. Pendant que tu te rasais, peut-être?

— Je vais te poser une question, Bernie. Que retenons-nous de l'histoire? Non, laisse tomber le «nous» – que retient du passé l'homme de la rue?

— Je suis un homme de la rue, moi. À toi de me le dire.

— Nous nous souvenons des traités, mais pas des guerres. Vrai ou faux? Avoue que j'ai raison. Nous nous souvenons des décapitations, mais pas des rébellions. C'est le cataclysme final que, d'instinct, nous sélectionnons et gardons en mémoire. On pourrait même dire, fit Jack en marquant une pause, que la fin de tous les récits est comprise dans leur commencement.

— Ce n'est pas une idée nouvelle, à ce que je sache. N'est-ce pas Eliot qui...

— La fin, c'est le récit même, tu comprends? Pas uniquement la signature. Prenons le cas de la Révolution française...

— Nous l'avons déjà pris. Plusieurs fois.

Assommé par son plat de nouilles au veau, Bernie voulut se redresser.

— Nous avons pris le cas de la Révolution française la semaine dernière. Celle d'avant aussi. Tu te souviens du cours sur la Révolution française que tu m'as donné il y a deux semaines ? À propos du grand courant de liberté ? Celui qu'on a fait entrer de force dans le derrière flapi de la vieille Europe ?

— Mais non.

Jack eut un rot muet en repoussant son assiette. Un gaz douloureux lui vrilla l'estomac. Depuis vingt ans, la cuisine, chez Roberto, s'était détériorée au lieu de s'améliorer – que le restaurant n'ait pas encore fait faillite tenait du miracle –, et le voisinage immédiat de l'Institut – rues défoncées, blanchisseries barricadées et *sex-shops* florissants – était en voie de se transformer : le délabrement acceptable des années soixante faisait peu à peu place à quelque chose de plus menaçant. Aujourd'hui, on sentait une violence larvée, même en plein jour, sans parler des risques de maladie – à une réception, une semaine plus tôt, quelqu'un lui avait dit qu'il suffisait d'une assiette fêlée pour attraper l'hépatite ou Dieu sait quoi d'autre. De plus, Jack avait fini par se lasser de la monotonie farineuse de la cuisine italienne ; à sa seule évocation – les textures molles et homogènes, les présentations ternes –, le courage lui manquait et son cœur se serrait. Avait-on vraiment, à une certaine époque, considéré la cuisine italienne, même la version édulcorée servie à Chicago, comme une ouverture sur le monde ? se demandait-il parfois. Oui, bien sûr que oui. Sacrée ouverture, en vérité. Les mots eux-mêmes – cannelloni, gnocchi, lasagne – n'étaient-ils pas chargés naguère d'un érotisme riche, bouillonnant ? Il suffisait alors de plonger sa fourchette dans la mozzarella fondue pour être transporté. Quel délice ! Ha !

C'est en 1958 que Jack Bowman avait mangé sa première pizza chez Roberto, probablement à cette même table. Champignons et poivrons verts. Bernie Koltz l'accompagnait. C'était leur toute première pizza. Ni l'un ni l'autre n'auraient su dire pourquoi. Âgé de vingt-deux ans, Jack était sur le point d'épouser Brenda Pulaski. On leur avait servi la pizza – roue écarlate tachée d'or et de vert – sur un rond de papier gaufré. Devaient-ils la manger avec une fourchette ? Ils n'en avaient pas la moindre idée. Ils avaient étudié la question d'un point de vue faussement philosophique. Puis, armés d'un courage comique, ils avaient pris la chose à la manière d'un sandwich dans leurs mains de bons petits protestants de race blanche et d'origine anglo-saxonne, sans trembler. Le goût – on aurait dit du ketchup étalé sur une croûte à tarte visqueuse et mal cuite – les avait déçus, même si, à l'époque, ils n'en avaient rien dit.

Selon toute vraisemblance, supputa Jack, Bernie en avait lui aussi assez de Roberto. Sans parler de son ulcère. Ces jours-ci, Bernie optait invariablement pour le plat le plus doux au menu et faisait au moins des efforts symboliques pour limiter sa consommation de vin. Depuis un certain temps déjà, Jack caressait l'envie de claironner haut et fort qu'ils avaient tous les deux les moyens de payer plus que 6,25 $ pour leur repas ; Bernie avait obtenu sa permanence (même si, se disait Jack face au silence observé par son ami sur ce point, ce n'était pas encore cette année qu'il allait devenir professeur titulaire) ; Jack était pour sa part promis au poste de conservateur des explorations à l'Institut – l'annonce était imminente. Ils méritaient mieux que ces plats graisseux et cette piquette de l'État de New York, servie dans des carafons de verre poisseux aux parois imitant les bulles. Ils devraient se faire plaisir, hausser leur standing d'un cran – il n'y avait pas que la nostalgie dans la vie – et trouver un établissement où les nappes étaient propres et où les serveurs n'avaient pas des gueules de tueurs à gages. Dans la sauce à spaghettis, on utilisait un colorant qui était probablement cancérigène. Jack le voyait aux cernes roses indélébiles qui marquaient les surfaces lisses des assiettes. Le vendredi, les lieux grouillaient de secrétaires au postérieur volumineux et d'étudiants amoureux, affligés et portés sur l'introspection ; Jack se désolait de constater l'empressement avec lequel ils acceptaient la peinture illuminée qui, sur le mur du fond, représentait la vallée du Pô. Le moment de changer d'air était venu, avait failli dire Jack. Mais il avait tenu sa langue.

Quelque chose l'avait chaque fois retenu. Bernie risquait de se rebiffer, de chipoter. Il avait toujours eu un côté irritable, sans compter que, sous ses taches de son neutres, abstraites, se terrait un populisme imprévisible. *Comme ça, tu es devenu trop important pour nos vieux repaires prolétaires,* songerait peut-être Bernie (sans le dire à haute voix). Maintenant que Brenda, les enfants et toi avez trouvé refuge à Elm Park, vous avez des velléités bourgeoises, hein ? Le tempérament déraisonnablement grincheux de Bernie, songea Jack, avait mijoté et bouillonné doucement pendant des années, en gros depuis que la femme de Bernie, Sue, avait décidé de reprendre ses études de médecine. Dernièrement, cependant, les sautes d'humeur étaient plus fréquentes – Jack n'était pas le seul à avoir observé le phénomène. Bernie faisait maintenant étalage de son pessimisme. Brenda, qui l'avait vu à la fin de l'été dernier, avait jugé son comportement bizarre. Il avait dit ou fait quelque chose, elle n'arrivait pas à mettre le doigt dessus, mais tout, chez lui, ne tournait pas rond. Difficile d'en imputer la responsabilité à une cause unique, même si Bernie avait une bonne demi-douzaine de fantômes dans son placard – une carrière qui piétinait, sa femme, Sue, sa fille déficiente internée à l'hôpital de Charleston. (Jack, qui avait son lot de fantômes en goguette – qui n'en a pas ? –, le comprenait.)

Quelle qu'en fût la cause, le malaise de Bernie commençait à envenimer les joyeuses retrouvailles du vendredi. Les repas – au grand regret de Jack – avaient perdu de leur intensité. Parfois, après avoir souligné un point particulièrement important, il avait eu la sensation écœurante, étourdissante, d'avoir relevé les mêmes détails en 1975, 1968 ou même 1959. Au beau milieu d'une phrase, sa bouche se figeait, pétrifiée par l'embarras, coincée sur l'autoroute du souvenir, engluée dans la répétition. Pis encore, sa voix, il l'entendait, était empreinte d'une passion artificielle et surfaite qui lui allait bien à vingt-deux ans, mais qui, à quarante-trois, manquait de modération, de civilité et de l'élégant équilibre john-sonien auquel il aspirait vaguement. Et l'attirail analytique n'était-il pas alors plus rigoureusement classique, mieux maîtrisé et plus fécond ? L'année où ils avaient discuté de l'entropie, Bernie et lui avaient réussi à déconstruire la notion de façon magistrale, sans rhétorique ni chasse gardée ; devant eux, tout s'était ouvert avec une grâce et un abandon quasi grecs, lentement, mathématique-ment, à la manière d'une fleur ; Jack avait adoré l'entropie. Bernie aussi, d'ailleurs ; il s'était lancé avec le brio d'un gymnaste ou d'un magicien, sautant brillamment d'une idée à une autre. La démo-cratie avait elle aussi eu son heure de gloire – ils y avaient consacré une année, de juin 1964 à juin 1965, peut-être ? –, au même titre que la mort de Dieu, sujet qui avait connu un lent départ, mais avait fini par les conduire à des instants fugitifs de quasi-illumination. En tout cas, ils avaient navigué dans ces eaux avec un certain courage, indifférents à l'ombre géante des prétendus spécialistes – Tillich, Barth –, qui avait pourtant de quoi refroidir les ardeurs. En revanche, le Watergate et les compromis moraux de l'Amérique s'y rapportant ne les avaient occupés que pendant six mois. Voilà maintenant qu'à propos de la notion d'histoire – thème proposé par Bernie, se souvenait Jack, et non par lui –, ils semblaient avoir perdu le feu sacré, ressassaient de vieux arguments remâchés, éculés, parfois viciés. Jack avait par moments l'impression qu'ils ne faisaient que réciter, pas toujours avec exactitude, des passages d'un manuel destiné aux étudiants de premier cycle : *Initiation à la philosophie fondamentale*. De toute évidence, les repas du vendredi midi traversaient une période délicate, une période critique, et Jack craignait qu'un changement de décor, à ce stade-ci, ne signale la fin – éventualité qu'il refusait d'envisager.

    — Écoute, fit-il en emplissant sa voix de ferveur (sur une note de ténor grinçant qui le fit grimacer), les historiens du passé ont toujours considéré l'histoire comme un continuum. Et nous n'avons pas su voir ce qui nous sautait pourtant aux yeux.

— Qui ça, nous?

Bernie redressa la tête, sur la défensive.

— Je veux parler du «nous» universel. Nous tous, pas seulement les historiens. Nous sommes condamnés à rater les commencements. Les commencements n'ont aucune prise sur nous parce que nous sommes enfermés dans notre vision du statu quo. Nous ne nous donnons même pas la peine d'enregistrer les premiers balbutiements...

— Tu n'irais tout de même pas jusqu'à dire, fit Bernie – qui, un instant, sembla retrouver son ton de faux mépris du vendredi –, que personne n'a tenu compte de la prise de la Bastille?

— Disons plutôt que personne n'a saisi sa signification profonde.

S'interrompant, Jack déplaça ses jambes sous la table.

— Il a fallu que quelques têtes tombent pour qu'on comprenne enfin vers quoi on se dirigeait. Et ça, dit-il en balayant prestement l'air du revers de la main, geste qui lui était venu d'une longue association avec M. Middleton, c'était de l'histoire.

— Hmmmm.

— La Révolution française n'est peut-être pas un bon exemple. C'est trop épisodique. Prenons la machine à vapeur...

— Encore?

— Au moment de la première démonstration, personne ne s'est levé pour clamer le début de la révolution industrielle...

— Je t'en prie, Jack. Épargne-moi la révolution industrielle aujourd'hui.

— Qu'est-ce qui ne va pas, Bernie?

— Ne nous étions-nous pas entendus pour ne pas qualifier la révolution industrielle de révolution?

— Vraiment?

— Nous nous sommes mis d'accord, rappelle-toi. C'est trop poétique. Trop mignon, trop artificiel – comme de l'histoire en bouteille. De toute façon, c'est un exemple minable. Trop flou. Pour une fois, cite-moi un cas qui a du mordant.

— D'accord, dit Jack. D'accord. Tu te souviens de ce que je t'ai dit sur ma révélation d'hier soir? À propos de l'histoire qui consiste en une succession de fins?

— Bon, qu'est-ce qui t'est donc arrivé, hier soir? demanda Bernie.

— Permets-moi de faire marche arrière, un instant. Te souviendrais-tu, par hasard, de Harriet Post?

— Harriet? Voilà des années que tu ne m'avais pas parlé de Harriet.

— Donc, tu te souviens d'elle?

— Bien sûr que je me souviens de Harriet Post. Comment l'oublier?

Un fléchissement glutineux s'esquissa sur les joues de Bernie, son premier sourire de la journée.

— C'était il y a vingt et un ans. Je me disais que tu l'aurais oubliée.

— Qu'est-ce qu'elle devient? Elle vit dans l'État de New York, non?

— À Rochester, oui.

— Elle est à l'université?

— Je ne crois pas. Je n'en sais rien, en fait.

— Bon, fit Bernie, trahissant des signes d'impatience, tu voulais en venir où, au juste?

— Elle a écrit un livre.

— Un livre? On aura tout vu! Sacrée Harriet, va. Je parie qu'il regorge de scènes de sexe. Elle avait le postérieur le plus maigrichon que j'aie jamais vu chez une femme. Je me demande comment le postérieur de Harriet a résisté aux outrages du...

— Ce n'est pas un roman. D'ailleurs, le livre n'est pas encore paru. Il est seulement annoncé. C'était dans le *Journal*. Qui est arrivé par la poste hier.

— Le *Historical Journal*?

— À la fin. Dans la liste des ouvrages à paraître.

— C'est fou, hein? dit Bernie, gagné par un enthousiasme grandissant, presque sous-cutané. Harriet avait aussi des seins bizarres. Très. On aurait dit qu'ils étaient munis d'un roulement à billes. Ne se spécialisait-elle pas en histoire, elle aussi?

— J'y viens. Le titre du livre, celui de Harriet s'entend, est – tu m'écoutes, au moins? – *Pratiques commerciales des Indiens avant la colonisation.*

— Nom de Dieu!

Bernie bondit, haletant.

— Je n'en reviens pas.

Il y eut un bref silence au cours duquel Jack tambourina sur la nappe tachée en dévisageant Bernie. Dans la rue, un coup de klaxon retentit. De la cuisine monta un petit bruit métallique de couverts qui s'entrechoquent.

Bernie fit rapidement tourner sa croûte de pain dans son assiette.

— Nom de Dieu, gémit-il doucement, tandis que sa bouche s'affaissait en signe d'impuissance. Nom de Dieu de nom de Dieu.

Il avait un visage blême, spirituel, triangulaire, des yeux entourés de petits plis très nets, une bouche un peu tordue et par moments touchante. Les femmes le trouvaient séduisant, peut-être en raison d'une certaine gaucherie intérieure, l'équivalent sur le plan psychique de dents de lapin ou de jambes arquées. Il demeurait empêtré dans un marais de timidité. «Tous les hommes de petite taille sont comme ça, avait un jour expliqué Brenda. En particulier ceux qui ont les cheveux roux.»

— Tu sais, Bernie finit-il par dire, articulant les mots tant bien que mal, il est possible, ajouta-t-il avant de marquer une nouvelle pause, que Harriet ait adopté une approche tout à fait différente de la tienne.

— Deux livres la même année, Bernie? Dans le même domaine...

Jack s'interrompit. Un soupir déchira son souffle en deux.

— On ne sait jamais. De nos jours, tout est si spécialisé...

— J'ai songé à communiquer avec elle.

Jack riva les yeux sur Bernie.

— À lui téléphoner à Rochester, tu sais. Sans crier gare.

— Mais oui. Pourquoi pas?

— Non.

Jack secoua la tête.

— Enfin, peut-être. Mais je ne crois pas.

— Quelle salope. Franchement, je n'ai jamais compris ce que tu lui trouvais. Elle et ses petits tétons métalliques...

— Six cents pages, dit l'annonce. Accompagnées de cartes, de diagrammes et de rares gravures sur bois «encore inédites».

S'emparant du carafon, Jack resservit Bernie. Verser du vin, même chez Roberto, lui procurait invariablement un frisson de puissance et de plaisir.

— C'est pour quand? demanda Bernie, désormais alerte, concentré.

— «À paraître en été.» C'est tout ce qu'on dit.

— On n'est encore qu'en janvier, nom de Dieu! Si tu y mettais toute la gomme, tu crois que tu réussirais à...

— Aucune chance. Il ne faut pas se faire d'illusions. J'ai mis des années à me rendre là où j'en suis aujourd'hui. D'ici les épreuves, il faut compter au moins huit mois. Si tout se passe bien. Et je suis loin d'avoir à ma disposition de rares gravures sur bois...

— Mais c'est possible.

Les yeux de Bernie jetaient des reflets dorés sous leur auréole cannelle en broussaille.

— Admets au moins que c'est dans le domaine du possible.

— Même si je réussissais à...

— Nous l'appelions «Sexe en kit», se souvint Bernie.

Jack vit dans la digression l'acte de gentillesse qu'elle était en réalité.

— D'après Eartha Kitt, je suppose. Quoique, si tu veux la vérité, dit Bernie en plissant les yeux, je ne l'ai jamais trouvée aussi sexy qu'on le disait.

— Elle l'était.

— C'était avant Brenda ?

— Tout juste avant.

— Ça me revient, maintenant, dit Bernie.

— Comme un mauvais rêve, même si, en réalité, ce n'en était pas un. Un mauvais rêve, je veux dire.

Bernie hocha la tête en se mordant la lèvre ; ses doigts fins aux bouts larges palpaient le pied de son verre, et ses yeux s'adoucirent.

— Pour en revenir à l'histoire...

— Oui, fit Jack en se redressant. Où en étais-je, déjà ? C'est en voyant l'annonce du livre de Harriet que j'ai compris.

— Quoi donc ?

— C'est ici qu'elle prend fin. Mon histoire avec Harriet Post, je veux dire. Elle a été mon premier... euh... coup. Et aujourd'hui elle est la fin.

— La fin ? Je ne te suis pas.

— La fin, c'est Harriet qui, vingt ans plus tard, me prend de vitesse en publiant un livre.

— Je ne vois toujours pas où...

— C'est une fin. Une conclusion bien nette, une fatalité. Sortie tout droit de la matrice – si j'ose dire – de ce qui nous apparaît désormais comme le début et le milieu.

— Je crains fort de ne pas voir le lien de cause à effet entre d'antiques copulations universitaires et la publication, vingt ans plus tard, d'un livre sur les pratiques commerciales des Indiens...

— Justement ! Qui te parle d'un lien de cause à effet ?

— S'il n'y a pas de rapport direct, Jack, à quoi ça rime, tout ça ?

— Il n'y a pas que les liens de cause à effet dans la vie, Jack s'entendit-il dire d'une voix glacée.

— Doux Jésus, tu ne vas sombrer dans le mysticisme et la religion, n'est-ce pas, Jack ?

— Écoute. C'est très simple. Voilà des années que je m'échine à ce projet sur les Indiens. Pendant tout ce temps, elle a fait la même chose de son côté. Tu y vois une coïncidence ou plutôt une destinée historique?

— Une destinée? Tu veux que je te dise, Jack? C'est un mot que je n'aurais jamais cru entendre dans ta bouche.

— ... et voilà le résultat tangible. La fin. L'histoire.

Bernie siffla le reste de son verre, dont il lécha le bord du bout de la langue.

— Ta théorie ne serait-elle pas un peu surréaliste sur les bords? Il n'y a pas à proprement parler de début et de fin. Sur le plan mathématique, je veux dire.

— Peut-être.

Par la fenêtre, Jack contempla le crachin dans la rue.

— De toute façon, c'est la poisse.

— S'il y a une chose que je sais, c'est qu'il ne faut pas provoquer l'histoire. On ne peut pas aller à l'encontre de l'histoire.

— C'est vraiment ce que tu penses? demanda Bernie, la tête inclinée.

Ses mains formaient un Y de travers.

— Ou c'est une affirmation que tu viens de faire dans le feu du moment?

— Je ne sais pas. D'une certaine façon, je pense que j'y crois.

— Tu veux savoir ce que j'en pense, moi? dit Bernie. Ta théorie, c'est de la merde.

Il avait toutefois parlé doucement, avec compassion, avant d'abattre son poing sur la table, si fort que les assiettes avaient bondi.

Chapitre deux

Selon Jack, les hommes se préparent toute leur vie à répondre à des questions qu'on ne leur posera jamais. Ils meurent d'envie de les entendre, ces questions, et craignent de s'y être minutieusement préparés pour rien. Ils n'espèrent ni jugement ni salut. Tout ce qu'ils veulent, c'est montrer à un autre être humain la grave intimité de l'esprit qui fait tic-tac dans l'obscurité. Ils veulent être *connus*. Ce qu'ils désirent par-dessus tout, c'est que, au beau milieu d'un cocktail, un inconnu (sinon la femme dans l'ascenseur ou le barman) leur demande : êtes-vous un homme heureux ?

Heureux ? Le bonheur ? Le bonheur est relatif. Cela, Jack était disposé à l'admettre (avec un haussement d'épaules accommodant) ; en termes relatifs, il est un homme heureux ou du moins chanceux. Le hasard a fait de lui un homme sans handicaps graves ni pertes indicibles. Des preuves ? Il y en avait à la pelle. Il était en bonne santé et solvable – en 1978, la solvabilité n'allait pas de soi. Il était marié à Brenda ; combien de mariages duraient aussi longtemps que le sien ? Il lui suffisait de jeter un regard autour de lui pour se rendre compte de la rareté de sa situation. Ses enfants étaient raisonnablement normaux. *Raisonnablement* : ils n'avaient succombé ni aux drogues, ni au vol à l'étalage, ni à l'absentéisme chronique, ni aux autres maux des adolescents dont il était chaque jour question dans le journal. Il aimait son père et sa mère, qui vivaient à quelques kilomètres seulement de chez lui, et ils le lui rendaient bien, même si Jack savait que leur amour, comme celui de tous les parents, comportait des zones d'ombre. Il avait un bon ami, Bernie Koltz.

Sa vie avait son rythme propre, ses moments de satisfaction. Il était propriétaire de la maison d'Elm Park, aujourd'hui évaluée à quatre-vingt mille dollars – une somme astronomique ! –, et travaillait au bureau de Chicago de l'Institut des Grands Lacs.

Du point de vue professionnel, il y avait des vies nettement moins réjouissantes. Ces dernières se comptaient même par milliers. Un de ses voisins, Bud Lewis, vendait des produits chimiques pour le compte d'une société qui lui attribuait une cote mensuelle. Parfois, Bud arrivait premier ; parfois, il finissait au vingt-septième rang. Sans parler du père de Jack, qui, debout dans ses chaussures à semelle de caoutchouc, avait pendant quarante ans rangé des lettres dans des petites cases en bois. La retraite à soixante ans avait été pour lui une délivrance. En se rendant à l'Institut, Jack apercevait à l'occasion des équipes d'ouvriers occupés à la réfection des rues : ils travaillaient même en hiver, ces hommes trapus, au visage sombre et à la poitrine large, affublés d'un casque de sécurité et d'un veston molletonné, leurs mains rougies par le vent, leurs pieds lourds, à l'aspect inhumain, dans des bottes lacées – où achète-t-on de telles bottes ? se demandait Jack. Sous les vêtements de travail croûtés par la boue, le corps de ces hommes semblait, aux yeux de Jack, misérable et anonyme. Évidemment, ils n'étaient pas sans nom : c'était l'Amérique, ils étaient tous porteurs d'une carte de sécurité sociale, conformément à la loi. Dans ce cas, pourquoi Jack n'arrivait-il pas à imaginer les rues et les logements où ces hommes rentraient une fois leur journée de travail terminée ? (Il s'en voulait de la minceur de ses connaissances.) Un repas les attendait-il ? Quel genre de repas ? Y avait-il des meubles familiers et accueillants, de la musique, un langage bien maîtrisé se prêtant aux salutations et aux révélations, des enfants ? Bien sûr – il fallait bien que ces choses existent. Son incapacité à les imaginer s'expliquait par un défaut de perception de sa part. Il y avait forcément des femmes (quel genre de femmes ?) qui, à grand renfort de caresses, conduisaient ces hommes au bord de l'extase et de l'oubli avant qu'ils n'amorcent une nouvelle journée – à six heures du matin, dans le noir. Jour après jour, au nom du ciel. Si l'un de ces hommes grossiers et transis de froid apprenait comment lui, Jack Bowman, gagnait sa vie, il y aurait une révolution – de cela, il était certain. Cette douceur, cette sécurité, ce confort… C'était proprement incroyable. Ils n'en reviendraient pas, ces types. Ils le découperaient en morceaux à coups de pelles et de pioches, ce serait à nouveau la Révolution française, et il ne leur en voudrait pas. Parfois, à la vue de ces hommes, tandis qu'il se rendait au travail, bien au chaud dans sa voiture, il se surprenait à murmurer :

— Merci, mon Dieu, merci, mon Dieu.

C'était se moquer du monde.

Ici, dans son petit bureau d'angle, aux murs tapissés de gravures et de diplômes encadrés, où figurait aussi une photo de Brenda et des enfants, on lui permettait de passer la matinée à parcourir des notes de bas de page ou à rassembler les plus récents numéros de diverses revues. Il respectait scrupuleusement le commandement de l'Institut : « Ne produisez pas, mais tenez-vous au courant de ce qui se passe dans votre domaine. » Cet endroit n'était ni plus ni moins qu'un foutu sanctuaire. Il suffisait de franchir la porte en verre poli du rez-de-chaussée pour entrer dans un autre monde : même M. Middleton, lui dont les bonnes manières avaient la luxuriance d'une forêt tropicale, en convenait. Là, on attachait de l'importance à la fatigue et on tenait pour acquis que le loisir, loin de constituer un sujet de honte, était la condition *sine qua non* de la recherche. Ici, pas de plans quinquennaux et pas de questions. De loin en loin, une exposition mineure, à laquelle le public était invité. Le public ! Une autre farce. On tenait chaque mois une assemblée à l'occasion de laquelle étaient traités quelques points d'un ordre du jour sans surprise. Jack n'arrivait pas à comprendre comment lui étaient échus cette intimité, ces privilèges : pas de pointage, pas de fiches de présence à remplir – d'une certaine façon, par suite de quelque accident du destin, il avait trouvé un emploi en accord presque parfait avec son tempérament. À d'autres de courir en tous sens et de refaire le monde – lui n'avait qu'à consigner et à reconstruire le fil des événements.

Non pas qu'il menât une existence particulièrement opulente. Dès le départ, il avait su qu'il ne serait jamais riche, ni même franchement à l'aise. Jamais ne se matérialiseraient pour lui les voitures sport à capot bas dont il rêvait – une Ferrari rouge foncé traversa son esprit en coup de vent. Même le blouson en daim de soixante dollars qu'il s'était offert récemment tenait de l'extravagance. Le salaire des employés sans doctorat était désormais plafonné. D'ailleurs, on n'accordait plus la permanence qu'à des « docteurs ». Quand il se rendait à Detroit, à Milwaukee ou à Cleveland pour assister à des congrès ou présenter des communications au nom de l'Institut, Jack devait voyager en classe économie et, à son retour, soumettre à Moira Burke une pile de reçus pour ses repas et ses taxis. (Un comité de dotation, de riches représentants de l'industrie de la transformation de la viande, pour la plupart, épluchait les dépenses de l'Institut deux fois par année.) Il partageait une secrétaire, aujourd'hui en vacances au Colorado, avec deux collègues : Calvin White (géologie) et Brian Petrie (anthropologie culturelle). Son bureau était petit et modeste. En réalité, il s'agissait plutôt d'un espace cloisonné au milieu de nombreux espaces identiques : moquette gris moyen et bureau en métal (seul M. Middleton avait droit à un meuble de distinction – une antiquité en bois d'acajou aux proportions gigantesques). À l'Institut, la lumière, d'une blancheur généralisée et sans source apparente, était aveuglante. Le fauteuil de Jack était réglementaire, quoique plutôt confortable : au retour de chez Roberto, le vendredi après-midi, il lui était parfois arrivé de s'y endormir. Il n'y avait qu'une seule fenêtre, sans rideaux, mais munie d'un propret store vénitien : elle surmontait l'avenue Keeley, artère large, laide et encombrée de voitures.

Le bureau de M. Middleton, ouvrant sur la réception où officiait Moira Burke, était plus vaste que celui de Jack, de Calvin White et de Brian Petrie. Plus grand et mieux situé, à l'extrémité nord de l'immeuble, au-dessus d'un minuscule parc d'un vert fuligineux. En s'étirant le cou, on apercevait une étroite bande du lac Michigan à l'horizon. La moquette grise s'arrêtait au seuil du bureau de M. Middleton, où elle faisait place à du bois poli et à un tapis indien aux riches teintes de rose et de bleu. Les yeux rivés sur ce tapis, Jack, en respirant l'air fraîchement filtré, attendait le retour de M. Middleton, sorti manger.

— Il ne devrait pas tarder, dit Moira Burke. Vous pouvez l'attendre, si vous voulez.

Il l'examina attentivement, encore un peu pompette après tout le vin qu'il avait ingurgité. Elle lui sourit gaiement et il se souvint que le lundi suivant serait son dernier jour de travail : son mari et elle allaient prendre leur retraite en Arizona.

— Un dernier coup de collier, lui dit Jack, par politesse. Quel effet ça fait ?

— Moitié-moitié, répondit-elle.

Elle polissait les tablettes en chêne de M. Middleton.

Jack lui lança un regard perplexe. Moira avait une silhouette avantageuse, un derrière bien ferme. D'épais cheveux foncés. En fait, elle était plutôt belle. Pour son âge. Cinquante-cinq ans ? Dans douze ans, c'est lui qui aurait cinquante-cinq ans.

— Je suis à moitié contente et à moitié triste. Je vais m'ennuyer, dit-elle en s'interrompant et en faisant un geste comique avec son linge, de cet endroit.

— Mais vous êtes tout de même à moitié contente ?

— Oui, bien sûr. Bradley a besoin de changement. Nous en avons tous besoin, j'imagine. Je suis ici depuis tellement longtemps que je fais partie des meubles.

Lui tendait-elle une perche ? Brian Petrie et d'autres laissaient entendre qu'elle se montrait parfois susceptible.

— À ce que je sache, aucun d'entre nous ne vous a jamais considérée comme faisant partie des meubles, lui dit-il.

— Hmmmm.

Elle redressa un livre, consulta sa montre.

— Je me demande ce qui le retient. Normalement, il est de retour à deux heures. Un empêchement, sans doute. Cette fichue pluie.

— Vous n'aurez pas ce problème-là à Phœnix.

— Tucson.

— Exactement. J'avais oublié.

— Vous voyez ? C'est en plein ce que je voulais dire.

Elle se retourna vers lui.

— Je fais partie des meubles.

Jack était trop saisi pour répondre. Qu'avait-il dit de mal, au juste ?

— Je m'excuse, Moira. Je me souviens maintenant que c'est à Tucson que vous allez.

Les yeux de Moira se remplirent de larmes et elle hocha violemment la tête. À son cou, des chaînes en or lancèrent des éclats.

— Les nerfs, dit-elle à Jack pour s'excuser.

Elle trouva la force d'esquisser un sourire.

— Préparer Mel à prendre la relève, ça m'a épuisée.

Jack hocha la tête. Un jeune homme aux cheveux blonds coupés à l'épaule remplaçait Moira. M. Middleton en avait fait l'annonce à l'occasion de la dernière réunion du personnel. « Les secrétaires de sexe masculin sont de retour, leur avait-il dit, signe certain que l'histoire se répète. Nous voilà de retour au dix-huitième siècle. »

— Les derniers mois ont été éprouvants. Il a fallu vendre la maison. Vous savez ce que c'est.

— Bien entendu.

Il ne savait pas que Moira avait une maison.

— Les nerfs, vous dis-je, rien de plus.

Elle s'épongea les yeux.

— Je peux vous offrir quelque chose, Moira ? Un café de la machine ?

— Je vais bien, merci.

Elle consulta de nouveau sa montre.

— Je l'attends d'une minute à l'autre.

— Je le verrai lundi matin. Nous avons rendez-vous à dix heures trente. Au sujet du chapitre auquel je travaille.

— Je lui ferai le message dès son retour. C'est urgent?

Jack avait apporté le numéro du *Journal*. Il voulait faire voir à M. Middleton la mention du livre de Harriet Post. Vous avez vu ça? avait-il eu l'intention de demander, dans l'attente de la réponse posée, philosophique et rassurante de M. Middleton. Il avait hâte d'entendre son patron balayer la catastrophe du revers de la main, l'assurer de l'inévitable insignifiance de cette Harriet Post. « Une dissertation de bonne femme », Jack l'avait-il entendu dire un jour. Mais M. Middleton n'était toujours pas rentré. Il risquait d'être absent pendant encore une heure ou deux. À l'Institut, les vendredis après-midi étaient extrêmement décontractés.

— Eh bien? demanda Moira.

— Rien qui ne puisse attendre.

— Soit dit en passant, votre femme a téléphoné, ce matin.

— Brenda?

— J'ai laissé un message sur votre bureau. Vous ne l'avez pas vu, je suppose.

— J'étais sorti manger. Je viens de rentrer.

— Bien sûr. Vous allez au restaurant le vendredi, n'est-ce pas? Votre femme voulait vous rappeler de passer prendre les billets. Elle a dit que vous comprendriez.

— Les billets, oui, bien sûr. Merci, Moira.

— Bon week-end.

— Vous aussi. Sincèrement.

Chapitre trois

Les billets pour vendredi soir : en dépit du rappel de Brenda, Jack avait oublié de passer les prendre. Ils étaient en train de manger, du flétan accompagné de courgettes et de champignons, quand il s'en était enfin souvenu.

— De toute façon, je suis trop fatiguée, décréta Brenda.

Ses règles étaient imminentes. D'ailleurs, elle partait pour Philadelphie le lendemain matin ; elle avait passé la journée à faire ses bagages.

— J'aime autant laisser tomber.

— Tu es sûre ? demanda Jack en se servant de salade. C'est le dernier soir.

— Certaine.

Merci, mon Dieu, songea Jack. Brenda et lui ne manquaient jamais une représentation du théâtre amateur d'Elm Park, mais il ne se sentait pas d'attaque pour *Hamlet*. Pas ce soir. Les fauteuils étaient durs comme de la pierre – la troupe avait installé ses pénates dans l'ancien gymnase de l'école Roosevelt – et quelqu'un avait dit à Jack que Larry Carpenter faisait un bien piètre Hamlet ; il jouait trop gros, au-dessus de ses moyens, et monopolisait toute la scène. C'était prévisible.

— Et si M. Carpenter veut savoir ce que tu as pensé de la pièce ? demanda Laurie, sa fille.

Elle venait d'avoir douze ans et, comme tous les jeunes de son âge, disposait d'une sorte de sixième sens lui permettant de détecter les embarras possibles.

— De toute façon, le type est un crétin, déclara Rob.

— Pourquoi dis-tu ça ?

Jack lança un regard incendiaire à son fils, notant au passage sa mauvaise posture d'adolescent et le geste théâtral avec lequel il avait rejeté par-derrière ses longs cheveux sombres. Dire que j'ai déjà aimé ce garçon, songea Jack.

— C'est un imbécile, dit Rob d'un air maussade en contemplant sa fourchette.

Pour qui diable te prends-tu, toi ? aurait voulu crier Jack. Lui-même ne portait pas trop Larry Carpenter dans son cœur, mais les jugements à l'emporte-pièce de son fils lui déplaisaient souverainement. Et il s'imaginait sans mal ne pas faire meilleure figure que Larry Carpenter au palmarès de son fils – mon père n'est qu'un crétin de la pire espèce, une andouille de première classe.

— Je l'aime bien, moi, fit Laurie, inquiète. D'une certaine façon.

— Il se prend pour le nombril du monde, pour un grand reporter. Vous l'avez vu au volant de sa Porsche ? Il faut toujours qu'il fasse crisser les pneus dans l'entrée.

La jalousie. C'était donc ça. Jack aurait dû s'en douter. Larry Carpenter, leur voisin immédiat, conduisait une Porsche flambant neuve tandis que lui se contentait d'une Aspen vieille de trois ans. Un cas de jalousie pure et simple. Se pouvait-il aussi que Rob cherche gauchement à protéger son père ? Probablement pas.

— Qu'est-ce que vous allez lui dire s'il vous pose des questions sur la pièce ? répéta Laurie.

— Nous allons inventer quelque chose, dit Brenda.

Elle avait le regard calme et détaché – demain, elle serait loin de tout ça. Chanceuse.

— Ce fichu poisson est sec, dit Rob. Pourquoi est-ce qu'on mange toujours du poisson ?

— Le mien n'est pas sec, dit Laurie.

— Tiens, mets un peu de sauce tartare.

Brenda lui tendit le bol.

— Il y a de la moisissure dedans.

— C'est du persil, dit Brenda.

Quel calme. Comment faisait-elle? Ne voyait-elle pas que le comportement de Rob était devenu intolérable? C'est juste une phase, disait-elle. Il a quatorze ans, ça va passer. Mais quand?

Le problème, c'est que les enfants ne se rendaient pas compte de la chance qu'ils avaient. Ils étaient forts et en santé. Se donnaient-ils jamais la peine de comparer leur état de santé et leur intellect à ceux de Sarah, la fille de Bernie, qui vivait à l'état végétatif à l'hôpital de Charleston? Ses enfants avaient trois repas complets par jour, des parents permissifs et aimants, ils vivaient dans une belle maison. Brenda et lui, en revanche, avaient grandi dans des appartements en ville : Brenda et sa mère – à l'époque, leur mère s'appelait encore Brenda Pulaski – louaient un trois-pièces au-dessus d'une blanchisserie à Cicero, tandis que la famille de Jack occupait six pièces dans une maison à trois logements en face du parc Columbus. En fait, la maison d'Elm Park était la première véritable maison où vivait Jack.

Le jour où ils avaient emménagé – cet été-là, Rob était encore un bébé –, Jack avait parcouru les pièces vides en contournant les déménageurs, sûr d'être une mauviette, mais triomphant. «Mon domaine, mon domaine», murmurait-il pour lui-même, bercé par la musique des mots. Mon rebord de fenêtre, ma porte principale. Les clôtures, les haies, les gouttières, les portes, les rampes, les vignes – tout cela dénotait une intimité que ni Brenda ni lui n'avaient connue jusque-là. Il y avait aussi des arbustes d'une densité agréable, séduisante, un paisible duvet crépusculaire sur les pelouses humides et les massifs de fleurs scrupuleusement entretenus. Les lourdes voitures produites par General Motors qui sortaient des entrées d'Elm Park le dimanche matin, peu avant l'office de onze heures, avaient fini par convaincre Jack que l'esprit de l'Amérique de l'après-Viêt Nam n'était pas corrompu. Une certaine Amérique persistait, au mépris des idées reçues; des

hommes et des femmes graves, discrets et contemplatifs s'acquit-
taient de leurs obligations et guidaient leurs enfants sur la voie de
la productivité. (Des voisins du pâté de maisons suivant étaient
abonnés au magazine *Encounter;* on l'avait un jour livré chez les
Bowman par erreur.)

La première chose qu'il avait faite, une fois la famille installée,
avait été de nettoyer le bord des massifs de fleurs du jardin.

— Si, par « classe moyenne », on désigne les personnes qui
arrosent leurs tulipes, avait-il dit à Bernie Koltz, la classe moyenne
a peut-être du bon.

La remarque avait laissé Bernie de glace ; non sans raison, s'était
dit Jack, à l'époque, puisqu'elle s'inspirait d'un récent article du
magazine *Atlantic.* À l'occasion, il se voyait ainsi mis devant sa
propre imposture, qui le plongeait chaque fois dans la consternation. Doux Jésus !

— Je veux vivre ici le reste de ma vie, avait déclaré Brenda,
l'année de leur installation, en désignant de ses bras nus les plinthes
en bois verni et les radiateurs en fonte.

Huit pièces à eux tout seuls – son père lui avait dit qu'il était fou
de s'encombrer d'une hypothèque à son âge – au 576, boulevard
Franklin Nord, maison à étage en briques « couleur betterave »,
pour reprendre une expression de Brenda.

Au moment de leur emménagement, Bernie avait prévenu Jack
et Brenda qu'ils risquaient d'avoir des républicains comme voisins,
mais Jack avait eu le coup de foudre. Elm Park était la plus ancienne
des banlieues de Chicago (et celle qui ressemblait le moins à une
banlieue, avait dit à Brenda la femme de M. Middleton en hochant
la tête d'un air entendu). Le nom des rues même débordait d'une
sorte d'idéalisme à tous crins. Le boulevard Franklin Nord croisait
Emerson et Horace Mann. Bud et Hap Lewis vivaient derrière eux,
rue Oliver Wendell Holmes. Brenda faisait les courses dans les
boutiques de la rue James Madison. Pour se rendre au travail, Jack
empruntait le boulevard Shakespeare et rentrait par l'autoroute
Eisenhower, sa journée de travail coincée entre le poétique et le

pragmatique, ainsi qu'il l'avait répété cinq ou six fois à l'occasion de soirées – remarque qu'il s'était plus tard amèrement reprochée en faisant le vœu qu'on ne l'y reprendrait plus.

Ses enfants, Rob en particulier, appréciaient-ils à leur juste valeur les bonnes écoles, les avenues-jardins proprettes et verdoyantes, les aires de jeux surveillées, la renommée Société Handel, la troupe de théâtre amateur raisonnablement accomplie qui, en ce moment même, donnait *Hamlet* avec Larry Carpenter dans le rôle titre ? Sûrement pas.

— J'aime mieux Mme Carpenter que M. Carpenter, dit Laurie, la bouche pleine de courgette.

— Une blonde simplette, dit Rob.

— Je ne dirais pas ça, fit Brenda, tout doucement.

— Vous n'avez donc rien d'intéressant à dire ? risqua Jack.

— Au moins, les chiens des Carpenter sont gentils, dit Laurie. Surtout Cronkite.

— Ce sale cabot ? C'est un sac à puces. Ils ont des puces tous les deux.

— Tous les chiens ont des puces, dit Brenda, placide, en se levant pour débarrasser la table.

Une mèche de cheveux bruns lui barrait un œil.

Jack la suivit à la cuisine. La prenant dans ses bras par-derrière, il glissa les mains sous son pull, là où la peau était tiède.

— C'est seulement une semaine, dit Brenda en se retournant, souriante.

— Je sais, je sais.

Plus tard, dans le salon, ils regardèrent un vieux film de Barbra Streisand. Rob était avachi langoureusement dans un fauteuil, mais il tint sa langue, tandis que Laurie, en robe de chambre, bâillait. Contre toute attente, la soirée fut remarquablement paisible. À une ou deux reprises, Jack avait été sur le point de parler à Brenda du livre de Harriet Post, mais il s'était retenu par crainte de compromettre cette rare tranquillité. Ils mangèrent des pommes, des craquelins et du fromage. Avant minuit, ils étaient tous au lit.

Chapitre quatre

Tôt le samedi matin, Brenda prit l'avion pour Philadelphie, où se tenait l'Exposition nationale d'artisanat. Pour le soir, elle leur avait laissé un riz à l'espagnole garni de fromage.

— Après, à toi de te débrouiller, dit-elle à Jack à l'aéroport.

Elle avait parlé fermement, mais avec l'intonation douce qui lui était propre. Elle portait un nouvel imper rouge à la doublure amovible orné d'œillets et de surpiqûres, dont elle avait noué la ceinture avec soin. Elle avait fait teindre ses cheveux courts et brun clair un ton plus pâle que d'habitude. Lavés de frais et séchés, ils se soulevaient comme la fourrure d'un petit animal. Exubérante et étourdie, elle donnait à Jack l'impression d'être pailletée de nerfs. Elle parlait sans arrêt.

— Je vais téléphoner mardi soir, Jack. Pour prendre de vos nouvelles. Tu as le nom de l'hôtel, hein ? C'est le Franklin Arms. Je te l'ai mis sur le tableau de la cuisine.

— D'accord.

— Bon, bon, gémit-elle, un peu comme si elle chantait, songea Jack, où est-ce que j'ai fourré ma carte d'embarquement ? Je l'avais il y a une minute et... Ah ! la voici. Laurie peut préparer des crêpes un soir, elle adore ça. Ça l'occupera. En cas de force majeure, il y a toujours le bon vieux Colonel Sanders, et je ne vois pas pourquoi Rob ne mettrait pas la main à la pâte. Qui sait, les Lewis vont peut-être vous inviter, un soir, mais je n'en suis pas sûre, ils sont très pris en ce moment. Et il y a la réception chez les Carpenter, ce soir, si tu décides d'y aller, bien entendu. S'il y a quoi que ce soit, tu peux toujours me joindre, Jack, Philadelphie n'est tout de même pas à l'autre bout du monde. En cas d'urgence – touchons du bois –, mais au cas où... De toute façon, fit-elle en inspirant bruyamment et en lui décochant un bref sourire éblouissant, tu vas écrire des pages et des pages, sans moi pour te déranger à tout bout de champ.

Aux yeux de Jack, la dernière remarque, que Brenda avait formulée gaiement, pour se moquer d'elle-même, semblait plutôt destinée à l'amadouer.

— Ne t'en fais pas pour le livre, dit-il, regrettant aussitôt le ton acerbe et mesquin de la remarque.

— Je ne m'en fais pas pour le livre, dit-elle. C'est toi qui t'en fais.

— Oui, et c'est aussi moi qui l'écris.

— Tout ce que je dis, c'est que la Terre ne va pas s'arrêter de tourner si tu ne le finis pas.

Était-ce un désaveu? se demanda-t-il. Ou l'effet d'un sixième sens? Il aurait dû lui parler de l'annonce dans le *Journal*.

— À ce propos, je voulais te dire hier que...

— C'est mon vol qu'on a annoncé, Jack? Tu as entendu? Je n'entends jamais rien, moi. C'est comme si tous les mots étaient collés les uns aux autres. Ça fait drôle, hein, que ce soit toi qui me dises au revoir et non le contraire? Est-ce qu'on a annoncé le vol 452? J'ai l'impression que oui. Bon, en tout cas, on se voit jeudi. À sept heures, d'accord?

Bouche fermée, elle lui donna un baiser nerveux, distrait. Comme Jack devait souvent s'absenter pour son travail à l'Institut, ils avaient l'habitude des brèves séparations.

— Bonne chance! lança-t-il dans le dos de Brenda, conscient de manquer de chaleur humaine.

Il aurait fallu trouver une façon de souligner son départ. Lui apporter des fleurs, par exemple. Pourquoi pas? Était-ce ce qui se faisait dans ces cas-là? Ou seulement à l'occasion des voyages en paquebot? Il jeta au coup d'œil autour de lui. Pas une seule fleur en vue. Rien du tout.

Pauvre Brenda. Il se rendit compte, tout d'un coup, que, au cours de ses quarante années d'existence, elle n'avait pratiquement jamais voyagé seule. Interrogée sur ses préférences, quelques instants auparavant, elle avait répondu :

— Section non-fumeurs, s'il vous plaît.

Le préposé, consultant son diagramme, s'était déclaré au regret de n'avoir que des places au milieu à lui proposer. Brenda, le menton retroussé, gaie et aimable, avait déclaré :

— Tant pis. Pourvu que j'aie un hublot.

— Mais non, Brenda, s'était interposé Jack. Il vient de te dire qu'il n'y a plus de sièges côté hublot.

— Ah bon, avait-elle fait en haussant les épaules, résignée. Tant pis.

Elle avait une façon de hausser les épaules avec la voix, sorte d'étirement des voyelles typiquement slave grâce auquel elle passait pour une femme extrêmement raisonnable auprès de ses amies. Elle pouvait aussi, à son gré, remplacer cette amabilité ouverte, béante, par une sensibilité étonnée, subite, à vif – et Jack l'avait parfois vue changer de registre au beau milieu d'une phrase.

Aujourd'hui, en la voyant déposer son sac à main en cuir sur le convoyeur du poste de sécurité et franchir d'un pas hésitant, prudent, le portique du détecteur de métal, il avait ressenti des picotements de tendresse. Là, au beau milieu du cadre, elle s'était retournée lentement pour le saluer de la main, d'un air incertain, comme si elle venait subitement de prendre la mesure du danger et de la séparation qui la guettaient. Jack l'avait à son tour saluée avec de grands gestes un brin excessifs et, pour une raison qu'il ne s'expliquait pas, lui avait fait le salut du boxeur.

Le voyant, elle avait haussé les épaules bien haut, les bras écartés, en signe d'impuissance. Elle souriait. Qu'est-ce qui pouvait la faire sourire – l'idée absurde qu'elle puisse avoir sur elle une bombe, une arme à feu ou un cylindre rempli d'héroïne ? N'est-il pas ridicule, semblait-elle s'étonner en franchissant le portique, n'est-il pas grotesque que je me trouve ici, sous ce faux portique

– si manifestement artificiel qu'on se croirait au théâtre –, à me faire bombarder de rayons X, moi, Brenda Bowman?

Les départs et les arrivées plongeaient Jack dans la déprime. L'amalgame troublant de l'important et du banal faisait naître en lui un brusque sentiment de trahison. Pourquoi fallait-il que l'archétype même du solennel soit contrecarré par l'insignifiante confusion marchande des boutiques hors taxe et des scanneurs mécaniques? En principe, les adieux étaient des événements d'une immense portée mythique. Les voyages – il songea à la dernière expédition de LaSalle sur le Mississippi – devraient imposer de vastes plages de silence au lieu de ce va-et-vient bruyant, amplifié et avide de corps humains. Pas de fleurs, pas de fanfare, pas de drapeaux agités ni même d'embrassades dignes de ce nom. Il abhorrait tout particulièrement O'Hare et la lutte publique acharnée que l'aéroport menait pour demeurer propre et contemporain. Qui cherchait-on à duper? On aurait beau passer le balai cinquante fois par jour, on ne réussirait jamais à débarrasser les lieux de tous les emballages de gomme à mâcher. Des brûlures de cigarette grêlaient les surfaces en vinyle indestructible; quelqu'un avait tailladé au rasoir une des chaises à la Mies van der Rohe. Quelqu'un d'autre – un crétin, un voyou – avait tordu une branche d'un palmier artificiel qui pendouillait grotesquement. De légers relents de graisse de hamburger traversaient l'aire des départs, et quelque chose de louche, de las, de bleu, de carnavalesque faisait plisser les paupières de la fille qui vendait des assurances. *Trois malheureux dollars sur le précieux corps de ta femme et toi, Jack Bowman, tu pourrais être un homme riche.* Ouais?

Il résista comme toujours à l'attrait des assurances. Sa réticence s'expliquait peut-être par la superstition, et d'ailleurs il avait une foi absolue dans l'indestructibilité de Brenda.

— Je vais vivre jusqu'à cent ans, avait-elle déclaré plus d'une fois, sans la moindre trace d'humour, mais au contraire avec une conviction saisissante, profonde.

Jack songea au sac à main de Brenda, transpercé par les rayons X et ne révélant sur un écran distant qu'un inoffensif méli-mélo : des pièces de monnaie, des rouges à lèvres, une lime à ongles, un calepin spiralé. Ils étaient tous là, les talismans familiers qui la gardaient en sécurité. En esprit, il vit le corps écartelé de Brenda balayé par l'œil mécanique : le crâne, les vertèbres, les bras, les jambes, canevas d'os lumineux d'où dépassaient çà et là une alliance, une épingle à cheveux, une épingle de nourrice égarée – bon, d'accord, disons qu'il n'y a pas d'épingle de nourrice.

Le corps de sa femme, le corps de Brenda ; sur le chemin du retour, dans la circulation clairsemée du samedi matin, son évocation retint instamment l'attention de Jack : sa familiarité, sa subtile odeur de résine et sa musculature frêle, mais affirmée, lui conféraient un côté à la fois industrieux et lointain, tant que son corps était difficile à imaginer. (Celui de Harriet Post, paradoxalement, avec sa peau légèrement rugueuse et ses articulations molles, était gravé dans la cervelle de Jack.) Après toutes ces années, percevait-il encore le corps de Brenda, se demanda-t-il, ou la perception qu'il en avait se résumait-elle désormais au toucher, à la sensation, à l'abstraction et au souvenir ? Il avait touché son corps de mille et une façons. Vingt années, en fait, d'attouchements très précis. Et pourtant, suspendue dans l'arc du détecteur de métal et mitraillée de rayons X, Brenda, ce matin, lui avait semblé – l'espace d'un instant – dépossédée de son corps, comme si quelque fluide vital avait fui, l'aplatissant, lui donnant, un instant, l'apparence de la femme de quelqu'un d'autre, vêtue d'un imper rouge et agitant la main en direction de son mari balourd et anonyme qui, absurdement, inutilement, serrait les poings en signe de victoire ; oui, c'était un homme de quarante-trois ans (encore vert en dépit d'une légère et insidieuse calvitie) qui, avec son visage large et lisse, appartenait indubitablement aux professions libérales, vagues et indistinctes ; un homme au regard direct, oui, un homme aux réflexes lents. Il avait laissé retomber ses mains et, ce faisant, avait eu une image très nette de lui-même : un homme du samedi matin aux traits doux, marié et père de famille, responsable, honnête, un rien à l'étroit dans son imper brun clair, un homme que rien ne distingue, sinon l'anneau invisible qui le lie à la femme qu'il vient de déposer à l'aéroport, la femme à l'imper rouge. Le mari de la femme à l'imper rouge.

Cramponné au volant, il s'efforça, avec minutie et délibération – il tirait une certaine vanité de ses fantasmes, de leurs couleurs et de leurs secrets –, d'imaginer le doux intérieur des cuisses de Brenda. (Il commençait toujours par les cuisses.) Blanc-bleu, tendre au toucher, mais d'une fermeté spongieuse particulière. Ses pouces tournaient sur eux-mêmes, remontaient vers les replis de chair imaginés, s'avançaient à tâtons vers les triangles de peau tendue au-dessus du doux, du doux à la fois résistant et tendre. Ne bouge plus, ça vient. Le corps de Brenda reprenait forme, apparaissait un membre à la fois : peau lustrée, coalescence ferme, présence préalable distinctive de – quoi, au juste ? – de laitue fraîche, de laitue Boston ? Ou d'autre chose.

Feu rouge. Il freina brusquement. Un fin crachin barbouillait le pare-brise et un vent violent donnait sourdement contre le flanc de la voiture. L'année prochaine, tempêta-t-il, dès que le livre sera terminé – à supposer que je le termine un jour –, je me débarrasse de ce tacot et j'achète une voiture qui a du tonus, une voiture qui bondit quand le feu passe au vert. Vroum !

Chapitre cinq

Il y avait un peu plus de quatre ans que Brenda s'était mise aux courtepointes. Comme le temps avait filé! Jack ne se souvenait plus des circonstances exactes – tiens, encore des débuts flous –, mais c'était forcément sous le coup de l'ennui, de l'oisiveté ou peut-être d'une réaction excessive, mi-conformiste, mi-courroucée, aux innombrables magazines féminins qu'elle donnait l'impression de lire à l'époque («Comment imprégner votre foyer de votre moi essentiel», «Comment égayer une pièce sans âme») qu'elle avait décidé de confectionner un couvre-lit pour Laurie, alors âgée de huit ans.

Brenda avait assemblé les carrés d'une manière prudente, primitive, presque puérile. Jack se souvenait encore du jour où Brenda, un sourire fugitif aux lèvres, était venu le prendre par la main, tôt un soir, pour lui faire voir à l'étage le fruit de ses efforts. Jack était résolu à se montrer généreux. (À l'époque, Jack croyait fermement en sa propre générosité, avatar coupable, sans doute, des torrents de générosité qui émanaient en permanence de M. Middleton, croyance qu'il considérait aujourd'hui comme légèrement rustre, voire surannée, mais qui, à l'époque, lui avait semblé humaine et productive.) En l'occurrence, la courtepointe de Brenda l'avait pris par surprise. De l'agencement des roses, des orangés et des mauves naissait une vivacité dansante, qu'on aurait presque dite électroniquement chargée. Dans la petite chambre sombre de Laurie, qui occupait le coin nord-est de la maison, remplie à ras bord de meubles Ethan Allen – pupitre, commode, étagères –, la nouvelle courtepointe s'imposait, sautait littéralement aux yeux.

— Très joli, lui avait-il dit. Magnifique, même.

— Brenda, avaient dit ses amies en voyant la courtepointe, on dirait bien que tu as trouvé ta voie.

— Brenda est une artiste, avait un jour dit Hap Lewis à Jack en abattant devant lui une main de bridge. Pas une artisane comme nous autres péquenaudes. Une artiste.

D'emblée, il l'avait encouragée. Les enfants, qui fréquentaient l'école depuis des années, commençaient à avoir une vie propre, du moins il l'espérait. Quant à lui, son travail à l'Institut le tenait relativement occupé. Il avait présenté un certain nombre de communications sur les expéditions de LaSalle et travaillé sur les peuplements indiens. Il s'était dit que le moment était enfin venu de se mettre à son livre. C'était maintenant ou jamais. À l'époque, il ne s'inquiétait pas consciemment pour Brenda, même s'il avait relevé certains signes préoccupants : la mort de sa mère l'avait beaucoup secouée. Depuis qu'elle avait célébré son trente-cinquième anniversaire, ses tendances compulsives s'étaient accentuées, et elle était même devenue un peu exigeante, quoique, au lit, son ardeur et sa confiance en elle s'amenuisaient un peu plus chaque jour. Elle repoussait ses cuticules en regardant la télévision et semblait passer un temps démesuré dans les magasins. Au cours de cette période, Jack était parfois tombé sur les listes de courses de Brenda, punaisées au tableau de la cuisine : mesurer lacets, retourner manteau, dentifrice, bureau de poste. Par un samedi matin terrible et mémorable, quatre ans auparavant, elle était allée chez Stevens au centre-ville afin d'acheter six serviettes pour la salle d'eau du rez-de-chaussée. À son retour, elle s'était rendu compte qu'elles n'étaient pas de la bonne teinte de bleu, qu'elles étaient trop violettes, trop foncées. Sa réaction ? Elle avait sangloté longtemps, avec férocité et impuissance. Allongé près d'elle sur le couvre-lit rayé de leur chambre à coucher, Jack l'avait tenue dans ses bras en murmurant dans ses cheveux les formules de réconfort qui avaient fait leurs preuves avec Rob et Laurie :

— Là, là. Tout va bien. Ça n'a pas d'importance.

Il se sentait coupable à l'idée que Brenda investît tant d'énergie sincère dans de pareilles vétilles. Était-il à blâmer ? La ménopause – à quel moment débutait-elle ? Pas avant quelques années, mon Dieu, je vous en prie. Il ne se résignait pas à la pensée de ce terrible inconnu et des aberrations frémissantes qui allaient gonfler sa pauvre Brenda comme un ballon, faire d'elle une matrone aux seins tombants et à la mâchoire carrée, pomper des hormones délétères dans les veines fines à l'arrière de ses genoux de petite fille, genoux qu'il avait embrassés – pas tout de suite, s'il vous plaît. (La crise de larmes avait fini par cesser ; ils avaient pris un long bain ensemble, porte verrouillée. Plus tard, ils avaient emmené les enfants chez McDonald, où ils avaient mangé des hamburgers dans un état d'épuisement vertigineux.)

En fait, Jack avait été heureux de voir Brenda s'intéresser sérieusement aux courtepointes, surtout à l'évocation des solutions de rechange. Pendant un certain temps, elle avait caressé le projet de redevenir secrétaire. Elle avait même passé une semaine ou deux dans le cabinet de travail à piocher sur la vieille Remington de Jack. En fin de compte, elle avait renoncé : elle était trop rouillée ; elle devrait s'habituer aux nouvelles machines à écrire électriques ; par-dessus tout, l'entreprise lui semblait incroyablement fastidieuse. Sans compter que taper à la machine lui donnait mal au dos.

Ça vaut mieux, avait songé Jack. Je n'ai rien d'un snob, avait-il déclaré, et je suis autant que quiconque conscient de la valeur d'une bonne secrétaire. Mais l'idée que Brenda retourne au métier qu'elle avait quitté à la naissance de Rob lui faisait l'effet d'un gaspillage éhonté. Les cycles, quels qu'ils soient, l'effrayaient. Il avait hérité de son père la croyance qu'il ne faut jamais faire marche arrière, relire un livre, louer le même chalet deux années de suite, revenir sur ses pas à partir du moment où il existe un autre chemin. La vie

était trop courte, répétait son père. À trente-cinq ans, Brenda disait
la même chose : la vie était trop courte pour qu'elle la passe devant
une machine à écrire, surtout que la confection de courtepointes
lui procurait de vives satisfactions.

Jack était d'accord. L'idée des courtepointes, qui conciliaient
l'utilitaire et le plaisir visuel, l'enchantait plutôt. Il arrivait à moitié
à comprendre la satisfaction que Brenda tirait de l'assemblage de
centaines de pièces distinctes selon un modèle établi d'avance. À
cet égard, avait-il dit à Brenda, l'art de la courtepointe n'était pas
si différent du travail qu'il faisait sur les pratiques commerciales
des Indiens. (L'analogie avait fait sourire Brenda – ce qu'il pouvait
être bête, parfois !) Aux yeux de Jack, la confection de courtepointes
avait quelque chose de plus substantiel que les travaux d'aiguille
auxquels sa mère s'adonnait à l'occasion – toutes ces têtières, tous
ces oiseaux piqués dans de minuscules cadres. C'était plus qu'une
simple question de fabrication ou d'échelle – l'attitude était différente. La confection de courtepointes avait en soi quelque chose
de généreux : on offrait le fruit de ses efforts aux nouvelles mariées,
on s'en servait pour couvrir les enfants ou pour emmailloter les
jambes des vieillards et des invalides. D'ailleurs, c'était une forme
d'artisanat moins délibérée, moins abstraite, moins affectée que le
batik, l'émail sur cuivre ou la sculpture que pratiquaient certaines
des amies de Brenda. Aux yeux de Jack, les pièces murales de Hap
Lewis, toutes en nœuds et en boucles de laine, évoquaient des
fonctions corporelles obscènes. Les courtepointes, en revanche,
s'appuyaient sur une tradition qu'il savait apprécier en tant qu'historien, le Nouveau Monde et son audace, amalgame de l'utilitaire
et du décoratif, au diapason du passé, mais aussi en harmonie avec
la psychologie de la récupération en vogue dans les années soixante-
dix, et cætera, un artisanat, avait-il un jour dit à Bernie, aux résonances historiques profondes. (Sous leur armure, les chevaliers
du Moyen-Âge portaient des courtepointes pour se tenir au chaud
et prévenir les irritations cutanées. Dans sa prison, Marie, reine
d'Écosse, faisait des courtepointes pour tuer le temps.)

À Noël, Jack avait offert à Brenda un livre d'histoire illustré relativement coûteux portant sur l'art de la courtepointe aux États-Unis. C'est lui qui lui avait parlé des cours offerts à l'Art Institute, lui qui l'avait pressée de s'y inscrire. Elle avait hésité : elle n'aimait pas conduire le soir, surtout au centre-ville ; de toute façon, les cours coïncidaient avec ses soirées de bridge.

— Qu'est-ce que tu as à perdre ? lui avait demandé Jack. Qui sait ? Un jour, tu pourrais même en faire un métier, avait-il ajouté à tout hasard.

Elle avait fini par y aller. Deux de ses amies s'étaient inscrites avec elle, mais seule Brenda avait tenu le coup jusqu'au printemps. L'année suivante, son projet, *Forêt d'épinettes,* avait remporté le premier prix au Salon des métiers d'art de Chicago. Brenda avait vendu la courtepointe six cents dollars.

Six cents dollars ! Jack avait été renversé – même s'il avait réussi à cacher sa stupéfaction à Brenda – de constater qu'on pût verser une telle somme pour une courtepointe.

— Incroyable, avait-il dit à Bernie Koltz, un midi. Six cents dollars pour une courtepointe.

Plus étonnant encore, le couple qui en avait fait l'acquisition, un humoriste assez connu et sa femme chanteuse, avait l'intention non pas de mettre la courtepointe sur un lit, mais plutôt de l'accrocher à un mur du salon de leur résidence, dans la vieille ville.

— À la vue de cette courtepointe, avait dit l'humoriste à Jack en trinquant avec lui pendant la réception, j'ai l'impression d'entrer dans un cube vert d'une pureté absolue.

La nonchalance avec laquelle Brenda s'était séparée de *Forêt d'épinettes* (« Salut, vieille branche, avait-elle dit en emballant la courtepointe dans du papier de soie avant de la fourrer dans une caisse qui renfermait autrefois des ananas Del Monte) avait obligé Jack à réviser l'image qu'il se faisait d'elle à titre de collectionneuse sentimentale de petits riens : Brenda et ses photos de noces, ses photos de bébé, ses boîtes remplies de cartes d'anniversaire et de vieux programmes de théâtre – où tout cela était-il passé ? se demandait-il ; où était passée la Brenda d'antan ? Sa réussite, au lieu de l'écraser sous le poids de la solennité, avait semblé ouvrir en elle les vannes d'une joie nouvelle, investir ses gestes quotidiens, ses allées et venues, d'une effronterie espiègle. Elle avait balancé son premier prix (un certificat sur lequel son nom, Brenda Bowman, figurait au centre d'un cercle de feuilles de chêne stylisées) dans le tiroir d'un secrétaire, où il accumulait la poussière sous un amas de vieilles lettres éparses. Elle avait entrepris une nouvelle courtepointe, à laquelle elle consacrait trois ou quatre heures par jour ; au lit, au lieu de crouler sous le poids de la fatigue, elle était du jour au lendemain devenue désinvolte et fringante, rigolote et irrévérencieuse même au plus fort de l'orgasme. Elle semblait nouvellement dotée d'une science aléatoire : au cours des trois dernières années, ils avaient connu dix ou douze nuits d'aventure sexuelle débridée. Quelque chose s'était produit, quelque chose d'indicible. À une certaine époque, les choses étaient différentes ; à une certaine époque, elle exigeait des mots doux, de la tendresse, de la subtilité et toute la patience dont Jack était capable. Voilà maintenant qu'elle rugissait, se cabrait, gémissait et, plus tard, pendant l'étreinte post-coïtale, qu'elle souhaitait autrefois prolonger, il lui arrivait fréquemment de signaler son désir d'être libérée en donnant à Jack deux petites tapes sur l'épaule, un peu comme si elle le congédiait. Ce simple geste était porteur d'une gaieté consommée. Il avait d'abord été surpris, puis amusé. Tape, tape. Désormais, il attendait le signal. Elle avait cessé de s'en faire pour les enfants, pour l'intégration sociale de Rob (les enfants sont tous foncièrement égocentriques) et l'embonpoint de Laurie (les enfants sont tous trop gros ou trop maigres). En préparant les œufs, le matin, elle fredonnait *Greensleeves* ou *Amazing Grace*.

Au bout d'une demi-douzaine de courtepointes, elle avait fini par décider de transformer la quatrième chambre à coucher en salle de travail. Comme elle se trouvait du côté du sud, la lumière y était idéale.

— D'ailleurs, avait-elle dit à Jack, plus personne n'a de chambre d'amis.

— Ah bon ? avait-il répondu, dubitatif.

En même temps, il était tout disposé à la croire sur parole. Elle avait toujours eu le don de la formule lapidaire. Et celui de lui faire admettre, d'une façon ferme mais désinvolte, sa lecture de ce qui se faisait et ne se faisait pas. À part peut-être Bernie Koltz, lui avait-elle dit, plus personne ne portait de blouson en popeline ; plus personne n'organisait de repas à plusieurs services pour huit personnes le samedi soir ; plus personne n'allait aux Bermudes, à cause de la situation politique déplorable ; au moment où le monde était sur le point de manquer de pétrole, plus personne n'avait deux voitures, du moins en ville ; et plus personne, à l'exception de la voisine, Janey Carpenter, n'achetait une jupe de golf tous les printemps. Une jupe de golf !

Jack, apparemment, était dépourvu du talent de Brenda, de la sensibilité particulière qui lui permettait de décoder la vie moderne ; ses conclusions mettaient plus de temps à mûrir. Les ukases de Brenda, proférés sur un ton d'amabilité carillonnante, n'en portaient pas moins de légers accents paternalistes. Comme si lui, Jack Bowman, était une sorte d'attardé social, un universitaire un peu perdu qu'elle acceptait de prendre sous sa coupe. Brenda avait habituellement raison – force lui était de l'admettre – et il était effectivement absurde de garder une chambre d'amis quand Brenda avait besoin de la pièce. Lui-même, après tout, disposait d'un cabinet de travail où il conservait ses papiers et ses dossiers de recherche, où il était censé peaufiner son livre sur les pratiques commerciales des Indiens.

Sa salle de travail – Jack savait gré à Brenda d'avoir résisté à la tentation de parler de son « studio » ou, pis encore, de son « *atelier*[1] » – était ouvertement, fiévreusement joyeuse.

---

1. N.d.t. En français dans le texte.

— Brenda est une personne si ouverte, répétait inlassablement Hap Lewis.

Son métier, où défilaient les couleurs transitoires, occupait tout un mur, et une commode en pin ciré d'un élégance considérable (elle avait appartenu à la mère de Jack) renfermait son matériel de couture, ses patrons et ses esquisses, ses ciseaux et ses bobines de fil. À la fenêtre sans rideaux du côté sud par où le soleil entrait à flots, celle qui donnait sur la nouvelle terrasse en cèdre des Carpenter, une plante araignée à la fertilité étonnante croissait à vue d'œil. Des mètres et des mètres d'imprimés (elle disait se frayer un chemin dans la famille des jaunes) débordaient de paniers et de tiroirs. Si, l'après-midi, des amies à elle venaient prendre le café, elle les conduisait dans cette pièce qui, presque du jour au lendemain, semblait-il à Jack, était devenue le cœur rayonnant d'une maison qui semblait désormais insuffisamment meublée, timide et empreinte d'une raideur excessive.

À son retour du travail, vers dix-huit heures, Jack les trouvait parfois encore là, Andrea Lord, Leah Wallberg ou Hap Lewis – Hap Lewis, son casque de cheveux roux et son don pour les déclarations imparables –, occupées à boire dans les tasses en terre cuite de Brenda et à parler le langage particulier du monde de l'artisanat ; les expositions de la guilde, les fours de potier coopératifs, l'esthétique des accrochages, l'intrusion de la technologie, les tenants et aboutissants de la texture, les maux de l'adjudication. Elles étaient toutes assises par terre, ces femmes à la fin de la trentaine ou au début de la quarantaine, les genoux sous le menton, les chevilles encore fines pour la plupart, et buvaient leur café à petites gorgées nerveuses en ponctuant l'air de coups de leurs cigarettes à bout filtre. Leurs voix, tandis qu'elles sondaient les mystères des objets qu'elles avaient fabriqués de leurs mains, avaient des accents de soprano.

Des objets. Voilà précisément ce que Jack avait peine à admettre : le fait qu'elles consacrent leur sensibilité si fine à la création de simples « objets ». Ne s'en rendaient-elles pas compte ? Dans leur ruée vers les métiers à tisser, les écrans à sérigraphie (et, dans le cas d'Andrea Lord, les rouets), Brenda et ses amies n'avaient-elles pas perdu de vue le fait que tous leurs efforts ne donnaient en définitive que des objets?

Les jours où il avait les idées claires, ses jours de sagesse, comme il les appelait, ceux où l'Aspen était lavée et lubrifiée, son pardessus propre, le café du matin, chaud, noir et abondant, servi par Brenda, attentive et tendre dans sa robe de chambre cintrée, Jack avait en effet l'impression que ce culte de l'objet allait à contre-courant de la lutte menée par l'espèce humaine. De loin en loin lui venait à l'esprit la pensée d'un ancien plat en terre cuite exposé en permanence à l'Institut depuis qu'il avait commencé à y travailler, des années auparavant. Décoloré et maintes fois rapiécé, il avait été utilisé tous les jours, croyaient les spécialistes de la poterie, pendant plus de trois cents ans. Ce plat particulier, rapporté de France, estimait-on, était d'une délicatesse plutôt remarquable – compte tenu de la grossièreté des céramiques provinciales de l'époque –, et il devait sa survie au fait qu'on l'avait traité avec les égards normalement dus à un objet sacré. C'était peut-être d'ailleurs un objet sacré puisque, ainsi que M. Middleton le répétait fréquemment aux membres du personnel, le sacré tend à s'accrocher aux objets qui répondent le plus manifestement à des besoins humains. Ce pauvre et stupide plat brun avait fait tout ce qu'on attendait de lui, jour après jour. Son importance, il ne l'avait pas volée, et Jack admettait volontiers sa valeur dans une société préindustrielle. S'il avait appartenu à une telle société, il se serait agenouillé sans rechigner à son passage et l'aurait même porté respectueusement à ses lèvres. N'avions-nous pas, se demandait-il en haussant le sourcil d'un air perplexe, en pensée, dépassé ce stade? Qu'en était-il de l'esprit du plat? Qu'en était-il de l'idée platonique de vérité qui sous-tend tous les objets? L'essentiel n'était-il pas de préciser et de définir les idées, au lieu d'inonder le monde d'objets toujours plus nombreux?

Il aurait aimé discuté de cette apparente contradiction avec Brenda, et il était même allé jusqu'à imaginer à quel moment la conversation aurait lieu : tard le dimanche matin, quand la musique du radio-réveil les aurait tirés du sommeil – il adorait la musique réconfortante des hymnes robustes que des chorales mixtes mal dirigées et mal préparées faisaient gauchement retentir sur les ondes. Entrés par la fenêtre est, les rayons du soleil découperaient des parallélogrammes inclinés sur le lit, et Brenda, langoureusement étendue sur l'imprimé bleu des draps, légèrement redressée, la voix rauque, écouterait attentivement son argumentation en hochant la tête d'un air réfléchi. Ses yeux et sa bouche se détendraient légèrement.

— Je vois où tu veux en venir, Jack. Oui. Tu as probablement raison.

Mais le moment d'avoir avec elle pareille discussion était passé depuis longtemps. À cause de la lenteur de ses réflexes, peut-être, ou par simple distraction, il avait laissé l'occasion lui filer entre les doigts au moment où la question, prometteuse, se posait avec acuité. Ce petit silence de la part de Jack avait engendré toute une série de silences; silences acceptables, au total, sujets trop délicats pour qu'il les aborde (le livre de Harriet Post, par exemple) ou trop insignifiants pour qu'il y consacre du temps. La plus récente courtepointe de Brenda, celle qui, elle l'espérait, lui vaudrait un prix à Philadelphie, s'intitulait *Second avènement*. Ce titre avait-il quelque chose de symbolique, se demandait Jack, quelque chose de sexuel ? Il n'avait pas posé la question à Brenda. Grâce à une subtile mise de côté de la vérité ou, à tout le moins, d'éventuels motifs d'affrontement, ils s'étaient tous deux campés dans une zone de confort, dans la sphère des couples heureux en ménage, de la satisfaction raisonnable, de la plénitude spirituelle.

Autre chose : il n'était pas du tout certain de la valeur des fondements philosophiques d'une argumentation portant sur le matérialisme. Il allait falloir qu'il y réfléchisse, qu'il règle quelques détails, qu'il en discute avec Bernie, qu'il glane deux ou trois citations, Tolstoï, disons, ou peut-être Thoreau. Il n'était pas du tout certain d'être en mesure de défendre une vie centrée sur l'abstraction sans passer pour un hypocrite puéril, lui qui, un mois plus tôt, s'était offert un blouson en daim de soixante dollars et que les voitures de sport italiennes faisaient saliver. Ouais, ouais, on voit le genre. Sacré homme d'idées, en vérité !

De temps à autre, il avait même songé que c'était peut-être Brenda qui avait raison. Par pure coïncidence, elle avait peut-être mis la main sur ce qui comptait vraiment dans la vie : les objets. La force de l'Histoire et tout le remue-ménage qui l'accompagne résident non pas dans les schèmes de pensée amorphes, mais bien plutôt dans le concret, le mesurable, le visible. En fin de compte, les poteries et les courtepointes pourraient bien conduire à l'ultime connaissance, même s'il aurait été diablement en peine de préciser ce que ça voulait dire.

Il en doutait, cependant.

Quoi qu'il en soit, la satisfaction de Brenda venait du genre de vision innocente auquel on ne tendait pas de piège ; de toute façon, elle assumait sa foi de façon trop naturelle pour se sentir menacée par le scepticisme intellectuel fortuit du dimanche matin. Surtout, s'avouait-il à lui-même, surtout venant de lui.

Chapitre six

Ce midi-là, Jack mangea une banane, debout dans la cuisine, en regardant par la fenêtre. Un ciel gris, sans grâce, pesait sur les arbres, dense comme du satin tassé. C'était un temps de migraine, un temps de maniacodépression, mais, au moins, la pluie avait cessé. Les deux érables et les cerisiers ornementaux, dénudés, frétillants et misérables, penchaient la tête d'un côté, puis de l'autre, ballottés par d'incessants tourbillons. Dans leurs vieux cadres de bois, les contre-fenêtres vibraient, gémissaient, laissant entrer des courants d'air froid tranchants comme des lames.

Dans le réfrigérateur, Jack dénicha un paquet de fromage suisse inentamé, le déballa lentement et en prit un morceau. Le toit du garage était en piteux état ; depuis la fenêtre de la cuisine, il apercevait les endroits d'où les bardeaux avaient été arrachés. Les hauteurs le tourmentaient ; en secret, il redoutait la corvée des contre-fenêtres et des moustiquaires. Le toit du garage, cependant, était relativement bas et peu incliné. Le printemps venu, il se chargerait peut-être lui-même de la réparation, s'il en trouvait le temps. Après tout, Bud Lewis avait refait le toit de son garage. À bien y penser, il avait aussi refait celui de la maison – une semaine de travail. De l'endroit où il se trouvait, Jack pouvait voir les arêtes bien découpées du toit des Lewis.

À Elm Park, bon nombre de vieilles maisons sombres aux vérandas disgracieuses et aux vestibules béants avaient été patiemment restaurées, comme celle de Hap Lewis et de Bud, son mari, les garnitures en laiton autour de fenêtres mises au jour, les boiseries

et la rampe d'escalier débarrassées d'innombrables couches de
peinture, un vieux foyer en pierres retrouvé derrière un mur de
placoplâtre. Quelques-uns étaient allés dans la direction opposée :
Larry et Janey Carpenter, par exemple, avaient vidé la maison tout
entière, judicieusement laissé un mur de briques exposé, çà et là,
peint la salle à manger en blanc cassé, installé un puits de lumière
dans la salle de bains et recouvert la vieille baignoire d'émail
aubergine ; ils avaient meublé les coins sombres et incommodes
de canapés en suède couleur crème, de tables au plateau en verre
fumé, de coussins recouverts de tissus à la trame grossière, de
sculptures inuit primitives et de fougères en pot florissantes qui,
à force d'énergie et de patiente sollicitude, finissaient par jeter des
reflets brillants.

Jack n'avait rien d'un bricoleur comme Bud Lewis – inutile de
se bercer d'illusions –, mais l'idée de jouer du marteau sur le toit
du garage lui plaisait assez. Au début du printemps, peut-être. Un
samedi. Tout d'un coup, il eut la nostalgie du printemps : il se vit,
vêtu d'un blouson léger, agenouillé sur le toit du garage. De pâles
frondes de lumière filtrées par les branches lui chauffent le dos et
les épaules. Des oiseaux gazouillent dans l'air épanoui. Au sortir
de l'hiver, le gazon est ratissé de frais. Brenda, un foulard en coton
sur la tête, balaie la terrasse. Les enfants sautent par-dessus le massif
de fleurs – non, c'était ridicule, ils étaient presque des adultes,
maintenant. Rob avait quatorze ans, Laurie, douze. Voilà des années
qu'ils n'avaient pas sauté par-dessus le massif de fleurs.

Il mâchouilla son fromage en songeant aux effets parfois délétères de longs moments passés à regarder par la fenêtre. Il fallait se
méfier de cette oisiveté, dans la mesure où elle risquait de détraquer
le délicat mécanisme chargé de mesurer le temps et d'en rendre
compte. On perdait le sens de la réalité ; on se laissait hypnotiser
par les fils électriques, leurs croisements et leurs entrecroisements
presque imperceptibles ; à compter les bardeaux sur les toits, on
pouvait se rendre complètement cinglé. Au bout d'un moment,
si vous n'y preniez garde, vous vous mettiez à osciller d'avant en

arrière, d'avant en arrière, au rythme des arbres, et alors votre compte était bon. Sans doute des tas de gens, des milliers assurément, avaient-ils sombré simplement pour avoir regardé par la fenêtre de la cuisine. Comme Jack en ce moment. L'ennui avait une certaine séduction à laquelle il fallait opposer de la résistance.

La maison était paisible, prodigieusement paisible. Laurie était sortie s'acquitter de son office du samedi après-midi, c'est-à-dire promener les chiens des voisins. L'image de sa fille traversa tristement l'esprit de Jack. Elle avait hérité de sa faiblesse à lui, de sa dépendance à l'égard de la bonne opinion des autres. Dommage, vraiment dommage. Pour un dollar, la pauvre petite, sciemment, gaiement et stupidement, s'occupait des cabots tout l'après-midi, tandis que Larry et Janey Carpenter (le prince et la princesse, comme il les appelait sous cape) batifolaient à l'intérieur, se vautraient, sans doute, sur l'une de leurs peaux de mouton blanches, faisant l'essai de telle position, puis encore de telle autre, pour finir debout sur la tête. Pauvre petite ! Elle arpentait inlassablement les rues froides en compagnie de Cronkite l'épagneul et de Brinkley l'airedale. À son retour, elle aurait parcouru des kilomètres et des kilomètres. De l'exploitation pure et simple, disait Brenda, un véritable crime, mais ce petit boulot occupait Laurie et semblait lui faire plaisir. Elle attendait les samedis avec impatience. Elle aurait promené les chiens pour rien, avait-elle un jour dit à Jack. Elle adorait ça. Vraiment.

Rob était parti à une compétition d'athlétisme à l'école secondaire.

— Avec qui y vas-tu ? lui avait demandé Jack d'un air qu'il voulait désinvolte.

Penché pour remonter la fermeture éclair de son blouson, Rob avait bredouillé quelques sons inintelligibles.

— Salut, avait-il dit en se dirigeant vers la porte.

— J'espère qu'ils vont se faire massacrer, s'écria Jack, se forçant à la camaraderie.

— Hein ?

— Les membres de l'autre équipe. J'espère qu'ils vont se faire massacrer.

Espérait-il vraiment quelque chose de pareil?

— Bon...

La porte se referma avec fracas.

Tout était calme, tranquille. Si Brenda avait été là, il y aurait eu du café sur la cuisinière. Au fond du frigo, derrière le fromage cottage, Jack dénicha plutôt une canette de bière, couchée sur le côté. Selon l'horloge de la cuisine, il était une heure. Il aurait tout le loisir de travailler à son livre jusqu'à six heures. Il devrait débrancher le téléphone, se dit-il. Pour une fois, il disposerait de cinq heures consécutives, d'un bon après-midi de travail, sans interruptions ni obligations. Rien du tout. D'un autre côté, Brenda ou les enfants risquaient de téléphoner. Une urgence... Mieux valait ne pas débrancher.

Il consulta de nouveau l'horloge et siffla entre ses dents brusquement, presque sauvagement. Cinq heures complètes. Un événement à marquer d'une pierre blanche. C'était son jour de chance. Derrière la fenêtre, un petit oiseau incolore d'une espèce indéterminée était perché sur le poteau de téléphone. Dès qu'il s'envole, se promit Jack, je me mets au boulot.

Pendant une minute bien comptée, l'oiseau demeura totalement immobile. Puis, tout d'un coup, il tourna à droite sa tête dodelinante, ronde comme une balle de golf, en agitant ses ailes. Il frissonna follement et baissa le regard; Jack eut l'impression qu'il regardait par la fenêtre de la cuisine. Il a peut-être faim, se dit-il en pensant à sa mère qui, tous les jours de sa vie, offrait une tranche de pain aux oiseaux. Il se dirigea vers la huche, mais, au même moment, l'oiseau quitta son perchoir et, luttant contre un courant d'air, décrivit un arc de cercle gracieux avant de se poser sur le garage des Carpenter.

— Pas de chance, mon coco, marmonna Jack à voix haute, se sentant confusément trahi. Ton repas vient de te passer sous le nez.

Cinq minutes s'étaient écoulées – seulement cinq ? Un bref soupir s'échappa de ses lèvres. N'étant normalement pas porté sur les soupirs, il eut un moment d'inquiétude. Soupirer, au même titre que bâiller, se gratter et gémir, risquait de devenir une habitude. Il fallait se montrer vigilant. Il lui restait quatre heures et cinquante-cinq minutes. Le temps s'ouvrait devant lui comme une vaste étendue d'eau. À la vue de sa surface, il sentit tout de suite monter en lui une douleur familière, un éclair violent, couleur acide, qui lui transperça la poitrine et, le temps de le dire, gagna sa tête, ses bras et même le bout de ses doigts. Sous la douleur, il décela un substrat de panique, un vide intolérable qui l'aspirait, le raillait. Il s'y abandonna. Pas d'échappatoire possible. Pour le moment, du moins. Un peu plus et il se serait mis à pleurer. Rien à faire, sinon se résigner au sort qui l'attendait : un après-midi tout entier, tic-tac, tic-tac, à passer enterré vivant, seul dans le cabinet de travail sombre en compagnie de son foutu livre.

Chapitre sept

Sur son bureau, Jack gardait un vieux réveil à ressort, essentiellement pour lui tenir compagnie. Son tic-tac était un vibrant reproche, mais il avait à tout le moins le mérite de briser le silence. Aujourd'hui, comme chaque fois qu'il se mettait au travail, il le remonta jusqu'au bout : le réveil faisait en quelque sorte office d'îlot ou de drapeau territorial, au milieu des monceaux de notes, des piles de feuilles branlantes, des crayons au bout mâchouillé, des chaînes de trombones, des enveloppes dépareillées, des fiches et des cœurs de pomme si déshydratés qu'ils se fondaient dans les tourbillons de papier.

De son porte-documents, il tira le manuscrit agrafé du chapitre six : « Symboles et solécisme : la notion de propriété ». M. Middleton était impatient de savoir comment avançait ce chapitre, et Jack lui avait plus ou moins promis de le lui apporter le lundi matin. À la vue du titre, à deux doigts de la préciosité, il se surprit à soupirer pour la deuxième fois de la journée.

Le premier paragraphe – qu'il lut en silence en marquant chaque virgule d'un mouvement de la tête – n'était pas mal : pas éblouissant, non, certes, mais il y montrait néanmoins le lien entre les notions de propriété et de statut. N'était-ce pas là l'essentiel, en fin de compte ? C'était un ouvrage savant, après tout, pas un album de Walt Disney. Ne perdez jamais de vue votre lectorat, lui répétait inlassablement M. Middleton.

Le deuxième paragraphe, en revanche... Non, mon Dieu, non ! Il tira un crayon d'un tiroir. Le deuxième paragraphe avait besoin d'un peu de travail, de beaucoup de travail, en fait. À son insu, il s'était écarté du sujet et égaré dans des considérations sur les valeurs relatives et le rituel, notions qui ne seraient abordées qu'au chapitre neuf, au plus tôt.

Pas d'autre solution que de revenir à son plan, merde, qui devait bien se trouver là quelque part, enseveli sous d'autres papiers. Où avait-il la tête, nom de Dieu ? Une digression en bonne et due forme, impardonnable. Mais il arrive à l'esprit de fonctionner de cette manière, et c'est d'ailleurs l'un des problèmes de la recherche savante : elle aplanit et freine l'impulsion spéculative. Fallait-il laisser le paragraphe ou le supprimer ? Le conserver exigerait une justification détaillée, et l'idée de préparer une note de bas de page de cette ampleur était si oppressante qu'il refusa même d'y penser. Le paragraphe allait sauter.

Dans le tiroir, il pêcha une feuille de papier blanc et l'inséra minutieusement, proprement, dans la machine à écrire. Les marges. Le numéro de la page. Le retrait. Maintenant...

Le petit réveil faisait tic-tac. Dix minutes s'écoulèrent. Jack écrivit la phrase suivante : « Chez les Indiens, la notion de commerce était beaucoup plus avancée qu'on ne le croyait auparavant, pour au moins trois raisons. »

Le calme régnait dans la pièce. À travers les murs, il sentait les tenailles bleues et sinistres du vent s'ouvrir et se fermer. À cette heure, Brenda devait être arrivée à Philadelphie. Lui-même, curieusement, n'avait jamais mis les pieds à Philadelphie. Et pourtant, il était allé partout. Elle avait rempli la fiche de l'hôtel et s'était inscrite à l'exposition. On lui remettrait sans doute un petit insigne en plastique à épingler à son épaule : Brenda Bowman, Guilde des artisans de Chicago. Elle se tiendrait un peu à l'écart, sans se distancer tout à fait du flot des déléguées qui se saluaient, prenaient le pouls de la concurrence, souriaient, échangeaient joyeusement des banalités :

— Je ne le connais pas personnellement, mais je connais ses œuvres.

Ou :

— Vous êtes de la Ville des vents ? J'ai un frère qui vit là-bas.
Il est dans l'électronique.

Il refit tant bien que mal le deuxième paragraphe. La syntaxe
était boiteuse, mais ça irait, à condition qu'il se souvienne, au
stade de la version finale, d'insérer une note à propos des Iroquois.
Il ne se rappelait plus la référence exacte, mais il était sûr de l'avoir
sur une fiche. Pas sur le bureau, apparemment. Il allait devoir y
revenir plus tard.

Il se demandait parfois s'il travaillerait mieux dans un cadre
plus agréable. Les murs poreux donnaient l'impression d'exhaler
le gaz mortel de l'inertie. Le cabinet de travail encombré avait un
air inachevé qui donnait froid dans le dos. Au lieu de tablettes
encastrées qui auraient réchauffé et ancré la pièce, Brenda et lui
s'étaient contentés d'une paire de bibliothèques approximatives en
bois nu, vestiges de leur appartement d'étudiants. Le classeur en
métal peint était utilitaire, banal.

Jack travaillait sur le gros bureau en chêne plein de reproches
de son enfance. Pour cinq dollars, le père de Jack avait fait l'acquisition du meuble de forme cubique dans un magasin d'occasion
d'Austin quand son fils avait douze ans. Il semblait encore trop
solide pour être mis aux rebuts.

— À lui seul, le bois vaut deux fois plus que ce que le paternel
a payé, avait-il dit un jour à Brenda.

Jack voulait peindre le bureau du même vert pomme que la
salle à manger, et Brenda préférait quant à elle un jaune vif parce
que la pièce, qui donnait du côté nord, était sombre. En guise de
compromis, ils avaient opté pour de la peinture coquille d'œuf bon
marché, qui avait rapidement foncé, virant au crème traversé de
coulisses. C'était une pièce morne, aux fenêtres étroites et plombées,
d'une gravité appuyée. Le radiateur, petit et rouillé, n'était jamais
que légèrement tiède au toucher. À cette époque-ci de l'année
– janvier –, le cabinet de travail était froid et humide.

La maison, qu'il adorait, surtout l'été, manquait de style. Qu'ils n'aient pas réussi à lui insuffler une âme, Brenda et lui, était l'un de ses menus regrets. La maison – à l'exception de la salle de travail de Brenda, résultat d'une transformation beaucoup plus tardive – n'avait pas tenu ses promesses. Ce qui lui faisait défaut, c'était une vivacité et une ligne directrice, essence même du style. Était-il possible, se demandait parfois Jack, que Brenda et lui fussent totalement dépourvus de style ? Sur ce plan, d'autres semblaient bénéficier d'aptitudes naturelles plus grandes. Les Carpenter, par exemple, avec leurs planches de cèdre et leurs pots de céramique. Jusqu'à la maison des Lewis, en face, qui avait en quelque sorte un style bien à elle. Jack éprouvait une légère irritation à la pensée que Bud Lewis, grâce à sa joyeuse polyvalence, à ses talents de menuisier et à ses dons pour l'aménagement paysager, avait réussi à donner de l'éclat à la maison étroite et ancienne de l'avenue Holmes. Bud Lewis devait bien avoir quelque chose, un brin d'imagination à peine visible, dont il était lui-même dépourvu. Une fois, à l'Institut, Jack était tombé par hasard sur une lettre de recommandation adressée à M. Middleton dans laquelle lui, Jack Bowman, était décrit comme un « jeune homme travaillant, mais un peu terne ». « Terne » : la blessure l'avait fait souffrir pendant des mois, et l'injustice lui avait brisé le cœur. Brenda sentait-elle, se demandait-il, cette terrible fadeur ? (Plus tard, la douleur s'était estompée, muée en souvenir, en épisode de souffrance conclu et classé.)

— Ce qu'il faudrait, c'est tout reprendre depuis le début, refaire le décor de la maison de la cave au grenier, disait Brenda de temps en temps.

Elle parcourait des yeux le papier peint beige du vestibule et le vert pomme de la salle à manger, aux rideaux ajourés vert plus foncé et au canapé en velours côtelé chocolat (en cas de doute, leur avait-on conseillé, choisissez du brun chocolat). Jusqu'à maintenant, cependant, ils ne s'étaient pas résolus à donner suite. Ils avaient autre chose à faire. Ou encore c'était trop cher. Il valait mieux attendre que Rob et Laurie soient plus vieux, disaient-ils.

Il y avait peut-être une autre raison, se disait Jack, une volonté muette de ne pas trop empiéter sur la substance même de la maison, qui conservait obstinément sa pureté. Avec leurs couleurs neutres et leurs rideaux transparents, Brenda et Jack, aurait-on dit, souhaitaient faire le moins de mal possible à la maison.

— Ton problème, lui avait dit Brenda un jour dans un accès de lucidité, c'est que l'historien en toi résiste à l'idée même de corruption.

Aux premiers temps de leur mariage, elle avait souvent fait allusion à sa vocation, avec fierté et délibération, et avait glissé le mot « historien » dans les conversations, comme s'il s'était agi du nom d'un être aimé.

Il y avait d'ailleurs du vrai là-dedans. Il hésitait en fait à surimposer la décoration, considération vernaculaire par excellence, à ce qui avait autrefois existé à l'état d'idée. Cette maison – il le voyait clairement dans son esprit – avait un jour été, brièvement, un squelette de bois. Auparavant, elle avait vécu, en deux dimensions, sur un plan. Au départ, cependant, elle avait été l'idée d'un être anonyme et mort depuis belle lurette, à qui Brenda et lui devaient néanmoins le toit qu'ils avaient sur la tête. Ils auraient peut-être dû acheter une maison neuve, se disait-il parfois, et écrire leur propre histoire. Dans l'état actuel des choses, il n'arrivait jamais à se départir entièrement du sentiment d'être locataire, surtout dans ce cabinet de travail froid et déprimant.

À l'étage, Brenda s'épanouissait dans sa salle de travail ensoleillée ; elle ne se plaignait jamais de se sentir seule et isolée ; rien ne lui plaisait davantage, apparemment, que de s'enfermer pendant des heures avec ses courtepointes – dans les semaines ayant précédé l'exposition, il lui était arrivé d'y passer jusqu'à cinq ou six heures d'affilée. *Second avènement* avait exigé des milliers de points. Évidemment, son travail à elle était moins compliqué que celui de Jack, moins exigeant à certains égards, moins intense, mais il n'y aurait pas de mal à envisager de rénover le cabinet de travail, d'installer une fenêtre plus grande, comme les Carpenter l'avaient fait, d'ouvrir la pièce, de peindre les sinistres boiseries, de faire à tout le moins réparer le système de chauffage.

Harriet Post. Jack se demanda dans quel genre de pièce elle avait commencé à écrire son livre. Avait-elle réuni ses cartes et ses gravures rares dans un bureau de professeur d'université, spartiate et moderne? Sur la table de la cuisine? Il était difficile d'imaginer Harriet Post à une table de cuisine. Dans un bureau aménagé au sous-sol, les murs lambrissés de pin noueux, une chaufferette électrique crépitant dans un coin? Depuis qu'elle avait quitté Chicago, il ne savait rien de sa vie, sinon qu'elle habitait à Rochester. Sur la liste des diplômés, il voyait son adresse, toujours la même, à Rochester, dans l'État de New York. Que savait-il de Rochester? La ville avait la réputation d'être moche et de connaître des hivers rigoureux. Peut-être Harriet vivait-elle dans un quartier agréable. Toutes les villes ont au moins un quartier potable. Elle était probablement mariée. (Il songea à l'élasticité des seins de Harriet et à leur forme bizarre, à ses étroits mamelons au bout bleu, de la couleur de l'encre lavable.) Harriet était du genre à avoir gardé son nom de jeune fille. À l'instar de Brenda, peut-être avait-elle réquisitionné la chambre d'amis pour son travail, accroché des plantes à la fenêtre; peut-être fredonnait-elle *Greensleeves* en consultant ses notes. Doux Jésus, le temps filait. Mieux valait qu'il s'y mette.

Troisième paragraphe. Il le lut lentement, incrédule. Ces mots étaient-ils vraiment de lui? Était-il l'auteur de ce ramassis de bons sentiments au sujet de la pureté de l'esprit indien («Le commerce atteignait à la grâce du don»)? Avait-il couché par écrit ce que M. Middleton, en se grattant le menton et en faisant la moue, appellerait une «indulgence romantique»? À supprimer. Pif! Paf! Pouf!

Il s'interrompit pourtant pour se relire encore une fois. Pouvait-il se permettre de supprimer le passage? Dans l'état actuel des choses, le chapitre six était relativement mince, plus mince encore que le chapitre cinq.

En se concentrant, les épaules redressées, le regard droit, il relut une fois de plus. Nom de Dieu ! Puis, pris d'une envie de remuer l'air immobile, il essaya de lire le paragraphe à voix haute. Sa voix s'enroua. On aurait dit un caquètement étouffé, empreint d'une gravité de boy-scout. Doux Jésus.

Il s'éclaircit la voix, se pencha vers l'arrière et lut une autre fois – beaucoup plus fort –, en contrefaisant l'accent britannique : il se serra la gorge, exagéra les voyelles, sauta d'une locution à l'autre, passa de l'outrage glacé à la douceur larmoyante. Il aurait dû être acteur, se dit-il, rasséréné. Il faudrait qu'il auditionne pour le théâtre amateur d'Elm Park. Il se promit d'en toucher un mot à Larry Carpenter à la première occasion. Si un crétin pompeux comme Carpenter pouvait jouer la comédie – il est vrai qu'il s'était cassé la gueule dans le rôle d'Hamlet –, pourquoi lui, Jack Bowman, ne monterait-il pas sur les planches ?

Non. Jamais de la vie. Rien à faire, le paragraphe devait être entièrement récrit. Il s'empara du crayon, sentant des ondes frigorifiques se figer autour de lui. Il fallait tout supprimer. Ses yeux se remplirent de larmes.

— Je n'y crois plus, songea-t-il en soupirant.

Cette fois, son soupir enveloppa le bureau encombré de paperasse, la pièce glaciale, la maison vide.

— J'ai perdu la foi.

Il avait prononcé ces mots à voix haute, conscient de céder à la forme la plus vile de dramatisation et, en même temps, d'avoir proféré une vérité absolue. Ses rencontres nocturnes antérieures et de plus en plus fréquentes avec cette vérité crue et nue n'étaient rien par rapport au poids de cette affirmation. Il était impuissant, avait choisi de l'être. L'évitement l'avait conduit dans une impasse ; ce qui l'attendait, c'était une dégringolade spirituelle aux proportions gigantesques. Il répéta :

— J'ai perdu la foi.

Il avait prêté l'oreille aux étranges vrilles ascendantes de sa voix, dont le ton était morne mais indubitablement poli. Les mots aux riches sonorités libérés dans la pièce avaient un air décisif. C'était entendu : il avait perdu la foi. Officiellement.

Puis il entendit, venue de très loin, la sonnette de la porte. Elle avait retenti deux fois seulement, assez longtemps cependant pour qu'il s'élance en titubant, joyeux et soulagé.

Chapitre huit

— **B**ernie!
— Salut.

— Qu'est-ce que tu fais ici? Un samedi?

— J'ai pensé venir te voir. Je te dérange?

— Non. Pas du tout. En fait, je travaillais au livre, mais j'étais sur le point de faire une pause. Allez, entre.

— Tu es sûr que je ne te...

— Non, absolument pas. Je t'assure. Ne reste pas dehors par ce froid.

Jack lui tint la porte, si heureux d'avoir de la visite qu'il en avait le vertige.

— Nom de Dieu qu'il fait froid.

Bernie, vêtu d'un léger blouson marine, grelottait. Tête nue, les oreilles rose vif – Jack avait entendu Bernie se vanter de ne pas posséder de chapeau –, il s'avança dans le vestibule et déposa une valise.

— On dirait que l'hiver est arrivé, fit Jack avec une bonne humeur inepte, flamboyante, démesurée.

Merci, mon Dieu, merci, mon Dieu. Grâce à Bernie, l'après-midi était sauvé, Jack était sauvé.

Sous l'effet du froid, le nez rond de Bernie faisait penser à un feu rouge.

— Si l'hiver est là, dit-il en se frottant les mains, on peut dire qu'il arrive en lion.

— C'est toi, rétorqua Jack, heureux mais perplexe – les aléas de la météo ne faisaient pas partie de leurs sujets de conversation habituels –, qui répètes toujours qu'on exagère la rigueur des hivers de la Ville des vents.

— Veux-tu bien me dire comment il se fait que nous restions ici et que nous respirions toute cette poussière?

Produisant un mouchoir, Bernie se moucha bruyamment.

— À ta connaissance, y a-t-il dans l'univers quelque chose de plus dur, de plus compact et de plus résistant qu'une particule de poussière de Chicago? Tu veux que je te dise? J'ai de la poussière dans les artères, dans les articulations et dans les parties. Donne-moi encore quelques années et je vais en avoir dans le petit machin que nous avons à l'arrière du cerveau, comment ça s'appelle, déjà? Tu sais bien, le siège du système nerveux involontaire?

— Le bulbe rachidien.

— Le bulbe rachidien! D'où tu sors ça, Jack?

— Va savoir.

— Un petit truc noir en forme de cigare. Ça me revient, maintenant. Première année de psycho. En fait, c'est ce qui m'amène. Mon bulbe rachidien fait des siennes.

— Il te faut une bière. Je te sers? À condition que tu aimes la bière tiède. J'allais justement en prendre une.

Dans le vestibule, Bernie restait silencieux et immobile.

— Qu'est-ce que tu en dis? insista Jack. C'est samedi après-midi. Tu as bien le temps.

— J'ai le temps, fit Bernie qui, reprenant vie, entreprit de descendre la fermeture éclair de son blouson. À vrai dire, je n'ai que ça. J'ai même le temps, au cas où ça t'intéresserait, de te donner un cours impromptu sur la nature du temps, *kairos* et *chronos*, sans notes, par-dessus le marché. À ce sujet, je suis intarissable. Il y a la notion humaine du temps, la dimension du temps, la fonction du temps, la souveraineté du temps, la poussière de Chicago qui s'infiltre dans les multiples strates du temps...

— Et le temps de t'asseoir?

— La question est plutôt de savoir si tu as le temps, toi. Tu as un petit air maladif, un peu hagard. Tu étais en train d'écrire. Je vois bien que tu n'as pas renoncé, après tout. Je m'en voudrais de t'interrompre au moment où...

— Depuis quand as-tu des égards pour...

— Depuis ce matin. Depuis que ma femme, Sue – tu te souviens de ma femme, Sue ? –, m'a informé que j'étais indifférent aux sentiments des autres. Dieu sait que j'ai essayé de lui expliquer que c'était à cause de la poussière dans mon bulbe rachidien, mais...

— Où tu vas comme ça ?

— Moi ?

— Avec ta valise ?

— Ça, comme on dit, c'est une longue histoire. Une histoire longuette. Aux multiples niveaux de sens.

— Tu as bu, dit Jack en faisant un pas en arrière pour mieux étudier son ami.

— Tu te trompes royalement.

— Ne deviez-vous pas partir aujourd'hui pour Fox Lake, Sue et toi ?

— Elle a dû aller travailler. Un coup de fil de l'hôpital, ce matin. Accepterait-elle de venir soulager Mme ou M. Untel ?

— Encore ? Ce n'est pas ce qui est arrivé la dernière fois ?

— Et la fois d'avant. Ce qui nous ramène à la question du temps. Tu te souviens de l'année où nous nous sommes consacrés au temps ? C'était quand, déjà ? En 1969 ?

— Tu as beau ne pas être soûl, il y a quelque chose qui cloche.

— C'est probablement à cause des tranquillisants. Ils nous émoussent un peu, mon petit côté sardonique et moi. C'est à eux que je dois mon style élégant, décontracté, adagio.

— Des tranquillisants ? Toi ? Quels tranquillisants ?

— Sue les apporte de l'hôpital. Des cadeaux. Les professions ont toutes leurs à-côtés ; les siens, ce sont ces petites pilules bleu et jaune. Ce qu'il y a d'avantageux, aussi, c'est qu'elles tempèrent un peu la libido. La sublimation, tu connais ? De nos jours, c'est la panacée. La sublimation est sublime – tu savais que c'était le même mot ?

— Je vais faire du café.

— Tu vas me dégriser ? Quel hôte parfait ! Seulement, tu as tort. Je ne suis pas rond, même pas un peu.

— Ne bouge pas. Je reviens. Tu n'as rien contre le café instantané ? Je nous en prépare tout de suite.

— Brenda est bien partie ? demanda Bernie en se laissant choir sur le canapé brun et en tirant sur ses sourcils d'un air rebelle.

— Je l'ai mise dans l'avion ce matin.

— «Tu» l'as mise, «elle», dans l'avion ? Il y en a qui la trouveraient un peu paternaliste, ta façon de présenter les choses.

— Ah bon ?

— Toi et moi, fit Bernie avant de marquer une pause. Fin seuls.

— Fais comme chez toi, cria Jack depuis la cuisine.

Il mettait de l'eau dans une casserole.

— Et les enfants ? demanda Bernie d'une voix plus faible.

— Sortis pour l'après-midi. Rob est à une compétition d'athlétisme. Laurie promène les chiens des voisins. On se croirait à la morgue. En fait, je suis content que tu sois venu.

— Bien, fit Bernie sur un ton monocorde que Jack jugea bizarre et inquiétant. Très bien.

L'eau mit du temps à bouillir. Dans le salon, c'était le silence total. Jack sortit deux tasses – Brenda devait avoir une vingtaine de tasses désassorties, la plupart dans des tons d'ocre, au bord non vernissé qui l'obligeait à relever la langue. Il mit du Nescafé dans les tasses et versa de l'eau bouillante dessus. De la crème ? Il avait beau connaître Bernie depuis toujours, il n'aurait su dire s'il prenait de la crème avec son café. De toute façon, il n'y en avait plus. D'ailleurs, c'était du café noir qu'il lui fallait pour le moment.

Une tasse dans chaque main, Jack revint dans le salon, non sans avoir renversé un peu de café sur la moquette du couloir.

Bernie s'était allongé sur le canapé après avoir enlevé ses Adidas maculés de boue. Il avait les yeux fermés.

— Tu dors ? demanda Jack, hésitant.

— Non.

La voix semblait à la fois étouffée et dangereuse.

— Tu le veux, ce café ? Je t'en ai préparé une tasse.

— Non.

Bernie se retourna.

— Merci quand même.

— Qu'est-ce que je te sers, alors ? Un sandwich au saucisson ? Tu as mangé ?

— Sue m'a quitté. Pour de bon. Ce matin.

— Sue ? C'est incroy...

— Pour de bon.

— Laisse-moi te verser un verre, Bernie.

— Non, Seigneur, non.

— De quoi as-tu envie ? demanda Jack, doucement, délicatement.

— En fait, fit Bernie, le visage enfoui dans les coussins bruns et moelleux, en fait, j'ai envie de pleurer.

Ce qu'il fit, au grand désarroi de Jack, incrédule.

Chapitre neuf

Le bras de Jack sur les épaules, Bernie finit par s'endormir, et Jack monta lui chercher une couverture; le salon, équipé de nouvelles contre-fenêtres, était nettement plus chaud que le cabinet de travail, mais les bienséances exigeaient que le corps endormi de Bernie fût couvert. Il était correctement vêtu, jean et pull (un pull en acrylique bordeaux, aux poignets distendus et aux coudes usés à la corde), mais la position dans laquelle il avait trouvé le sommeil – les jambes pressées l'une contre l'autre et légèrement remontées à la hauteur des genoux, un bras replié gauchement (dans une attitude de chagrin, semblait-il à Jack) sur l'épaule – lui donnait un air impuissant, dénudé. De fait, à l'arrière, là où le pull de Bernie était sorti de sa ceinture, on voyait un croissant de chair glabre, de la couleur du suif. Jack, dépliant la couverture sur la forme endormie, ressentit un élan d'amour. Cet homme, cette personne, Bernie Koltz, était son plus vieil ami. Presque son seul ami, en réalité.

Un seul ami? Admettre n'avoir scellé qu'une seule amitié en quarante-trois ans d'existence – un sacré bout de chemin, tout de même – tenait, se dit Jack, du constat d'échec.

Pour Brenda, les choses étaient différentes; pour Brenda, elles l'avaient toujours été. D'abord, elle semblait dénuée de tout désir d'élaguer. Jack avait toujours été sidéré de voir avec quelle aisance elle réussissait à conserver ses amies, telles des troupes mobiles apparaissant au gré des interstices de sa vie. Qu'elle n'ait pas perdu de vue ses amies d'enfance – Betty Schumacher, Willa Reilly, Patsy

Kleinhart et même Rita Simard – de Cicero, d'où elle était partie
des lustres auparavant, le plongeait dans la perplexité. Au moins
deux fois par année, elle retrouvait, à la salle Fountain de chez
Field, ses amies de l'époque où, à l'école Katherine Gibbs, elle
suivait le programme de deux ans en sciences du secrétariat, comme
on disait alors. Sans compter qu'elle voyait fréquemment les
trois filles – aujourd'hui dans la quarantaine, mariées et mères de
famille – de l'ancienne équipe de dactylos de l'Institut des Grands
Lacs. Jack les avait connues, lui aussi, mais, pour lui, elles n'évoquaient plus que de vagues réminiscences. S'il entendait leurs
prénoms – Rosemary, Glenda, Gussie –, leur visage émergeait du
brouillard un bref instant pour disparaître presque aussitôt. Assez
souvent, Brenda recevait des coups de fil de couples qu'ils avaient
connus autrefois, à la résidence des étudiants mariés ; c'était géné-
ralement à Brenda, et non à lui, que s'adressaient ces hommes et
ces femmes nostalgiques lorsqu'ils étaient de passage à Chicago.
Il ne s'en formalisait pas : Brenda était celle qui avait la patience
d'entretenir des amitiés, il en convenait volontiers. Elle se souvenait
des noms, gardait le contact. Poussée par un élan – était-ce une
forme d'imagination ? –, elle investissait dans les autres un net
sentiment d'intimité corporelle. Unetelle ou Unetelle, répétait-elle
inlassablement, était son amie la plus intime.

Intime. Mot troublant qui mystifiait Jack et, à l'occasion, provoquait en lui un certain malaise. Se pouvait-il qu'il fût privé d'un
élément de l'attirail perceptif requis ? Affaire de définition, peut-
être ? Il était possible, raisonnait-il, que l'idée que Brenda se faisait
du mot « intime » fût différente de la sienne, plus innocente, un
peu moins éclairée. Être « intime » voulait-il dire, comme Brenda
semblait le penser, se souvenir des anniversaires, s'y retrouver dans
les noms des enfants et répéter à satiété de laborieuses formules
de réconfort comme celles-ci : *je comprends ce que tu ressens, ce
n'est pas aussi tragique que tu le penses, ça ira mieux demain ?* Par
moments, il avait eu l'impression que les amies de Brenda, avec
leurs confidences et leurs conseils, ne faisaient que se délester l'une

sur l'autre du trop-plein de leurs difficultés. À bien y réfléchir, la notion même d'intimité avait quelque chose de profondément égoïste – les confidences moites et astreignantes qu'il fallait écouter patiemment, l'abandon étourdissant, volontaire. Partage mon chagrin. Laisse-moi me décharger de mes angoisses sur toi, vieille amie, prends ma faiblesse et prête-moi ta force en échange.

Et le secret, toujours le secret, la tombée de rideau abrupte, théâtrale, presque littérale. Quand Brenda parlait à une de ses amies «intimes» au téléphone – en particulier à Hap Lewis, qui avait les cheveux en broussaille et donnait toujours l'impression de braire –, elle mettait invariablement la main en cornet sur le combiné et parlait d'une voix superficielle, anxieuse, haletante. Chuchotements, subterfuges, suggestions lourdes de conséquences, pauses entendues. Une fois ou deux, Jack était entré par hasard dans une pièce remplie des amies de Brenda et la conversation, jusque-là vivement animée, était tombée dans un silence abrupt, cachottier, embarrassé.

— De quoi parlez-vous, pour l'amour? lui avait-il demandé.

— De tout, avait-elle répondu.

Puis, à la vue de l'expression de Jack, elle avait ajouté, avec un sourire entendu :

— Enfin, de presque tout.

— Par exemple?

— C'est difficile à dire.

— Pourquoi?

Elle le regarda.

— D'abord, nous n'imposons pas de sujet de discussion, comme tu le fais avec Bernie.

Elle avait parlé d'un ton raisonnable mais mordant en épiant la réaction de Jack. Évidemment, il savait, il avait toujours su, qu'elle ne croyait pas en son amitié avec Bernie.

— Bernie est-il vraiment un ami intime? lui avait-elle un jour demandé.

— Bien sûr que c'est un ami intime. Seigneur.

— Comment est-ce possible? Vous ne parlez jamais.

— Mais oui, nous nous parlons. Tu sais bien que nous nous parlons.

— Mais vous ne... discutez jamais du bon vieux temps.

— Peut-être pas, mais ça ne nous empêche pas de parler.

— Vous parlez de Sue, par exemple? De ses, comment dit-on, déjà... aventures?

— Tu veux parler de ses infidélités?

— Oui.

— Une fois ou deux. Par la bande.

— Par la bande! Et je suppose qu'il ne fait jamais allusion à Sarah.

— Seigneur Dieu, Brenda, c'est un sujet douloureux pour eux. Tu ne peux tout de même pas en vouloir à Bernie de ne pas...

— La douleur, on est censé la partager.

Jack la dévisagea.

— De quel droit affirmes-tu ça?

— Comment ça, «de quel droit»?

— Je veux dire que c'est facile quand on a deux enfants normaux, en bonne santé, intelligents...

Brenda n'avait pas semblé ébranlée.

— Sarah est sa fille, qu'il le veuille ou non. Et à toi, Jack, son prétendu meilleur ami, il ne parle jamais d'elle?

— Ce que j'ai dit, c'est qu'il n'en parle jamais directement. Il fait parfois allusion à elle quand ils sont allés la voir à Charleston...

— C'est incroyable.

Brenda avait secoué la tête.

— Incroyable! Dire que c'est ton ami le plus proche!

Jack avait tenté de s'expliquer, mais ce n'était pas une mince affaire. Il avait grandi dans le même pâté de maisons que Bernie Koltz. À une certaine époque, il y avait de cela une éternité, leurs parents avaient joué au *euchre* ensemble. Jack et Bernie, ni l'un ni l'autre portés sur le sport, ni l'un ni l'autre liants, avaient fréquenté l'école secondaire d'Austin. Après, tous les jours, ils avaient pris ensemble le métro surélevé jusqu'au centre-ville, où ils avaient étudié à la faculté de l'éducation permanente de l'université de l'Illinois et ensuite à l'université De Paul, où Bernie avait fini par faire son doctorat et où il enseignait aujourd'hui au département de mathématiques. (Il ne s'était d'ailleurs jamais départi du sentiment d'être un jeune prodige affairé et méticuleux.) Bernie avait servi de garçon d'honneur au mariage de Jack – événement qu'il avait abordé avec un sérieux redoutable – et Jack, quelques années plus tard, après que Bernie eut rencontré Sue, lui avait rendu la pareille.

Pendant un certain temps, ils s'étaient retrouvés assez souvent tous les quatre pour manger entre amis, mais il n'y avait jamais eu d'atomes crochus entre Brenda et Sue.

— Je vois bien qu'elle me considère comme une parfaite idiote, se plaignait Brenda. Elle n'arrête jamais de me demander ce que je pense du désarmement ou des trucs du genre.

— C'est de la projection, répondait Jack.

— Elle me prend pour une imbécile.

— Tu n'es pas imbécile. Tu es trop susceptible, voilà tout.

— Je suis désolée, Jack, disait Brenda. Sincèrement.

Ils avaient persisté pendant trois ou quatre ans, puis les soirées s'étaient espacées. Sue, qui se préparait à entrer à l'École de médecine, s'intéressait en même temps à la haute cuisine. Au cours d'une seule année, elle leur avait servi à quelques reprises d'étranges petits oiseaux tout en os – faisans, poulets de Cornouailles, cailles – flambés au brandy. À l'occasion d'un de ces repas, Brenda avait arraché un bréchet de la taille de son ongle et l'avait glissé dans sa poche. De retour à la maison, elle l'avait fait voir à Jack.

— C'est fou, Jack, avait-elle murmuré. Il faut que ça cesse.

Se rendant bien compte que c'était sans espoir, Jack avait malgré tout été déçu. Il n'avait ni frères ni sœurs. C'était donc avec un curieux pincement de plaisir qu'il entendait Rob et Laurie, tout petits, dire qu'ils allaient chez l'oncle Bernie et la tante Sue. En fait, les enfants, même s'ils voyaient rarement Bernie, l'appelaient toujours oncle Bernie. Quant à « tante » Sue, elle avait été larguée des années auparavant. En présence d'enfants, Sue se montrait nerveuse. Un jour, elle avait demandé à Laurie, alors âgée de deux ans :

— Qu'est-ce que tu as fait de bon, aujourd'hui ?

Après la naissance de Sarah, Bernie et Sue avaient renoncé à l'idée d'avoir une famille. (Sarah, aujourd'hui âgée de cinq ans, n'avait jamais accédé à la conscience. Il valait mieux, disait Sue, qu'elle reste à Charleston, où on savait s'occuper d'elle. Quel gaspillage, la vie. Sarah ne vivrait sans doute pas longtemps, disait Sue. Dans les cas comme le sien, c'était couru.) Bernie et Sue avaient gardé l'appartement voisin de Lincoln Park, aux portes munies de triples verrous, à l'odeur de chats et d'ail frit, et Sue était retournée à l'École de médecine. Au grand soulagement de Brenda, les invitations avaient cessé tout d'un coup. Bernie et Sue avaient un nouveau groupe d'amis – Jack les connaissait à peine, mais il s'agissait de femmes et d'hommes maigres et énergiques voués corps et âme à des disciplines au nom imprononçable relevant de la psychiatrie ou de la démographie, ou encore spécialisés dans les langues d'Europe de l'Est. Exception faite des repas du vendredi et d'une ou deux soirées par année, les chemins de Bernie et de Jack s'étaient séparés. Malgré tout, Jack n'avait jamais cessé de considérer Bernie comme son meilleur ami.

Un ami intime. Chaque année, à Noël, il offrait à Bernie une bouteille de rye et Bernie lui offrait une bouteille de scotch. C'était une tradition, la seule, hormis les repas chez Roberto, prolongement d'une blague à caractère privé à demi oubliée. Cet échange annuel de whisky déclenchait chez Brenda un rare accès d'atavisme, riche en inversions et en lamentations typiquement slaves, soulignées par force gesticulations des mains.

— Et à tes yeux c'est un échange de cadeaux ? Entre amis ! Une bouteille brune pour toi, une bouteille brune pour lui. C'est un cadeau, ça ? C'est de l'attention, ça ? Tu m'étonnes, Jack, tu m'étonnes.

Peut-être était-il exact que les hommes se faisaient peu d'amis intimes passé vingt ans. Il avait lu quelque chose à ce sujet, récemment. Était-ce dans un des magazines de Brenda ? Dans un article du magazine *Time* ? Dans le *Reader's Digest* – il y jetait parfois un coup d'œil, chez ses parents ? En amitié, les hommes sont des ratés, disait-on dans l'article. À cause de la compétition ou du désir de conquête, quelque chose du genre. Cette attitude inhibe les liens d'affection qui naissent spontanément entre femmes. (Jack avait remarqué que Brenda s'isolait avec ses amies ; même au téléphone, elle hochait la tête, avec des élans de sympathie, et s'enfermait avec elles dans une sorte de bathysphère privilégiée.) Les hommes devaient apparemment se contenter d'associations professionnelles incertaines ou encore de vieilles amitiés boiteuses nouées pendant l'enfance, relations maladroites qu'il fallait sans cesse ressusciter – visites des anciens repaires, aventures et mésaventures anciennes ravivées à grand renfort d'alcool, veillées qu'on prolonge jusqu'à trois ou quatre heures du matin dans l'espoir de se rappeler ce qui est arrivé à machinchouette, celui qui leur avait mis la main au collet dans une ruelle sombre à l'Halloween, en 1944, et leur avait flanqué une peur bleue. L'amitié de Jack pour Bernie était la seule qui eût transcendé ce modèle.

Pour sa part, Brenda semblait établir une équivalence entre l'amitié et la mise à nu de l'âme. Au fond, elle n'avait jamais compris que l'amitié de Jack pour Bernie était d'un autre ordre. Il avait beau n'avoir qu'un ami, il avait plus de chance, sur ce plan, que bon nombre de ses connaissances. Son père, par exemple, dont la plupart des amis étaient morts – non pas qu'ils eussent été légion. Pour ce qu'en savait Jack, son père ne s'était pas fait de nouveaux amis depuis des années. Aujourd'hui, celui-ci lisait des livres de poche, regardait la télévision et attendait les visites de Jack. Quand sa femme allait faire des courses, il l'accompagnait pour porter les sacs. C'était nouveau, pour lui. Ça le tenait occupé, disait-il. Calvin White, de l'Institut, était un homme aux émotions peu apparentes ayant les traits doux d'un solitaire. Il passait ses week-ends à travailler à son train miniature. Même M. Middleton ne semblait pas avoir de véritables amis. En présence de Jack, il avait souvent fait référence à certains collaborateurs ou collègues ; si M. Middleton avait parlé de ces personnes avec sympathie, Jack ne se souvenait pas de l'avoir entendu qualifier quiconque d'« ami ».

Lui, au moins, il avait Bernie – de combien d'amis avait-on besoin, d'ailleurs ? Sans oublier les Lewis, bien entendu, Hap et Bud. Il y avait plus d'une dizaine d'années que Brenda et lui les connaissaient. Deux fois par mois depuis six ans, ils jouaient au bridge. Soirées décontractées passées dans le salon des Lewis, à la mode des années cinquante, se disait Jack : une table à cartes, des chaises, une bouteille de vin espagnol et un bol de noix d'acajou. Il avait toutefois du mal à voir en eux des amis. Hap Lewis avait les jambes velues, une façon brusque et grossière de manier les cartes et une propension à donner son opinion sur tout – elle était exubérante à souhait –, et Jack, au sortir de ces soirées, était éperdu de pitié pour Bud qui, une fois les cartes rangées et la table repliée, devait (imaginait Jack) monter l'escalier et prendre dans ses bras Hap, sans nul doute occupée à braire, à gesticuler ou à jurer. (Brenda, cependant, lui avait dit en confidence que Hap et Bud avaient une vie sexuelle des plus satisfaisantes et que Hap était au fond très vulnérable.

— Ah bon ? s'était contenté de dire Jack, incapable de concevoir dans quel contexte et à quel prix cette information avait été transmise.)

Bud Lewis était un homme maigre au long visage de loup, d'une année ou deux l'aîné de Jack. Il travaillait au service des ventes d'un fabricant de produits chimiques. Il avait les cheveux épais et une frange comme en ont les Romains au théâtre, un visage inexpressif d'athlète. Il se déplaçait avec lenteur, d'une manière qu'on aurait dite abstraite, infiniment patiente. Joueur de bridge invétéré, il avait l'art de conserver ses atouts et d'abattre sa dernière carte de façon menaçante, éloquente. Il faisait pousser des tomates à partir de semences plantées sous verre et, le samedi matin, réglait sobrement le moteur de sa Pontiac 1976. Il entraînait l'équipe de soccer de son fils – Jack n'avait encore jamais réussi à voir dans le soccer autre chose qu'un sport exotique – et ne se débrouillait lui-même pas trop mal à ce jeu. Il parlait un anglais grammatical, tout en demi-tons à la mode du Midwest; son langage se caractérisait aussi par de subtiles transpositions, héritage, supposait Jack, de son lointain passage à l'École de laboratoire de Chicago. Hap et Bud. Leurs amis les plus proches. À en croire Brenda, tout au moins.

Jack avait ses doutes. Si c'était vrai, comment se faisait-il que, à chacune des soirées de bridge, ils mettaient quinze bonnes minutes à briser laborieusement la glace? Brenda restait là, assise toute raide sur le canapé provincial américain des Lewis, les mains nouées nerveusement, tandis que Hap entrait et sortait, à la recherche de ses cigarettes. Jack et Bud Lewis, assis de part et d'autre de la table basse, disaient : bonne semaine? Pas mal. Quoi de neuf au boulot? Pas grand-chose. Et toi? Les additifs nous causent toujours les mêmes maux de tête, et il y a un groupe de militants qui ne nous lâche pas, c'est politique, à notre avis. Parlant de politique, que penses-tu de ce que fait Carter pour augmenter la valeur du dollar? Il a intérêt, sinon nous allons nous casser la figure, et tant pis pour le prétendu moyen de défense. En fin de compte, il n'y a rien pour nous sauver, sauf nos propres efforts.

Finalement, finalement, Bud, un air d'empressement glacé dans le regard, apportait la table et en dépliait les pattes.

— Vous êtes prêts?

Il déposait les cartes sur la table. Puis Brenda se détendait, Jack avançait sa chaise, Hap allumait une cigarette et Bud, en ouvrant les cartes en éventail, disait :

— C'est parti.

Les soirées se terminaient toujours mieux qu'elles n'avaient débuté, et Jack, par moments, en venait presque à croire que Brenda avait raison d'affirmer que les Lewis étaient leurs meilleurs amis. Bud n'était pas mal, comme type, se disait-il à la fin d'un robre; il

ne se vantait pas de ses bons coups et il avait à tout le moins le
mérite de ne pas les assommer à mort en leur parlant des intrigues
de son bureau. En fait, il faisait rarement allusion à son travail,
même s'il lui arrivait à l'occasion de lever un peu le voile sur le mystérieux monde de la vente. La semaine précédente, par exemple,
il avait confié à Jack que, en raison du ralentissement de l'activité,
il se concentrait sur la sollicitation au hasard. La sollicitation au
hasard ? Bud avait expliqué qu'il s'agissait de l'établissement de
nouveaux contacts, de démarches impromptues effectuées auprès
de clients éventuels. Jack avait hoché la tête. *Bien sûr, bien sûr.* Il
songeait surtout aux refus sans cérémonie, aux portes que Bud
devait se faire fermer au nez. D'où lui venait sa chance, nom
de Dieu ? Son agréable petit bureau à l'Institut. M. Middleton,
l'aisance, la courtoisie, des horaires commodes, du temps à revendre,
le thé servi dans des tasses en porcelaine aux réunions du personnel.
Du thé ! Pendant ce temps-là, Bud Lewis, pauvre bougre, sollicitait
au hasard.

Qui d'autre pouvait-il considérer comme un ami ? Les can-
didats n'étaient pas nombreux. Brian, à l'Institut, et sa riche aura
d'érudition ? Celui-ci lui avait confié passer dix minutes par jour
sous une lampe solaire. C'était des années auparavant, mais Jack
n'avait jamais oublié, et cet inoffensif aveu de vanité de la part de
Brian avait tué dans l'œuf toute forme d'amitié entre eux. Qui
d'autre ? Larry Carpenter ? À peine s'il le connaissait, après deux
années de voisinage. De toute façon, il avait le sentiment que Larry
le voyait de l'œil condescendant avec lequel lui-même considérait
Bud Lewis. Aux yeux de Larry, il était, lui, un morne travailleur,
un homme qui effectuait jour après jour des gestes insignifiants
et inimaginables. Tout d'un coup, il se rendit compte que
chacun est le Bud Lewis de quelqu'un d'autre, un être qu'on
tolère et qu'on examine sous toutes les coutures à la recherche de
« bons points ». Non, décidément, il ne serait jamais l'ami de
Larry. Jamais il ne pourrait parler à Larry comme il le faisait à
Bernie tous les vendredis chez Roberto.

Les rencontres du vendredi : sur ce point, Bernie et lui étaient sans contredit dans le creux de la vague. Parfois, Jack se rendait compte qu'ils étaient absurdes et un peu pitoyables dans leur quête de la Vérité avec un grand V, médiocres pseudo-intellectuels du Midwest aux manières empruntées, la langue déliée par du vin bon marché et un nihilisme de pacotille, jouant à un jeu où l'affectation comptait pour beaucoup. Vraiment beaucoup.

En revanche, les vendredis, à leur meilleur, lui avaient procuré certains des moments les plus heureux de sa vie. Certains vendredis, il avait dû affronter une tempête de verglas pour se rendre chez Roberto. D'autres fois, il avait dû dire non à M. Middleton, qui l'invitait au Gentleman's Cycle Room. Chez Roberto, il avait subi l'injure du service pourri et des plats froids, et deux fois on lui avait volé son manteau. Mais quel plaisir, quel plaisir doux et rassurant !

Jusqu'à la régularité des rencontres qui était gage de longévité. Une fois par semaine. Calendrier aux proportions raisonnables, facile à observer, pourvu de la grâce de la continuité sans le poids solennel des grandes occasions. Les bons jours, les jours de chance, les réverbérations antiphoniques, à la manière de l'activité sexuelle, renforçaient sa conviction d'être en vie, d'être un homme sérieux, voire un homme bon. Il avait des picotements au dos des mains et un point dans la poitrine, comme si un besoin avait été satisfait, assouvi. Non pas que la satisfaction fût de nature sexuelle ; c'était autre chose, quelque chose de différent mais qui s'apparentait à l'extase qu'il ressentait au lit avec Brenda, quand il la tenait dans ses bras ou enfouissait son visage entre ses cuisses sombres. Puis son corps s'imprégnait de la joie qui émane de la musique ou de certains paysages. Il avait alors le sentiment singulier et indicible d'être arrivé à bon port.

Le vendredi, pendant les conversations avec Bernie, il y avait eu des moments où il avait éprouvé un tel sentiment, où Bernie et lui avaient vu, exactement au même moment, le prolongement fragile, inchoatif d'une idée. Évidemment, de telles occasions étaient rares. Elles les prenaient toujours par surprise. Il fallait tâtonner dans le froid pendant des heures; il fallait un peu de chance. En présence du phénomène, Jack se sentait transporté dans une bulle de bonheur à l'état pur, fraîche et nette, son cœur s'arrêtait de battre, son corps s'apaisait. Cette expérience – il se demanda si Bernie, à qui il n'avait pas posé la question, ressentait la même chose –, il n'avait jamais tenté de la décrire. À quoi bon? Il lui semblait, à ces moments-là, que le reste de sa vie valait d'être vécu. Que la vie était possible.

Et toujours, bien que Jack n'eût jamais exprimé rien de tel, il avait senti la présence entre eux de l'autre forme d'amitié; l'amitié selon Brenda, qui rimait avec attention, sollicitude, dépendance, soutien, consolation. Il avait toujours senti que, au besoin, Bernie lui viendrait en aide. Bernie ferait front avec lui. Il n'en avait jamais douté. Cet après-midi-là, enfermé dans son cabinet de travail en compagnie de sa foi perdue, n'avait-il pas senti la présence apaisante de Bernie, à l'état latent au moins, l'effleurer, lui promettre avec légèreté une forme de répit? Elle était là, cette amitié, en réserve. La veille, chez Roberto, il avait bien failli faire appel à elle. Harriet Post, sortie des oubliettes du passé avec son fichu livre, trahison sans foi ni loi. Il avait eu envie de pleurer, de taper sur la table, de crier dans l'espoir d'être délivré. Il s'était retenu. Il ne s'ouvrait pas facilement, en raison, se disait-il, d'un désir égoïste de garder ses défauts pour lui-même. Il nourrissait de sérieux doutes sur l'à-propos des confidences faites au petit bonheur. Quelquefois, cependant, il lui pesait de tenir bon tout seul.

Il s'était retenu, et il s'en félicitait aujourd'hui. Il avait réussi à tout contenir, à tout lisser, à intégrer la nouvelle concernant Harriet à son argumentation. Il commettrait une erreur en exigeant trop de son amitié avec Bernie, en y faisant appel trop souvent. Chaque fois, il y avait une part de risque, de sacrifice. Il lui suffisait de croire à cette possibilité.

Ce qu'il n'avait jamais imaginé, même dans ses rêves les plus fous – pourquoi avait-il si peu d'imagination? –, ce qu'il n'avait jamais imaginé, c'était que Bernie se tournât vers lui. Nom de Dieu!

Il commençait à faire noir. Dans la pièce, le lampadaire de la rue découpait un halo de lumière qui, filtré par les rideaux, semblait bleu-blanc. En cherchant le commutateur à tâtons, Jack sentit sa main trembler. Les larmes de Bernie l'avaient ébranlé et fait exulter en même temps.

Il était presque dix-huit heures. L'heure de mettre au four le plat laissé par Brenda.

Chapitre dix

— Papa?

— Laurie! Mon Dieu, tu m'as fait peur. Je ne t'ai pas entendue arriver.

— Je suis entrée par la porte de devant.

— Je n'ai rien entendu.

— Qu'est-ce que tu fais, papa? demanda-t-elle en le regardant à l'autre bout de la cuisine.

Sous l'effet du froid, le visage de Laurie avait pris une teinte d'un rouge grossier, comme on en voit chez les légumes, et ses cheveux sombres, frisés, se dressaient sur sa tête.

Il lança les mains en l'air.

— À ton avis? Je prépare une salade.

— Ah bon.

Elle fit un pas en arrière.

Il n'arrêtait pas de la blesser, de lui parler trop durement.

— Tiens, Laurie, fit-il en inspirant profondément. Qu'est-ce que tu dirais d'enlever ton manteau et de venir me donner un coup de main?

— D'accord, répondit-elle d'une voix plus assurée, tout de suite rassérénée.

Jack voyait bien qu'il était trop facile de l'apaiser, de la reconquérir. En l'observant désentortiller sa longue écharpe, il sentit son cœur se serrer d'amour. L'amabilité épuisante de sa fille avait quelque chose de doux, de soumis.

— Saurais-tu, par hasard, où ta mère range l'huile et les condiments pour la salade?

Le visage rond de Laurie, aux grands yeux brun foncé, se fendit d'un sourire confiant. Il y avait un peu de Brenda dans ce visage aux joues lisses où se devinait la bonne nature de Laurie. Entre ses yeux, on voyait le même espace qui lui donnait un air limpide.

— Bien sûr, dit-elle, presque enjouée, en se débarrassant de son anorak, qu'elle laissa tomber sur une chaise.

— Va l'accrocher, dit Jack par réflexe, en s'efforçant de ne pas élever la voix. Pendant qu'on y est, savais-tu qu'il est six heures passées? Je croyais que tu devais rentrer avant qu'il fasse noir.

— J'étais à côté, chez les voisins. Je ne vais tout de même pas me faire attaquer en traversant les buissons, non?

— Hmmmm.

Il fit glisser la lame du couteau dans une pomme de laitue bien fraîche, craquante.

— Papa?

— Quoi?

— Oncle Bernie dort sur le canapé. Dans le salon.

— Je sais.

— Pourquoi?

Debout sur un tabouret, elle fouillait dans une armoire. Chagriné, Jack étudia les rondeurs disgracieuses de son corps, la molle lourdeur des cuisses et du torse prépubères. «Du gras de bébé», prétendait Brenda.

— Pourquoi quoi? demanda-t-il.

— Qu'est-ce qu'il fait ici? Sur le canapé?

Sans raison particulière, le ton décontracté et chantant de la question lui plut. La vue des mains de sa fille s'affairant dans l'armoire, avec une agilité surprenante, lui plut aussi, et l'attitude terre-à-terre de Laurie avait quelque chose d'agréable, comme si la présence inhabituelle de Bernie endormi sur le canapé du salon n'était rien de plus qu'une énigme intrigante qu'elle serait contente d'élucider. Elle attendit, le visage aux aguets.

Dehors, le ciel était noir et saturé de vent ; Jack entendait les branches nues donner contre la gouttière, derrière la maison. La cuisine semblait tiède, protégée, cube de lumière découpé sur la rue sombre ; de l'autre côté de la table, surface bien éclairée qui symbolisait la sécurité, il vit Laurie casser un œuf dans un petit bol en verre.

— Je peux savoir ce que tu fais ? demanda-t-il.

— C'est pour la vinaigrette.

— Un œuf ?

— Pour la salade César, dit-elle. C'est d'accord, papa, dis ? ajouta-t-elle, suppliante.

— Bien sûr, répondit-il. Bien sûr. Tu sais que j'adore la salade César.

— Oncle Bernie...

— Oncle Bernie va passer la nuit chez nous, dit Jack en donnant à sa voix un vernis d'enthousiasme.

— Ah bon ?

Elle se tourna gaiement vers lui, les épaules contractées de plaisir.

— Il dort ici ? Ce soir ? Sur le canapé, tu veux dire ?

— Je ne sais pas, répondit Jack. Je n'y ai pas encore pensé.

— Il peut prendre ma chambre, dit Laurie. S'il veut bien.

— Bon, d'accord. Peut-être. Dès qu'il sera réveillé, on va lui demander où il veut dormir.

— Je pourrais dormir dans la salle de travail, moi. Sur le lit pliant.

— Peut-être. On verra.

— Tu sais quoi, papa ? dit-elle, énervée. Maman n'est pas là. Il pourrait dormir de son côté du lit.

Elle avait parlé d'un ton urgent, ravie de sa suggestion. Ayant cessé de remuer l'huile et le vinaigre, elle agitait la fourchette dans l'air, stupéfaite de se découvrir tant de bon sens.

— Je ne crois pas, Laurie.

— Ah bon.

Elle se remit à sa vinaigrette, qu'elle fouettait maintenant avec moins de vigueur, occupée qu'elle était à digérer ce « non » inattendu.

— D'accord, finit-elle par dire.

La porte de derrière s'ouvrit bruyamment, laissant entrer une masse d'air glacé. Rob était de retour. De son blouson de satin bleu et blanc se dégageait un nuage de froid. Il avait grandi de cinq centimètres au cours de la dernière année, et ses bras et ses jambes semblaient encombrer la cuisine.

— Je meurs de faim, dit-il en promenant autour de la pièce un regard suspicieux.

— Et la compétition, c'était comment ? demanda Jack avec une cordialité qui sonnait faux.

Au moment même où il prononçait les mots, il sentit la question se perdre dans l'espace. Apparemment, il n'y avait pas de réponse.

— Pas mal. Qu'est-ce qu'il y a pour souper ?

— Du riz à l'espagnole, dit Laurie. Elm Park a gagné ?

— Quand est-ce qu'on mange ?

— Bientôt, répondit Jack sèchement.

Rob, pendant ce temps, avait ouvert la porte du four et soulevé le couvercle de la cocotte en pyrex. Il grogna, fit la grimace et émit un profond reniflement de dégoût.

— Il faut vraiment manger cette merde ? fit-il.

Jack sentit la pièce vaciller. Pendant une fraction de seconde – tout au plus, forcément –, il eut la certitude qu'il allait tuer son fils. Sa main droite se souleva et il se rendit compte, horrifié, qu'il tenait toujours le couteau d'office. C'était donc ainsi que les choses basculaient : les meurtres commis dans les cuisines, le sol couvert de sang, les corps qui s'écroulent, la rage aveugle, véhémente, déraisonnable.

Le mot « merde » ? Rien à voir : les jeunes n'avaient que ce vocable-là à la bouche. Lui-même ne s'en privait pas : la télé, c'était de la merde ; Nixon, c'était de la merde ; les journaux étaient remplis de merde. L'incident d'aujourd'hui n'avait rien de nouveau ; c'était la goutte qui avait fait déborder le vase, déclenché l'explosion qui se préparait depuis des mois. Aujourd'hui, enfin tiré de sa torpeur, il avait eu envie de fracasser la tête de son fils, de lui aplatir le nez, de lui faire cracher ses dents. Il s'obligea à respirer profondément, puis, tremblant, il déposa soigneusement le couteau sur le comptoir, parallèlement à la planche à découper. La pièce semblait trop claire, embrasée. Il fixa son fils.

Rob lui rendit son regard, l'air un peu effrayé. Il était presque aussi grand que Jack, à qui il concédait cependant au moins huit kilos.

— Je déteste le riz à l'espagnole, fit-il faiblement.

— Dans ce cas, tu te passeras de manger, fit Jack, haletant.

Rustre. Rustre insolent. Barbare. De quel droit osait-il entrer ici avec ses gros sabots comme si la maison tout entière lui appartenait ? Jack sentait son cœur pomper du sang. Dire que des enfants crevaient de faim.

Pendant au moins trente secondes, personne ne dit rien. Rob restait planté là, cloué au sol, aurait-on dit, son visage, couvert d'un grossier masque d'acné, soudain informe, incertain, et Jack sentit à la manière d'une force physique la contrition subite de son fils. Il sentit aussi, à sa grande frayeur, son incapacité à passer l'éponge.

— Pour qui diable te prends-tu ? Comment oses-tu entrer ici en exigeant...

— D'accord, d'accord, dit Rob en faisant un pas en arrière.

— Il y a de la salade, couina Laurie, en pleurs. De la salade César.

— Ce soir, rien pour lui, fit Jack, obstiné.

Puis, reprenant le couteau, il s'attaqua à un autre quartier de laitue.

— J'ai dit que c'était d'accord, non ? lança Rob avant de sortir de la pièce comme un ouragan et de se lancer dans l'escalier.

Silence. La cuisine était immobile. Jack fixa d'un air incrédule sa fille, qui avait cessé de fouetter sa vinaigrette. La pauvre petite était bouche bée, ses mains inertes sur les genoux. Que s'était-il passé, au nom du ciel ? Où était passée la bulle de gaieté dans laquelle ils se trouvaient tous deux une minute plus tôt, à peine une minute plus tôt ? Que diable s'est-il passé ? se demanda-t-il en parcourant des yeux la cuisine silencieuse. Que diable s'est-il passé ?

Le four était réglé à deux cents degrés, et le parfum du riz à l'espagnole se répandait dans la pièce. Tout d'un coup, il se souvint, non sans colère, qu'il n'aimait pas le riz à l'espagnole. C'était un de ces plats bon marché que Brenda concoctait aux premiers jours de leur mariage : bœuf haché Stroganov, nouilles au thon, pâté au corned-beef. Brenda était une bonne cuisinière, excellente même. Pourquoi, lorsqu'elle s'absentait, leur laissait-elle invariablement des mets pâlots, insipides, pour tout dire impossibles ? Était-ce une sorte de punition, une façon de leur rappeler l'énormité de son absence ?

À l'étage, Rob allait et venait en claquant des portes. Laurie reniflait dans son coin.

— Ça ne fait rien, poupée, dit Jack en caressant son épaule ronde et douce. Tu sais ce que dit ton grand-père ? Ça en fera plus pour nous.

Puis, prestement, il se prépara un gin tonic. Dans le vaisselier de la salle à manger, il dénicha le haut verre givré qu'il affectionnait, puis il démoula des glaçons et se mesura une bonne rasade de gin. Dehors, le vent soufflait, sifflait. À cette heure-ci, habituellement, il pouvait voir la lune au-dessus du garage. Justement, la voilà, derrière un banc de nuages sombres et marbrés, lumière diffuse, impressionniste. Il va peut-être neiger, se dit-il à tout hasard.

Le verre à la main, il se dirigea vers le salon. À mi-chemin, il entendit le doux bourdonnement de quelqu'un qui ronflait.

Il avait oublié Bernie.

Chapitre onze

En l'occurrence, Bernie raffolait du riz à l'espagnole. Il y avait des années qu'il n'en avait pas mangé, depuis, en fait, les premières années de son mariage.

— Je suis heureux que tu m'aies réveillé, dit-il à Jack.

Il avait les yeux éteints, bordés d'une bande rouge aqueuse, mais sa voix ne tremblait pas. Il flatta Laurie d'un air à la fois sincère et convenu :

— Tu veux que je te dise ? C'est la meilleure salade que j'aie mangée depuis je ne sais plus quand.

Laurie avait mis la table dans la cuisine.

— On sera plus à l'aise ici, avait-elle expliqué.

Elle ferma les rideaux de denim rouge, scellant la pièce qui, du coup, donna l'impression de se réchauffer, de s'adoucir. Elle déposa trois napperons tissés sur la table, puis elle plia les serviettes de papier en éventails qu'elle faufila entre les dents des fourchettes. Au centre de la table, elle mit la violette africaine dans un pot en céramique qui occupait normalement le bord de la fenêtre.

— Dis donc, fit Bernie, on ne m'avait prévenu qu'il y avait fête au château.

D'un air grave et solennel, elle fit asseoir Bernie à un bout de la table, Jack à l'autre, et se réserva la chaise du milieu, sur laquelle elle se laissa choir bruyamment, à la manière d'une hôtesse affairée.

— Voilà, souffla-t-elle en balayant la table des yeux, le visage ouvert, en attente. Ses boucles blondes luisaient.

Rob ne bougea pas de sa chambre, à l'étage. Ils entendaient sa radio jouer à tue-tête. Les Rolling Stones. Des basses agressives. Jack s'éclaircit la voix – il se sentait contraint d'expliquer.

— Rob ne mange pas, ce soir.

Bernie, cependant, se contenta de hocher la tête en tendant la main vers la salière.

C'est alors qu'une vague d'embarras paralysant s'abattit sur Jack. Il sentit sa peau et ses muscles se raidir lentement, froidement. Comme si, chez le dentiste, il avait peu à peu perdu la maîtrise de son visage après une injection de novocaïne. Ses mains, si gourdes qu'elles lui semblaient recouvertes de gants de boxe, agrippaient le couteau et la fourchette, et ses genoux, noueux tout d'un coup, donnèrent contre les pattes de la table. Une paisible incrédulité s'empara de lui – cette intimité embarrassante, c'était trop soudain. Comment en était-il arrivé à ce désarroi immobile, à cette irréalité désarticulée?

Sa relation avec Bernie, y compris ses limites, ses codes et sa retenue laborieuse, réglée au quart de tour – tout cela avait-il volé en éclats du jour au lendemain? C'était un samedi soir. Il avait subi le spectacle des larmes de Bernie. Il avait passé le bras autour des épaules tressautantes de son ami. Voilà maintenant qu'on le condamnait, semblait-il, à la désorientation totale. Son plus vieil ami était là. Et pourtant, il n'arrivait pas à le regarder dans les yeux. Égaré, il se demanda s'il devait tenter de rétablir l'ordre ancien en reprenant la discussion de la veille là où ils l'avaient laissée, étoffer l'idée selon laquelle l'histoire se compose d'une succession de fins. Non, la pensée même lui sembla subitement puérile. Brenda y verrait à juste titre une tentative de diversion. Ce faisant, il se rendrait coupable d'indélicatesse. Au nom de quoi un homme abandonné par sa femme aurait-il envie de s'appesantir sur une abstraction glacée comme l'Histoire? Mieux valait se taire et manger.

Il mastiqua, engoncé dans un lourd silence. Face à l'inconnu, il avait toujours souffert d'une débilitante absence de sang-froid. Presque inconsciemment, il maudit Brenda de l'avoir abandonné, ce jour-là entre tous. De l'avoir laissé seul avec les larmes de Bernie, deux enfants difficiles et incompréhensibles et un bol de riz rosé et gluant. Ce qui l'avait irrité, il s'en rendait maintenant compte, c'était l'assurance, l'avidité avec lesquelles Rob était rentré en exigeant, sûr de son bon droit, d'être nourri, logé, vêtu.

La présence de Bernie – la chaise qu'il occupait fermement, la fourchette qu'il maniait adroitement – intriguait Jack. Au même titre que la valise restée dans un coin du vestibule. Qu'est-ce qu'il avait, au juste ? Était-il donc si peu charitable ? Bernie détecterait-il les subtils ratés de son hospitalité – était-ce pour cette raison qu'il se resservait de riz, descendait sa bière et s'efforçait à la gaieté ?

Ce genre de silence avait le pouvoir de tout gâcher, et Jack sut gré à Laurie de leur réciter la recette de la salade César sans cesser de manger. De l'huile, du citron, du persil, de l'ail. Elle semblait prendre à cœur le rôle qu'elle venait tout juste de se donner, mangeant avec une délicatesse étudiée et faisant avec brio et bonne humeur les frais de la conversation. Étourdi, Bernie clignait des yeux, mangeait, souriait, écoutait.

— Prends encore du riz, papa, le pressa Laurie.

Bien qu'elle eût une dentition parfaite, elle avait, au cours de la dernière année, mis au point un nouveau sourire curieusement fermé, animé, eût-on dit, d'une douceur un peu folle.

— Personne n'en veut ? demanda-t-elle.

Jack perçut la déception dans sa voix.

— Et toi ? demanda Bernie. Le chef ne doit pas s'oublier.

— Je n'en peux plus. À cause de toutes les cochonneries que j'ai mangées chez les Carpenter.

— Je te croyais en train de promener les chiens, dit Jack.

— Je l'ai fait. Brinkley refuse de suivre au pas. Mme Carpenter dit qu'il va à l'école de dressage. Tu sais ce qu'a dit M. Carpenter ?

— Quoi donc ?

— Il a dit : « Quand les poules auront des dents. » Je pensais qu'on disait ça seulement dans les films.

— Ah bon.

— Il est de mauvaise humeur. À mon retour, Mme Carpenter m'a dit que je pouvais ouvrir la boîte de pâtée pour les chiens, mais lui m'a dit qu'il valait mieux que je file. Alors Mme Carpenter a dit que je pouvais l'aider à préparer la nourriture pour la soirée. Tu sais quoi? Elle a dit que je pouvais l'appeler Janey. Elle a dit qu'il n'y avait pas une si grande différence d'âge entre nous deux.

— Elle a dit ça? Vraiment?

Jack sirotait sa bière.

Au bénéfice de Bernie, elle expliqua :

— Ils organisent une énorme fête, ce soir. Gigantesque. Avec des crevettes et un tas d'autres choses. Et de la salade au homard. Tu sais ce qu'ils mettent dedans? Des pacanes! Il y a aussi des petits feuilletés aux bouts recourbés avec du poulet dedans. Je l'ai aidée à les faire.

— Elle t'a laissée goûter?

— Goûter!

Laurie se flatta le ventre avec enthousiasme en roulant les yeux.

— J'ai mangé à mort. *À mort.* Elle – Mme Carpenter, Janey, je veux dire – n'arrêtait pas de me demander mon opinion sur tout. Elle voulait savoir si la trempette était assez salée, par exemple, ou s'il y avait trop de cari dans les petits machins au poulet. Tu vois le genre. Elle a fait une chouette trempette avec de la crème sûre et du navet râpé. La dernière fois, des traiteurs s'étaient occupés de tout, à ce qu'il paraît, mais ils avaient apporté la même chose que d'habitude et les bouchées avaient ramolli. Tu t'en souviens, papa? Est-ce que les bouchées avaient ramolli? Tu étais là.

— Dans mon souvenir, dit Jack en marquant une pause dans l'espoir de la faire rire, d'effacer en partie la scène disgracieuse qui l'avait opposé à Rob, dans mon souvenir, ce sont les gens qui avaient ramolli.

Laurie ne rit pas. Elle avait plutôt l'air perplexe.

— Les gens?

— C'est une blague.

— Les gens avaient ramolli? Qu'est-ce que ça veut dire?

— Rien. Rien du tout. À vrai dire, princesse, je ne me rappelle pas ce qu'on nous a servi. Ni des gens, d'ailleurs.

La dernière soirée des Carpenter – Jack songea avec une légère pointe d'acrimonie que c'était à peine six semaines plus tôt – n'était plus qu'un vague souvenir. Pour une raison quelconque, il était à cran, ce soir-là. Il avait envie d'aller au cinéma, de voir un mauvais film aux couleurs douces mettant en vedette des danseurs à claquettes, où il partirait à la dérive en tenant la main de Brenda, mais ils avaient fini par s'habiller et par aller chez les Carpenter, où il avait sifflé trop de verres de scotch dans un laps de temps trop court. Comble de malheur, Brenda et lui ne connaissaient personne. Larry et Janey s'étaient établis à Elm Park moins de deux ans auparavant. Ils s'étaient fait quelques amis : les Lewis, les Wallberg et les Bowman. Ils avaient joint les rangs du théâtre amateur et du club de tennis, mais la plupart de leurs amis vivaient au centre-ville. Si la mémoire de Jack était bonne, il y avait, ce soir-là, un certain nombre de journalistes et de gens du milieu du théâtre (Larry signait une chronique sur le théâtre et parfois sur le vin dans le *Chicago Today*); il y avait aussi au moins deux psychiatres et un groupe de personnes éloquentes et bien habillées chargées de recueillir des fonds pour un comité qui s'occupait de ballet. Tout ce beau monde était debout. Jack, qui avait passé l'après-midi à faire du ménage au sous-sol, était fatigué, mais il ne s'était pas senti le droit de s'asseoir dans un fauteuil et de s'y faire oublier. Au bout d'un certain temps, il s'était appuyé contre le chambranle d'une porte dans la salle à manger, où il se souvenait vaguement d'avoir bavardé avec une jeune femme au maquillage précis en costume de velours côtelé vert foncé qui lui avait dit être dépanneuse dans une usine d'uranium. Dépanneuse? Bizarre. Il avait eu envie de lui demander ce que cela signifiait dans le contexte de l'uranium, mais il avait tenu sa langue. À ce moment, il avait eu l'impression qu'elle se payait peut-être sa tête; six semaines plus tard, il en était certain. Il s'était senti vieux et terne. Le creux de ses genoux le faisait souffrir. Il lui avait dit qu'il écrivait un livre et, en adoptant un faux accent sudiste, elle lui avait dit :

— Vous aussi ?

Pardon ? Il avait ouvert la bouche dans l'intention de lui demander de s'expliquer, mais elle s'était éloignée en direction du bar. Il y avait des tas de choses à manger, mais elles avaient semblé mettre des heures à se matérialiser. Puis, beaucoup plus tard, on avait servi du café et des pâtisseries françaises. Il se souvenait tout particulièrement des éclairs au chocolat à cause de la conversation qu'il avait eue dans un coin avec un chroniqueur politique du *Chicago Today* – vieillard au profil accidenté qui, à l'époque de la guerre du Viêt Nam, avait pris le parti des faucons. Après s'être fourré l'éclair dans la bouche, l'homme avait léché ses doigts, avec application, méticuleusement, en commençant par l'auriculaire, suivi de l'annulaire, jusqu'au pouce, qu'il avait fait pénétrer dans sa bouche en le tortillant entre ses lèvres roses et charnues. Jack avait observé le manège, fasciné. Il faudrait qu'il recommence à lire les chroniques de ce bonhomme, s'était-il dit, afin de voir s'il avait assoupli sa position sur le communisme. Un tel ramollissement serait encourageant. Il avait failli confier à son interlocuteur qu'il était lui-même une sorte d'écrivain et qu'il préparait un ouvrage sur les pratiques commerciales des Indiens, mais il s'était retenu. Il avait eu sa dose. À propos du reste de la soirée, il avait tout oublié.

À l'exception d'une chose. Il conservait un souvenir parfait, reproductible à l'infini, comme un film, du moment où Brenda et lui, en retard, avaient sonné à la porte des Carpenter. (Il avait mis son blouson neuf avant de se raviser à la dernière minute.) Janey Carpenter, vêtue d'une robe de calicot qui lui arrivait à la hauteur des mollets, leur avait ouvert avec un grand geste théâtral. Puis elle les avait pris au dépourvu en effectuant devant eux une curieuse révérence un peu branlante qui s'était arrêtée à la hauteur du sol. Elle avait les cheveux très blonds. Cette année-là, peu de femmes, surtout arrivées à la fin de la trentaine, les portaient aussi longs.

— Entrez, chers voisins, s'écria-t-elle au milieu du tumulte. Soyez les bienvenus.

Jack, qui l'avait toujours trouvée un tantinet distante, avait été surpris par la chaleur de l'accueil. Puis Larry était apparu. Retenant Janey d'une main, il s'était chargé de la suite des choses. Il portait un pull norvégien brun foncé aux manches rallongées à l'épaule, muni de pièces en suède aux coudes. Ses cheveux brun sable au lustre doux étaient coiffés avec tant de soin qu'on aurait dit qu'il portait une perruque.

— Jack! Brenda! s'était-il écrié avec chaleur, mais tout doucement. Venez que je vous présente.

La voix de Larry, élégante et lisse mais chevrotante, manquait de substance, à la manière du yaourt dans du carton.

— Voici, avait fait Larry, la main sur l'épaule de Jack, notre voisin immédiat, Jack Bowman, spécialiste du commerce chez les Indiens, et voici Brenda, avait-il ajouté en souriant avant de marquer une pause et de glisser son bras autour de sa taille, fabricante de courtepointes à part entière.

Brenda n'avait pas bronché. À ce moment-là, Jack s'était dit que le détail lui avait peut-être échappé. Après, elle avait circulé et trouvé quelqu'un d'intéressant à qui parler, un type qui, partout dans le monde, photographiait des plages pour le compte d'une agence de voyages. Plus tard, Jack l'avait entraperçue à proximité du buffet. Il avait entendu le mot «Madagascar» flotter dans l'air, mais ce n'était que plus tard, à leur retour à la maison, qu'il avait pu lui parler.

Il était deux heures et demie du matin. Elle s'était laissée tomber sur le lit, sans enlever sa robe, et se tordait de rire.

— Fabricante de courtepointes à part entière! Je te jure, Jack, que j'ai failli éclater. C'était à hurler de rire, non? J'y ai pensé pendant toute la soirée. Pas toi ? Chaque fois que je les voyais, son pull de laine et lui, j'étais prête à mourir de rire.

Ils s'étaient serrés dans les bras l'un de l'autre, le lit secoué par leurs rires cadencés. Ensemble, ils avaient roulé à gauche et à droite. Jack, en faisant glisser la fermeture éclair de sa robe, avait été éperdu de gratitude : elle avait pris la mesure du comique de la situation. (Ils ne riaient pas nécessairement des mêmes choses. À peine une semaine auparavant, tôt le matin, il enfilait des chaussettes neuves quand une érection lui était venue à l'improviste. Sans réfléchir, il avait arraché l'étiquette, autocollant doré et noir de forme circulaire, sur laquelle était écrit « Modèle extra long ». Il avait baissé les yeux. C'était décidément une érection respectable. Aussi avait-il collé l'étiquette sur son membre tumescent. Puis, la taille ceinte d'une serviette, il avait surpris Brenda dans la salle de bains. Il avait retiré la serviette et agité les hanches en s'écriant :

— On l'applaudit !

Il était certain de la faire rire. À la place, elle s'était contentée de le dévisager par-dessus son gant de toilette :

— Franchement, Jack.)

Mais les présentations de Larry Carpenter, elles, l'avaient fait rire – « fabricante de courtepointes à part entière » –, et, pour cette raison, il l'aimait. Il l'adorait. Malgré l'heure tardive, malgré tout le scotch qu'il avait ingurgité, ils avaient fait l'amour lentement, langoureusement, avec plus d'égards qu'à l'accoutumée. Merci, merci, merci, pensait-il, la bouche vissée à son sein, tandis que le souvenir du ridicule de Larry Carpenter remontait à la surface, au milieu de leurs étreintes, à la manière d'une impayable bulle de folie.

La plaisanterie avait duré pendant des jours.

— Voici un œuf à part entière, lui avait dit Brenda en lui servant le déjeuner, le lendemain matin.

— C'est moi, avait un jour crié Jack en rentrant tôt du bureau, ton mari à part entière.

Larry Carpenter, au même titre que son imper anglais et sa coiffure improbable, s'était décomposé sous leurs yeux, absurde sauterelle trotte-menu digne de tous les ridicules et de tous les quolibets. Le matin, depuis leur fenêtre, ils le regardaient s'installer au volant de sa Porsche jaune.

— Une voiture sport à part entière, annonçait Brenda en faisant la grimace.

Au bout d'une semaine, la plaisanterie était usée, ses possibilités comiques épuisées. D'une certaine façon, il aurait été cruel d'insister. Le dimanche suivant, Larry avait téléphoné pour les inviter à venir boire un verre, mais Jack avait déclaré avec fermeté que c'était à leur tour de venir. Larry avait accepté avec empressement, presque avec gratitude.

— Nous arrivons tout de suite, avait-il dit.

Ils s'étaient installés au salon dans la lumière déclinante de l'après-midi. Jack avait préparé des vodkas orange tandis que Brenda offrait du fromage et des craquelins. Détendu, Larry, sur un ton moqueur, mais avec bonne humeur, avait parlé de la situation du théâtre à Chicago, de la renaissance du théâtre amateur dans les quartiers. Il avait été touché de se voir offrir le rôle de Hamlet, lui qui n'avait joint les rangs de la troupe que dix-huit mois auparavant. Cette modestie inattendue lui allait à merveille.

— Pour une troupe d'amateurs, avait-il dit, s'attaquer à *Hamlet* a quelque chose d'héroïque. La tentative est vouée à l'échec, on le sait d'avance, mais on fonce quand même. En fin de compte, c'est peut-être l'amateurisme qui va nous sauver, qui va nous empêcher de partir à vau-l'eau, confortablement assis sur notre derrière plaqué argent.

Janey avait signifié son accord en opinant du bonnet. Ce soir-là, dans le souvenir de Jack, elle avait été particulièrement agréable.

Voilà maintenant qu'ils donnaient une autre soirée.

— Sans chichis, avait dit Janey au téléphone. Une formule «portes ouvertes», si vous voulez. Des membres de la distribution de *Hamlet* et quelques autres invités qui vont vous plaire, j'en suis certaine.

— C'est reparti comme en quarante, avait soupiré Brenda en se cognant la tête du poing.

Puis elle s'était souvenue, ravie, qu'elle serait à Philadelphie, ce soir-là.

À la pensée de la fille au costume de velours côtelé et du flou induit par l'alcool qui l'attendrait vers minuit, Jack avait décidé de ne pas y aller. Il allait passer une soirée tranquille à la maison. Au milieu de la foule, son absence passerait totalement inaperçue.

Mais voilà que le samedi soir était venu. Son fils boudait à l'étage. Sa fille papotait, fredonnait et lavait la vaisselle. La réserve de bonne volonté apparemment sans fin de Laurie le rendait fou. Assis d'un air morose à la table de la cuisine, tel un moine aux piles à plat, Bernie gonflait les joues en regardant par la fenêtre.

— Tu sais ce qu'il te faut, Bernie? demanda Jack.

— Quoi donc?

— Faire de nouvelles connaissances. Boire un verre ou deux. Peut-être même trois.

— Pourquoi pas une balle dans la tête, pendant que tu y es?

— Allez. On ne restera qu'une demi-heure. Les invités vont et viennent à leur guise. Rien de sorcier.

— Je ne sais pas, dit Bernie.

Soudain, aux yeux de Jack, l'idée de passer toute la soirée à la maison sembla intolérable.

— Tu devrais venir, Bernie. Sans blague. Dans les circonstances, rester assis à te tourner les pouces, c'est de la folie. C'est la pire chose à faire. On peut sombrer dans la déprime. Tu te souviens de Machinchouette? Le type qui travaillait au département? Il faut que tu te changes les idées.

— J'ai apporté un livre.

— Écoute, dit Jack. Je te prête une chemise. Puis je téléphone aux Carpenter pour leur dire que je viens avec un ami. Ils ne sont pas si mal et, chez eux, on mange plutôt bien. Tu risques même de t'amuser. C'est samedi soir. Tu as besoin de te distraire, de tout oublier pendant quelques heures. Il faut s'amuser un peu dans la vie. Sinon, à quoi ça sert ? On ne va pas rester comme ça toute la soirée, Bernie, merde. Allez, viens.

Par-devers lui, il se disait : un homme meilleur que toi résisterait, un homme meilleur que toi resterait à la maison, ce soir. Il monterait un sandwich au jambon et un verre de lait à son fils (qui était sensible, qui ne supportait pas d'être grondé, même quand il était petit, qui avait de la peine, qui avait faim), et se réconcilierait avec lui. Un homme meilleur que toi resterait à la maison, jouerait au scrabble avec sa fille, la ferait rire, la remercierait d'avoir fait la vaisselle, lui raconterait des histoires, lui parlerait de l'époque où il avait son âge. Un homme meilleur que lui – où se cachait-il, ce bougre-là ? – offrirait toute son attention et toute sa sympathie à son plus vieil ami qui, aujourd'hui même, avait vu sa vie basculer, se sentait perdu, seul, effrayé et même triste au point de pleurer. Un homme meilleur que lui irait chercher une brassée de bois sec au sous-sol, préparerait un feu dans le salon, inviterait les enfants à assister à l'allumage rituel – autrefois, ils adoraient ça. Un homme meilleur que lui refuserait les invitations de voisins qui lui inspiraient une légère aversion au lieu de gâcher sa vie dans des soirées mondaines. Le temps nous est compté, et il faut l'employer à bon escient. Son manuscrit l'attendait patiemment. Pour peu qu'il le veuille, il était peut-être encore temps de mettre la journée à profit, de sauver quelque chose...

— Bon, fit Bernie, peut-être...

— Parfait.

Jack se dirigea vers le téléphone.

— Je les appelle tout de suite.

Chapitre douze

— Il est comment, en fin de compte, ce Larry Carpenter? demanda Bernie.

Jack hésita en pensant au visage intelligent de Larry, annonciateur de réussite, à son corps svelte d'homme à la fin de la trentaine. Quand ils bavardaient pendant une soirée organisée à Elm Park ou au-dessus de la haie du jardin, Larry lui plaisait plutôt. À ces moments-là, passés seul à seul, Jack jugeait Larry avenant et même généreux dans ses opinions. En d'autres circonstances, s'il lui arrivait de penser à Larry, c'est la méfiance qui lui venait à l'esprit. Larry avait une façon bien à lui de distiller l'ennui, à la manière d'un terrain vague, de parer les questions le concernant. La vérité, c'était que Jack considérait Larry Carpenter comme un hurluberlu, parfois même comme un crétin fini. Même Brenda était de cet avis. Comment expliquer cet apparent paradoxe?

Par le fait, peut-être, que les Carpenter avaient réussi à faire de leur état d'homme et de femme sans enfants une forme de raffinement intellectuel. Aux yeux de Jack, Janey, avec ses cheveux clairs et sa bouche vivement colorée qu'on aurait dite sortie tout droit de *Vogue*, semblait coquette et boudeuse. Par moments, cependant, elle était d'une joliesse éphémère. Larry la traitait tendrement, comme une enfant. Il n'était pas facile à saisir, et les sentiments de Jack à son endroit se traduisaient pour l'essentiel par une vague circonspection.

Il présenta à Bernie sa version de sa première rencontre avec Larry, laquelle s'était produite le week-end où les Carpenter avait emménagé. C'était tard en automne, vers la fin de novembre, un samedi après-midi. Dans sa cour, Jack, les poings fourrés dans les poches de son pantalon, respirait l'arôme saumâtre des feuilles en décomposition et de la fumée de bois.

La voix d'un jeune homme, allègre et portant le sceau inimitable de la côte est, traversa la haie – Larry Carpenter lui-même, Larry Carpenter en personne. Depuis deux ans, Jack lisait par intermittence sa chronique dans le *Chicago Today* – souvent, il l'admettait volontiers, avec amusement. Il s'agissait de toute évidence d'un homme prêt à tout pour faire rire.

— Le jour où vous déciderez de raser cette jungle, voisin, avait lancé Larry au-dessus du gazon, ce samedi-là, j'assumerai la moitié des coûts de l'opération.

Jack avait tout de suite été sur la défensive. Il aimait bien les touffes échevelées de buissons informes et indéterminés qui délimitaient et protégeaient sa propriété ; il avait la ferme intention de les conserver à jamais. Par ailleurs, il lui avait semblé poli d'aller se présenter.

— Vous êtes historien ! s'était exclamé Larry Carpenter de sa voix légère, qui donnait l'impression de valser. Dans ce cas, vous allez peut-être pouvoir me parler un peu de l'histoire du taudis branlant que nous venons d'acheter, ma femme et moi. Seigneur, mon doux Seigneur, il faut être cinglé pour s'embarrasser d'une bicoque pareille. À lui seul, le nettoyage va nous prendre des lustres.

Avec application, Jack, conscient de répondre au ton suave de Larry par une cordialité feinte, parla à cet étranger à l'allure juvénile vêtu d'un pull en mohair gris – des branches dépouillées voilaient Larry en partie – de l'ex-propriétaire, Mlle Anderson, du nombre d'années où elle avait occupé la maison, qui, à la vérité, tenait de la légende, de ses deux chats, Platon et Aristote, de sa vue qui avait baissé peu à peu, des élèves du secondaire qu'elle avait recrutés les uns après les autres pour entretenir son jardin et laver ses carreaux et qui la laissaient invariablement tomber, de la difficulté qu'elle avait à vivre de sa pension d'institutrice, attribuée à l'époque où les pensions se résumaient à deux fois rien. Nom de Dieu, elle ne se permettait de la viande qu'une fois par semaine, avait-elle confié à Brenda. En fait, c'était une bonne petite vieille, avait dit Jack à Larry Carpenter. Voilà ce qu'il avait dit, lui qui avait détesté Mlle Anderson et trouvé repoussantes et terrifiantes les arêtes et les rallonges de son visage asexué, lui qui avait fait la grimace en entendant les sifflements d'asthmatique avec lesquels elle accueillait ceux qui, comme lui, lui téléphonaient au nom du comité du patrimoine. Dans le quartier, on la surnommait la «vieille lapine à épines», et voilà, nom de Dieu, qu'ici, dans sa cour, dans son territoire, dans son domaine, appuyé sur une branche d'érable tordue, il créait involontairement une fiction de mauvais goût, un mélodrame mettant en vedette cette attachante bonne femme, cette gloire locale stoïque, personnage en chair et en os, cette héroïne, en fait – la pauvre chère vieille, que Dieu ait son âme.

Larry Carpenter avait écouté ce récit en hochant la tête et en triturant les racines de ses cheveux châtains coiffés avec le plus grand soin. Il avait décoché à Jack un regard pénétrant et incrédule. Puis, sur ses lèvres, un sourire était apparu, même s'il s'était contenté de dire :

— En tout cas, si jamais vous décidez de faire quelque chose à propos de cette jungle...

À l'étage, Jack dégota une chemise pour Bernie.

— Elle devrait t'aller, dit-il.

Ils se changèrent ensemble. Bernie, constata Jack, portait un caleçon orange. Ils ne s'étaient pas habillés ensemble depuis au moins vingt-cinq ans, depuis les lointaines journées d'été dans le vestiaire de la piscine de Forest Park.

— À moins que tu préfères la bleue. C'est comme tu veux.

— Peu importe, fit Bernie sèchement.

— Celle-là te va.

— Merci.

— Tu veux une cravate ?

— C'est bon comme ça, dit fermement Bernie.

— D'accord.

Jack boutonna une manchette et se mira dans la glace.

— Qu'est-ce que c'est ? demanda Bernie. Là, sur le cintre ? À côté de la chemise bleue.

— Ça ? Un blouson.

— Je ne t'ai jamais vu le porter.

— En fait, je ne l'ai pas porté. Pas encore, en tout cas. Je viens de l'acheter, mais...

— On dirait du daim.

— Je ne sais pas pourquoi je l'ai pris, Jack s'entendit-il dire. C'est ce qu'on appelle un achat impulsif, je suppose.

— Écoute, si tu n'as pas l'intention de le porter ce soir, je pourrais le passer par-dessus la chemise.

— Eh bien...

— À moins que tu veuilles le mettre. Ça m'est totalement indifférent.

— Eh bien...

— Je ne...

— Pourquoi pas ? Allez, vas-y. Aussi bien que quelqu'un le porte.

~

— Nous sommes ravis de vous accueillir.

Les Carpenter semblaient sincèrement heureux que Jack ait amené Bernie. Pourquoi pas ? se dit Jack. Bernie Koltz, pourvu de la densité corporelle du véritable intellectuel en harmonie avec lui-même, était tout à fait présentable. À l'âge moyen, son visage était au goût du jour : un museau ironique et interrogateur, à la fois grotesque et élégant, et des yeux rosâtres et réfléchis, animés et coquins. Ce soir, il semblait particulièrement vif et dans le vent.

— Venez que je vous présente, dit Larry.

Il leur fit traverser le salon et le bureau pour les conduire dans la salle à manger. À l'intention des invités agglutinés en petits groupes indistincts, un verre à la main, il dit :

— Je vous présente Jack Bowman, spécialiste des Indiens des Grands Lacs. Les pratiques commerciales, les billes, les couvertures et tout ça. Et voici – voici Bernie Koltz, c'est bien ça ? Bien. Bernie est professeur à DePaul. Vous avez bien dit que vous étiez professeur de maths, Bernie ? Et si je vous disais que je me suis servi d'allumettes pour faire mes maths jusqu'en quatrième année d'économie... Encore aujourd'hui, quand vient le moment de la déclaration de revenus, je sors les allumettes. Vous n'avez qu'à demander à Janey. Je me rends compte que je ne vous ai pas encore offert à boire. Le thème de la soirée, c'est le vin vieux. Je ne sais pas si Janey vous a expliqué au téléphone. Si vous préférez, nous avons aussi des alcools forts, du scotch, de la vodka, un rhum délicieux, tout ce que vous voulez. Mais je crois que vous allez aimer le vin que Janey et moi avons acheté à Beaune, l'été dernier. En tout cas, après tout ce que nous avons enduré pour le faire entrer au pays, il faut au moins que vous y goûtiez. Et je ne vous parle même pas de la dimension criminelle de l'affaire. Ce n'est pas du grand vin – on nous a refilé quelques bouteilles un peu jeunes –, mais celui-ci est un véritable nectar, à mon palais en tout cas. Prenez-en un peu. Mais j'y pense, vous connaissez Hy Saltzer ? Il fait dans la brique. Venez que je vous présente.

~

— Jack, il est adorable, chuchota Janey Carpenter dans la cuisine.

Jack, qui s'y était aventuré à la recherche de glaçons pour son scotch, était tombé sur Janey en train de sortir des feuilletés au fromage du four. Elle était agitée et jolie. En fait, il ne l'avait encore jamais vue aussi jolie. Sa nuque exhalait un curieux parfum de cannelle.

— J'aime ses yeux, dit-elle. Je les ai remarqués tout de suite.

— Ses yeux?

— Et ce blouson en daim. Magnifique. Il a la couleur du pain grillé. Un peu éteint. J'adore.

— Ah bon.

— Est-ce qu'il est... marié?

Jack hocha vaguement la tête en se servant de glaçons.

— Séparé.

— Je vois.

Elle eut, à l'intention de Jack, un léger haussement d'épaules, l'air de dire : dommage, mais les temps sont ce qu'ils sont.

— Sa femme, Sue, est médecin, expliqua Jack en prenant une gorgée de scotch. Psychiatre, en fait.

— Ils sont séparés depuis longtemps?

La question, ou encore le ton sur lequel elle la posa, trahissait une curiosité indécente. Jack resta dans le vague.

— C'est relativement récent, lui dit-il.

— C'est ce que je me disais, fit-elle en hochant la tête d'un air entendu. Quelque chose dans le regard. Ça se sent. Prenez donc un feuilleté au fromage.

— Volontiers. Merci.

— Quoi qu'il en soit, dit-elle avant d'entrer dans la salle à manger, je le trouve adorable. Vraiment adorable.

~

Cette soirée-là était effectivement différente de la précédente. À droite et à gauche, il y avait des voisins, des visages que Jack reconnaissait. Irving et Leah Wallberg, Robin Fairweather et sa nouvelle femme – nom de Dieu, elle avait au plus vingt-cinq ans.

Les Sanderson, Bill Block. Et Hap Lewis, qui s'informa de Brenda.

— A-t-elle décidé d'emporter les trois courtepointes, Jack, ou seulement deux?

— Trois. Je crois me souvenir que c'est ce qu'elle a dit. La boîte était lourde, en tout cas. Nous l'avons expédiée par le fret aérien.

— Brenda me les a montrées, hier. Toutes les trois. Ma favorite, celle que je préfère par-dessus tout, c'est *Second avènement*. Quelles couleurs! Et ces bords! As-tu déjà vu quelque chose d'aussi beau que les bords duveteux de cette courtepointe? À mon avis, c'est dans ce genre de détails que Brenda excelle. Bon Dieu, elle a une maîtrise incroyable du folklore, et ses courtepointes ont une vitalité digne de Van Gogh, et en même temps tout est foutrement retenu. On dirait une sorte de tranquillité propre à elle, une signature. Un trait unique, en quelque sorte. On pourrait parler d'énergie contenue, je suppose. Ses courtepointes donnent une impression de sauvagerie, mais de sauvagerie ironique, tu comprends? Il y a de la sexualité dans ces formes, mais aussi de l'ordre. Comme s'il y avait un ordre dans l'univers, tu vois, un motif sous-jacent. C'est ce que j'ai dit à Brenda. La discipline au sein du chaos. Mais aussi de la force, un redoutable champ de force, tu vois ce que je veux dire, Jack? Je m'exprime mal, comme d'habitude. Tout est trop foutument abstrait, mais c'est ce que j'ai ressenti, je t'assure.

Jack écouta. Il hocha la tête en sirotant son scotch.

— Oui, fit-il. C'est ce que je pense, moi aussi.

— Je travaille pour une société minière dont le siège social est à Chicago, dit à Jack une femme vêtue d'une jupe en velours de la couleur des prunes bleues. Debout près du foyer, elle fumait un petit cigare. Mon Dieu, songea-t-il. Encore elle!

— Ah bon? dit Jack. C'est fascinant.

— Nous sommes dans l'uranium. Vous voulez que je vous dise? C'est un travail de merde. On m'abreuve de bêtises du matin au soir.

— N'est-ce pas notre lot à tous?

Qu'est-ce qu'il racontait?

— Je m'occupe des relations publiques. Je porte le titre de
« dépanneuse ». La belle affaire.

— Pourquoi faites-vous ce travail?

— Il faut bien que je fasse quelque chose, Seigneur. J'ai un
enfant à faire vivre. Un garçon. Il a onze ans. Je suis monoparentale.

— J'ai une fille de onze ans, dit Jack.

En prononçant les mots, Jack s'était souvenu que Laurie venait
d'avoir douze ans.

— Ah bon? Qu'est-ce que vous faites comme travail, déjà?

— J'écris un livre. Sur les pratiques commerciales des Indiens.

— Mon Dieu, ça m'a l'air palpitant. Si, si. Racontez-moi.

~

— Vous avez vu la pièce, Brenda et toi? demanda Leah Wallberg.

De toutes les amies de Brenda, Leah était sa préférée. Elle avait
un large visage rose luisant comme la surface d'une pomme et un
corps replet tout en pentes douces. En parlant, elle avait la manie
de soulever les mains au moyen de petits gestes ronds, ceux d'une
femme beaucoup plus jeune et beaucoup plus mince, des gestes
exquis, précis, comme si elle traçait des mots sur des feuilles d'air.
Scénographe de profession, elle avait conçu le décor du *Hamlet*
donné par le théâtre amateur d'Elm Park.

— Non, dit Jack, j'ai bien peur que nous ayons manqué la
pièce. Cette semaine, l'exposition a monopolisé tout le temps de
Brenda. Elle a travaillé jusqu'à la dernière minute. Sans compter
que j'ai oublié de passer prendre des billets...

— Pas la peine de t'excuser, Jack. Vous n'avez rien manqué,
Brenda et toi. Rien du tout.

— Nous avons entendu dire qu'il y avait des longueurs.

— Ça, c'est le moins qu'on puisse dire. Vraiment! C'est, dit-elle
en faisant décrire une double boucle à ses poignets, un four relatif.

Ne le répète pas. Surtout pas à tu-sais-qui...

— Pourquoi «relatif»? demanda Jack. Qu'est-ce que ça veut dire?

— Bah, tu sais, on ne peut pas cochonner *Hamlet* complètement. Il y a toujours du bon qui ressort. Peggy Giles a fait une Ophélie tout à fait potable, surtout quand on considère qu'elle n'a que dix-neuf ans. Robin était bien, lui aussi, mais il tire toujours son épingle du jeu, celui-là. En ce qui concerne, euh... Hamlet...

— Comment a-t-il décroché le rôle?

— Tu veux que je te dise, répondit-elle en haussant joliment les épaules, je n'en suis pas certaine. Nous nous sommes laissé faire. Il semblait si passionné. Il y tenait tellement.

— Vous avez été subjugués.

— Oui, je suppose. En fait, Jack, ça nous apprendra. Nous nous sommes dit que parce qu'il était critique de théâtre, il ferait un Hamlet du tonnerre. Une fois qu'il a manifesté son intérêt, personne, à ma connaissance, n'a auditionné pour le rôle. Quand on y pense, c'est de la folie. Comme si on disait que tu es indien parce que tu sais tout à propos des Indiens.

— Je ne...

— La seule bonne chose, c'est qu'il n'y a eu que quatre représentations. Parce que c'était chaque fois plus mauvais. Plus criard, plus grandiloquent. Irv a dit qu'il était presque dangereux de s'asseoir dans la première rangée – Hamlet risquait à tout moment de vous assommer avec sa cape virevoltante. Seigneur... Je ne pense pas qu'il ait compris jusqu'à quel point il était mauvais. C'est ça qui est le plus drôle. Mais bon, ce n'est pas la fin du mode. Au moins, il a eu le courage de tenter sa chance. Ce n'est pas rien. Il faut du cran pour admettre qu'une chose est au-dessus de ses moyens, tu ne penses pas, Jack?

— Je suis d'accord. Absolument.

La table en bois de rose et en verre des Carpenter était couverte de plateaux de nourriture. Jack prit une tranche de truite fumée et décocha un clin d'œil à Bernie qui, à l'autre bout de la pièce, sirotait son vin en écoutant attentivement un jeune homme à la chemise violette et à la barbiche noire ; à grand renfort de gesticulations, ce dernier lui posait des questions avec la force d'aspiration d'une ventouse. Il avait la bouche moite et sentait l'acteur à plein nez. Bernie était si concentré qu'il n'avait pas remarqué le clin d'œil de Jack. Qu'est-ce qui lui prenait de cligner de l'œil, d'ailleurs ? Il ne le faisait jamais. Ce n'était pas son style ; ce geste ne faisait pas partie de son répertoire habituel.

Ce qu'il lui fallait, décida-t-il, c'était à boire.

Dans la cuisine, les Carpenter se chamaillaient. Jack les trouva face à face au-dessus d'un plateau rempli de verres sales.

— Tu n'as qu'à téléphoner à ton foutu bureau pour faire tout annuler, dit Janey à voix basse.

— Impossible, dit Larry. Même si je voulais, il est trop tard.

— Il n'est pas trop tard. Nous sommes payés pour le savoir. Tu te souviens de la fois où ils ont retiré ta critique à la dernière minute pour mettre à la place ce truc sur le ballet russe ?

— Écoute-moi bien, Janey. Et de un, il est trop tard ; et de deux, ce n'est pas professionnel.

— Pas professionnel ! Laisse-moi rire. Le critique de théâtre, c'est toi. Les affectations relèvent de toi.

— Je ne peux pas faire ça, un point c'est tout.

Mal à l'aise, Jack était resté dans l'encadrement de la porte. Ils l'avaient aperçu en se retournant, et Larry, pour la première fois depuis que Jack le connaissait, avait semblé embarrassé.

Bondissant, Janey s'était emparée du bras de Jack. Elle avait la respiration haletante et les joues rougies par le vin.

— Qu'en dis-tu, Jack ? Demande-lui ce qu'il en pense, Larry.

— Je vais revenir tout à l'heure, dit Jack. Je cherchais des glaçons.

Janey ne le lâchait pas.

— Écoute, Jack, Gordon Tripp – tu connais Gordon Tripp, le critique de cinéma du *Chicago Today* ? Eh bien, il a l'intention de publier un article sur le jeu de Larry dans *Hamlet*. Dans le journal de demain matin, à ce qu'il paraît.

— Laisse tomber, fit Larry.

— Tu trouves ça juste, toi ? demanda Janey à Jack. Le journal ne couvre jamais les représentations données par des amateurs. Jamais. Et maintenant, simplement parce que c'est Larry qui...

— Je ne pense pas que Jack tienne particulièrement à savoir si *Hamlet* sera ou non recensé dans le journal, dit Larry d'une voix raisonnable, sans la moindre trace d'irritation.

Jack, cependant, remarqua que ses mains tremblaient.

— Tu pourrais tout arrêter, dit Janey, plus fort maintenant.

Ses yeux avaient la brillance du mica, de vraies larmes y perlaient.

— Tu n'as qu'à décrocher le foutu téléphone et à leur dire que tu ne toléreras pas un tel affront. Que tu tiens à ce que le papier soit retiré. Pourquoi te laisser traiter de cette façon par Gordon Tripp ? Tu as plus d'ancienneté que lui. Tu n'as qu'à lui dire de se mettre sa critique là où je pense. De toute manière, il n'est pas critique de théâtre. Pour qui se prend-il, celui-là ?

— Je ne peux pas faire interdire une critique, Janey. Mieux vaut oublier tout ça.

Larry ouvrit la porte du réfrigérateur géant.

— Jack, fit-il sur un ton solennel, même si ses yeux semblaient bizarrement figés dans une sorte de distraction hagarde, nous a parlé de glaçons. Voyons voir si j'en trouve ici quelque part.

Jack repartit vers le salon, son verre à la main. Les lampes à l'éclairage doux qu'on avait allumées tout autour de la pièce y créaient une ambiance patricienne soyeuse. Il se jucha sur le bras d'un fauteuil en velours pour faire la conversation à une femme portant une blouse à motifs cachemire. Lui-même n'avait jamais vu ce qu'on pouvait trouver à ce genre d'imprimé. La femme en question, d'un commerce agréable, cependant, portait autour du cou une chaîne en argent dépoli. Elle écrivait sur la mode, dit-elle à Jack, mais elle rêvait de publier un livre.

— Vraiment?

Jack lui parla alors de son propre livre.

L'histoire la fascinait, dit-elle. À son avis, on avait analysé à mort les Indiens du Sud-Ouest, tandis que ceux des Grands Lacs avaient été négligés, notamment du point de vue de leur rapport à la propriété et au commerce. Jack l'écoutait en sirotant son scotch, réjoui par ce qu'il entendait. Quelle femme brillante, en vérité. Au bout d'un moment, elle parla longuement de sa thèse sur John Donne, rejetée à la dernière minute parce qu'elle avait refusé à son professeur de la Caroline du Sud quelque bizarre faveur sexuelle. Jack opina du bonnet, compatissant. Il n'avait pas cru un traître mot de ce qu'elle racontait. Nom de Dieu de nom de Dieu de nom de Dieu de nom de Dieu de nom de Dieu.

— Quelque chose ne va pas, Jack? lui demanda Janey en souriant.

Elle semblait avoir recouvré sa bonne humeur.

— J'ai perdu Bernie. Je me demande s'il est rentré. Je l'ai cherché partout. Je ne m'étais pas rendu compte qu'il était si tard.

— Il dort, dit Janey en faisant une moue tendre, la bouche entrouverte.

— Comment ça, « il dort » ?

— Je suis montée me poudrer le nez il y a une minute. Je l'ai aperçu en jetant un coup d'œil dans la chambre d'amis. Il dormait comme un bébé.

— Sans connaissance?

— Comme un bébé.

Elle eut un sourire exquis.

— Mon Dieu, comment je vais faire pour le ramener à la maison?

Larry vint les rejoindre. Il était passablement éméché, mais agréable. (Larry Carpenter est un charmeur-né, avait déclaré la femme aux motifs cachemire.)

Il serra affectueusement l'épaule de Janey en disant :

— Laisse-le dormir ici jusqu'à demain matin. Il va bien, je crois. Je suis allé le voir il y a une demi-heure et il bourdonnait comme une génératrice.

— Ce serait trop dommage de le réveiller, murmura Janey.

— Mon Dieu, fit Jack en hochant la tête.

Larry écarta les mains avec un sourire juvénile.

— Allez. Franchement. Laisse-le ici. Ça nous fera plaisir d'avoir un invité pour la nuit, pas vrai, Janey?

— Parfaitement. Nous venons tout juste de faire mettre du papier peint dans la chambre et nous...

— Si vous n'y voyez pas d'inconvénient, c'est d'accord.

Inexplicablement, il avait envie de leur faire plaisir.

— C'est sans problème, Jack. Je t'assure.

Il était quatre heures du matin quand Jack se fraya tant bien que mal un chemin au milieu des buissons, où il accrocha le bas de son pantalon.

— Merde, merde, merde.

À l'est, les lumières de la ville avaient transformé le ciel en dôme pâle d'aluminium. L'air tintait sous l'effet du gel. La porte de derrière n'était pas verrouillée. Il aurait dû rappeler aux enfants de le faire. Ils auraient dû y penser.

À l'intérieur, tout était sombre et paisible. Il y avait des chaussures dans l'escalier, et on sentait la maison très habitée. Il aurait dû aller jeter un coup d'œil à Rob et à Laurie, entrouvrir la porte de leurs chambres respectives pour s'assurer qu'ils allaient bien, mais, quand il en avait eu l'idée, il était déjà au lit. À moitié ivre, il glissa rapidement vers l'inconscience. Il eut malgré tout le temps d'enregistrer la froideur inaccoutumée des draps : Brenda était à Philadelphie. Que faisait-elle à cette heure? Il l'imagina dans un lit étroit, écrasée sous une montagne de courtepointes. *Second avènement* était plié sur le dessus.

La pièce rétrécit dangereusement. À bout de forces, il tenta de faire le point : Bernie dormait comme un loir chez les voisins, tandis que sa femme, Sue, soupirait dans les bras de son amant – quelque part en ville, on répondait à ses soupirs. Harriet Post dormait dans une chambre obscure de Rochester, d'un air suffisant, son manuscrit assemblé, relié et prêt à partir. Ses enfants à lui dormaient. Les enfants arrivaient toujours à dormir. C'était même une des consolations de l'enfance, cette capacité de mettre la nuit à profit pour broyer la douleur et en faire une abstraction, c'est-à-dire de l'histoire.

Jack sentait à son tour monter le sommeil. Il le laissa envahir son corps en s'étirant. Mots et actions se mirent à pleuvoir en silence sur sa conscience agonisante ; des rêves affluèrent, entrelacs de formes derrière ses paupières fermées. Il était suspendu dans la neige, de plus en plus léger, mais un détail singulier, lancinant, lui revint en mémoire – quoi donc ? Puis la lumière se fit : sa foi perdue. Aujourd'hui, assis à sa table de travail, il avait compris qu'il était un homme sans substance. Le souvenir scella le jour. La révélation avait quelque chose de simple, de régulier comme la musique d'église. Amen.

Dans la pièce, le noir s'épaissit davantage, mais il s'accrocha encore une minute à la pensée de sa foi disparue, qu'il préserva dans le vaisseau transparent de sa cervelle, en partie réchauffé par l'angoisse qu'elle suscitait, en partie réconforté par sa franchise.

Chapitre treize

En se réveillant, le dimanche matin, Jack se rendit compte que le vide laissé par sa foi détruite avait inexplicablement pris de l'ampleur. D'une manière effrayante, il avait essaimé dans tous les sens, être vivant qui grognait et ruait, telle une file de gens dansant la conga : il le concernait, lui, mais concernait aussi les autres. C'était peut-être à cause du vide du grand lit ; il n'avait pas l'habitude, au réveil, de trouver le côté de Brenda si parfaitement ordonné. Toute lisse, la courtepointe bleue et verte, faite de losanges de couleurs superposées, contrastait vivement avec les draps fripés, ce qui soulevait la question suivante : pourquoi ? Pourquoi Bernie et Sue avaient-ils mis fin à douze ans de mariage ? Avaient-ils perdu la foi, eux aussi ? La foi en quoi ? Jack ne savait pas. Pourquoi tenait-on tant à creuser, pour soi et pour autrui, des mares de souffrance et de solitude ? Non, le mot « souffrance » était trop fort, trop chargé de résonances littéraires, trop protestant. Comment en était-il venu à cet état d'immobilité, d'isolement, d'enfermement ?

Jack se tira du lit en repoussant l'idée de souffrance. Ce qu'il lui fallait, c'était un café chaud.

Le compte à rebours de sa douleur fut rapide, comme quand on donne de l'orteil contre un meuble ; l'aisance et l'oubli venaient toujours ; on pouvait y compter.

La foi perdue par Jack n'avait rien de religieux. Ni ses parents ni lui n'avaient fréquenté l'église.

— Seuls les pécheurs vont à l'église, grognait son père d'un ton badin en avalant à grands traits son café du dimanche matin.

De loin en loin, la mère de Jack se récriait en disant de sa petite voix nasale :

— Pourtant, nous devrions vraiment y aller, au moins à Pâques. Ils ne donnaient jamais suite.

Malgré tout, Jack, en vieillissant, avait fini par se convaincre que les dimanches se prêtaient à un rituel singulier. Le temps changeait de rythme : on parlait moins vite et on accordait une attention grave aux journaux, aux fauteuils, à la température du salon, à la vue depuis l'appartement, à la qualité de la lumière filtrée par les nuages. Il y avait des attentes ; éprise de régularité, la mère de Jack y veillait. Encore aujourd'hui, à près de soixante-dix ans, elle semblait troublée en cas d'interruptions ou de bouleversements de l'ordre établi. Sa réaction à l'attaque de Pearl Harbor, des années auparavant, était entrée dans la légende familiale :

— Mais c'est dimanche !

Le dimanche matin, elle se levait à sept heures, avalait une tasse de café instantané et se mettait à nettoyer l'appartement. Le mercredi était son jour de ménage, mais, le dimanche, elle « faisait de l'ordre ». D'abord, elle secouait le paillasson du vestibule, puis elle s'attaquait au salon et à la petite salle à manger qui, avec son cercle de sombres meubles vernis, était rarement utilisée. Venait ensuite le tour de la cuisine. Après, elle se rendait dans les trois chambres à coucher, d'abord la chambre d'amis, celle que Jack occupait autrefois, puis la petite chambre rose foncé, où elle-même dormait maintenant. Parce que le père de Jack aimait faire la grasse matinée le dimanche – jusque vers neuf heures, en l'occurrence –, elle gardait sa chambre pour la fin. En travaillant, elle fredonnait nerveusement, et il lui arrivait de dire quelques mots à voix haute. Elle passait une vadrouille humide sur tous les parquets, époussetait les tables et même les ampoules électriques sous les abat-jour – elle avait lu quelque part que des ampoules poussiéreuses entraînaient un gaspillage d'électricité. L'hiver, elle remplissait d'eau les casseroles posées sur les radiateurs. Elle arrosait la misère en pot posée sur une petite table près de la fenêtre de devant, puis elle ouvrait la porte de derrière et, à l'intention des oiseaux, laissait une tranche de pain dans l'escalier de secours. De quel genre d'oiseaux s'agissait-il ? avait un jour demandé Jack. Surprise, elle avait secoué la tête. Elle ne savait pas, elle n'avait pas appris le nom des oiseaux qui, à part les rouges-gorges et les geais bleus, lui semblaient tous pareils. Pour son anniversaire, Jack et Brenda lui avaient offert un livre sur les oiseaux vivant en milieu urbain. Pendant une heure, elle avait feuilleté l'ouvrage, qui comprenait plus de deux cents pages, puis elle l'avait refermé en souriant de plaisir, en soupirant d'aise. Elle n'y avait plus touché, mais le livre trônait d'un air important sur une tablette, sous le porte-journaux. Un jour, quand elle aurait plus de temps, avait-elle dit à Jack, elle s'y mettrait sérieusement.

Les oiseaux nourris, elle sortait du congélateur des brioches qu'elle disposait sur une plaque noircie, puis elle enfournait le tout. (Avant que l'arthrite n'attaque les articulations de ses doigts, elle préparait, le dimanche matin, du pain aux bananes et des roulés à la cannelle. Désormais, ils se contentaient de Pepperidge Farm ou de Sara Lee.) Elle faisait une grande quantité de café au percolateur, puis elle mettait la table : assiettes, couteaux et napperons en plastique. Entre-temps, le père de Jack s'était levé et rasé. Ensemble, ils s'assoyaient à la cuisine et, en sirotant leur café, épiaient l'horloge au-dessus du réfrigérateur dans l'attente de Jack, de Brenda et des enfants.

Ils arrivaient normalement peu après dix heures.

Quand elle vivait encore, Elsa, la mère de Brenda, les accompagnait. Les parents de Jack adoraient Elsa. Le fait qu'elle ne soit pas mariée, qu'elle ne l'ait jamais été, la rendait encore plus chère à leurs yeux.

— Pauvre femme, avait l'habitude de dire la mère de Jack. Elle n'a pas eu une vie de tout repos.

Grâce à son célibat – fait connu de tous mais jamais mentionné –, Elsa bénéficiait d'une sorte d'envergure mythique ; de toute façon, elle était une femme considérable, au sens propre du

terme, à la fois grasse et grande, d'une flamboyance elle aussi démesurée. À une autre époque, elle aurait porté des plumes de paon
dans ses cheveux. Ses seins – qu'elle appelait « ses bustes » en insistant sur le pluriel par manière de plaisanterie – étaient énormes,
lourdement recouverts de bijoux de fantaisie. Ayant une prédilec-
tion pour les chaînes en cuivre, elle avait en outre accumulé un
certain nombre d'articles en turquoise. Elle portait des robes en
jersey de nylon.

— J'aime bien les imprimés, disait-elle. La saleté ne se voit pas.

Les robes en question, de taille vingt-deux, conféraient à sa
masse un rythme tiède et coquet, sensuel et parfumé. Elle adorait
l'eau de Cologne, peu importe la marque. Elle avait des yeux ronds
et brillants, un visage coloré, bouffi et épanoui comme une pivoine.
Elle riait tout le temps.

— Quel numéro, cette Elsa, disait le père de Jack en hochant
la tête. Avec elle, c'est le fou rire garanti.

La mère de Jack disait souvent qu'Elsa était une véritable
dynamo, un sacré boute-en-train, que c'était une joie de rester là
à l'écouter. Pour une femme, Elsa avait une voix exceptionnellement basse ; en même temps, elle était douce et conservait une
trace d'accent polonais, mince comme une dorure, qui l'empêchait
de perdre sa féminité. Elle aimait tout particulièrement discuter
de politique avec le père de Jack, de la politique d'antan, celles de
années trente et quarante. En parlant, elle martelait la table du plat
de la main.

— Roosevelt était un putain de saint, soutenait-elle, un des
anges du bon Dieu.

— Un fumier, oui, répliquait le père de Jack, une véritable
calamité pour le pays.

— Tu veux rire ? contre-attaquait Elsa en battant toujours la
mesure sur la table. Il était millionnaire. Au moins il n'avait pas
besoin, lui, de se beurrer les poches comme ce satané Daley.

Elle avait un don inné pour le télescopage des métaphores. En
ce sens, Brenda était sa digne héritière.

— Tu veux que je te dise, répondait le père de Jack, c'est des riches malhonnêtes comme Roosevelt qu'il faut se méfier le plus parce qu'ils cherchent à faire la charité avec l'argent des autres.

— C'était un sauveur, affirmait Elsa, pantelante. Quand je pense au pauvre bougre, coincé avec son Eleanor, laide à faire peur.

Puis elle riait, ses prothèses jetant des éclairs – elle riait pour montrer qu'elle ne pensait pas à mal.

La mère de Jack emballait toujours dans du papier ciré les tranches de pain aux bananes qui restaient pour qu'Elsa les emporte dans son petit appartement miteux de Cicero – « une collation, pour plus tard » –, et Elsa, démonstrative au possible (la cause de sa perte, sans doute, avait un jour dit le père de Jack avec un clin d'œil), les serrait dans ses bras et les embrassait tous, même le père de Jack, qui avait droit à un bisou mouillé en plein sur la bouche. Chaque fois, elle déclarait bruyamment :

— C'est tout de même mieux que d'aller écouter le prêtre à l'église. Rire un bon coup, ça empêche de rouiller.

Parfois, les yeux plissés et luisants, elle disait :

— Mon Dieu, si je ne vous aurais pas, je ne sais pas ce que je ferais.

La règle des « si n'aiment pas les rait » n'avaient jamais eu d'emprise sur elle ; c'était, soutenait sa fille, Brenda, son seul défaut.

Elle était morte quatre ans plus tôt, à l'âge de cinquante-six ans, de complications consécutives à une opération de routine à la vésicule biliaire. Les funérailles avaient eu lieu à l'église catholique en béton gris de Cicero, un lundi matin. Après, sur les marches du bâtiment, Jack, pour la première fois de sa vie, avait vu son père pleurer. Son front était cramoisi et fripé, son nez rougi et luisant. Après s'être essuyé les yeux, il avait murmuré d'une voix étouffée :

— En tout cas, c'était une sacrée bonne femme.

Sur les marches froides, des gens s'étaient arrêtés pour l'écouter. Pendant trente ans, Elsa avait travaillé comme vendeuse de chaussettes et de sous-vêtements pour hommes, et bon nombre de ses collègues avaient assisté à la messe. L'une d'elles, âgée d'une vingtaine d'années, s'était avancée vers le père de Jack et avait lancé les bras autour de son cou, secouée de sanglots. Il lui avait servi ce qu'il savait être un fieffé mensonge :

— Là, là, elle est plus heureuse, là où elle est. Ça vaut mieux comme ça, non ?

Après la mort d'Elsa, la mère de Jack s'était enfoncée dans une brève dépression. À cause de ses crises d'arthrite, elle dormait à peine. Pendant un moment, dans l'autobus ou les magasins, elle vit partout des femmes qui ressemblaient à Elsa. C'était normal, disait Brenda, aux prises avec son propre chagrin. Après une mort subite, on observe souvent ce phénomène.

— Vous voulez que je vous dise ? avait ajouté la mère de Jack. Chaque fois que je fais du pain aux bananes, je me mets à chialer.

— Nous sommes encore là, nous, avait répondu Jack. Les enfants aussi.

Au cours de la dernière année, Rob avait toutefois pris l'habitude de rester à la maison, le dimanche matin. Il aimait faire la grasse matinée, disait-il. S'il allait chez ses grands-parents, c'était à contrecœur.

Le dimanche suivant la soirée chez les Carpenter, Jack fut donc surpris de le trouver debout et habillé, prêt à partir. À la porte de derrière, il remontait la fermeture éclair de son blouson en enfilant ses bottes. Il ne fit pas référence à la dispute de la veille, et Jack non plus. Tout le tapage autour du riz à l'espagnole semblait étonnamment absurde, honteux, insignifiant. C'était le genre d'explosion vide de sens qui se produisait entre très jeunes enfants, le genre de choses qu'il valait mieux oublier, surtout par une si glorieuse matinée.

Il avait neigé pendant la nuit, la première neige véritable de l'année, une couche douce et duveteuse de la neige mouillée propre à Chicago, à peine suffisante pour recouvrir l'herbe hirsute des jardins et laisser une flatteuse traînée blanche sur le toit du garage, mais Jack fut enchanté de voir l'enchevêtrement des clôtures délimitant les cours réduit à sa plus simple expression par un voile si parfaitement égal. La nouvelle terrasse en cèdre des Carpenter n'était plus qu'une surface plane ; par-dessus son propre garage, Jack apercevait les raides angles victoriens de la maison des Lewis, la neige fondante accumulée sur les lucarnes pentues et la cheminée. À l'étage, les persiennes étaient encore fermées. Sans doute dormaient-ils encore, là-dedans. Pauvre Bud, songea Jack. Encore une semaine passée à solliciter au petit bonheur. C'était toutefois une sympathie fugace, distraite, détachée de tout sentiment véritable. Après tout, le soleil brillait. Pendant son sommeil, la neige du matin, arrivée tout au début de la nouvelle année, l'avait en secret absous de ses fautes. Difficile de ne pas y voir une sorte d'offrande.

— Dans la neige, suis mes traces, chantonna Jack en passant en marche arrière.

— Ha ! fit Rob, mais sans méchanceté.

Depuis la banquette arrière, Laurie laissa échapper un cri.

— Papa !

Jack freina brusquement.

— Quoi encore, nom de Dieu !

— Oncle Bernie ! fit-elle. Tu as oublié oncle Bernie.

Le moteur cala et Jack remit le contact en s'efforçant d'être patient, de ne pas s'énerver. Sans oublier l'étrangleur de la voiture, il dit calmement, comme à l'intention de la clé :

— Bernie est encore chez les Carpenter.

— Quoi ? s'écria Laurie en se penchant sur le siège avant et en bourrant de coups l'épaule de son père. La soirée des Carpenter n'est pas terminée ? Il fait jour !

La voiture frissonna puis se mit à avancer.

— Il a passé la nuit chez eux, dit Jack en accélérant.

Puis il tourna prudemment et se dirigea vers la rue James Madison.

Même Rob semblait surpris.

— Hein ? Je pensais qu'il ne les connaissait pas avant hier soir.

— C'est vrai, c'est vrai, fit Jack sur un ton philosophique qui sonna faux même à ses propres oreilles.

Les pneus tournaient sur l'asphalte mouillé. La neige avait déjà commencé à fondre.

— Pourquoi il a dormi chez eux, alors ?

— Eh bien, fit Jack, hésitant, parce qu'ils ont des lits en trop, je suppose.

— Il va se réveiller et il ne saura pas où nous sommes allés, s'inquiéta Laurie.

— J'ai laissé la porte de derrière ouverte et un mot disant où nous sommes. D'accord ?

— Je suppose que oui, dit Laurie.

— C'est bizarre, dit Rob. Bizarroïde.

— Il aurait pu dormir dans mon lit, dit Laurie.

— Il aurait pu dormir sur le canapé, dit Rob.

— Je lui ai offert mon lit, dit Laurie. Tu m'as entendue ?

— Je t'ai entendue, princesse. Mais ne crie pas dans mes oreilles, tu veux bien ? Papa a mal à la tête.

— Ha ! fit Rob doucement.

Jack, arrivé à un panneau d'arrêt, freina brusquement, mais la voiture, glissant sur la neige humide, s'avança de quelques mètres dans le carrefour avant de s'immobiliser.

— Qu'est-ce que tu as dit ?

— Rien.

— Rien ?

— Rien.

Ils arrivèrent à dix heures trente, plus tard que d'habitude.

Chapitre quatorze

— Alors, fit le père de Jack, en s'installant dans son fauteuil inclinable et en allumant sa première cigarette de la journée, quoi de neuf?

C'était un homme grand, mince et nerveux, aux amples oreilles propres et roses, qui conservait quelques touffes de fins cheveux blancs. À contre-jour – il était assis dos à la fenêtre –, ses oreilles donnèrent à Jack l'impression de s'embraser. Depuis qu'il avait cessé de travailler au bureau de poste, il portait à la maison de vieilles chemises blanches habillées, les manches retroussées, le col déboutonné. Il avait un cou long et noueux, rougeaud, à la peau légèrement plissée, et de petits yeux bleu vif qui clignaient derrière ses verres scintillants. Ce matin-là, il avait différé jusqu'à onze heures quarante-cinq sa première cigarette et – fait encore plus inusité aux yeux de Jack – sa question rituelle :

— Alors, quoi de neuf?

Jack, qui aimait son père et sa mère, savait qu'ils comptaient sur lui pour leur apporter des nouvelles du monde, sans qu'il comprenne trop bien de quoi il s'agissait – celles qui ne paraissaient ni dans le *Tribune* du matin ni à la télé, les vraies nouvelles, en somme. À la cuisine, sa mère lavait la vaisselle en écoutant le babillage de Laurie, qui l'entretenait des rouleaux de poulet au cari à la confection desquels elle avait participé chez les Carpenter, la veille. Jack entendit sa mère dire «tiens, tiens» sur un ton lent et contemplatif qui traduisait un léger étonnement et un rejet total d'extravagances pareilles.

— Pas grand-chose, à vrai dire, répondit Jack.

Pendant un moment, il songea à parler à son père de la soirée de la veille, puis il rejeta cette idée. Il était rare qu'il évoquât devant son père les soirées auxquelles Brenda et lui assistaient : ses parents n'étaient pas du genre à assister à des fêtes ; à leurs yeux, c'étaient des manifestations qu'on organisait pour les enfants, le jour de leur anniversaire. Il lui parlerait peut-être de la séparation de Bernie et de Sue, de Bernie qui habitait à la maison pour le moment. Depuis le temps, les parents de Jack connaissaient Bernie ; ils avaient aussi connu les parents de Bernie, Beanie et Sally, avant que, à leur retraite, ils ne s'installent à demeure dans leur maison mobile de Clearwater. En plus, ils connaissaient vaguement Sue. Selon le père de Jack, elle était « imbue d'elle-même », tandis que sa mère la trouvait un peu « pincée ». Pourtant, Jack savait que l'annonce d'une séparation les alarmerait inutilement. Mieux valait attendre. Quoi de neuf, sinon ? Sa foi perdue ? Impossible. Son malaise avait pris un vernis glacé et séduisant ; curieusement, il tenait à le protéger, se montrait réticent à l'idée de le voir ravalé au rang de symptôme de la déprime de janvier ou de l'andropause. Sans compter qu'il se faisait un point d'honneur de ne jamais inquiéter ses parents.

— Brenda est bien partie ? demanda son père dans l'espoir de lancer la conversation.

— Rien à signaler.

— Philadelphie. Pourquoi avoir organisé cette manifestation là-bas ? La ville de l'amour fraternel.

— Aucune idée.

— Prends Chicago, par exemple. Si tu veux mon avis, c'est beaucoup plus central.

— Oui, je suppose.

— Chicago est une bonne ville de congrès, une excellente ville de congrès. Depuis toujours. La légion américaine, les Shriners, les Lions et ainsi de suite...

— Hmmmm.

— À ce propos, je disais justement à maman que j'étais heureux que Brenda ne soit pas descendue à l'hôtel où ils ont eu ce machin... il y a quelques années... Ça s'appelait comment, déjà? Ah oui, la maladie du légionnaire.

— Je pense qu'on a fini par montrer que...

— Il coûte combien, l'hôtel, à Philadelphie? La nuit, je veux dire?

— Je ne sais pas, papa. Trente, trente-cinq dollars, j'imagine.

— Aïe!

Jack savait bien que le fait que Brenda s'absente pendant une semaine pour participer à une exposition à Philadelphie plongeait ses parents dans la perplexité. Un congrès d'artisanes! Eux-mêmes n'étaient jamais allés à l'est de Columbus, dans l'Ohio, où, à une certaine époque, avait vécu la sœur de sa mère. Ils n'avaient jamais non plus été séparés une seule nuit, sauf lorsqu'ils avaient effectué des séjours à l'hôpital, le père de Jack pour une appendicectomie, sa mère pour une batterie de tests liés à son arthrite. Jack avait l'impression qu'ils s'exagéraient l'importance et le prestige associés aux voyages en avion, dont les rites les mystifiaient. À table, le dimanche précédent, la mère de Jack avait, d'un air solennel, tendu à Brenda une enveloppe carrée. À l'intérieur se trouvait une carte où on lisait « *Bon voyage* ». Des oiseaux bleus traversaient un ciel scintillant. Dans la carte, ils avaient glissé un billet de dix dollars, plié en deux. C'était signé – de l'étrange écriture tremblante de son père – « De la part de maman et papa Bowman avec nos souhaits les plus affectueux ».

— Ce n'était pas nécessaire, avait dit Brenda, les yeux soudain remplis d'eau.

Sur le chemin du retour, elle avait répété :

— Ce n'était pas nécessaire, Jack.

Son ton, cependant, avait changé. Inexplicablement, elle lui avait semblé sur la défensive, même un peu fâchée.

Mais voilà que son père poursuivait sur sa lancée.

— Remarque, tu t'en tireras très bien pendant une semaine, dit-il en décochant un clin d'œil à son fils. Après tout, Laurie est une grande fille, maintenant.

— C'est moi, papa, qui ai proposé à Brenda de participer à l'exposition. Elle ne voyait pas comment elle pourrait s'absenter pendant toute une semaine, mais je lui ai dit : « Vas-y donc. On ne vit qu'une fois. »

— Dis donc, fit son père en se penchant et en baissant la voix. Qu'est-ce qu'il a, Rob, ce matin ?

— Rob ?

Jack jeta un coup dans la salle à manger, où Rob, assis à table, lisait les journaux du dimanche.

— Rob ?

— Il est malade ou quoi ?

— Non, pas que je sache. Pourquoi ?

— Parce que, répondit son père en se rapprochant encore un peu, il n'a rien mangé. Rien du tout. Tu n'as rien remarqué ?

Jack haussa les épaules.

— Les enfants...

— Pourtant, ce qu'il mangeait, cet enfant. Comme un ogre. Tu te souviens de la fois où il a sorti tous les raisins secs de sa brioche à la cannelle ? Je lui ai demandé : « Qu'est-ce que tu fais, Rob ? Tu n'aimes pas les raisins secs ? » Il a répondu : « Oui, grand-papa. Je les adore. C'est pour ça que je les garde pour la fin. »

— Tu veux du café ? demanda Jack en se levant.

Il connaissait par cœur l'histoire des raisins secs.

— Ta mère en prépare du frais. Il est presque prêt. Avant que nous parlions de Philadelphie, tu allais me dire quelque chose. C'était quoi ?

— Rien. Tu m'as demandé ce qu'il y avait de neuf et j'ai répondu : pas grand-chose.

— Au travail ? Qu'est-ce que tu fais de bon, ces temps-ci ? Bien occupé ?

— La routine, plus ou moins. Nous montons une nouvelle exposition. Je pense t'en avoir parlé la semaine dernière. À propos du peuplement des Grands Lacs. Une affaire de statistiques, pour l'essentiel. Mon rôle est plutôt mineur.

— Justement, j'y ai pensé, cette semaine. Je me suis réveillé au beau milieu de la nuit en y pensant. À combien revient une exposition comme celle-là? Je me posais la question.

Jack s'esquiva.

— Cette fois-ci, c'est une petite exposition. Rien de comparable à celle que nous avons organisée en mars dernier sur l'histoire de la rivière Chicago.

— Mais combien, approximativement?

— Trois mille dollars? Dans ces eaux-là, j'imagine. Franchement, je n'en suis pas certain.

— Trois mille dollars!

— Il y a les frais de main-d'œuvre. Il faut installer un système d'éclairage...

— Trois mille dollars. Aïe. À part ça, quoi de neuf?

Jack se creusa les méninges.

— Moira Burke nous quitte cette semaine. Mardi. Son mari prend sa retraite. Ils s'en vont en Arizona.

— La ceinture de soleil, hein?

— C'est ça, oui.

— Au fait, qui est Moira Burke?

— Vous l'avez rencontrée, maman et toi, papa. En mars dernier. À la réception pour l'expo sur la rivière Chicago. C'est la secrétaire de M. Middleton. Elle est là depuis vingt-cinq ans. Au moins.

— Si c'est celle à qui je pense, c'est un beau brin de femme. Brune?

Jack fit oui de la tête.

— Elle n'est pas mal. Mardi, on organise pour elle un repas d'adieu. Tous les employés seront là, je crois.

— Pas facile de trouver une bonne secrétaire, de nos jours. Je lisais justement un article à ce propos. Dommage que Brenda n'ait pas...

— On a déjà remplacé Moira. Il y a quelqu'un en formation.

— Je songe à arrêter de fumer.

Jack éclata de rire.

— Qu'est-ce que ça a de si drôle?

— Tu fumes une cigarette. En ce moment même. Ta déclaration m'a semblé amusante, c'est tout.

— Je suis en train de lire un livre. Ça s'appelle *Vous êtes votre propre maître*. Tu connais?

— Non, mais je crois en avoir entendu...

— C'est un docteur qui l'a écrit. Un docteur en médecine. Il explique d'abord que les gens acquièrent des dépendances. C'est ce qu'il appelle l'esclavage. Selon lui, nous sommes tous des esclaves. Ni plus ni moins. Pas parce que nous sommes faibles. C'est la nature humaine qui veut ça. Il dit que rien ne nous oblige à être des esclaves. On peut prendre une décision et briser le cycle. Selon lui, on décide quand on veut. Les habitudes ne sont des habitudes que si nous acceptons qu'elles en soient. Mais attention, il faut tout mettre par écrit. À son avis, c'est le plus important. Si on ne consigne pas sa décision par écrit, elle ne veut rien dire du tout : elle s'évapore. Non, il faut signer de sa main. C'est ce qu'il appelle le renforcement. Comme ça, c'est coulé dans le béton.

— Le béton armé?

Jack sentit monter en lui un élan d'affection pour son père.

— Quelque chose comme ça, oui.

— Alors tu arrêtes de fumer?

— Pas complètement, pas complètement. Cette semaine, j'ai écrit sur un bout de papier : « Moi, John Bowman, je m'engage à ne fumer que cinq cigarettes par jour jusqu'à la fin de la semaine. »

— Et?

— Après, on est censé cacher le bout de papier quelque part. On n'est pas censé en parler. Je ne devrais pas être en train d'en discuter avec toi. Pour lui, c'est un contrat, tu comprends ? C'est ce qu'il appelle un contrat passé avec soi-même.

— Et si tu ne le respectes pas ?

— Je l'ai respecté jusqu'à maintenant. Le fait de tout mettre par écrit, c'est comme une garantie. En tout cas, c'est ce que dit le docteur. J'en suis à ma première cigarette de la journée. Il m'en reste quatre. Tout est dans le contrat. C'est comme ça que ça marche.

Les livres que le père de Jack avait lus – que des livres de poche – étaient empilés sur la tablette de la petite table où il gardait ses articles de fumeur. *Prenez votre vie en main, Vivez en paix et en santé, L'efficacité en vingt-deux jours, Comment tirer le meilleur parti des crises de la vie, Vivre avec passion, La mémoire : votre rempart contre la vieillesse, Abécédaire du mariage créatif, Guide du psychologue pour l'épanouissement personnel, Oui, c'est possible, Dites adieu aux douleurs lombaires, Le pouvoir inespéré de l'amitié, Ripostez pour gagner, L'art de s'aimer soi-même.*

Vis-à-vis de tels ouvrages, Jack demeurait foncièrement sceptique. Il voyait sur quelles mystifications reposait la vision du perfectionnement de soi, doutait de l'hypothèse simpliste selon laquelle la volonté humaine peut se tendre et se détendre à la manière d'une bande élastique. À la réflexion, le fait que des vulgarisateurs avides exploitent des insécurités fondamentales le mettait hors de lui. De loin en loin, il avait tenté de faire lire autre chose à son père : des romans, des livres d'histoire, des récits de voyage. Depuis quelques années, cependant, ce dernier ne s'intéressait qu'à cette suite ininterrompue de bibles de la croissance personnelle.

Il était arrivé à Jack de feuilleter les livres de son père, où il avait entraperçu la source des désirs les plus intimes de celui-ci. Insensiblement, lui-même avait senti la force d'attraction des titres de chapitre : « La vie commence aujourd'hui », « Faire le point », « Surmonter les obstacles ». Les anecdotes illustrant divers dilemmes humains utilisées dans ces ouvrages avaient parfois retenu son attention : oui, avait-il songé, je comprends, je suis passé par là. Il avait même senti d'infimes étincelles s'allumer çà et là : l'affirmation de notre courage est effectivement notre seule chance de survie ; il existe indubitablement un sens, un chemin vers la vérité universelle ; la fraternité, la bonté, la pureté et l'action ne sont pas que les abstractions floues auxquelles Bernie et moi les avons réduites. En parcourant les livres de son père, Jack comprenait sans mal leur popularité.

Ce qu'il s'expliquait moins bien, c'était pourquoi son père les lisait. Âgé de soixante-huit ans, il était en bonne santé. Néanmoins, une année seulement le séparait de la limite théorique de l'espérance de vie du mâle nord-américain, seuil statistique connu de tous. Sa vie était déjà toute tracée : marié, père de famille, grand-père, républicain, trieur de courrier à la retraite. Il vivait à Austin, quartier de Chicago majoritairement peuplé de Noirs depuis une dizaine d'années. Malgré tout, il refusait obstinément de bouger.

— Je sortirai d'ici les pieds devant, disait-il.

Il était abonné au *Tribune* et au *Chicago Today*, citoyen des États-Unis d'Amérique, agnostique, fumeur de Winston, contribuable, amateur de bière Schlitz, propriétaire d'une Pontiac gris deux tons en assez bon état, franc-maçon inactif, bénéficiaire de la sécurité sociale – pourquoi cet homme lisait-il des livres préconisant des schèmes de pensée révolutionnaires, des modes de vie et de comportement différents, des libertés et des possibilités nouvelles auxquelles lui-même, à son âge, n'aurait jamais accès ? Il avait soixante-huit ans. Son père – son père ! – tenait-il vraiment à trouver une nouvelle créativité dans son mariage ? Avait-il vraiment besoin, nom de Dieu, de concilier ses buts et l'image qu'il avait de lui-même ? C'était fou, fou braque ; c'était une nouvelle forme de masochisme à l'américaine, la plus récente perversion du vieux rêve américain. Il avait beau se creuser la cervelle, Jack ne voyait pas du tout ce que son père cherchait dans ces livres.

Néanmoins, il posa ses pieds sur le pouf, prit ses aises et demanda calmement à son père de lui faire le compte rendu de sa croisade pour cesser de fumer.

— C'est une idée fascinante, dit-il.

En même temps, il se fit la réflexion qu'il était lui-même, sans trop savoir comment, plus doué comme fils que comme père.

À ce moment, sa mère fit son entrée, une cafetière à la main et deux tasses accrochées à ses doigts.

— Voilà, dit-elle.

Elle avait le visage serein, presque joyeux. Ses cheveux gris et plats étaient tirés derrière les oreilles, retenus par des peignes. Ses lobes étaient blancs, d'une innocence joufflue ; elle n'avait jamais porté de boucles d'oreilles de sa vie parce qu'elle était convaincue que cela faisait mal. Elle considéra son mari et son fils avec affection. Certes, elle adorait sa belle-fille, qu'elle traitait comme sa propre fille. Pourtant, Jack sentit que sa bonne humeur s'expliquait en partie par l'absence de Brenda.

Sa mère le sidérait. À une autre époque, elle avait vécu dans le monde, dans un autre monde, où, à dix-sept ans, elle avait épousé un homme qu'elle avait rencontré dans une soirée dansante, un type appelé Raymond R. Raymond, vendeur de chaussures de son état. Ils avaient habité ensemble un deux-pièces avenue North. Au bout d'un an, Raymond avait perdu son emploi, puis il avait disparu. Elle n'avait plus jamais entendu parler de lui, même si, au dire de certains, il était retourné dans le nord du Michigan, d'où il était originaire. C'était avant la naissance de Jack, avant même la rencontre de ses parents. Sa mère, apparemment, avait survécu au cataclysme et était retournée fabriquer des saucisses en usine. Un dimanche après-midi, au parc, son père lui avait tout raconté. Jack devait avoir onze ou douze ans à l'époque.

— Mieux vaut que tu saches, au cas où.

Au cas où quoi ? Jack n'en avait pas la moindre idée. « Au cas où », avait dit son père qui, par ces mots, avait *de facto* censuré le récit du premier mariage de sa femme. Il n'en avait plus jamais été question. Mais rien n'avait été oublié. Raymond R. Raymond – l'homme qui avait brisé le cœur de sa mère. En fait, Raymond R. Raymond ne l'avait pas brisé. Le plus extraordinaire, pour autant que Jack pût en juger, c'était que sa mère, frêle, nerveuse et timide, avait réussi à surmonter ce bref épisode conjugal et sa condition de femme abandonnée, à passer l'éponge. Quel courage il lui avait fallu pour retourner travailler et, quelques mois plus tard, se laisser de nouveau entraîner dans une soirée dansante, organisée à l'ancien Moulin à vent, celle-là. C'est là qu'elle avait fait la connaissance du père de Jack qui, par pur hasard, avait lui aussi été entraîné par ses amis. Ce soir-là, ils avaient dansé ensemble à deux reprises, et la nouvelle vie de sa mère avait débuté. Sa mère le sidérait.

Elle lui tendit une tasse de café. Jack lui posa une question à brûle-pourpoint.

— Dis donc, maman, tu te souviens de Harriet Post ?

— Harriet Post ?

Elle remplit la deuxième tasse à ras bord.

— Harriet Post ? Ça me dit quelque chose. Mais tu sais bien que je n'ai pas la mémoire des noms, Jack. Les visages, c'est une autre histoire. Tu as bien dit Harriet Post ? Ce n'est pas celle qui te donnait des leçons de piano, Jack ? Je me souviens qu'elle venait ici tous les mercredis, l'année où tu suivais des cours.

— Mais non, maman, fit le père de Jack en tendant la main vers sa tasse. Bien sûr que tu te souviens de Harriet Post. Nous l'avons rencontrée le printemps dernier à l'Institut. La réception chic pour le truc à propos de la rivière Chicago. Fin mars, non ? C'est la secrétaire de M. Middleton. Elle est avec lui depuis vingt-cinq ans. Voilà qu'elle prend sa retraite. Jack m'en a parlé. Elle part pour l'Arizona.

Il tira son paquet de cigarettes de sa poche de chemise, en fit sortir une.

— L'Arizona. Ça, c'est la belle vie. On dirait que tout le monde s'en va vivre là-bas.

Chapitre quinze

Au bout d'un certain temps, Rob n'y tint plus. Il annonça sa décision de rentrer en autobus en marmonnant quelques mots au sujet de devoirs à finir, d'un examen d'algèbre à préparer pour lundi matin. Laurie se plongea dans la lecture du nouveau numéro du *Reader's Digest*. En visite chez ses grands-parents, elle aimait aligner les coussins du canapé sur le radiateur du salon et s'y allonger pour faire la lecture à plat ventre. Le manège durait depuis des années, depuis qu'elle était toute petite, en fait. La première fois, elle devait avoir trois ou quatre ans. En la voyant étendue – la blancheur de ses jambes solides, la rondeur de son derrière –, Jack se dit que, d'ici un an, elle n'arriverait plus à s'installer ainsi ; déjà, ses pieds ballaient au bout du radiateur. L'un d'eux donnait machinalement contre l'arrivée d'eau chaude.

Jack et son père décidèrent d'aller faire une promenade au parc Columbus. Le dimanche, ils sortaient souvent, seuls tous les deux. La mère de Jack ne les accompagnait jamais, même si Brenda répétait sans cesse à Jack qu'il devrait l'inciter à sortir davantage, la convaincre que prendre l'air lui ferait du bien. En cela, Brenda avait bien raison. Le visage de sa mère, en particulier le pourtour de ses yeux, était pâle comme du plâtre. Sa bouche et son menton semblaient friables, sa gorge et sa nuque affichaient une sécheresse accentuée par le talc. Nul doute que l'air frais la revigorerait. Jack, cependant, hésitait à trop insister sur ce point. Laissée à elle-même entre ses quatre murs, elle avait tout le loisir de faire ce qu'elle réussissait le mieux : redresser une carpette du bout de sa pantoufle, faire bouffer un coussin, aligner les journaux en piles bien nettes. À quoi s'occuperait-elle dans la fraîche vastitude du parc? Là, il n'y avait rien, sinon la pelouse publique et l'immense simplicité de l'espace. Que ferait-elle de ses dix doigts? C'était sans parler de son arthrite. Le froid s'insinuait dans ses os. Elle avait beau porter des gants à la doublure épaisse, ses doigts se glaçaient.

En prenant leur temps, tout leur temps, Jack et son père traversèrent le parc en diagonale, passant devant l'étang, les terrains de base-ball gelés et les fontaines. On avait coupé l'eau, et les fontaines étaient tachées de rouille et de moisissure; des feuilles mortes s'accrochaient à leurs parois de fer arrondies. Au-delà, il y avait le secteur appelé «les Jardins» et, plus loin encore, l'étendue boueuse du terrain de golf.

C'était le début de l'après-midi. À la lisière des pelouses, quelques personnes s'assemblaient. Elles devaient être quarante ou cinquante, selon l'estimation de Jack, des jeunes pour la plupart, sans doute des étudiants. Il y avait même des enfants. Une femme portait un bébé sur son dos. Quelques-uns brandissaient des pancartes.

— Veux-tu bien me dire... glapit le père de Jack.

— On dirait une manifestation.

— Nom de Dieu, ça me revient. Je les ai vus dans le journal, ce matin. Ce sont les mêmes hurluberlus. Des grévistes de la faim. Ils refusent de s'alimenter. Tu es au courant de leurs revendications?

— Je n'ai pas encore lu le journal.

— C'est à propos des deux scientifiques. Ceux que les Russes gardent en prison. Les grévistes de la faim exigent qu'on les libère et qu'on les envoie en Israël. Quelque chose du genre.

— J'en ai entendu parler hier soir.

Jack conservait un souvenir vague, embrouillé, quelques propos tenus par un des invités, une autre crise en puissance, les autorités qui, à Moscou, préparaient encore une intervention musclée.

Les porteurs de pancarte formaient un cercle grossier, certains prostrés et frissonnants. La manifestation avait l'air pacifique, au contraire de celles dont Jack avait été témoin à la fin des années soixante, au centre-ville. En sortant de chez Roberto, un vendredi, Bernie et lui s'étaient retrouvés au centre d'une mêlée où s'affrontaient manifestants et policiers à la matraque légère. Il avait eu peur. Un instant, il avait cru que tout pouvait arriver. Puis, dans sa tête, une voix empreinte de sang-froid avait pris le dessus : tu es au milieu d'une émeute, témoin d'un signe des temps. Mais les temps avaient changé. À ses yeux, les manifestations post-Viêt Nam, post-Watergate, avaient quelque chose de futile, de débraillé.

Dans le parc, un des manifestants leva les bras – geste d'apaisement sorti tout droit de l'Ancien Testament – et prit la parole. C'était un gros homme à l'air juvénile en dépit de ses cheveux blancs, affublé d'un poncho à carreaux qui lui descendait jusqu'aux genoux. Il avait la voix si faible que ses paroles demeuraient insaisissables, mais Jack arrivait à distinguer le message affiché sur certaines pancartes. « Droit à la dissidence – Droit à la vie ». « Les États-Unis ne sont pas à l'abri – Battez-vous pour la liberté ». Sur une autre, qui ballottait en tournant sur elle-même, on lisait : « Les Américains ne sont pas indifférents ». Jack et son père virent le cercle se briser tout d'un coup, se muer en colonne inégale. Jack entendait un chant – de quoi s'agissait-il, donc ? De l'« Hymne de bataille de la République » ? Chant archaïque, résurgence des années soixante. Hachurées, les paroles – *« Glory, glory, Hallelujah »* – traversèrent le parc quasi désert, tandis que les manifestants s'engageaient dans le boulevard Austin par la porte de l'ouest. Jack et son père attendirent que le dernier eût disparu.

— Quelle idée de se laisser mourir de faim, dit le père de Jack. Tout le monde se fiche d'eux comme de l'an quarante.

— C'est une façon d'attirer l'attention sur leur cause, j'imagine. Une tactique, en quelque sorte.

— Comme si nous n'avions pas déjà assez de problèmes chez nous : la criminalité dans les rues, l'inflation, l'hôtel de ville occupé par des bandits à la petite semaine, l'aide sociale... Et voilà que ces types montent sur leurs grands chevaux à propos de deux Russes qui ne parlent probablement même pas un traître mot d'anglais.

— Il faut commencer quelque part, j'imagine, dit Jack.

Remarque d'une ineptie qui le laissa pantois.

— Qu'on les laisse crever de faim s'ils y tiennent tant que ça. Voilà ce que je dis.

Par les courts de tennis et le terrain de jeux, ils gagnèrent l'extrémité sud-ouest du parc, le coin sombre, discret et boisé que Jack préférait. À l'exception de cet endroit, le parc Columbus lui donnait l'impression d'être la réplique exacte des autres grands parcs de la ville, poussiéreux, jonchés de déchets, trop bien balisés. On avait affaire à des « installations » plutôt qu'à un petit univers naturel, les moindres recoins nommés, répartis, exploités, entretenus et archiconnus. Tous, sauf celui-ci. D'où venait-il ? C'était un mystère. La seule explication, se disait Jack, c'était que, des années auparavant, quelqu'un à l'hôtel de ville en était venu à la conclusion que l'ouest de Chicago – et le parc Columbus – avait besoin d'un microcosme sauvage. Un coin de nature à la lisière de la ville, une jungle de la taille d'un mouchoir de poche. Le secteur faisait un demi-hectare de superficie, à la rigueur un peu plus, mais d'épais bosquets de pins et d'épinettes, traversés par un réseau complexe de sentiers rustiques, le faisaient paraître plus grand. À gauche et à droite, on avait créé un relief artificiel laissant croire à d'âpres affleurements rocheux, à une force souterraine brute, indomptée. Il y avait un ruisseau et même une petite chute qui, quand on y regardait de plus près, prenait appui sur des blocs de béton. L'eau, cependant, jaillissait avec une force surprenante et s'abattait avec fracas dans un étang écumeux, aux eaux jaunâtres empestant l'urine. L'étang lui-même s'écoulait régulièrement, comme par magie, dans une sorte de caniveau artistement caché par la végétation. Malgré la puanteur de l'eau, l'air, dans cette partie du parc, dégageait un parfum frais de sève de pin et d'humus, comme au Wisconsin. Jack ne venait jamais ici sans que les mots « sombre clairière secrète » lui reviennent à l'esprit.

Quand il avait découvert cet endroit, des années auparavant, l'expression « sombre clairière secrète » ne faisait pas partie de son vocabulaire ; à l'époque, il disait simplement « les bois ». Il avait alors dix ou onze ans ; Bernie Koltz et lui venaient là presque tous les jours. Dans ce temps-là, une clôture à claire-voie en bois et en métal de même qu'un panneau à l'allure sévère prévenaient les intrus qu'ils s'exposaient à des poursuites. Évidemment, cette interdiction ne les avait pas arrêtés puisqu'il était ridiculement facile de soulever la clôture et de se glisser dessous. Bernie et lui, munis de sandwichs et de pommes, passaient des journées entières dans les bois. Le ruisseau, l'étang, la chute, le feuillage boréal secret et le sous-bois silencieux, parsemé de fougères, tout cela leur donnait l'impression de posséder leur propre planète. Jack avait moins le sentiment de s'approprier les bois que celui d'y être à l'abri, dans une enclave sûre – ils n'y voyaient pratiquement jamais personne, sauf, une fois, un clochard agenouillé dans les broussailles, le pantalon baissé : il remuait quelque chose à l'aide d'un bout de bois. L'eau vive noyait les bruits de la circulation en provenance du boulevard Austin, et c'est à peine s'ils apercevaient, au-dessus de la cime des arbres, le sommet des immeubles d'habitation en briques rouges.

C'était l'été. Une fois la clôture franchie, ils avaient la bride sur le cou. Bernie et lui avaient exploré les bois, grimpé sur tous les arbres praticables. Dans un premier temps, ils avaient construit des forteresses et des barrages avec des branches. Plus tard, ils avaient joué à d'autres jeux, lesquels n'avaient pas grand-chose à voir avec le milieu naturel – dans le sanctuaire des bois, ils se sentaient simplement le courage de donner libre cours à leurs risibles velléités d'aventure. Pour l'essentiel, il s'agissait de faits d'armes, d'exploits d'un commando d'élite (les Geais bleus ?) : bombardement de ponts ennemis, lancement de grenades, complexes et théâtrales missions solo visant la capture de Tojo, de Mussolini ou d'Adolf Hitler en personne. Ils jouaient tour à tour le rôle de héros, accomplissaient l'impossible et l'inimaginable, rampaient parmi les plantes épineuses du sous-bois, investissaient tant bien que mal le repaire des ennemis, qu'ils affrontaient à main nue, éborgnaient ou trucidaient à coups de baïonnette plantée dans leur cœur de nazis. Dans ces jeux, la reconnaissance, la gratitude de même qu'une féroce et virile pudeur jouaient toutes un rôle. Certains, aussi longs et complexes que des films, les obligeaient à changer de voix et de personnages. Ils incarnaient tantôt des ennemis, tantôt les laconiques chefs du commandement militaire qu'étaient l'amiral Halsey et le général MacArthur. Ils étaient passés maîtres dans l'art d'imiter le gémissement des balles, le crépitement des mitraillettes, le sifflement et l'explosion des bombes. Les récits – des drames, en réalité – connaissaient des renversements de situation spontanés auxquels ils s'adaptaient volontiers, facilement et sans délai. Les scènes s'emmêlaient, se précisaient, s'estompaient, se répétaient, atteignaient à des paroxysmes de splendeur qui leur arrachaient presque des larmes. Blessés, ils tombaient du haut des arbres, poussaient des cris d'agonie au milieu des branches et, la voix étranglée, bredouillaient des messages effrayants avant de rendre l'âme – ... *traversez les lignes... MacArthur attend... dites-lui que j'ai fait tout ce que j'ai... aaaaahhhh.*

À midi, ils s'arrêtaient pour manger leurs sandwichs près de la chute. Une fois, ils avaient apporté des pommes de terre et préparé un feu, mais ils l'avaient éteint rapidement de crainte que la fumée ne trahisse leur présence. Ils enlevaient leurs chaussures et pataugeaient dans l'eau peu profonde du ruisseau, et une fois Jack avait aperçu un crapaud brun et trapu frissonnant sur une pierre plate. La vision l'avait saisi. Jamais il n'aurait cru qu'un crapaud pût atteindre des dimensions pareilles en plein Chicago. Puis il s'était dit que le crapaud n'avait peut-être aucune idée de la taille réelle du parc. Il avait probablement l'impression de vivre au cœur d'une jungle immense et éternelle.

Pourquoi ce secteur du parc était-il fermé à cette époque? Jack n'en avait aucune idée. Il ne l'avait jamais su. On considérait peut-être l'étang comme dangereux pour les jeunes enfants. Il n'avait jamais posé la question. Quand il était petit, la clôture et la porte cadenassée ne lui avaient pas semblé particulièrement mystérieuses.

Pour lui, la menace de poursuites – il imaginait un peloton d'exécution dont les membres le mettaient en joue, clignant des yeux, la bouche méchante – s'inscrivait tout simplement dans la vaste prohibition universelle qui s'appliquait à tout : certaines choses étaient interdites, certains gestes proscrits, certains lieux défendus. Ce secteur du parc était fermé au public, un point c'est tout. Fait immuable se passant d'explications – au même titre que les sombres forêts interdites des vieux contes folkloriques, autant de phénomènes résistant aux assauts de la logique.

Aujourd'hui, cependant, à l'orée des bois, il demanda à son père s'il savait pour quelle raison on en avait autrefois défendu l'accès.

Le père de Jack ne se souvenait pas de la fermeture des lieux. Puis, au bout d'un moment, la lumière se fit. Oui, cette partie du parc avait un jour été fermée. À l'occasion d'une épidémie de poliomyélite. Dans les années quarante. Pendant un mois.

— Un mois ? Seulement un mois ? Tu es sûr ? Ça n'a pas été plus long ? Ça m'a semblé plus long. Des années, en fait.

— Un mois. Peut-être deux. En juin et juillet, probablement. C'est toujours à ce moment-là que la polio frappait. À l'époque, on parlait de la paralysie infantile. À Chicago, il y avait des cas tous les étés. Tu étais trop jeune pour t'en souvenir…

— Je me souviens.

— Une année – je ne me rappelle plus laquelle –, la crise a été très grave. Il y a eu des centaines de cas. On en parlait tous les soirs dans le journal. Ça faisait la manchette. Maman et moi, nous vérifiions toujours le nombre de nouveaux cas. C'est à ce moment-là qu'on a fermé ce coin du parc pendant un mois ou deux.

C'était difficile à croire. En tout cas, Jack demeurait sceptique. Dieu sait que la mémoire de son père avait des ratés, surtout ces derniers temps. Et pourtant, l'explication semblait simple, dépouillée, cohérente. C'était, il devait l'admettre, probablement vrai – tout concordait, à l'exception de la durée. Un mois ou deux, pas plus. Il lui semblait impossible que cette période qui, dans ses souvenirs, était délicieusement longue, fût en réalité si courte. En même temps, il savait – en tant que père raisonnablement observateur – que les enfants ont la faculté de déformer l'ampleur des événements tout autant que la qualité et la mesure du temps qui les entoure. Sa mémoire avait très bien pu l'abuser – ce n'aurait été pas la première fois. Peut-être était-ce délibéré, d'ailleurs ; peut-être avait-il voulu, inconsciemment, se souvenir des bois comme d'un lieu perpétuellement dangereux et défendu, d'une sorte de jungle personnelle campée dans une intemporalité cosmique pure, sans tache. Les enfants étaient capables de telles choses. Bernie et lui avaient très pu vouloir créer, aux abords de Chicago, à distance de marche de la maison, une illusion qui leur fût propre, celle d'une impossible aventure de tous les instants. L'idée le fit sourire.

Bien sûr, le même phénomène s'observait chez les adultes ; l'histoire s'accompagne, cahin-caha, de toutes sortes de fantasmes qui, dans cinquante pour cent des cas, oblitèrent les faits et, le reste du temps, ajoutent une dimension humaine, sorte de transposition de la logique faisant contrepoids à l'apparente exactitude des horloges et des calendriers. Il faudrait qu'il discute avec Bernie du rôle de l'illusion dans l'histoire. Ou plutôt de sa valeur. Prenons par exemple les dragons et les licornes : créatures imaginaires, certes, mais faisant indubitablement partie du passé humain, viables, explicables et plus importantes à leur manière que des créatures réelles comme les loups et les ours. Qu'elles étaient trompeuses, ces notations, ces illuminations, ces inscriptions hésitantes patiemment amassées. Étaient-elles rien de plus, en définitive, que de simples caprices, des idées chimériques ? L'histoire, au fond, est ce que nous voulons qu'elle soit. Exactement comme les bois du parc Columbus. Il y avait une vingtaine d'années que la clôture qui les entourait n'existait plus. Pourtant, Jack s'obstinait à imaginer les lieux sous séquestre. En pensée, il ne les avait jamais débarrassés de leur aura de prohibition. Quand, le dimanche, il venait s'y promener avec son père, il éprouvait chaque fois un moment de surprise et de déception légères en se rendant compte qu'on y entrait comme dans un moulin, en dépit du fait qu'il ne gardait qu'un vague souvenir de son moi plus jeune.

Désormais, les principaux sentiers du parc menaient tout droit au boisé, et les arbres semblaient plus espacés qu'autrefois. La lumière y était plus colorée, plus vive. On avait asphalté certains sentiers ; en saison, on émondait les arbres. Malgré tout, on n'y voyait jamais grand monde. Aujourd'hui, il n'y avait que trois petits Noirs maigrichons, vêtus d'un jean et du même pull bleu satiné. Des frères, selon toute vraisemblance. Ils avaient jeté leurs lignes dans le ruisseau.

— Bonne chance pour tirer quelque chose de vivant de cet égout à ciel ouvert, dit le père de Jack.

La neige de la veille avait fondu, laissant le sol spongieux. Les branches retroussées des conifères étaient d'un vert splendide, et le ciel, voilé par les arbres, donnait, sous le couvert nuageux, l'impression d'être vitré. Le soleil, délavé, orange, aux bords flous comme ceux d'une balle Nerf, faisait plutôt penser à une lune. Il va pleuvoir, se dit Jack.

Son père lui avait déjà posé la question qu'il savait inévitable : comment avance le livre ?

Toutes les semaines, il se crispait dans l'attente de ce moment ; et pourtant, quand la question finissait par lui parvenir, il était invariablement surpris par l'aisance avec laquelle les mots de la réponse – à la fois vrais et faux – lui venaient.

— Ça avance, disait-il. Ça se précise, je crois.

Devant la facilité avec laquelle il assouvissait la curiosité de son père, il se sentait à la fois étonné et coupable. Son père exigeait si peu, en réalité. Sans jamais entrer dans les détails, il se contentait de hocher la tête en souriant de toutes ses dents. Puis il prononçait quelques mots spirituels et encourageants, quelque chose de paternel, en somme :

— Lentement mais sûrement : telle est ma devise. L'important, c'est d'avancer, de ne pas s'enliser. Rome ne s'est pas bâtie en un jour, tu sais. Tout le monde est au courant.

Ces offrandes – à supposer qu'il s'agît bien d'offrandes – lui semblaient faites avec tant d'innocence et de bonne volonté que, se laissant emporter par l'incandescence du moment, il avait parfois, pour faire plaisir à son père, cherché à prolonger l'instant. Dans de tels cas, il exagérait ses progrès, affichait un optimisme déraisonnable.

— Avec un peu de chance, j'aurai terminé au printemps, avait-il dit à son père, quelques mois plus tôt, à cet endroit précis, près de l'épinette de Norvège. Selon M. Middleton, au moins deux éditeurs ont manifesté de l'intérêt.

— Dis donc !

Son père accueillit la nouvelle avec un enthousiasme ponctué de force hochements de tête.

— Mon Dieu, quand je pense qu'il y aura un écrivain dans la famille. Je vois ça d'ici. Ça vous rehausse le statu quo, ça.

Le sol, à proximité du tournant du ruisseau, était glissant.

— Fais attention, papa.

— Ça va, ça va.

— C'est boueux, à cause de la neige fondue.

— Je le vois bien, pour l'amour du ciel. C'est même pour cette raison que j'ai des lunettes.

— Je voulais seulement te prévenir...

— De toute façon, tu disais, à propos du livre ?

— Je disais simplement que le chapitre six est presque terminé. Je vais le donner demain à la dactylographie. M. Middleton veut y jeter un coup d'œil.

— Combien de pages ? lui demanda son père en se retournant pour lui faire face, le visage lumineux.

— Une trentaine. Je n'ai pas tout à fait terminé. Je dois encore réviser, ce soir.

— Ça va faire plaisir à ta mère. Tu lui as dit ?

— Non. Évidemment, c'est encore un peu brouillon. Il reste des détails à vérifier. J'ai encore beaucoup de travail...

— Est-ce que le livre va être à la bibliothèque ? Quand tu auras terminé ?

— À la bibliothèque publique ? Mon livre ? Je ne sais pas, papa. C'est peut-être un peu trop spécialisé pour une bibliothèque publique.

— Comment ça ? Il y a toutes sortes de livres sur des sujets farfelus. Les collectionneurs de bouchons et d'autres bêtises du genre. Et toi, un garçon qui est né et qui a grandi à Chicago...

— Je ne sais pas, papa.

— Tu sais à quoi j'ai pensé ? C'était l'autre jour, en pleine nuit. Je ne dors plus très bien. C'est pour cette raison que maman préfère coucher dans l'autre chambre...

— Je suis au courant, papa.

— ... où je ne risque pas de la réveiller à tout bout de champ en furetant à gauche et à droite. D'ailleurs, j'ai lu un article à ce sujet. Tu veux que je te dise ? À mon âge, c'est parfaitement normal. L'être humain, en vieillissant, a moins besoin de sommeil. C'est parfaitement normal. Qu'est-ce que je disais, déjà ? Ah oui. L'idée qui m'est venue, l'autre nuit. Dès que tu auras tout terminé, que le livre aura sa jaquette et tout, je vais aller en acheter un exemplaire pour la bibliothèque d'Austin. Un don, tu comprends ? Je me suis dit que je pourrais mettre un autocollant dedans, tu sais. Don de John et Selma Bowman...

— À ma connaissance, papa, ça ne se fait...

— ... de John et Selma Bowman, parents de l'auteur. Ça ne sonne pas bien, ça ? L'idée m'est venue au beau milieu de la nuit. Même que je me suis levé pour la noter. Par crainte d'oublier. Parents de l'auteur... Alors, qu'est-ce que tu en dis ? Pas mal, hein ?

Silence. Puis Jack dit :

— Je suis loin d'avoir fini, papa. En fait, je vais même avoir de la compétition. Il se trouve que quelqu'un d'autre a écrit un livre sur le même sujet.

— Quelqu'un d'autre ?

— Bien sûr, c'est fréquent. Ça n'a rien d'inhabituel. Je l'ai appris l'autre jour. Par hasard. C'est une malchance, d'une certaine façon.

Son père s'arrêta.

— Et il est bon, cet autre livre?

— Honnêtement, je n'en sais rien, papa.

Jack crut voir les commissures des lèvres de son père s'affaisser. Son visage mince, qu'on aurait dit taillé au couteau, sembla se rétrécir, triangle frêle entre les larges oreilles.

— Ah, fit son père, la voix tremblante. Mais qu'est-ce que tu en penses, toi, de cet autre livre?

— En fait, il y a de grosses chances pour qu'il soit... oui, il va probablement être... plutôt bon.

— Va être?

— Il ne paraîtra que l'été prochain.

— Dans ce cas, dit son père, la bouche arrondie comme une couronne, dans ce cas, tu vas prendre l'autre type de vitesse. Tu as une longueur d'avance sur lui, hein? Tu m'as bien dit que tu aurais terminé au printemps, non?

— Je ne suis pas du tout certain d'avoir terminé au...

— De toute façon, qu'est-ce que ça change? Il y aura deux livres sur les Indiens, c'est tout. Tout le monde aime les livres sur les Indiens.

— Il commence à pleuvoir, papa. Il vaut peut-être mieux rentrer.

— Bah, on annonce quelques misérables gouttes. Des averses dispersées. C'est ce que j'ai entendu aux nouvelles.

— Il faut que je rentre, papa...

— Pourquoi? On vient d'arriver. Qu'est-ce que tu dirais d'aller de l'autre côté du pont?

— Je dois vraiment y aller, papa. Il y a les enfants – Rob, je veux dire –, et je dois encore relire mon chapitre. D'ici demain.

— Seigneur, c'est vrai. Il faut que tout soit prêt pour demain matin. Prenons le raccourci. Ça nous évitera de tomber sur les hippies affamés. Ha ! On sera à la maison en deux temps trois mouvements. Tu veux que je te dise ? Il va pleuvoir pour de vrai, sacré nom de Dieu.

Chapitre seize

Jack avait laissé la porte de derrière déverrouillée à l'intention de Bernie. À leur retour, tard en fin de journée, Laurie et lui trouvèrent cependant la maison vide. Laurie laissa tomber son manteau par terre, se dirigea vers le salon et alluma la télévision. Sur la table de la cuisine, Jack trouva un mot de Rob.

> *Suis allé à Charleston avec Bernie K. De retour vers sept heures. Sue K. a téléphoné. La rappeler à l'hôpital au 366-4556. M*^{me} *Carpenter a téléphoné pour dire que M. Carpenter va survivre.*
>
> Rob

Il lut par deux fois. Rob avait écrit les mots de son écriture soignée, les majuscules un rien flamboyantes, les autres lettres bien nettes, sans fioritures, les traits bien affirmés, solides. Une belle main d'écriture énergique, songea Jack, satisfait. De façon générale, Rob, le moment venu de laisser des messages, ne se débrouillait pas trop mal. Le tout dans le tout, se dit Jack, ce n'était pas un mauvais garçon. Un peu renfrogné, peut-être. Exigeant, par moments, mais étonnamment respectueux. Par exemple, il n'avait pas oublié de mettre M. Carpenter et Mme Carpenter. De quoi se consoler, au vu de la jeunesse d'aujourd'hui. Il pourrait se droguer, faire du vol à l'étalage ou encore échouer tous ses cours. À bien y penser, il était relativement fiable, relativement responsable. En revanche, le mot qu'il avait laissé n'avait aucun sens.

« M. Carpenter va survivre. » Dans la cuisine, Jack répéta la phrase à voix haute dans l'espoir d'en deviner la signification. « M. Carpenter va survivre. » Satané Rob ! Pourquoi n'avait-il pas pris la peine de préciser ? À huit ans, il leur avait envoyé une carte postale du camp des louveteaux. Une seule phrase : « Ne vous inquiétez pas pour le serpent. » Et maintenant : « M. Carpenter va survivre. » À son âge... C'était probablement une allusion à la fête de la veille. Larry avait peut-être un peu forcé la note. À la fin de la soirée, il avait l'air passablement éméché. La gueule de bois, sans doute. Mais pourquoi « va survivre » ? Les mots traduisaient peut-être une intention ironique. Il va survivre à sa gueule de bois. Était-ce bien là le sens du message ? Non, c'était une explication tirée par les cheveux, ridicule. Mieux valait donner un coup de fil aux Carpenter. Au cas où.

Il composa le numéro, attendit qu'on décroche, mais il n'y avait personne. Il compta jusqu'à dix, puis fit une nouvelle tentative avec le même résultat.

Ensuite, les dents serrées, il téléphona à Sue à l'hôpital général d'Austin. La Dr Koltz était partie pour la journée, lui dit-on. Non, elle n'avait pas laissé de numéro. Jack raccrocha, soulagé. La dernière chose dont il avait envie, c'était de parler à Sue Koltz.

Comme chaque fois qu'il obtenait un sursis, il fut inondé de joie. Il était fatigué, toutefois. La soirée, le tourbillon des visages, l'alcool. Combien de scotchs avait-il ingurgités ? Les larmes de Bernie, l'absence de Brenda, les foutus Indiens et leurs pratiques commerciales de merde. Sans parler de Rob qui laissait sur la table des mots incompréhensibles. Et voilà que Laurie avait mis la télé à tue-tête : un match de football éliminatoire, les Bears contre les Packers. Déjà au troisième quart. Merde. Lui qui avait eu l'intention de le regarder. Il avait mal à la tête, les yeux brûlants. Il avait oublié d'acheter du lait. Il n'y avait rien à manger – jamais encore il n'avait vu le dessus de la cuisinière si froid et si net. Dehors, il pleuvait à verse.

Il relut le mot de Rob, une ligne à la fois, un mot à la fois. De quel droit Bernie s'était-il permis d'emmener avec lui un garçon de l'âge de Rob? Rob n'avait jamais mis les pieds dans un établissement comme celui de Charleston. De ses deux enfants, Rob était le plus sensible. Des années auparavant, Jack l'avait vu pleurer devant des images en provenance du Viêt Nam – des enfants horriblement brûlés entortillés dans des couvertures par des mères qui hurlaient. Charleston lui ferait tout un choc. Jack lui-même n'était jamais allé dans un endroit pareil. (Heureusement, songea-t-il, tout de suite honteux d'avoir eu une réflexion pareille.) C'était fou, tout était fou. Mais la folie, remarqua-t-il calmement, était indéchiffrable, inatteignable. Que lui restait-il à faire? Il avait déjà fait tout ce qu'on attendait de lui, retourné le coup de fil de Sue, téléphoné chez les Carpenter, réfléchi aux conséquences de la visite de Rob à Charleston – il avait fait tout ce qu'il pouvait et, pour le moment, il était absous. Il ne lui restait plus qu'à plier le bout de papier, à le mettre dans sa poche et à ne plus y penser. L'explication viendrait sûrement à point nommé.

En fait, l'explication était sans doute ridiculement simple. Rob avait écrit à la va-vite parce que Bernie était impatient de se mettre en route. L'hôpital où vivait la fille de Bernie se trouvait à une soixantaine de kilomètres et il y avait toujours beaucoup de circulation. Dans sa hâte, Rob avait fait une ellipse ou commis une curieuse petite faute de syntaxe qui remettait en question le sens du message.

D'ailleurs, Jack se méfiait du papier. Les mots, l'encre, les limites de la langue et de l'expression, l'incompétence des locuteurs. C'était absurde, l'importance qu'on attachait à de simples bouts de papier. Il avait toujours été affligé d'une absence de foi dans l'écrit, singulière chez un historien. Qui plus est, il n'avait jamais été tout à fait convaincu que l'histoire était ce qu'elle prétendait être : un témoignage écrit. Le plus souvent, lui semblait-il, l'histoire était exactement le contraire – en ce sens qu'elle correspondait à ce qui n'avait jamais été écrit. Dans un texte, il n'y a jamais que des indices, des suppositions, des esquisses, des spéculations. Un certificat de mariage ne révèle rien de l'histoire du mariage concerné. Il avait cité cet exemple à Bernie deux semaines plus tôt. Un texte de loi, qu'il soit consigné sur un papyrus ou sur une tablette d'argile, n'est pas un énoncé de fait : il ne s'agit jamais que d'un moyen de désigner une condition n'ayant pas existé. Il fallait tout lire à rebours, comme dans un miroir.

Il ne fallait pas non plus négliger le problème de la fiabilité de l'auteur du compte rendu, de celui qui se chargeait d'écrire. À Bernie, il avait cité l'exemple des journaux intimes. Pour un seul diariste, il y avait dix mille non-diaristes. Qui fallait-il croire? L'exception singulière, plume compulsive à la main, ou les milliers de gais non-écrivants, masse grouillante qui compose le gros de la société? Consigner par écrit, c'était s'afficher en tant qu'aberration, en tant que témoin accusateur et grinçant qui, du simple fait d'écrire, éveille des soupçons.

Mais ce n'était que le début : dans l'esprit de Jack, il y avait une illusion encore plus grande, à savoir que la plupart des événements étaient considérés comme indignes d'être consignés. Jack avait défendu le même argument quelques semaines plus tôt en présentant le cas d'une hypothétique serveuse anglaise, récit qu'il avait improvisé sur le coup et pour lequel il avait depuis conçu un certain attachement. La serveuse anglaise, avait-il dit à Bernie, vivait dans la ville de Birkenhead en 1740.

— Pourquoi Birkenhead?

Bernie, ce jour-là, était à la fois alerte et obligeant.

— Pourquoi 1740?

— Birkenhead parce que les registres étaient moins fiables en province; 1740 parce qu'il est raisonnable de penser qu'elle était analphabète. Je poursuis?

— D'accord.

— Un jour, cette serveuse anglaise analphabète travaille au pub. C'est l'après-midi du... 15 mai, disons. Il n'y a pas grand monde et elle en profite pour polir les cuivres, sortir les chopes en prévision de l'affluence du soir et donner un petit coup de balai.

— Et après?

— Après, vers la tombée de la nuit, la porte s'ouvre. Entre en scène un ouvrier agricole au chômage.

— Analphabète?

— Absolument. Jusqu'au bout des doigts. Itinérant, par-dessus le marché, et inconnu dans les environs de Birkenhead. De son doux et étrange accent, il dit venir du sud. Il s'installe sur un banc, jette une pièce sur la table et se déclare assoiffé.

— Viens-en au fait. Tu traînes, mon vieux.

— Bientôt, il saute aux yeux que l'homme n'a pas envie que de bière brune. Il reluque la serveuse, note ses yeux noirs qui scintillent et ses... généreuses proportions campagnardes, son aisance...

— Il y a longtemps que tu n'as pas vu une serveuse anglaise de près, on dirait...

— L'étranger se penche et parvient à agripper le poignet de la pucelle.

— La pucelle? Seigneur Dieu.

— Il l'attire près de lui. «Que diriez-vous, lui susurre-t-il à l'oreille, d'aller faire une promenade après votre service? Le long de la rivière?»

— Il y a une rivière à Birkenhead? Laquelle?

— Peu importe. Disons plutôt un étang. Je le répète, c'est le mois de mai, le joli mois de mai, les arbres sont en fleurs, il y a des jonquilles.

— Il n'y aurait pas plutôt une «profusion de jonquilles dorées»?

— Et, plus important encore, des herbes hautes. Prends bien note de ce détail. Il est important pour la suite de l'histoire.

— Je m'en doute.

— Crois-en ma vieille expérience. Ensemble, l'inconnu bien découplé et la charmante jeune fille sortent se promener au milieu des tendres herbes hautes. Au bout d'un moment, ils décident de s'y asseoir pour se reposer un peu.

— Euh... d'accord.

— Les étoiles s'allument...

— ... une à une.

— Et cet inconnu, ce travailleur agricole analphabète et en chômage se penche et dégrafe sans hâte le corsage de la serveuse. Il respire rapidement. C'est du moins l'impression qu'elle a, elle.

— C'est un de tes meilleurs récits, Jack.

— Puis les jupons se desserrent, les culottes s'enlèvent à tâtons.

— Ah! J'ai l'impression de connaître la suite.

— Là, sous les étoiles silencieuses et le regard indifférent de la lune, la serveuse de Birkenhead est déflorée dans les formes.

— Pénétrée? De part en part, si j'ose dire?

— Parfaitement.

— Et?

— Rien du tout. C'est la fin.

— La fin, déjà? Il n'y a donc pas de dénouement?

— Non. En fait, il y a un petit post-scriptum. Ou plutôt un non-post-scriptum, puisque rien n'a été écrit. C'est tout : la défloraison au bord de la rivière est demeurée secrète. Au terme de cette nuit magique, ils ont tous les deux poursuivi leur chemin. Mais elle est restée à jamais gravée dans leur mémoire. Et ainsi de suite. Tu vois où je veux en venir?

— À vrai dire...

— Il s'agit d'un moment historique. Il a bel et bien eu lieu. Mais il n'a jamais été consigné par écrit.

— Il a très bien pu l'être.

— Comment?

Bernie avait réfléchi.

— Imagine qu'elle soit tombée enceinte. Tu n'aurais qu'à te rendre en Angleterre. Là, à l'église paroissiale de Birkenhead, il te suffirait de consulter les registres de 1740 pour trouver un certificat de naissance, neuf mois après l'événement. Là, on pourrait parler d'événement historique.

— Ce soir-là, les étoiles ont fait preuve de clémence. Il n'y a eu ni conception, ni grossesse, ni certificat de naissance. Alors, de quel droit soutenir que c'est de l'histoire?

— Et si la serveuse, devenue vieille et gâteuse, avait raconté cette rencontre à un ménestrel de passage qui, en l'occurrence, était un romancier déguisé? Et s'il avait publié un livre intitulé *Les Hautes Herbes de Birkenhead*? Dans ce cas, on aurait affaire à de l'histoire, de l'espèce la plus douteuse qui soit, d'accord, mais de l'histoire quand même.

— Rien de tel n'est arrivé, avait fait Jack. La serveuse s'est convertie au méthodisme, a abandonné son travail, a épousé un cordonnier très pieux et a passé le reste de sa vie dans la crainte de Dieu. Elle n'a jamais soufflé mot de son aventure, même s'il ne fait aucun doute qu'elle est revenue en pensée à ce moment de passion. Il n'y a aucune preuve écrite de cette rencontre. Tu vas devoir me croire sur parole. Aujourd'hui, son corps n'est plus qu'un pauvre squelette anonyme enfoui sous la chapelle. Et même son squelette...

— Ça ne tient pas la route, Jack. Je n'y crois pas un seul instant. Il faut oublier tout l'épisode, aussi pittoresque soit-il. Il ne s'agit en aucun cas d'un événement historique et tu le sais très bien.

— N'est-ce pas d'une totale absurdité puisque nous savons, toi et moi, que l'anecdote est véridique?

— Tu voudrais échapper au carcan des définitions, mais c'est impossible. Ton récit n'a pas plus de poids qu'un rêve.

— Qui dit que les rêves ne sont pas de l'histoire, eux aussi?

— S'ils sont consignés par écrit, d'accord. Je te le concède. Le problème, c'est que tu cherches à faire de l'histoire autre chose que ce qu'elle peut être. Tu voudrais qu'elle renferme tout. Jusqu'à tous les grains de sable de l'univers. À t'entendre, nom de Dieu, on dirait que l'histoire est un bulldozer magique qui ramasse tout sur son passage. Alors qu'elle n'est qu'une invention humaine – un peu présomptueuse, d'ailleurs –, assujettie aux limites de la condition humaine. Sans parler des limites temporelles, techniques et j'en passe. Au fond, on n'a affaire qu'à un conte, de la forme de conte la moins précise qui soit.

Évidemment, Bernie avait raison, Jack le savait bien. Même si la serveuse anglaise avait laissé une trace écrite, jamais il ne se résignerait à y prêter foi. Malgré sa nature généreuse, elle avait une âme en pergélisol. À supposer, par exemple, qu'elle ait appris à écrire dans son vieil âge – Jack l'imaginait penchée sur une table en bois grossier éclairée par une petite fenêtre plombée –, son récit n'aurait rien à voir avec l'expérience qu'elle avait connue dans les hautes herbes. À l'instant où la plume entrerait en contact avec le papier, un deuxième moi conditionné, prudent, oublieux, extatique, vaniteux, lyrique et bavard prendrait forme, et les mots deviendraient ce que finissent par devenir tous les témoignages écrits : de fausses images, déployées et figées, à la manière de peintures murales, amalgame du connu et de l'inconnaissable. Les sculpturales distances du passé étaient emblématiques, rien de plus.

Même un texte bref et fortuit comme le mot laissé par son fils Rob menaçait de s'écrouler sous le poids des présupposés. «M. Carpenter va survivre.» M. Carpenter va survivre? Le présupposé, dans ce cas précis – Jack tournait l'idée dans sa tête en ouvrant une boîte de soupe nouilles et poulet –, serait que la survie de M. Carpenter, Larry, avait été provisoirement compromise, qu'une quelconque calamité s'était abattue sur sa tête. Il fallait donc que ce soit quelque chose de grave et d'extraordinaire.

Il versa la soupe dans une casserole, ajouta de l'eau et fit brièvement chauffer le tout à feu vif avant de le répartir dans deux bols.

À plat ventre sur le tapis du salon, Laurie regardait les soixante dernières secondes du match. Au moment où Jack déposa le bol devant elle avant de se laisser choir dans un fauteuil, Green Bay n'était qu'à quelques centimètres de la ligne des buts. Il aimait les

Packers. Le coup de sifflet activa la ligne à l'attaque et Jack, retenant son souffle, attendit que le ballon invisible changeât de mains.

À l'écran, tout semblait si facile. Les Packers étaient tout près, ils avaient à peine un mètre à franchir, et pourtant ils échouèrent. En se penchant pour mieux voir, Jack répandit de la soupe sur le tapis, sans arriver à comprendre ce qui n'allait pas. Des bras, des jambes et, en gros plan, des épaules et un casque en forme de projectile, des fesses dansantes, qui glissaient, s'affaissaient à la manière d'un château de cartes. Où était le ballon ? Un arbitre intervint, souleva ses grosses mains au-dessus de sa tête. Soudain, le match était terminé.

Laurie se redressa en s'étirant. Jack finit sa soupe en se disant qu'il avait encore faim, puis qu'il devrait tenter de nouveau de joindre les Carpenter.

Depuis la fenêtre, il apercevait le coin de leur maison. Une lumière y était allumée. Il y avait quelqu'un. Il fallait faire quelque chose. Oui, il allait téléphoner. Tout de suite. Avant de changer d'idée.

Chapitre dix-sept

Lundi matin. Jack attendait l'arrivée de M. Middleton. Il avait de l'avance, il n'était que dix heures vingt-cinq. Inexplicablement, il tremblait légèrement. Sur sa joue gauche, en dessous de l'œil, un nerf frémissait. Il avait la gorge sèche, râpeuse. À peine s'il avait fermé l'œil, la nuit dernière. Le calme n'était revenu qu'à minuit, et il était plus de trois heures quand il avait enfin trouvé le sommeil. Détail curieux dans les circonstances, il avait fait à propos de Brenda un rêve érotique exubérant dans lequel il s'était terré. Le réveil avait sonné à sept heures pile.

Après une nuit pareille, il était tout naturel, raisonna Jack, d'être un peu sur les dents, surtout à la vue du lourd et large bureau de M. Middleton, où d'étincelants spécimens de minerais du Michigan retenaient des piles de documents bien alignés. Sur la surface à grains fins, une lampe antique pourvue d'un abat-jour en verre ambré découpait un halo tiède. Dans un coin, il y avait une photo encadrée de Mme Middleton qui souriait, ses lèvres nordiques détendues ; à côté d'elle, le téléphone brillait d'un lustre digne d'un gentilhomme.

— M. Middleton ne devrait pas tarder, lui avait dit Moira.

C'était son avant-dernier jour de travail et elle avait un air alerte, presque militaire ; pour l'occasion, elle avait enfilé un blazer marine et un foulard de soie jaune, noué sous le menton. Des traits jumeaux d'ombre à paupières bleue lui donnaient un air dur, interrogateur.

— Alors, dit Jack, de sa voix joviale empruntée, celle qu'il sortait des boules à mites les matins de gueule de bois, le jour J est enfin arrivé.

— Ha! dit Moira.

Il avait plus ou moins arrêté ce qu'il allait dire à M. Middleton au sujet du chapitre six. Vivre à Elm Park avait au moins ceci de bon que les embouteillages du matin lui donnaient amplement le temps de mettre de l'ordre dans ses idées. Non pas qu'il y aurait de véritables complications, se disait-il, puisque les entretiens avec M. Middleton n'exigeaient rien de plus que l'exposition de la simple vérité. M. Middleton avait un côté carré, direct, inhabituel chez un homme dans sa discipline. Jack voyait en lui un intellectuel de boulevard doté d'un intellect vif et élastique, d'une rare volonté d'affronter le quotidien : avec lui, pas besoin d'excuses controuvées ni d'alibis qui permettent de sauver la face. Dans cet environnement civilisé, les retards, les distractions et les détours étaient tous acceptables. Jack se détendit un peu, inspira profondément. Bon, il n'avait pas réussi à terminer le chapitre six comme promis. M. Middleton n'allait pas le congédier pour si peu ; il n'allait pas non plus lui asséner un coup de règle sur la tête. Au pire, il y aurait une expression de désappointement, légère et empreinte de sympathie, un hochement de tête à peine perceptible, un tapotement de stylo sur le sous-main, un bref moment de silence. À quoi donc rimait cette agitation ?

Moira avait désigné une chaise.

— Pourquoi ne pas vous asseoir pour l'attendre au lieu de rester planté là ?

— Volontiers.

Il y avait quelque chose de brusque chez Moira – la façon dont elle avait dit «rester planté là» –, une sorte d'effronterie, comme chez ceux qui font péter les courroies de soutien-gorge. Mel serait-il différent? En se retournant, Jack laissa échapper un gémissement et décocha à Moira un faible sourire de complicité.

— Lundi matin, fit-il en massant ses tempes douloureuses.

— C'est vrai que vous n'avez pas l'air dans votre assiette.

— Quel week-end !

— Ah bon ?

Elle semblait sincèrement intéressée.

— Un des mes voisins a tenté de s'enlever la vie.

Pourquoi lui avoir fait cette confidence ? Pourquoi avoir ouvert sa grande gueule ? Il n'avait pas eu l'intention d'en parler. Surtout pas à Moira. Nom de Dieu ! Au moins, il n'avait pas mentionné de nom.

— C'est vrai ?

Halètement gratifiant.

Jack sentit le calme monter en lui. Ah ! l'insidieux plaisir du porteur de mauvaises nouvelles.

— Tôt hier matin. Vers huit heures. On l'a trouvé juste à temps.

— Comment...

— Le bon vieux truc du garage. Monoxyde de carbone. Le moteur qui tourne, la porte fermée. Les médecins pensent qu'il va s'en tirer, qu'il n'y a pas de lésions au cerveau. Pour le moment, du moins.

— Jeune ? Vieux ?

Moira s'installa sur une chaise. Son front se creusa d'une demi-douzaine de sillons également espacés. Une femme attrayante.

— Entre les deux, répondit Jack. La trentaine. La fin de la trentaine, plus précisément.

— C'est une période difficile, dit Moira. Je m'en souviens. La trentaine, le début de la quarantaine...

Assez. Jack se déroba. Il ne tenait pas du tout à entendre parler du début de la quarantaine de Moira. Ni de celui de personne d'autre.

— C'est un autre voisin qui l'a trouvé. Un coup de chance, en réalité. Ce type, Bud Lewis, fait du jogging. Cinq kilomètres avant le déjeuner. Tous les matins, y compris le dimanche. Incroyable, hein ? Il fait le tour du parc Van Buren trente ou quarante fois. Heureusement, fit-il en marquant une pause, il commence dans la ruelle derrière chez nous. Il longeait le garage du voisin quand il a remarqué des gaz d'échappement qui filtraient sous la porte. Par chance, il faisait froid.

— Ça...

— Il a brisé un carreau et a réussi à entrer, je ne sais pas comment. La fenêtre est toute petite. Il a dû se hisser jusque-là et se faufiler à l'intérieur. À l'hôpital, les médecins ont dit que cinq minutes de plus...

Il s'interrompit. «Cinq minutes.» Il vit Moira prendre la mesure des implications.

— Les hommes, fit énergiquement Moira, subissent d'énormes pressions. Au travail. Ça n'arrête jamais. C'est la jungle. Mon mari, Bradley, a eu sa part de difficultés.

— Oui, confirma Jack. Ça arrive.

— Il y a aussi les pressions familiales, poursuivit Moira, qui sont parfois aussi lourdes.

— Oui.

— Quand notre fille Sandra a quitté l'école secondaire, j'ai bien failli y laisser ma peau. Quand je pense qu'elle figurait au tableau d'honneur... Puis elle s'est mise à avoir de mauvaises fréquentations. Et à se droguer. Je sais ce que c'est, allez. On s'en sort, mais ça laisse des traces.

Jack hocha la tête. Il avait rencontré cette fille. Elle avait accompagné sa mère et son père à une exposition, des années auparavant. Elle devait alors avoir huit ans. Elle avait de jolies nattes brunes. Qu'avait-il bien pu lui arriver? Pauvre Moira. Pauvre petite.

— Sait-on seulement pourquoi il a fait ça? Il a laissé un mot? En général, les suicidés en laissent un.

— Non, rien. On pense qu'il était déprimé.

— La dépression, ça ne pardonne pas.

— Ça me semble absurde, mais il jouait dans une pièce, ce type. Un théâtre local, strictement amateur. Mais quelqu'un s'est donné la peine d'en parler dans un journal, a parlé de four en mettant l'accent sur lui en particulier.

— J'ai déjà vu des critiques de ce genre. Dans le *Today*. Et dans le *Tribune*. Elles sont souvent mordantes. Parfois cruelles.

Se ressaisissant, Jack s'interrompit. Avait-il eu tort de tout raconter à Moira ? Janey avait beaucoup insisté : elle ne tenait pas à ce que tout le monde soit au courant. Elle s'était même donné la peine, lui avait-elle dit, de demander à toutes les infirmières de l'étage de ne pas ébruiter l'affaire. Si la nouvelle circulait, Larry en mourrait.

— Tu sais ce qu'on dirait, Jack. Que Larry Carpenter est bon pour donner des coups, mais qu'il est incapable d'en encaisser. J'entends ça d'ici.

La critique, il est vrai, avait été impitoyable. La veille, Jack avait fini par se résoudre à la lire. Elle lui avait donné froid dans le dos. Un éreintement de première, ni plus ni moins. En même temps, si Larry n'avait pas été son voisin immédiat et qu'il n'avait pas été au fait des suites de l'affaire, le même papier lui aurait peut-être procuré une certaine... allégresse. Voilà un critique de théâtre à qui on servait sa propre médecine vitriolée. *Œil pour œil, dent pour dent.* Il ne l'aura pas volé. Ironie, quand tu nous tiens... Nul doute que Larry s'était parfois montré tout aussi impitoyable. Les spectacles de deuxième ordre lui inspiraient des remarques lapidaires, brutales, même si les coups étaient normalement amortis par la finesse de son esprit – d'où, peut-être, la différence. Gordon Tripp – dont Jack avait toujours jugé les critiques maniérées et distanciées – avait de toute évidence sauté à la gorge de Larry. Tous les mots étaient empreints de malice. (Vraiment ? L'année où Bernie et lui avaient discuté de la question de la moralité moderne, Jack avait soutenu que le mal était le résultat de la simple insouciance.) Larry avait sans doute fait quelque vacherie à Gordon Tripp. Ou alors il était effectivement « l'Hamlet le plus pompeux et le plus complaisant à avoir sévi sur les planches à Chicago, théâtres amateur et professionnel confondus ». (L'énoncé sentait la surenchère ; en plein le genre de choses que Larry savait éviter.) Planté au milieu de la scène, Larry avait-il vraiment « déclamé à la manière d'un hibou détrempé, en émoi devant son ego, si imbu de son importance qu'il en avait les yeux exorbités »? Nom de Dieu! S'était-il vraiment « gratté les testicules derrière les arbres en toile »? (Le cas échéant, avait déclaré Janey, c'était parce que l'armure de polyester le grattait.) « Cet être par trop arrogant n'a pas assez d'envergure pour jouer la souris Mickey, encore moins Hamlet, avait écrit Gordon Tripp, railleur. Est-il possible que le théâtre amateur d'Elm Park ait oublié l'histoire des enfants mal chaussés du cordonnier? S'est-il aplati devant un cas patent d'outrecuidance citadine? » (Leah Wallberg allait bouillir à la lecture de ces mots, si ce n'était déjà fait.) « Seule consolation, concluait Gordon Tripp, on a assisté à l'écriture d'une page de l'histoire du théâtre. Hamlet, tel qu'interprété dans les vénérables banlieues par le seul et unique Larry Carpenter, pur produit de Chicago, n'est plus le héros tragique imaginé par Shakespeare. Métamorphosé au point d'être méconnaissable, il est devenu une sorte de Clark Kent incapable de repérer une cabine téléphonique. »

Dommage. C'était une critique mal intentionnée et fort peu charitable. Mais de là à se suicider... Selon Janey, le dépit de Gordon Tripp, autrefois ami de Larry, datait du jour où la chronique de Larry avait été vendue sous licence, au contraire de la sienne. Une affaire de jalousie, purement et simplement. Elle avait aussi laissé entendre que la critique n'était pas seule responsable de la réaction de Larry. Hier soir, assise dans la cuisine des Bowman, devant des ailes de poulet, elle avait confié à Jack et à Bernie qu'il y avait d'autres facteurs, de multiples autres facteurs. Ce soir-là, Larry avait beaucoup bu; or il est scientifiquement prouvé que certains types de vin rouge ont des effets négatifs sur la psyché. (Jack s'était souvenu du fait que Larry, tard le samedi soir, lui avait semblé curieusement détendu et aimable; selon Janey, il flottait déjà, allait au-devant de la catastrophe.) La pièce elle-même, les répétitions tardives et les exigeantes représentations, qui s'étiraient sur quatre heures, l'avaient vidé. À Princeton, des années auparavant, avait ajouté Janey, Larry, tout juste avant les examens de mi-session, avait fait une sorte de dépression. Rien de grave, mais il avait dû laisser tomber un cours ou deux.

— Il est finalement assez seul, conclut Janey d'une voix chuchotante. Alors...

Appuyée sur la table, elle était au bord de l'hystérie, ses yeux verts vitreux, fiévreux. Elle avait une faim de loup : du bout des doigts, elle sortait les ailes de poulet de la sauce et en déchiquetait la chair. Ses cheveux blonds étaient gras et ternes, et des mèches emmêlées lui pendaient de part et d'autre des oreilles. Sa bouche, s'étirant, esquissait des grimaces craintives, mais à la vue de ses lèvres, douces et sensuelles, Jack songea à un fruit d'été. Elle avait prévenu les parents de Larry, qui vivaient dans le Connecticut. Son père arriverait par un vol du matin et se rendrait directement à l'hôpital.

Assis là, tous les trois, ils donnaient à Jack l'impression de nager dans l'immédiateté vive et ardente de vies autres, antérieures. Les hôpitaux, les murmures, l'héroïsme, la goinfrerie, célébration maniaque, dangereuse, circonspecte et quelque peu révérencieuse. Sans réfléchir, Jack avait débouché une bouteille de vin.

Bernie siffla son verre d'un coup. Dans la lumière, sa tête rousse s'était embrasée. Quelques cheveux se dressaient, bleuâtres, électriques. Ce soir-là, il avait l'air exceptionnellement jeune ; ce soir-là, il avait l'air d'avoir vingt ans. Plus tôt, il s'était excusé à profusion d'avoir emmené Rob voir sa fille à Charleston. Selon sa version des faits, Rob traînait à la maison comme une âme en peine, et Bernie, spontanément, lui avait demandé s'il souhaitait l'accompagner. (Rob était rentré de Charleston en état de choc, l'estomac retourné. Même que Bernie avait dû s'arrêter deux fois en cours de route.) Jack avait répondu que ce n'était pas grave. Il aura tout oublié d'ici un jour ou deux, avait renchéri Bernie. Évidemment, avait concédé Jack. Ne disait-on pas que les enfants vivaient désormais coupés de la réalité de la mort et des difformités ? Lui-même l'avait souvent répété. Aujourd'hui, Rob avait rattrapé le temps perdu, voilà tout. À son retour, il était monté se coucher. Il n'avait mis que quelques minutes à s'endormir.

— Quel type, ce Bud Lewis, poursuivit Janey, la bouche pleine, une goutte de sauce lui perlant à la lèvre. S'il n'était pas sorti courir à cet instant précis... J'aurais beau vivre jusqu'à cent ans, je ne le remercierais jamais assez. Ni moi ni Larry.

— On peut en effet parler d'une... d'un...

Bernie hésita. Jack espéra qu'il n'allait pas utiliser le mot « bénédiction » ou, pis encore, « miracle ».

— ... sacré coup de chance.

— Et si Bernie n'avait pas dormi dans notre chambre d'amis, la nuit dernière...

Janey avala l'air goulûment et lança un regard grave et respectueux en direction de Bernie. La quasi-catastrophe avait eu raison de sa bouderie.

— ... si Bernie n'avait pas été chez nous, je ne sais pas ce que j'aurais fait. Le destin, sans doute. Je me serais probablement effondrée. Quand Bud est entré avec lui, je tremblais comme une feuille. Il l'a transporté. Il a littéralement transporté Larry.

— Tu étais beaucoup plus calme que tu le penses, lui dit Bernie d'un ton rassurant.

Il y avait une sorte d'intimité entre eux.

— C'est toi qui as téléphoné aux services d'urgence, poursuivit Bernie. Pendant que nous discutions de ce qu'il fallait faire.

— L'unité de réanimation a fait si vite, s'extasia Janey, la voix haut perchée.

Elle s'empara d'une autre aile de poulet.

— Il a fallu combien de temps, Bernie ? Dix minutes ?

— Au maximum. Les secouristes ont fait vite, surtout compte tenu de l'heure. Ils savaient exactement quoi faire.

Janey se tourna vers Jack.

— Tu es au courant, j'imagine, de ce qu'a fait Bernie ?

— Quoi donc ? demanda Jack, qui s'en voulut de ne pas savoir.

— Pendant que nous attendions l'ambulance ? Pendant les dix
minutes que Larry a passées couché sur le canapé, les yeux fermés ?
Bernie lui a fait le bouche-à-bouche. Pendant que je m'arrachais les
cheveux en criant et en courant à gauche et à droite, il lui faisait
le bouche-à-bouche.

— Bon, je... commença Bernie.

— À l'urgence, le médecin a dit qu'il avait probablement réussi
à garder les cellules du cerveau vivantes pendant cette période
critique et...

— Il y a deux ou trois ans, j'ai suivi un cours, s'excusa Bernie.
De premiers soins.

Sa voix se brisa.

— Et il est resté avec moi toute la matinée. À l'hôpital.

— Je m'en suis voulu de te laisser seule l'après-midi. Si je n'avais
pas été obligé d'aller à Charleston...

Jack étudia Bernie de près. Quand avait-il vu pour la dernière
fois le visage de son ami illuminé de tendresse comme il l'était
maintenant ? Janey et lui étaient debout depuis huit heures du
matin. Et ils étaient tous les deux radieux.

Lui, pendant ce temps, avait dormi. Sans jamais ouvrir l'œil.
Bud Lewis avait cassé la vitre du garage – à mains nues, avait dit
Janey, on lui avait fait des points de suture. Tandis que Bud Lewis
transportait Larry à l'intérieur, Jack dormait. Comment Bud s'y
était-il pris, au juste, pour accomplir un tel exploit ? Avait-il porté
Larry dans ses bras, comme un enfant ? L'avait-il hissé sur son
épaule ? Comment ? L'ambulance et la vaillante unité de réanimation étaient arrivées ; lui, il dormait. Il y avait probablement eu
un bruit de sirène. Bernie soufflait dans la bouche inanimée de
Larry. Jack, lui, dormait. Endormi, perdu dans ses rêves, toujours
endormi. Il avait passé sa vie à dormir. Il finissait toujours, à moitié
inconscient, en marge du tumulte de la vie. Isolé. Enfermé. Comme
si le monde s'abritait derrière une cloison, un lourd mur de verre
poli, inexpugnable. D'un côté de cette cloison, ses semblables
vivaient de terribles drames spontanés, multipliaient les conquêtes,

mettaient leur courage et leur savoir à profit pour se dépasser. Brenda était de ceux-là. Au même titre que Larry Carpenter, Janey, Bernie et – qui l'eût cru? – Bud Lewis. *Bud Lewis.* Pendant ce temps, lui et une poignée d'autres de son espèce, supposait-il, restaient du mauvais côté de la cloison, paralysés. Confinés au rôle de témoins. Pour les êtres tels que lui, pas d'accès à l'autre côté. Ils étaient condamnés, prédestinés peut-être, à cause d'une défectuosité de leurs gènes, d'une défaillance originelle, d'une mauvaise étoile. Il était et serait toujours celui qui écoutait les comptes rendus des autres, celui qui comprenait l'histoire des événements, mais pas les événements eux-mêmes. Il était un homme aux sources de seconde main; il n'avait même pas vu *Hamlet;* dire qu'une chose aussi simple lui était aussi passée entre les doigts. Ici, à la table de sa propre cuisine, il n'était jamais qu'un témoin malgré lui, accusant par rapport aux autres un retard fatal, grotesque. À peine si Bernie et Janey se rendaient compte de sa présence.

Ils semblaient néanmoins réticents à l'idée de partir. Il se faisait tard, mais ils ne bougeaient toujours pas. Au bout d'un moment, Janey, épuisée, devint larmoyante. Elle se mit à tenir des propos incohérents : deux ou trois ans plus tôt, Larry et elle, se sentant déracinés, avaient songé – aussi bien cracher le morceau – à divorcer et avaient fait une ultime tentative en venant s'établir à Elm Park. Pas moyen, cependant, de s'intégrer. On ne leur rendait pas leurs invitations. Ils n'y comprenaient rien du tout, mais ils se disaient qu'ils étaient sans doute à blâmer.

— Et regardez maintenant, dit Janey. C'est Bud Lewis qui a sauvé la vie de Larry. Et voilà que sa femme se donne la peine de nous envoyer des ailes de poulet aigres-douces. Et Bernie – il n'est pas un voisin, je sais bien – et toi, Jack, vous m'avez invitée à venir...

Des larmes jaillirent de ses yeux, coulèrent sur ses mains. Son visage se chiffonna, se décomposa, un peu comme celui de Laurie quand elle avait un gros chagrin. Jack aurait voulu prendre Janey dans ses bras.

— Écoute, dit-il, insistant. Il est hors de question que tu dormes chez toi toute seule. Je n'ai qu'à te faire un lit. Dans la salle de travail de Brenda, il y a un lit pliant et...

— Bernie m'a proposé de venir dormir à la maison, répondit Janey. Merci quand même, Jack. C'est très gentil à toi. Tout le monde a été si aimable.

— D'ailleurs, dit Bernie d'un ton empreint d'une logique implacable, presque gaie, j'ai déjà dormi dans les draps.

— Sans compter que l'hôpital risque d'appeler. Je leur ai fait promettre de me téléphoner s'il y avait du neuf. On m'a dit que je pourrais le voir à la première heure, demain matin.

— Laisse-moi au moins te déposer à l'hôpital, proposa Jack.

— Je m'en charge, dit rapidement Bernie. Je vais être sur place. Ça ne me dérange pas. D'ailleurs, c'est sur mon chemin.

Ils en restèrent là. Le lendemain matin, quand Jack se mit en route, la voiture de Bernie avait déjà disparu. Il allait téléphoner à l'hôpital à midi, décida-t-il, pour prendre des nouvelles. Pour le moment, il n'y avait pas grand-chose d'autre à faire.

— Parfois, glissa Moira Burke à l'oreille de Jack, je me dis que les femmes sont plus fortes que les hommes. Prenez votre voisin, par exemple. Je ne crois pas qu'une femme aurait tenté de s'enlever la vie à cause d'un petit article paru dans un journal.

— Vous avez peut-être raison, dit Jack.

— Vous croyez? J'ai toujours pensé que les hommes avaient l'ego plus fragile que les femmes. Trop pour leur propre bien, même. Tenez, il y a quelques années...

Où était M. Middleton? Où? À quelle heure viendrait-il? Il était déjà dix heures quarante-cinq.

Tiens, le voici. Jack entendit sa toux discrète, ses pas dans le couloir, le doux bruissement de son parapluie noir.

Chapitre dix-huit

L e lundi matin, Rob n'était pas allé à l'école. Il ne se sentait toujours pas dans son assiette. Il avait les jambes en coton. «Ne pas être dans son assiette» – une expression de Brenda, élément du vocabulaire gai et propitiatoire qu'elle appliquait aux catastrophes mineures et aux petits bobos. Ne pas avoir la forme olympique. Être dans le cirage. Ne pas avoir les yeux en face des trous. Attraper la mort. Quand les enfants étaient malades, elle était dans son élément. Encourageante et animée, elle préparait volontiers, en un clin d'œil, des laits de poule, des soupes à la crème et des œufs brouillés. Elle maniait le thermomètre de main de maître, le brandissait dans la lumière qui entrait par la fenêtre, absorbait la calme lecture numérique, puis l'agitait d'un geste net, rassurant. À propos de la maladie, elle était dotée d'un inépuisable filon d'optimisme. Rob faisait peut-être de la fièvre, se dit Jack.

À midi, il téléphona du bureau. La voix de Rob, lorsqu'il finit par répondre, semblait brouillée.

— Tu dormais? demanda Jack sèchement.

— À moitié.

— Qu'est-ce que c'est, à ton avis? La grippe?

— Je ne sais pas. Je suis malade, c'est tout. Ça ira mieux demain.

— Tu n'avais pas un examen d'algèbre, aujourd'hui?

— Je vais me rattraper. C'était seulement une interrogation écrite.

Dans la voix de Rob, Jack sentait la fatigue. Il était peut-être à court d'énergie, las de l'école et des matins sombres de janvier.

— Tu as mangé, j'espère.

— Je me suis fait du thé. Celui de maman. Le truc chinois, tu connais?

— Du thé? C'est tout?

— Je n'ai pas faim.

— Il faut que tu manges quelque chose.

On aurait dit Brenda. Non, la mère de Brenda.

— Papa?

— Oui?

— Pourquoi est-ce qu'il y a des os sur la table de la cuisine?

— Ce sont des os de poulet. Nous avons mangé du poulet, tard hier soir. Tu dormais déjà. Bernie et Mme Carpenter sont venus et...

— Il y a des centaines d'os...

— Là, tu exagères.

— Tous ces os, ça me rend malade.

— Tu n'as qu'à regarder ailleurs.

— Comment? Il y en a partout sur la table.

La cuisine, il fallait bien le dire, était en désordre. Le matin, Jack avait fait le tour de la pièce avec précaution. Pour finir, il avait transporté ses Corn Flakes et son jus d'orange dans la salle à manger. Il y avait effectivement sur la table un tas d'os impressionnant. Charmante attention de la part de Hap Lewis. (Jack se demanda si le geste n'avait pas des accents de veillée funèbre. Probablement pas. Hap venait de Danville, dans le sud de l'État. Pour elle, laisser des plats cuisinés sur le perron était une seconde nature.) À son retour, il ferait le ménage. Des verres à vin et deux bouteilles vides trônaient au milieu des os. Il y avait des serviettes en papier roulées en boule. Il y avait des bouteilles de bière sur le comptoir – depuis quand? Samedi? Au bord de la fenêtre, un pot de café instantané dont le couvercle avait disparu. Dans l'évier, une boîte à soupe vide et une casserole en train de tremper – maintenant saupoudrée, sans doute, d'une fine pluie de feuilles de thé. La veste de ski de Laurie traînait par terre. Le matin même, il avait failli s'y empêtrer les pieds en se dirigeant vers la porte de derrière.

Des années auparavant, il avait l'habitude de téléphoner à Brenda le midi. À l'époque, les enfants étaient encore des bébés. Il était toujours surpris d'entendre des gens évoquer l'agitation des années soixante. De ses années soixante à lui, il gardait l'impression d'un rêve éveillé : travail à l'Institut, Brenda et les enfants, golf le dimanche, quand il en avait les moyens. Par souci d'économie, il apportait des sandwichs qu'il mangeait à son bureau. Tandis qu'il lui parlait au téléphone en buvant un café dans un gobelet en papier, il fermait les yeux et faisait naître une image de Brenda, debout dans la cuisine, près du téléphone mural. Il était jeune alors. Le début de la trentaine. La vie domestique était à la fois plus précaire et plus précieuse. De simples objets avaient l'art de l'émouvoir jusqu'aux larmes. Des boîtes de légumes alignées dans les armoires, des couvertures pliées sur une tablette, ses chaussettes réunies par paires dans son tiroir du haut – l'évocation de ces choses, leur ordre et leur pérennité, le remplissaient de stupeur. Toujours mince, Brenda portait alors un jean à la maison. (D'ailleurs, au terme de longues périodes de pantalons corsaires, de pantalons à carreaux tout aller et de pantalons en polyester, elle s'était remise aux blue-jeans.) Elle répondait d'une voix tour à tour exaspérée, amusée ou tendre. Ou encore d'un ton de victime. Les enfants la rendaient folle. Ils s'accrochaient aux lampes et aux chaises, fouillaient dans les armoires, mettaient de la confiture sur les murs, laissaient partout des traces de doigts. Il ne s'écoulait pas une heure sans qu'ils renversent du lait par terre. Ils étaient magnifiques, cependant, intelligents, éveillés, alertes, agiles, inventifs, sûrs d'eux-mêmes. Une fois grands, ils auraient le monde à leurs pieds. Tout serait possible.

D'instinct, Jack avait adhéré à ces visions éblouissantes de l'avenir, ravivées chaque soir à l'instant où il aidait Brenda à boutonner leur petit corps rond, parfait et parfumé dans leur pyjama.

Ses enfants, sa progéniture. (Il aimait le mot « progéniture », s'aimait dans le rôle du géniteur.) Comment Brenda et lui auraient-ils pu se douter de ce qui allait arriver ? On les avait roulés ; ces visions d'avenir étaient trompeuses. Non pas que les enfants les aient déçus, qu'ils ne soient plus beaux. En revanche, la grâce, qu'ils croyaient éternelle, avait disparu. Leur aisance enfantine avait subi des dommages irréparables. Les difficultés et les cauchemars les avaient rattrapés. C'est la vie.

— Dis, papa, fit Rob au téléphone, il neige ici. Est-ce qu'il neige aussi au centre-ville ?

Jetant un coup d'œil par la fenêtre du bureau, Jack éprouva un élan de joie.

— Mais oui, dis donc. Il neige. Je n'en reviens pas.

— Pendant combien de temps est-ce que Bernie va rester avec nous ?

Rob avait décidé de faire la conversation.

— Je ne sais pas. Dès ce soir, je vais l'interroger sur ses intentions. En fait, il a plutôt élu domicile chez les Carpenter.

— Je sais. C'est bizarre.

— Eh bien... commença Jack, sur le point de risquer une explication.

Il se ravisa. Qu'y avait-il à expliquer, de toute façon ?

— Il va peut-être se réconcilier avec Sue, dit Rob pour meubler le silence.

— Peut-être.

— Au fait, elle a téléphoné ce matin. Elle te demande de la rappeler à l'hôpital.

— Merde.

— Pardon ?

— Rien. C'est juste que je suis très pris, aujourd'hui. D'accord, je vais lui téléphoner.

— Comment va M. Carpenter ?

— Je n'ai pas de nouvelles fraîches.

— Il va s'en sortir, hein ?

— C'est ce que les médecins disent, en tout cas. J'ai téléphoné à l'hôpital, un peu plus tôt, mais je n'ai pas réussi à aller au-delà du standard. Son état est stable. Voilà tout ce qu'on m'a dit.

— Ça veut dire qu'il va s'en sortir, j'imagine.

— Probablement. C'est difficile à dire. Apparemment, il faut attendre quarante-huit heures. Ce n'est qu'après que les médecins seront fixés.

— Il a perdu la boule ou quoi ? Pourquoi il a fait une chose pareille ?

Jack hésita. Avec Rob, on devait peser ses mots – il avait tendance à tout dramatiser.

— Je pense, dit Jack, qu'il file un mauvais coton. Qu'il est déprimé.

— À cause de l'article dans le journal ? Celui qui dit que la pièce était nulle ?

— En partie. Ils... Mme Carpenter est d'avis que la critique a peut-être servi de déclencheur. Mais ce genre de chose, fit-il en hésitant de nouveau, est en général plus complexe qu'il n'y paraît à première vue.

— Pourquoi tenter de se tuer ? Surtout quand on a une belle voiture comme la sienne ?

Jack décida de faire abstraction de l'allusion à la voiture. Rob n'était pas si obtus. Il voulait en venir à autre chose.

— Tout le monde a des moments de déprime, dit Jack. Tout le monde.

— Ouais.

— Mais revenons-en à toi, tu veux bien ? Je téléphonais pour prendre de tes nouvelles.

— Je t'ai déjà dit que je ne me sentais pas trop mal.

— Mais encore ?

— Hein ?

Soudain, le ton de Rob était agressif.

— Ce que je veux savoir, c'est à quel moment tu as commencé à te sentir mal. Hier matin ou plus tard dans l'après-midi ?

— Les deux. Je ne sais pas. Toute la journée, je pense.

— Pourtant, tu n'as rien dit, hier matin. Tu te souviens? Chez grand-papa et grand-maman, tu te sentais bien.

— Hmmmm.

— Ça t'a pris à Charleston?

— Je ne sais pas. Je ne me souviens plus.

— Fais un effort, tu veux? Si tu as attrapé un microbe, je vais téléphoner au docteur, et il va te prescrire quelque chose.

— Laisse tomber, d'accord? Je vais bien. Je vais aller mieux demain. En fait, je me sens déjà mieux.

— Je veux en venir au fait que tu n'étais encore jamais allé à Charleston. Au fond, tu n'avais encore jamais rien vu de tel, ni de près ni de loin. Moi non plus, maintenant que j'y pense. Il serait tout naturel que...

— Tu te demandes si je suis vraiment malade ou si ce que j'ai est purement psychosomatique?

— Euh... fit Jack, louvoyant. Oui, c'est plus ou moins la question que je me posais, je suppose.

— Je ne sais pas. Peut-être. Un peu.

— Tu peux être plus précis?

— C'était... comment dire?

— Troublant?

— Bizarre. Sinistre, irréel. Il y a un garçon – Bernie dit qu'il a dix-huit ans. Les pieds palmés, pas de nez. Il reste assis dans une grande pièce et fait des sons. Il... portait une couche.

— Je sais, dit Jack, sans savoir.

— Pour aller voir Sarah, nous avons dû traverser une longue salle remplie de bêtes de cirque.

Jack attendit.

— Elle était dans un lit. Ou plutôt une couchette avec des montants sur le côté. On ne lui donnerait pas cinq ans. Elle a plutôt l'air d'un bébé. Elle pèse seulement treize kilos. On ne dirait même pas une fille. Elle n'a pas de cheveux. Pas beaucoup, en tout cas.

Sa peau est tellement mince qu'on voit les os de son crâne. Elle a le teint grisâtre, les yeux fermés et des tubes dans le nez.

— Rob...

— Même si elle ouvrait les yeux, elle ne verrait rien. Et Bernie...

— Quoi ?

— Il va la voir tous les dimanches. Sue aussi, j'imagine, la plupart du temps. Ils vont là et regardent cette chose. Debout près du lit, je suppose. Ils ne font que la regarder.

— Je sais que ça doit te sembler tragique...

— Avant qu'on parte, tu sais ce qu'il a fait ? Ce qu'a fait Bernie ?

— Quoi donc ?

— Il s'est penché pour l'embrasser. Sur le visage. Juste au-dessus de l'endroit par où entrent les tubes. En plein sur les os. C'est à ce moment-là, je pense, que j'ai commencé à me sentir...

— ... malade ?

Il n'y eut pas de réponse.

— Tu es là ? demanda Jack.

— Il vaut mieux que j'y aille, papa. Je crois que je vais aller me coucher.

— Bonne idée. On se voit vers six heures, d'accord ?

Jack raccrocha. Il resta assis à son bureau pendant quelques minutes et regarda la neige tomber, de gros flocons gorgés d'eau qui défilaient devant sa fenêtre avant de s'engouffrer dans la rue invisible en contrebas. Il ressentait une panique, un essoufflement, une douleur aiguë qui n'étaient pas à lui, qui appartenaient à son fils. N'aurait-il pas pu, au prix d'un effort de volonté, garder Rob à l'abri un peu plus longtemps ? Lui épargner ces terribles visions ? Le dissuader de s'imposer ces sacrifices absurdes ? Il devait bien y avoir un moyen. Seulement, il n'avait pas assez d'imagination pour le trouver.

À la recherche d'une distraction d'urgence, il feuilleta le *Journal* et s'autoflagella en relisant encore une fois l'annonce du livre de Harriet Post. La douleur qu'elle lui infligea cette fois-ci – sensation pas entièrement désagréable – avait des bords bien tranchants. Il tira de son porte-documents le chapitre six de son manuscrit. Il aurait dû sortir pour manger ou encore commander un sandwich. Il avait l'estomac creux. Il sentait une pression dans sa poitrine.

À l'étage, tous les autres étaient sortis. Les lieux avaient-ils déjà été aussi paisibles ? Même la rumeur de la circulation semblait distante, étouffée. Le ciel se remplissait de blanc. Étonnant que le firmament vieux et corrompu du centre-ville puisse s'ouvrir et se transformer si vite.

Chapitre dix-neuf

Dans le couloir, il y avait des machines où il alla s'acheter un café et une friandise faite de graines de sésame pressées et de miel, qu'il mâchouilla en parcourant le journal. Il s'y attarda, obscurément convaincu de mériter une demi-heure d'évasion. À l'Apollo, on donnait une nouvelle pièce sur laquelle se prononçait Gordon Tripp. Jack lut sommairement l'article, nota le ton conciliateur, les efforts déployés par le critique pour se montrer équitable et même une surprenante humilité : « Nous aurions tous intérêt à prendre des leçons auprès de ce jeune dramaturge. » Gordon Tripp était forcément au courant pour Larry – on avait dû lui taper sur les doigts. Au bas de la chronique figurait une brève remarque du rédacteur en chef, imprimée en caractères italiques : *Notre chroniqueur habituel, Larry Carpenter, est en vacances.*

En vacances ! Au diable l'histoire. Au diable la fiabilité de l'écrit. Il se demanda ce qu'en dirait Bernie.

Et là, à la dernière page ? On voyait une photo de presse des grévistes de la faim manifestant au parc Columbus. Jack reconnut l'homme au poncho et aux cheveux blancs. L'image était surexposée et horriblement grêlée de blancs, mais il parvint à distinguer les pancartes et là, oui, la femme au bébé sur le dos. Son père et lui se trouvaient un peu à gauche. Un centimètre de plus et ils auraient atterri dans le *Chicago Today* – au grand plaisir de son père, sans doute. Peut-être même figuraient-ils sur la photo. Ces images, on les retouchait systématiquement en fonction des besoins de la mise en page. Son père et lui avaient peut-être fini dans une corbeille à papier aux bureaux du journal. La légende se lisait comme suit : *Des grévistes de la faim manifestent au parc Humboldt en signe de solidarité avec des dissidents russes.*

Au parc Humboldt !

C'était au parc Columbus. Jack était là. D'ailleurs, il reconnaissait le coin de la clôture en fer forgé. Quelqu'un – le photographe ou l'auteur de la légende ? – s'était trompé.

Et pourtant, dans toute la ville de Chicago, presque personne ne saurait qu'une erreur avait été commise. À part les sujets de la photo. Et son père et lui. Personne n'allait se donner la peine d'écrire au journal pour signaler la méprise. À quoi bon ? Le détail était trop insignifiant. Le parc Columbus ou le parc Humboldt, c'était du pareil au même.

Néanmoins, il y avait là – fait que Jack enregistra avec un plaisir pervers, presque triomphant – un faux témoignage, analogue, d'une certaine façon, aux « vacances » de Larry. C'est sans doute ce faux témoignage qui allait passer à la postérité. Ce moment de l'histoire aurait eu lieu au parc Humboldt. L'image serait classée une bonne fois pour toutes et la légende deviendrait la vérité officielle.

Pas facile de démêler un nœud historique ; démêler un seul moment de l'histoire peut être l'œuvre de toute une vie. C'est du moins ce qu'avait déclaré Gerald Middleton, conférencier invité à l'université Northwestern, une année auparavant. Il faut être doté d'une forme particulière de persistance. D'un tempérament rigoureux et en même temps capable de s'accommoder du moins que parfait. Il fallait accepter de s'arrêter et de s'en tenir pendant un certain temps à des suppositions vaseuses. On aspirait à l'objectivité et à la transparence, mais on y accédait rarement. La tâche avait de quoi décourager. Les hommes désireux d'être témoins de l'histoire et d'en rendre compte doivent en partie se soustraire à la société. Ils doivent avoir la main sûre mais désintéressée, avancer à tâtons – pas étonnant, avait-il ajouté, que les historiens soient considérés comme rasoirs (rires entendus). Comment expliquer la capacité de mettre en relation des faits précis et en apparence sans traits communs, sinon par l'existence d'un instinct, lequel, exigeant un acte d'imagination, n'est donné qu'à quelques heureux élus – il avait promené sur son auditoire un regard empreint de chaleur –, dotés de l'élément vital qu'est le sens de l'histoire ?

Le sens de l'histoire... qualité relativement rare. Brenda, par exemple, en était entièrement dépourvue. Jack avait mis des années à s'en rendre compte d'abord et à comprendre ensuite qu'elle était tout à fait capable de fonctionner dans le monde malgré ce handicap.

Elle n'avait pas de père non plus, n'en avait jamais eu. Aux yeux de Jack, ce manque et l'absence de sens de l'histoire étaient inextricablement mêlés.

— Vous avez forcément eu un père, Jack se souvenait-il de lui avoir dit le jour de leur première rencontre.

Elle travaillait comme dactylo subalterne à l'Institut où Jack, au début de son projet de recherche, s'était arrêté pour consulter d'anciennes cartes. Elle s'était rendue utile malgré sa maladresse. Et remarquablement aimable. Il l'avait invitée chez Roberto, au coin de la rue. Attablés en retrait, ils avaient discuté du lieu où ils avaient grandi, des écoles qu'ils avaient fréquentées, de leurs familles respectives. C'est à ce moment que Brenda lui avait avoué ne pas avoir eu de père.

— Il y a forcément eu quelqu'un.

Elle lui avait décoché un sourire enjôleur au-dessus de son bol de soupe aux légumes. Elle avait les dents saines.

– Un père biologique, oui. Mais c'est tout.

Pourquoi lui avait-elle dit la vérité ? Ils venaient à peine de faire connaissance.

— Vous en parlez avec une telle désinvolture, lui avait-il dit.

— Attendez de connaître ma mère, avait-elle répondu en riant, et vous comprendrez pourquoi.

« Attendez de connaître ma mère... » Les mots, proférés à la légère, lui avaient semblé lourdement prémonitoires. Oui, il faudrait qu'il rencontre la mère de cette fille. En fait, il la rencontrerait. Pour une fois, il avait compris que quelque chose était en train de se produire.

— Ça ne vous a pas dérangée ? lui avait-il demandé. De ne pas avoir de père, je veux dire.

— C'est drôle, mais tout le monde me pose la question. Je réponds que c'est comme naître avec un orteil en moins. Quand on n'en a jamais eu, on ne sait pas ce qu'on manque.

— Mais on a dû vous obliger à fournir des explications. À l'école, par exemple, vous n'avez pas eu du mal à remplir les formulaires où on vous demande le nom de votre père, sa date de naissance, sa profession et tout le reste ?

— Je laissais des blancs. D'ailleurs, c'est toujours comme ça que je me le suis représentée. Un blanc. Comme les jetons de métal qu'on met dans les juke-box. Origine inconnue.

— Vous ne savez pas qui c'est ? Vous n'avez jamais posé la question ?

— Non.

Le sourire était de retour. Elle avait les dents assez petites.

— Pas vraiment.

— Vous deviez tout de même être curieuse...

— Non. On pourrait le penser, c'est vrai, mais je me suis attachée au blanc. Je m'y suis habituée. J'ai hérité de lui, en quelque sorte.

Elle avait haussé les épaules, geste qui allait le souder à elle pour toujours. Infime relèvement des épaules, gonflement des seins sous le pull doux.

— La plupart des gens auraient cherché à savoir, avait dit Jack. Les circonstances, à tout le moins.

— Probablement, avait concédé Brenda. J'ai de la chance. Je suis dénuée de curiosité, je suppose, ou quelque chose comme ça.

C'est de la sublimation, s'était dit Jack à l'époque. Il avait suivi le cours obligatoire d'initiation à la psychologie.

Quand il l'avait mieux connue, après quelques années de mariage, il s'était rendu compte qu'elle avait dit la vérité. Elle n'était pas curieuse. Elle était dépourvue de toute curiosité historique.

Son imagination, semblait-il à Jack, se limitait à une toute petite portion du présent. Quand il s'efforçait de se faire une image de la notion du temps selon Brenda, c'était le mot « confinement » qui lui venait à l'esprit.

— Dis-moi à quoi tu penses, lui avait-il un jour demandé, à l'évocation de George Washington, de la bataille de Tippecanoe, de Dunkerque et, disons, de la Grande Charte.

Ils étaient au lit dans la maison d'Elm Park, un samedi ou un dimanche matin.

— Allez, vas-y, l'avait-il pressée. Qu'est-ce qui te vient à l'esprit?

Elle était allongée sur le dos, les yeux fermés.

— Une poignée de diapositives en couleurs.

— Dans un ordre particulier? avait-il insisté. Y en a-t-il qui sont plus anciennes que d'autres?

Elle avait pris son temps pour répondre, histoire de le prémunir, sans doute, contre une éventuelle déception.

— Sans ordre particulier, avait-elle répondu. Elles sont toutes, tu comprends, dans la même vieille boîte.

Il avait refusé de la croire.

— Bon, il y en a peut-être des plus anciennes, avait-elle dit. Ce que je veux dire, c'est que je sais parfaitement qu'il y a un ordre. La Grande Charte d'abord, puis le bon vieux George, mais, en ce qui me concerne, tout ça, c'est du passé, un point c'est tout.

Il n'en était pas revenu. Elle venait de lui faire l'aveu d'une forme de cécité spatiale. Elle voyait derrière elle, mais sans la perspective ni les nuances que Jack tenait pour acquises. Et, en plus, elle s'en fichait éperdument. Il aurait eu pitié d'elle si la pitié ne lui avait pas semblé aussi superflue.

Il la tenait pour acquise, sa vision du temps, tenait pour acquis que chacun percevait les événements de la même manière que lui, c'est-à-dire à travers de multiples lentilles, images surimposées et

denses faites d'une succession de strates temporelles. Ces images
ne le quittaient jamais. En rentrant du travail, il ne perdait jamais
entièrement de vue le fait que l'Aspen et lui roulaient sur la surface
d'un grand bassin alluvial, que, sous le béton de l'autoroute, au
bord de sa conscience, s'étalait le vieux lac glaciaire, le lac Chicago.
Pour lui, le lac était encore là, serait toujours là, image sous-jacente
que mille ans de béton ne suffiraient pas à oblitérer. Il aurait pu
poursuivre sa route, dépasser Elm Park, gagner la campagne,
traverser les petites villes et les tristes terres agricoles de l'Illinois
empêtrées dans le gel, suivre la trace de l'ancien glacier jusqu'à
l'endroit où il s'était arrêté, à l'ouest, peupler l'espace de générations qui se chevauchent. Des noms de lieux ainsi observés, chemin
faisant, renaîtraient des événements et des générations, psalmo-
diant en coulisse, discrètement, autant d'éléments balisés et indexés
d'un paysage intérieur – une place pour tout le monde, chacun son
tour.

Dans sa tête, la ligne du temps suivait des courbes, décrivait
des cercles – chaque siècle doté d'une couleur, d'une aura qui lui
était propre –, quadrillage complexe surimposé à la transparence du
passé, ponctué de schémas, d'énigmes et de circonstances curieuses,
fortuites, héroïques. Il ne se souvenait pas d'une époque où cette
certitude ne l'habitait pas. Cette structure lumineuse exceptée, sa
tête lui faisait l'effet d'un ramassis de demi-vérités, de résolutions
défaillantes, d'impostures, de fuites. Quand il grattait la surface à
la recherche d'authenticité, il trouvait invariablement, fermement
à sa place, le panorama du temps défilant sur un grand écran en
couleurs. Un jour, lorsqu'il avait une quinzaine d'années, son
père et lui avaient pris le métro jusqu'au centre-ville. Le général
MacArthur, relevé de ses fonctions par le président Truman, effectuait une tournée d'adieu triomphale dans tout le pays. Un cortège
motorisé avait défilé dans la rue State, et Jack, au milieu de la
foule, avait entraperçu une rougeur floue – le visage du général
MacArthur. Abstraction devenue, d'un seul coup, une réalité bien
vivante. La ligne du temps les avait rejoints et ils avaient été soudés

à la totalité des événements et des créatures possibles. Le passé et le présent réunis. À l'époque, il avait supposé que chacun ressentait la même chose.

Brenda n'était pas seule ; il avait discuté avec d'autres personnes, les avait sondées. Et il en était venu à la conclusion qu'il était doté, lui, de ce que M. Middleton appelait le sens de l'histoire. Qualité plus rare qu'il ne l'aurait cru, raison pour laquelle, sans doute, il avait douté de la posséder. C'était peut-être une affectation, une sorte de frime intellectuelle. Non, il avait fait des essais, il s'était imaginé sans cette qualité. Puis il avait assisté à l'effondrement de ses structures mentales. Cette qualité, il la possédait bel et bien !

Il admettait volontiers que sa vision était trop générale, que les détails manquaient à l'appel. En un sens, il n'avait rien d'un chercheur. Il n'était qu'un homme capable d'effleurer la surface du temps. Les pratiques commerciales, toute la question des Indiens – son intérêt pour ces choses était feint. En réalité, elles ne relevaient pas de son champ de spécialisation. Au contraire, elles revenaient de droit aux anthropologues, aux sociologues, aux économistes. Le domaine, ainsi que M. Middleton le lui avait expliqué, était cependant ouvert. Le phénomène n'avait encore fait l'objet d'aucune étude digne de ce nom. Rien ne servait de pousser plus loin les recherches sur LaSalle, qu'on avait étudié sous toutes les coutures. Il était temps que Jack s'attaque à une question nouvelle, potentiellement enrichissante. Il n'avait pas de connaissances particulières dans ce domaine ; il allait devoir lire des livres et des thèses. Pour l'essentiel, cependant, il avançait en territoire vierge. Le sujet était à lui, s'il se donnait la peine de se l'approprier, car il disposait de l'atout le plus important, c'est-à-dire le sens de l'histoire.

Aux yeux de Brenda, que le monde devait sembler simple, accessible – mais aussi plat, incolore. Elle aurait probablement haussé les épaules et ressorti la métaphore de l'orteil manquant – ce qu'on n'a jamais connu ne nous manque pas. Dans ce cas, la perte, cependant, était beaucoup plus lourde : comme une jambe arrachée ou un œil crevé.

Le jour où il l'avait rencontrée et où il l'avait invitée au restaurant, elle portait un pull angora. D'une teinte de bleu. Après sa soupe, elle avait mangé un sandwich au fromage grillé et bu un café. Elle ne disposait que d'une heure, lui avait-elle dit. Il fallait qu'elle retourne au bureau.

— Vous ne pourriez pas faire une exception ? l'avait-il suppliée. Rien qu'une fois.

— J'ai commencé il y a à peine un mois, lui avait-elle répondu. Je n'oserais jamais.

— Nous pourrions commander une bouteille de vin, avait-il dit, soudain audacieux.

Déjà, elle enfilait son manteau. C'était à la fin de mars, une froide journée de printemps.

— Le vin à midi, ce n'est pas ma tasse de thé, avait-elle répondu sans la moindre trace d'ironie.

Il avait ressenti un léger élan de joie.

— S'il vous plaît ?

— Je voudrais bien, mais il faut vraiment que j'y aille.

Il l'avait raccompagnée jusqu'à l'Institut. Avenue Keeley, les trottoirs étaient couverts d'un givre semblable à de la gaze. Devant l'entrée, elle s'était retournée pour lui serrer la main. Elle portait des mitaines. Sans doute étaient-elles à la mode, à l'époque. La présence de cette mitaine dans sa main, son doux toucher laineux, avait actionné un levier dans son cœur, provoqué un accès de bonheur qui l'avait étourdi pendant des semaines.

Cet hiver-là, il avait fréquenté Harriet Post, fille d'un professeur de Madison, au Wisconsin, rencontrée pendant un cours sur la civilisation américaine. Harriet aux pulls en nylon rebondis et aux notes parfaites. Pour leur première sortie, ils étaient allés voir un film intitulé *Le Salaire de la peur*. Après, il l'avait raccompagnée. Dans l'ombre de la porte, il avait posé un baiser sur ses lèvres gercées. Elle avait tendu la main, défait la braguette de Jack et plongé les mains dans son pantalon – geste qui l'avait sidéré et comblé de joie, mais qui, du point de vue de la charge érotique, avait été égalé par le poids de la main de Brenda – recouverte d'une mitaine – dans la sienne.

Il lui faudrait choisir.

Et il avait choisi la sécurité éventuelle de son précieux désir pour Brenda. La décision avait été si facile à prendre qu'elle lui avait semblé juste. Du coin de l'œil, il devinait tout autour de lui des élans de passion, des querelles, des risques, des envies dangereuses et stériles, mais il avait fait son lit.

Les fondements historiques de ce choix le tourmentaient parfois. Avait-il été conditionné par l'air du temps, la curieuse période du milieu des années cinquante, l'ère rayonnante d'Eisenhower, caractérisée par l'absence de choix ? Avait-il, abruti par le lointain reflet d'Hollywood – June Allyson, des dents parfaites –, fait le choix cliché par excellence des Américains, préféré la pureté à la corruption ? Non. Son choix n'avait été motivé par aucune de ces raisons. C'était plutôt Brenda qui, pour des motifs qu'il n'avait jamais vraiment compris, l'avait choisi.

Chapitre vingt

— C'est le pire navet que j'aie vu de ma vie, fit Rob, incrédule.
— Il n'y a rien d'autre à regarder, répondit gaiement
Laurie.

— Chut, dit Jack.

Il était vingt heures, et la neige tombait toujours. Jack avait mis
deux heures à rentrer. Pour la première fois depuis une éternité,
l'autoroute était fermée. Voilà que, tous les trois, ils regardaient
un vieux film de Betty Grable à la télé en mangeant les hamburgers
et les frites qu'il avait pris en chemin – sauf Rob qui, le visage blême,
buvait goulûment du thé chinois.

— Je peux prendre ton hamburger? lui demanda Laurie.

— Si tu veux.

— On partage? proposa Laurie.

— Prends tout.

Ils étaient affalés dans le salon, en paix avec eux-mêmes,
détendus. Une tranche de cornichon glissa du hamburger de Laurie
et atterrit sur ses genoux, où elle le récupéra d'un air distrait, les
yeux rivés sur l'écran, scotchés au visage de Betty Grable.

— Elle est plutôt jolie, dans son genre, fit-elle. Sauf ses cheveux
et ses yeux – on dirait qu'ils vont lui sortir de la tête.

— Et ce drôle de chapeau.

— C'est la mode de l'époque, dit Jack.

Betty incarnait une douce jeune fille qui rêvait de briller au
firmament des vedettes. Décrocher une place dans une troupe de

music-hall était déjà au-delà de ses espérances. Elle devrait faire preuve d'une volonté de fer pour se hisser jusqu'au sommet.

— Est-ce qu'on se moque de nous ? demanda Rob.

Il semblait un peu plus jovial, observa Jack. Au moins, il n'était pas en train de broyer du noir dans sa chambre. Bernie avait peut-être raison – les enfants oublient rapidement.

Voilà maintenant que Betty dansait sur le trottoir devant la salle de théâtre, subjuguée de bonheur après avoir vu son nom sur la marquise illuminée. Des passants s'arrêtaient pour la regarder. Ils se mirent à taper sur l'asphalte du bout de leur parapluie. Puis, à leur tour, ils entrèrent dans la danse. Ils juchèrent Betty sur une boîte aux lettres, où elle exécuta un numéro de danse à claquettes en chantant, en proie à une joie débordante qui lui fendait la poire. Au-dessus de sa tête, ses bras décrivaient des moulinets déments et téméraires, tandis que ses jambes, d'une longueur inhumaine, s'étiraient toujours davantage.

— Hilarant, déclara Laurie sans cesser de mâcher.

On retrouvait ensuite Betty dans sa loge, sombre, rejetée, blessée, confondue. La voix brisée, mais courageuse. Chez moi, les bonnes manières sont innées, dit-elle. On ne se refait pas.

Jack posa les pieds sur la table basse. Il avait encore des heures de travail devant lui, le fameux chapitre six promis – une fois de plus – pour le lendemain matin. Auparavant, il se devait bien quelques minutes de détente, un moment passé en compagnie de ses enfants.

Il les regarda avec amour. Qu'avaient-ils donc fait, Brenda et lui, pour mériter de beaux enfants intelligents comme ceux-là ? L'attention innocente et totale avec laquelle ils s'abandonnaient à ce navet invraisemblable le touchait. Ce soir, devant la résilience sertie de paillettes de Betty, son désespoir ne lui pesait que légèrement. Il aurait souhaité que ce moment se prolonge à l'infini, que Betty et les rubans qui sautillaient dans ses mèches blondes, sa jupe courte plissée aux accents patriotiques, rouge, blanc et bleu, durent pour l'éternité. Magnifique.

Puis vint le clou de la soirée : Laurie, en voyant Betty agrafer ses bas résille aux mailles en forme de diamants, s'écria :

— Regarde, papa ! Elle porte des bas pour unijambistes !

Même Rob éclata de rire.

~

Apparemment, Larry Carpenter se remettait bien.

Ce soir-là, les nouvelles affluaient de partout. D'abord, Hap Lewis avait téléphoné pour dire qu'elle avait finalement réussi à franchir le standard et à parler à l'infirmière de l'étage. Une vraie salope, celle-là.

— Elle n'a pas le droit de donner des renseignements sur l'état de santé des patients, avait lancé Hap, mais elle m'a tout de même dit qu'il n'y avait pas lieu de s'alarmer.

— Ce sont de bonnes nouvelles, avait répondu Jack.

— Qui aurait pensé une chose pareille ? Larry Carpenter. Lui. C'est à se demander !

— C'est vrai, avait confirmé Jack dans l'espoir que Hap raccrocherait et le laisserait se mettre au travail.

Cependant, elle restait là. On aurait dit qu'elle attendait quelque chose. Puis il avait compris – c'était pourtant évident.

— Tu dois être fière de Bud, lui avait-il dit. Sans lui...

— Je sais.

Voilà tout ce qu'elle avait répondu, d'une voix empreinte d'une grande solennité. Et Jack avait été traversé par une image fulgurante, celle d'un avenir dans lequel Bud et Hap se métamorphoseraient en êtres différents, nobles. Bud sortirait de son immobilité d'homme maigre et discret, se dépouillerait d'une part de son aisance, de sa dextérité. Hap, quant à elle, s'adoucirait petit à petit, imperceptiblement, le côté sombre, la complexité de la vie lui inspirant une terreur ample et aimable. Ce soir-là, Jack crut en percevoir les premiers signes dans la voix rauque et retenue de Hap.

— Je sais, avait-elle répété.

Bernie avait lui-même rapporté des nouvelles de l'hôpital. Il s'y était arrêté pour voir si on avait besoin de lui. Dans son blouson couvert de neige, il avait l'air costaud et gelé, le portrait même de l'ami loyal répondant à l'appel en temps de crise. Larry ne recevait pas de visiteurs, avait-il dit, à l'exception de Janey et de son père. (Arrivé le matin, le père avait brièvement vu son fils, s'était entretenu avec le médecin et avait repris l'avion vers l'est l'après-midi même, devançant de peu la tempête. Qu'il ne soit pas resté, avait conclu Bernie, prouvait hors de tout doute que Larry allait bien.) On allait le garder en observation pendant une semaine. Il était suivi par un psychiatre, évidemment. Janey était calme. Il avait promis de passer la prendre à l'hôpital. D'ailleurs, il devait se mettre en route. Il n'était rentré que pour laisser sortir Cronkite et Brinkley. Janey l'attendait. Et ce soir? Où allait-il coucher? Bernie n'en souffla pas mot. Jack n'insista pas.

Puis Sue Koltz avait téléphoné.

— Ne t'en fais pas, lui avait-elle dit brusquement. Ce n'est pas Bernie que je cherche. C'est toi.

— Ah bon?

Jack avait compris qu'elle appelait de l'hôpital. Elle avait pris sa voix de médecin, sèche, acerbe. Il lui semblait la voir, les cheveux coupés ras, incolores au-dessus du sarrau, le cou légèrement rougi.

— Je sais parfaitement qu'il est chez toi. J'en suis à peu près certaine.

— En fait...

— À vrai dire, je préfère ne pas le voir pour le moment. Pas avant que j'aie réglé certaines choses. Quelques mises au point s'imposent. Dis-lui que je lui interdis de me pourchasser.

— Il te pourchasse?

— Je l'ai vu ici, ce soir. Dans la salle d'attente de l'hôpital. J'ai eu tout juste le temps de disparaître. Je n'aime pas, fit-elle avec une délibération glacée, qu'on m'espionne.

— Je le lui dirai.

— Alors, c'est oui ou c'est non ? Il habite avec Brenda et toi ?

— Écoute, Sue, je ne pense pas que ce soit à moi de...

— Je sais qu'il n'est pas rentré à l'appartement. J'y suis allée cet après-midi pour prendre quelques affaires et nourrir le chat. Seigneur, quand je pense à toute cette neige. On nous enterre vivants. Et Bernie qui n'a pas pris son pardessus. Je l'ai vu dans la garde-robe.

— Il va survivre.

— Ni ses bottes.

— Je lui prêterai les miennes.

— En fait, Jack, je t'ai téléphoné à quelques reprises. Puis j'ai fini par faire entrer dans ma grosse tête dure que tu n'allais pas me rappeler. Que tu n'avais aucune intention de me rappeler.

— J'ai essayé. Je t'ai téléphoné deux ou trois fois, mais tu n'es...

— Je comprends que tu sois réticent à l'idée de...

— Ce n'est pas exactement de la réticence, Sue. J'ai des tas de choses à faire, je suis débordé. Ce soir, j'ai encore des heures de travail devant moi. Alors...

— Au fait, un de tes voisins a été admis à mon étage. Remarque, c'est le genre de renseignements que je suis censée garder pour moi. Carpenter. Larry Carpenter, tu connais ?

— Oui, je suis au courant.

— Je suis passée le voir, ce matin. Pas trop mal en point, dans les circonstances.

— Ce sont de bonnes nouvelles, avait dit Jack.

— Il a de la chance d'être en vie.

Puis elle avait ajouté sur un ton d'une tendresse surprenante :

— Pauvre bougre.

~

Pauvre bougre, pauvre Larry Carpenter. Pour la première fois, Jack songea à Larry. Une image double, aux ombres indistinctes, lui vint : Larry s'empare des glaçons et ses mains tremblent ; ses yeux fixent le vide.

Détail curieux, c'est à peine s'il avait eu une pensée pour Larry. Il avait plutôt été obnubilé par la succession confuse des événements, la soirée du samedi et le sauvetage triomphant, *in extremis*, du dimanche matin. Il n'avait pas du tout songé à l'instant où Larry était entré dans le garage plongé dans la pénombre avant de fermer la porte, de monter dans la voiture et de mettre le contact.

Quelqu'un que Brenda et lui connaissaient – pas bien mais un peu, au même titre qu'ils connaissaient des tas de gens – avait tenté de mettre fin à ses jours et avait bien failli réussir.

Et plus tard, à l'hôpital ? Jack s'efforça d'imaginer la scène : Larry émergeant du brouillard dans un lit étranger, entouré d'écrans cathodiques, de visages et de murs d'une blancheur mate. Des déplacements d'air, des sons. Le tintement du matériel hospitalier, des bruits de pas, le brouhaha des voix, autant d'attestations de son échec. Larry s'était-il rendu compte peu à peu de l'échec de sa tentative, comme dans un rêve, ou la lumière s'était-elle faite d'un seul coup, à l'instant où il avait ouvert les yeux ? Avait-il accueilli son retour à la vie avec colère ou avec gratitude ? Les suicidés sont tous des victimes du moment – où avait-il lu ça ? Dans un des livres de son père, probablement. Les survivants étaient réputés renouer volontiers avec la vie et vouer une reconnaissance éternelle à ceux qui les avaient sauvés. Vraiment ?

Et après ? À quoi ressemblait la vie après le suicide ? Retour à la normale, comme si de rien n'était ? Le même train-train qu'avant ? Tiens, Larry ! Comment va la vie ? Larry monte dans sa voiture, se rend au travail. Larry se remettrait-il un jour à inviter des gens chez lui, à faire les présentations et à déboucher des bouteilles de bourgogne ? Jack n'arrivait pas à l'imaginer. Pas plus qu'il n'arrivait à imaginer ce qu'il allait bien pouvoir dire à Larry quand il le rencontrerait – inévitablement – au-dessus des broussailles. J'ai été désolé d'apprendre que tu as été malade. Malade ! La belle affaire. Heureux de constater que l'ancien Larry est de retour. Quel ancien

Larry, au nom du ciel? Désolé de quoi, au juste? Heureux de te retrouver parmi les vivants, pauvre bougre.

Fallait-il envoyer des fleurs? Non. Une carte? Brenda saurait, elle. Quelques mots bienveillants, encourageants. Pourquoi, de nos jours, avait-on si peur des mots?

Dans un tiroir, il chercha du papier à lettres. Il faudrait mettre le mot à la poste demain – Bernie n'avait-il pas dit que Larry resterait à l'hôpital pendant une semaine seulement? Il dénicha le papier à lettres de Brenda. «Cartes-lettres», lisait-on sur la boîte. Sur chaque feuille, on voyait un faon, façon Bambi, en train de brouter. Non! Il ne lui restait plus qu'à utiliser le papier ordinaire dont il se servait pour taper à la machine. Après tout, il était de qualité acceptable. Cher Larry, commencerait-il, tous mes vœux de prompt rétablissement. Le ton était neutre à souhait, mais il convenait davantage à quelqu'un qui aurait subi une opération. Cher Larry, mes pensées t'accompagnent. Trop mondain, trop malhonnête, en dépit d'un fond de vérité. Cher Larry, ainsi donc tu n'as pas eu le courage de faire face à la musique? Cher Larry, je comprends ce que tu ressens. Je sais exactement ce que tu ressens. Je sympathise...

~

Vers minuit, Jack avait pris la décision de ne pas écrire. Il ferait livrer une plante verte à la place. Des fleurs coupées, un bon choix en cette période de l'année, donneraient trop l'impression d'une célébration. Ou d'une rupture. Mieux valait une petite plante verte aux larges feuilles éclatantes de santé; il ne connaissait pas le nom de celle qu'il avait en tête, mais il se faisait une image parfaite de sa forme et de sa couleur. Le matin venu, il n'aurait qu'à téléphoner au fleuriste voisin de l'hôpital et à lui demander de joindre une petite carte: *De la part des Bowman.* Et le tour serait joué. La décision prise, il sentit un grand calme se répandre en lui.

La maison était paisible. Rob et Laurie dormaient profondément. Rob, en fait, était monté se coucher avant vingt-deux heures. Peut-être a-t-il effectivement attrapé un virus, s'était dit Jack. Il se sentira peut-être mieux demain. Sinon, nous aviserons.

Il était trop tard pour téléphoner à Brenda à Philadelphie. La pensée, à la vérité, lui était venue plus tôt. Que faisait Brenda? Assistait-elle à un banquet? À la réception offerte par le maire? De toute façon, elle avait promis de téléphoner le mardi – le lendemain soir. Il était trop tard aussi pour téléphoner à Harriet Post; il allait tenter de la joindre le lendemain. Il avait arrêté sa décision. L'idée de parler à Harriet au téléphone – perspective qu'il avait jugée alarmante un peu plus tôt – lui semblait maintenant tout à fait envisageable, raisonnable même. Il aurait dû la contacter beaucoup plus tôt, dès qu'il avait vu l'annonce de son livre. (Avait-il redouté de sa part un « Jack qui? » perplexe et irrité?)

En fait, l'idée était de M. Middleton. Il avait accueilli la nouvelle avec plus de gravité et d'inquiétude que Jack ne l'avait prévu.

— C'est extrêmement préoccupant, avait-il déclaré en se frottant le menton. Il faut à tout le moins aller aux renseignements.

Par ailleurs, M. Middleton n'avait jamais entendu parler de Harriet Post.

— Vous avez bien dit qu'elle a fait ses études à DePaul?

En tout cas, elle n'était pas une chercheuse connue dans le domaine. Son nom ne lui était absolument pas familier. Quoi qu'il en soit, avait-il ajouté, les champs de compétences évoluent. Depuis peu, des amateurs – il avait prononcé le mot non sans une certaine dureté – envahissaient la profession, et il n'était pas toujours facile de discréditer leurs travaux ni même de les traiter par le mépris. Il fallait, croyait M. Middleton, mener une enquête prudente. Comme Jack connaissait Mlle Post – Mlle Post! –, la solution la plus simple et la plus professionnelle consistait à s'adresser à elle pour avoir une idée de la portée de sa monographie. En cas de similitudes trop nombreuses – comme cela arrivait parfois –, il fallait limiter les dégâts, changer d'optique, voire, avait ajouté M. Middleton après un moment d'hésitation, abandonner le projet. Entre-temps, il avait hâte de lire le chapitre six. Il l'attendrait mardi matin. À dix heures précises. À ce propos, il avait fait preuve d'une étonnante fermeté.

Dans la cuisine vide, Jack se prépara un café instantané et une tranche de pain grillé, qu'il tartina de confiture de framboises. Il évita de regarder la table, toujours jonchée d'os de poulet, et l'évier, dont le drain semblait obstrué par des feuilles de thé. Dans le cabinet de travail, il faisait un froid de canard. Pendant un moment, il envisagea de transporter la machine à écrire dans le salon. Les restes du souper, cependant, encombraient la table. Il y avait aussi des bols à soupe. Des bols à soupe? Bien sûr, Laurie et lui avaient mangé de la soupe, la veille. Demain, il faudrait qu'il range la maison et oblige les enfants à se reprendre en main. Toutes les pièces devenaient inhabitables. Pour l'heure, il n'avait d'autre solution que de s'accommoder du cabinet de travail glacial. Par terre, dans le salon, il trouva une couverture – était-ce celle qu'il avait posée sur Bernie... quand était-ce, déjà? Samedi après-midi? La couverture drapée sur les épaules, il s'installa. La vieille lampe à col de cygne écrasait la machine à écrire sous un ovale de lumière crue. Il tapa une phrase.

> De la structure des échanges commerciaux dans le bassin inférieur des Grands Lacs émergent au bout du compte un certain nombre d'interprétations possibles des relations et des communications entre les diverses collectivités tribales.

Au milieu du mot « tribales », le ruban de la machine se coinça. Entre les petits crans de métal qui le maintenaient en place, il était maintenant tout froissé. Jack essaya, délicatement d'abord, de le faire descendre. Le ruban refusa obstinément de bouger. Il tira dessus un peu plus fort. Le ruban, usé, se déchira. Nom de dieu. Quelle merde.

Par miracle, il y avait un ruban de remplacement dans le tiroir. Il s'en empara, incrédule. Brenda avait dû prévoir le coup. Merveilleuse Brenda. Il le sortit de sa boîte et l'examina sous toutes ses coutures. Son exaltation eut la vie courte. Il n'avait aucune idée de la façon de l'introduire dans la machine.

C'était toujours Brenda qui se chargeait de cette corvée. Première leçon à l'école de secrétariat. D'ailleurs, elle était habile de ses mains, tandis que lui – comment avait-il pu vivre jusqu'à quarante-trois ans sans savoir comment changer un ruban de machine à écrire ? Merde ! Il avait vu Brenda le faire des dizaines de fois. Elle s'exécutait en un tournemain, en un clin d'œil. Elle le sortait de la boîte, le mettait en place et tapait quelques mots pour s'assurer que tout allait bien. À son intention, elle laissait de petits bouts de papier dans la machine. « Portez ce vieux whisky au Jack blond qui fume » ou « Voyez le Jack géant que Brenda examine près du wharf ». Et une fois, dans leur premier appartement, par une froide soirée d'hiver comme celle-ci : « Je t'aime t'aime t'aime t'aime. »

Entre minuit trente et une heure, il essaya de mettre le ruban en place. Il n'arrivait pas à comprendre pourquoi c'était si difficile. Ce n'était tout de même pas sorcier – tous les jours, des milliers de rubans, en tous points identiques à celui-ci, étaient remplacés, à Chicago et dans le reste de l'Amérique. Pourquoi n'y avait-il pas d'instructions sur la boîte ? Qu'est-ce qui clochait chez lui ? Il avait les doigts tachés d'encre. Son café avait refroidi et il s'était mis à transpirer. Le tic-tac de l'horloge allait le rendre fou. La maison lui semblait sinistre et effrayante. Son estomac se contractait. Jamais il ne réussirait à mettre en place cette engeance de merde.

Puis, tel un éclair, la pensée de Laurie qui dormait là-haut lui traversa l'esprit. Elle avait hérité du don de sa mère pour tout ce qui était mécanique. Un jour, il avait démonté la tondeuse, et c'est Laurie qui avait su rassembler tous les morceaux – lui, il avait mis un boulon à l'envers. Elle possédait des connaissances surprenante – par exemple, c'est elle qui avait réussi à fermer la conduite d'eau principale quand un tuyau de la salle de bains avait crevé. Une autre fois, elle avait débloqué un essuie-glace en le fléchissant de quelques millimètres.

Il monta à pas feutrés jusqu'à sa chambre et ouvrit la porte.

La pièce baignait dans une blancheur réfléchie. Derrière le voile blanc des rideaux, la neige tombait. Un lampadaire retenait le lacis des flocons. La neige recouvrait les toits, les bords de fenêtre et les haies d'Elm Park, le moindre objet dédoublé, renouvelé, transformé sous son poids brillant.

Laurie, qui dormait sur le dos, les mains ouvertes, avait l'air plus brave qu'à l'état de veille. Sa respiration était égale, d'un calme exquis. Assis au bord du lit, Jack la regarda dormir pendant une minute.

— Laurie, murmura-t-il.

— Oui.

Elle avait la voix rauque.

— Ouvre les yeux, ma puce.

Ses yeux s'ouvrirent immédiatement, le fixèrent d'un air d'incompréhension.

— Dis-moi, Laurie. Sais-tu changer le ruban de la machine à écrire ?

— Oui.

Ses yeux se refermèrent. Elle allait se rendormir.

— Laurie ? Ma puce ? Je veux que tu te lèves. Seulement cinq minutes, tu veux bien ? Le temps de mettre le ruban en place. D'accord ?

Déjà debout, elle s'avança d'un pas titubant vers le couloir éclairé en retroussant le bas de son pyjama. Dans l'escalier, il la prit par le coude pour l'empêcher de tomber, mais elle glissait maintenant d'un pas assuré, guidée par le radar du somnambule. En bas, dans le cabinet de travail, elle se planta devant la machine, légèrement vacillante, et Jack lui donna le ruban. Il lui fallut à peine dix secondes pour le mettre en place. Clic. Il aurait juré qu'elle l'avait fait les yeux fermés.

— Parfait, ma puce. Va te recoucher, maintenant. Tu es un ange.

Elle repartit en direction de l'escalier, les bras tendus devant elle, comme si elle cherchait son chemin à tâtons. Jack s'élança, la prit dans ses bras et alla la déposer dans son lit. Qu'elle était lourde ! Il ne se souvenait plus de la dernière fois qu'il l'avait portée. Aurait-elle oublié, au réveil, que son père l'avait prise dans ses bras et bordée ? Probablement. Elle dormait déjà.

Il lui était si reconnaissant. Sa gratitude était extrême, absurde. Déjà, il revivait le moment sous l'angle d'une nostalgie scintillante, diaphane. La nuit où il avait tant neigé, la nuit où sa fille avait volé à son secours. Laurie.

Chapitre vingt et un

À son réveil, la chambre baignait non pas dans la lueur terne et grise d'une aube de janvier, mais bien dans la pleine lumière du soleil qui entrait par la bande translucide au-dessus des rideaux. Déjà le matin ? Il y avait quelque chose d'anormal ; ce soleil avait quelque chose d'anormal. Aurait-il, sans le vouloir, fait la grasse matinée ? Sur la table de chevet, le réveil indiquait huit heures et demie.

Impossible. À moins, évidemment, qu'il n'ait oublié d'armer le réveil. Dire qu'il avait rendez-vous avec M. Middleton à dix heures. Le spectre de M. Middleton se profila devant lui, en proie à une fureur digne de Torquemada. Non, c'était improbable, impossible même, tout à fait contraire à l'esprit du personnage. Pourtant, à la pensée de M. Middleton tel qu'il était vraiment, débordant à coup sûr d'impatience mais en même temps calme, Jack sentit monter en lui un élan de fureur.

Ce matin, pas de douche. Pas le temps. À la pensée de ce sacrifice, il fit la grimace. Sans le martèlement quotidien des gouttes d'eau chaude revigorantes entre ses omoplates, il n'était tout simplement pas le même homme. La poisse de ses organes génitaux et de la transpiration nocturne le ralentissait, amenuisait ses pouvoirs. Pas moyen de faire autrement. Tant pis. Il s'habilla en hâte : t-shirt, caleçon boxeur. Puis son costume neuf – c'était le déjeuner d'adieu de Moira Burke, après tout, un peu de décorum s'imposait –, avec ses rayures discrètes, crème sur chocolat. C'est Brenda qui avait eu l'idée des rayures ; elles étaient de nouveau à la mode, avait-elle décrété ; cette année, tout le monde portait des rayures. Jack se sentait pourtant mal à l'aise dans ce costume, qui faisait un peu rétro et m'as-tu-vu.

Au moins, les enfants étaient debout, leurs chambres respectives désertes. Dans celle de Rob, Jack vit un fouillis poussiéreux : vêtements, tasses de café, magazines et disques. Au centre, cependant, le lit était fait soigneusement, délicatement. Dessus, il y avait une des premières courtepointes de Brenda, collage massif et coloré où l'on voyait des voiliers marine, des vagues d'un vert primesautier et un soleil primitif de couleur orange dont les longs rayons s'étendaient jusqu'aux bords festonnés. Elle avait été conçue pour un garçon plus jeune, différent.

Mieux rangée, plus claire, la chambre de Laurie était inondée de soleil. Depuis sa fenêtre, Jack jeta un coup d'œil à l'étincelant panorama sibérien. Le boulevard Franklin était enseveli. Ça, c'était de la neige. Voilà des années qu'il n'en avait pas vu autant. Plus de trente centimètres, à vue de nez. Sous l'effet du vent, des lames de neige s'étaient formées le long des maisons ; au pied des arbres, la neige avait la texture parfaite de la crème fouettée, comme dans les scènes hivernales dont il gardait depuis l'enfance un souvenir vraisemblablement faux. Forts, tunnels, tours, autant de possibilités miraculeuses. Un jour, près de la fontaine du parc Columbus, Bernie et lui avaient, à la faveur du clair de lune, construit un bonhomme de neige doté d'un bassin proéminent et d'une spectaculaire érection de glace. Le lendemain, quelqu'un avait sectionné le pénis ; le surlendemain, le bonhomme de neige avait été réduit en bouillie par le redoux. À Chicago, la neige ne durait pas. Même après un déluge d'une journée complète comme celui-ci, tout aurait disparu en quelques jours.

Devant la fenêtre de la cuisine, Laurie écrasait des Shredded Wheat dans un bol.

— Tu vas être en retard, dit-elle, la bouche pleine, les yeux alertes.

— Sans blague ?

Pourquoi cette enfant avait-elle toujours quelque chose dans la bouche?

— Tu aurais pu me réveiller, fit-il sur un ton légèrement plus aimable.

— Je suis en retard, moi aussi. C'est Rob qui m'a réveillée. Tu as vu toute cette neige?

— Puisqu'on parle du loup, où est donc Rob?

— Parti pour l'école.

Toujours la même intonation d'une gaieté discordante. Si tôt le matin!

— Il se sent mieux?

— Je ne sais pas.

Pourquoi ne savait-elle pas?

— Il a mangé quelque chose?

— Je ne sais pas.

Encore?

— Il a fait du café. Un thermos complet. Tu en veux, papa?

Il reprit courage.

— Du vrai café?

C'était du bon café, impeccable, en réalité, frais et foncé comme du chocolat. Il en aurait bien pris une deuxième tasse, puis une troisième. Ce matin, il aurait donné cher – n'importe quoi, en fait – pour feuilleter les journaux, se tasser dans un coin de la salle à manger avec son café et ses journaux, se plonger dans les vapeurs délétères et les crises implacables de l'inflation, du chômage et des grèves de la faim. Les décisions de l'industrie automobile, les arrestations de meurtriers, les mariages de vedettes de cinéma – lire dans les journaux que la Terre continuait de tourner en dépit des manigances de ses semblables le rassurait, lui évitait de perdre la raison. Qu'avait dit Carter à propos des dissidents russes? Que devenait le cessez-le-feu au Liban? Carter, il le savait bien, aurait tenu des propos prudents et intéressés. Les États-Unis étaient favorables aux libertés individuelles, mais ils s'abstiendraient, euh... d'intervenir. De la même façon, il savait que le cessez-le-feu en cours au Moyen-Orient ferait insensiblement place à un autre, là-bas, si loin, si loin. Le monde continuerait d'exister tant et aussi longtemps que le *Tribune* réussirait à tirer des colonnes de mots de la misère humaine. Par moments, il était sain et réconfortant de se sentir insignifiant. C'était comme une drogue. Aujourd'hui, cependant, il avait déjà du retard. Neuf heures, nom de Dieu. En route vers la porte, Laurie passa en coup de vent devant lui.

— Je suis en retard. Cette fois, je suis vraiment en retard, s'écria-t-elle d'une voix perçante.

Véritable cri d'angoisse.

Son porte-documents l'attendait sur la table de la cuisine. Il l'avait posé là tard dans la nuit, à quatre heures du matin en fait, après avoir tapé la dernière phrase du chapitre six.

> Ainsi, sur la foi de ce qui précède, on aura compris que les échanges rituels entre familles et collectivités étaient moins poussés que nous l'avions cru à la lumière des données antérieures.

Ferme mais spéculatif. Pondéré avec soin. C'est du moins ce qu'il lui avait semblé à quatre heures du matin. Il faudrait vraiment qu'il se relise.

Il mit son pardessus et une paire de gants chauds. Au fond du placard du vestibule, derrière l'aspirateur, il dénicha ses vieilles bottes de caoutchouc, luisantes et avachies, munies de boucles bon marché. Elles étaient vieilles d'au moins dix ans. Et au moins deux pointures trop grandes, aurait-on dit. Incroyable.

Sorti par-derrière, il se retrouva soudain dans la neige jusqu'aux genoux. Il y en avait plus qu'il ne l'avait pensé, presque une quarantaine de centimètres, deux fois plus là où le vent l'avait poussée. Les rayons du soleil scintillaient sur la surface humide. La température devait être exactement au point de congélation. Il regretta de ne pas avoir écouté le bulletin de la météo. D'ici, la Terre entière – hectare après hectare – semblait déserte. Où était donc passé tout le monde ?

L'étendue de neige lui faisait signe. Au prix d'énormes efforts, Jack, le porte-documents brandi dans les airs, traversa la cour en direction du garage. Le temps de le dire, l'engourdissement avait gagné ses mollets : de grandes plaques de neige mouillée s'étaient infiltrées dans ses bottes. Déjà, l'ourlet impeccable de son pantalon rayé était trempé. Adieu, pli si net qu'on l'aurait dit taillé au couteau ; adieu, ourlet soigné, précis. Nom de Dieu !

Derrière le garage, la ruelle, passage d'ordinaire étroit, aux bords mal définis, n'était plus qu'une prairie nouvellement formée : une couche de neige sur laquelle se réfléchissait le soleil la recouvrait de part en part. Jack comprit tout de suite qu'il était illusoire d'espérer se rendre au centre-ville en voiture. Sortir en voiture par ce temps, c'était une idée ridicule. Il lui faudrait pelleter pendant des heures pour dégager l'entrée. Pas moyen, du reste, d'ouvrir la porte du garage. Dire qu'il avait eu l'intention de prendre la route. Quelle absurdité ! Heureusement qu'il y avait le métro.

La station ne se trouvait qu'à huit petits pâtés de maisons, trajet qui s'effectuait normalement en quelques minutes. Aujourd'hui, cependant, il pataugeait dans une lourde neige fraîchement tombée. Tout d'un coup, ses chaussettes devinrent lourdes et humides ; la neige, mouillée et instable, cédait sous ses pas, en dépit d'une fausse apparence de solidité, et se transformait en gadoue, d'un gris glacé. Il avait eu tort de prendre par la ruelle. La rue aurait été plus praticable. Par chance, quelqu'un l'avait précédé, et il avançait prudemment en posant les pieds en plein dans les empreintes nouvellement découpées. Un pas, puis un autre. Qui avait pris par la ruelle ? Rob, peut-être, en route vers l'école ? Bud Lewis ? Où était passé tout le monde ? se demanda-t-il de nouveau.

Le bas de son pardessus de laine s'était lesté d'un lourd liséré de neige croûtée. Remontant son porte-documents, qu'il serra avec le coude, il retroussa son manteau. Tout de suite, un de ses boutons se détacha et s'enfonça dans la neige. Au même instant, le porte-documents glissa et tomba cul par-dessus tête. Nom de Dieu ! Il arracha son cache-col et l'épongea furieusement. Pourvu que la fermeture éclair soit étanche ! Un frisson glacé lui parcourut la nuque ; il grelotta.

Plus qu'une dizaine de mètres à franchir et il sortirait de la ruelle. Soulevant le porte-documents, qu'il maintint d'une main en équilibre au-dessus de sa tête, il s'aida de l'autre pour serrer son pardessus devant lui à la manière d'une jupe, à la manière d'une femme. Il devait être neuf heures trente. Il avait mis une demi-heure pour aller jusqu'au bout de la ruelle. C'était de la folie.

Dans la rue, sa progression fut légèrement plus facile. Il marcha au milieu de la voie, suivant précautionneusement la trace d'un pneu. Pas la moindre voiture en vue – Elm Park était désert. La station elle-même était presque vide. Sur le quai, seulement trois personnes attendaient. Soulagé, il déposa son porte-documents, étourdi, légèrement nauséeux.

— Je me demande si les trains circulent, dit une femme munie d'un sac à provisions et d'une voix de sonnette. Je poireaute déjà depuis vingt minutes.

— Moi, je suis là depuis vingt-cinq minutes, renchérit une fille mince coiffée d'un couvre-chef en tricot.

— Bien sûr qu'ils circulent, trancha un homme aux cheveux gris et au nez épaté, vêtu d'une veste de ski jaune. On l'a dit à la radio. Ils n'avancent pas vite, mais ils roulent.

— Je dois être au centre-ville pour dix heures, dit Jack.

— Bonne chance, fit la fille mince, gaiement.

— Vous rêvez en couleurs, dit l'homme à la veste de ski. Petit malin !

Au même instant, la rame, presque silencieuse dans l'air étincelant, entra dans la station. Il était neuf heures quarante-cinq. Jack éprouva une sorte de joie malsaine. Avec un peu de chance, il arriverait encore à l'heure.

La ville défila, familière et en même temps bizarre sous son paisible manteau, à la manière d'un village. Chicago était le portrait même de l'innocence, de la plénitude et du calme. L'homme à la veste de ski jaune empestait le whisky et était d'humeur à causer météo – la tempête de verglas de 1949, le blizzard de 1953 –, mais Jack fixa obstinément la vitre. Le Merchandise Mart, antique et immense, le bond d'une seconde au-dessus du ruban blanc de la rivière, puis la boucle du centre-ville. Dix heures. Il était en retard. Mais presque arrivé.

Il fit au pas de course les huit pâtés de maisons qui le séparaient de l'Institut. Désertes, les rues du centre-ville étaient malgré tout, comme par miracle, dépourvues de neige, d'un vide quasi nucléaire. En plein boulevard Keeley, la circulation était presque inexistante, et Jack courut au milieu de la chaussée, ses bottes noires faisant floc floc sous lui. Au coin de Keeley et Archer, le feu de circulation était éteint. Panne de courant? Il s'arrêta pendant une seconde ou deux au milieu du carrefour en tournant sur lui-même dans la blancheur éblouissante. Les rues s'étiraient, larges et vides, circonférence de lumière dénudée, ouverture sur l'immaculé, le ciel pur. Il avait envie de crier.

L'ascenseur de l'Institut était à l'arrêt, lui aussi. Jack gravit lourdement les escaliers et s'engagea dans le couloir. Il était dix heures trente. Il avait une demi-heure de retard. Ses pieds glissaient sur le carrelage. Il respirait difficilement. Il frappa à la porte du bureau de M. Middleton. Pas de réponse. Il frappa plus fort. Même résultat. Il retira ses bottes et ses chaussures et, en soupirant, se dirigea vers son bureau.

Pourquoi cette jubilation? Il n'arrivait pas à en deviner l'origine. Il ôta son pardessus et l'accrocha à un cintre. Il s'égoutterait dans le placard. Il étendit ses gants trempés sur le conduit de chauffage, posa ses bottes à l'envers dans un coin, enleva ses chaussettes. Puis, fermant la porte d'un coup de pied, il retira son pantalon détrempé. Pauvres rayures – elles ne s'en remettraient jamais. Au-dessus de son rhododendron, il en essora les jambes le mieux possible, puis s'efforça de les lisser à plat sur son bureau. Il y avait un cintre supplémentaire dans le placard et Jack y suspendit le pantalon avec soin, fit courir sa main à l'endroit où le pli se trouvait auparavant.

Il sentit monter en lui un courant d'énergie extraordinaire. Il songea à exécuter des pompes. Des flexions, peut-être? Dommage qu'il n'ait pas une barre de traction dans son bureau comme Brian Petrie. Se souriant à lui-même d'un air idiot, il se laissa choir sur sa chaise en se passant les mains dans les cheveux. Ses jambes nues se réchauffaient peu à peu. Il avait des picotements dans les cuisses. Mission accomplie. Il avait pris M. Middleton de vitesse. En fait, il avait devancé tout le monde. Il était fin seul.

Non, pourtant. On cognait à sa porte.

— Entrez! beugla-t-il joyeusement.

C'était Moira Burke. Elle portait une jupe en velours bleu pâle et une blouse de soie aux manches bouffantes. Elle arborait une nouvelle coiffure, aux accents vaguement grecs, lui sembla-t-il, peut-être à cause des grandes boucles au-dessus des oreilles. Elle avait un sourire de guingois, perplexe, hésitant, dur.

— Moira! Vous avez réussi à déjouer la neige!

Il criait.

Elle répondit succinctement.

— J'ai pris un taxi. Depuis Evergreen Park. Quatorze dollars.

— Et M. Middleton? Nous avions rendez-vous à dix heures.

— Ha! Il a téléphoné. Pas moyen de venir. Toutes les routes de Highland Park sont fermées.

— Nom de Dieu. Moi qui ai passé toute la nuit à mettre la dernière main au chapitre six!

— Hmmmm.

— Moira! Votre repas d'adieu! Que devient votre repas d'adieu?

— Annulé.

— Pardon?

Il pivota sur sa chaise.

— Annulé.

— Reporté, vous voulez dire. Remis à plus tard. Demain ou un autre jour.

— Demain? Laissez-moi rire. Demain, je serai en Arizona.

— Oh, Moira.

Il se leva d'un coup. À la vue du regard tendu, figé, de Moira, Jack songea irrésistiblement à Larry Carpenter debout dans sa cuisine. Il ouvrit la bouche.

Elle s'écrasa sur la poitrine de Jack et se mit à lui marteler l'épaule du poing en poussant des gémissements.

Chapitre vingt-deux

— Ce sont des choses qui arrivent, dit Jack à Moira.
— À qui le dites-vous, répondit-elle.

Ils mangeaient des spaghettis chez Roberto. L'humeur était aux célébrations improvisées. De son bureau, Moira avait tiré un petit séchoir à cheveux en plastique qu'elle avait appliqué d'abord au pantalon de Jack, puis à ses chaussettes et à ses bottes. Au bout d'une heure, le pantalon était sec comme du papier de bricolage. La chaleur du tissu contre ses mollets lui avait procuré un plaisir inattendu, à l'image du plaisir sensuel et empourpré qu'il ressentait autrefois après la récréation, les jours de pluie, collé au radiateur de la classe.

Chez Roberto, Moira et lui étaient les seuls clients. Pour une raison qu'ils ignoraient, les spaghettis étaient passables, la sauce abondante, relevée. Pas le moindre serveur en vue. Leur repas leur avait été servi par le cuistot lui-même, petit homme au large cou dont les yeux faisaient penser à des fentes sans ombre. Ses bajoues dansaient, sombres et accueillantes.

— D'abord, je me suis dit : « À quoi bon ? Personne ne va venir manger par un temps aussi exécrable. » J'ai failli rester au lit. Puis j'ai pensé : « Mieux vaut que j'aille me rendre compte, que je jette un coup d'œil au réfrigérateur parce qu'il y a des pannes d'électricité un peu partout. » Vous voulez que je vous dise ? Le restaurant n'a pas fermé une seule fois, sauf à Noël et au jour de l'An. C'est un record. Vingt-cinq ans, et je n'ai encore jamais fermé, qu'il pleuve ou qu'il fasse beau. Pas mal, hein ? Alors je me suis dit : « Ce n'est pas un peu de neige qui va m'arrêter. »

Jack se redressa.

— C'est donc vous le propriétaire ?

— Pour vous servir. Propriétaire, exploitant, fondateur et cuistot.

— Je viens manger ici depuis vingt ans.

— Vraiment ? C'est à peine croyable.

— Je ne vous avais encore jamais vu.

— Je reste derrière. J'aime bien avoir l'œil à tout.

Jack ne sut pas résister.

— Vous êtes donc Roberto ?

— En chair et en os. Tiens, que diriez-vous d'un peu de vin pour vous réchauffer ?

— Volontiers, s'écria Jack, consterné par le hideux ton de zèle qui résonna dans sa voix.

— Allez, c'est moi qui régale. Vous voulez du bon ou du mauvais vin, votre femme et vous ? Prenez donc le bon. J'en ai une double bouteille ici même. C'est ce qu'on appelle un magnum. Vous ne saviez pas que j'avais de bonnes bouteilles, hein ? Celui-ci ne figure pas au menu à cause du genre de clientèle que nous avons. Ici, les gens ne savent pas distinguer un bon vin d'une banane, vous deux exceptés, naturellement. Seulement, moi, je n'arrive pas à avaler la piquette que nous servons, alors je garde quelques bouteilles en réserve. Il faut que je les enferme à clé, sinon vous savez ce qui va arriver. C'est pour cette raison que je reste derrière. Je ferme ma gueule et je garde les yeux ouverts. Grands ouverts, même. Madame, monsieur, bon appétit.

Jack, les pieds au chaud sous la table, réjoui par l'infusion de chaleur du doux vin rouge, s'efforça de dérider Moira. Il parlait rapidement, de façon presque compulsive, débordant d'une sombre excitation, souhaitant avoir pour elle un geste de bonté pure, se servir de son malheur à lui pour combler le vide de sa déception à elle. Le monde était rempli de déceptions, brûlait-il de lui dire, le monde n'était qu'une longue suite de déceptions. Elle n'était pas la seule ; en fait, elle était en bonne compagnie, personne n'avait le monopole de la souffrance, nous essuyons tous des revers. Dans son cas à lui – il se pencha vers elle en s'appuyant sur les coudes –, dans son cas à lui, c'était Harriet Post. Après des années de travail, confia-t-il à Moira, il allait se faire damer le pion par une femme de Rochester du nom de Harriet Post.

— Mon Dieu, dit Moira. Quelle malchance.

Elle hocha la tête tristement, et Jack se sentit coupable à l'idée d'avoir gagné sa sympathie sous de faux prétextes. Moira avait dans le visage quelque chose de prodigue et de fortuit, et ses joues se coloraient trop facilement sous l'effet de la sympathie.

Ce soir, lui dit Jack, il allait téléphoner à Harriet pour l'interroger sur la nature et la portée de son livre. Indépendamment du résultat de sa démarche, il avait décidé, à titre presque définitif, de laisser tomber son projet. À quoi bon ?

— Comme dit M. Middleton...

— Ce vieux castrat, marmonna Moira sous cape.

— Il faut parfois, fit-il en respirant profondément, limiter les dégâts.

— Hmmmm.

— Ce sont des choses qui arrivent, dit Jack, lui-même surpris par la fermeté de sa voix.

Il lui sembla qu'il l'entendait souvent, cette expression – *ce sont des choses qui arrivent*. N'était-ce pas ce que quelqu'un avait dit à propos de la tentative de suicide de Larry Carpenter ? Ne l'avait-il pas lui-même répété à Rob au sujet de sa visite à Charleston ? Ce sont des choses qui arrivent. Les mots avaient une touche magique séduisante – il suffit de les prononcer assez rapidement pour qu'ils chassent tout blâme et toute responsabilité. Ils avaient le pouvoir de dissiper les déceptions de toutes sortes. Il faut composer avec les vicissitudes de la vie, tenir bon sous les coups et patati et patata.

Les hommes et les femmes mettent au monde des enfants mons-
trueux, gâchent leur mariage, se suicident ; ils perdent quelques
batailles, en gagnent certaines autres ; ils subissent d'absurdes humi-
liations. Ses propres enfants, en dépit du fait qu'ils vivaient dans
un siècle marqué par l'aliénation et dans une ville réputée pour
sa violence, survivraient sans aucun doute. La Terre n'allait pas
s'arrêter de tourner parce que Harriet Post lui avait coupé l'herbe
sous le pied – rien ne sert de pleurer sur les pots cassés, aurait dit
Brenda.

— Ça ne vous fait vraiment rien ? lui demanda Moira, dont
les yeux, à la grande surprise de Jack, étaient mouillés de larmes.
Après tout ce travail ?

— Qu'est-ce que je peux y faire ? demanda Jack.

Il haussa les épaules. Il se demanda s'il devait lui avouer que la
pensée – la seule pensée – d'abandonner le livre le délivrait d'un
poids. Depuis que M. Middleton lui avait mis l'idée en tête – « ce
sont des choses qui arrivent, Jack » –, il avait enfin, cette semaine,
été capable de respirer. C'était la vérité. La petite étincelle du
possible s'était embrasée – il s'imagina laisser tomber en conser-
vant un semblant de dignité, remiser ses notes pour de bon.

— Hmmmm, acquiesça Moira.

Jack l'avait toujours prise pour une femme aux traits légèrement grossiers. Aujourd'hui, il voyait sur ses lèvres un gonflement froncé, un vacillement à deux doigts des larmes, qu'il trouva
étrangement attirant, sentiment qui lui rappela la demi-excitation
inconsciente qu'il avait ressentie dans son bureau quand les cuisses
de Moira s'étaient pressées contre le tissu mince de son caleçon. Se
penchant au-dessus de la table, il lui versa du vin.

De plus en plus animé, il dit à Moira qu'il n'aurait jamais dû
se lancer dans le projet sur les Indiens. Ce n'était pas le genre de
recherche qui lui convenait. Il était à son mieux dans les articles
courts, les problématiques précises. Certains affectionnaient les
longues études approfondies, mais, pour lui, les Indiens et leurs
pratiques commerciales – sujet abscons et difficile à documenter –

avaient été source de frustration et de lassitude. Une corvée. Un long cauchemar.

Pourquoi raconter tout cela à Moira? Le vin, sans doute, lui montait à la tête. Elle opinait du bonnet en souriant, les yeux rivés au sol, l'air ragaillardie. Elle laissa échapper un rire rauque, sorte d'aboiement que Jack jugea réconfortant.

— Le problème, lui dit-il, c'est que tout le monde m'interroge sur le livre. Mes parents ont hâte de le voir imprimé. *Leur fils.* C'est devenu leur raison de vivre. Jusqu'à mes enfants qui me demandent quand le livre va enfin paraître. *Le livre.* Et puis le voisin...

— Celui qui a essayé de se tuer? Dans son garage?

— Lui-même. Il m'invite à des soirées – il donne sans cesse des soirées, le genre d'événements où l'on n'est invité que si l'on fait quelque chose de particulier – et il me présente comme le voisin spécialiste des pratiques commerciales des Indiens.

— Tu n'as qu'à leur dire d'aller se faire foutre.

Jack la considéra au-dessus des assiettes vides. Elle avait le visage congestionné. La bouteille de vin était vide. Vide! Et Moira était ivre.

— Café? demanda-t-il.

Il entendit sa voix, enjouée et chevaleresque. Son estomac se retourna. Les carreaux de la nappe lui faisaient mal aux yeux.

— Nous pourrions en commander un thermos...

— Tu as envie de me faire l'amour? lui demanda Moira.

— Pardon? Je ne voulais pas...

Moira répéta sa question, sans gêne, comme si le fait d'avoir fiché son séchoir dans les jambes du pantalon mouillé de Jack lui donnait le droit de dire n'importe quoi.

— Tu as envie de me faire l'amour, cet après-midi?

— Je crois vraiment qu'un peu de café s'impose, répondit Jack.

— Non, ce n'est pas ce que...

— Préférez-vous que...

— Tant pis, je rentre chez moi, dit-elle, soudain réservée. Je vais prendre un taxi.

Une de ses manches de soie s'agita follement dans l'air.

— Qu'est-ce que quatorze dollars de plus ? Demain, je vais être libre. Je vais me faire rôtir sous le soleil.

— Je suis navré si...

— Tu veux bien m'appeler un taxi ? fit-elle en articulant avec soin.

Il se leva. Il y avait un téléphone payant près de la porte, et il se dirigea vers lui d'un pas titubant. L'intérieur de son crâne s'était transformé en plâtre d'une blancheur bourdonnante, longs arcs crayeux qui s'étiraient jusqu'au bout de son regard, lignes pures aux accents catholiques. Il aurait voulu s'avancer parmi elles sur la pointe des pieds en allumant des chandelles. Salvador Dali. Il réussit à grand-peine à appeler un taxi.

— Ah, dit-il à Moira en revenant à la table. C'est vous qui avez de la chance. L'Arizona, du soleil à longueur d'année.

— Je t'aime.

Elle avait prononcé les mots tout doucement, d'une voix inégale et chevrotante.

— Je ne vais jamais te revoir, alors je peux bien dire ce que je veux, pour une fois. Je t'aime. Tu ne sais rien de moi. Quand je pense à toutes les années que j'ai passées à l'Institut. Comment penses-tu que j'ai survécu à tous les articles que j'ai tapés sur les vestiges glaciaires et les coureurs des bois aux noms français – tu savais que je devais mettre tous les foutus accents à la main ? Ce n'est pas le boulot le plus palpitant du monde, laisse-moi te le dire. Et M. Middleton et ses manières dignes de la vieille Europe, toujours à me demander pardon, jusqu'à cinq ou six fois par jour... Ce n'était pas le Pérou, ça non. J'ai dû trouver quelque chose pour me garder en vie et saine d'esprit. C'est ce qu'on appelle les fantasmes sexuels. Et toi – tu as été mon partenaire, mon petit ami, pour ainsi dire. Je parie que tu ne t'es jamais douté de rien.

— Moira...

— Quand les fantasmes ont commencé, au début, j'ai pensé que j'étais en train de perdre la boule. Tu es mûre pour l'asile,

Moira, je me disais. Les bonshommes en blouse blanche. Ha. Puis j'ai emprunté à la bibliothèque deux ou trois livres d'une femme de New York qui écrit sur les fantasmes sexuels. En gros, elle dit que même les femmes normales qui aiment leur mari et patati et patata, même ces femmes-là ont parfois de drôles d'idées. Qui concernent par exemple leurs collègues de travail.

— Je crois...

Il laissa échapper un rire affreux.

— Les choses que je t'ai faites. Ah... Les choses que tu m'as faites...

— Moira, nom de Dieu.

— Ne sois pas gêné. Il n'y a pas de mal. C'est tout à fait normal. Ce livre, tu devrais le lire. D'ailleurs, tu ne me reverras jamais. Inutile d'être gêné. Quelle importance ? Je ne suis pas folle. J'espère que tu ne me prends pas pour une folle.

— Bien sûr que non, je...

— Des fois, tu m'attaches au lit avec mes bas. Je te lèche les doigts, un à un. Tu me caresses derrière les genoux avec ton nez...

— Vous ne pensez pas que...

— Ce matin ? Quand je t'ai vu dans ton bureau, en caleçon boxeur ? C'est drôle, je t'imaginais plutôt en caleçon court. C'est comme ça que je t'ai vu pendant tout ce temps...

— Excusez-moi...

Il avait la bouche rigide.

— Tu t'excuses ? Ne t'excuse surtout pas, pour l'amour du ciel. Ça n'a pas d'importance. Les sous-vêtements ne sont jamais que des sous-vêtements. Ce qui m'importe, c'est ce qu'il y a dans le cœur d'une personne.

— Je suis heureux de...

— J'aurais pu choisir quelqu'un d'autre. Brian Petrie, par exemple. J'ai essayé avec lui pendant un certain temps. Ce qui m'a fait craquer chez toi, je t'interdis de rire, ce sont les petits poils sur tes mains. Et aussi sur tes doigts. On ne voit pas ça tous les jours, des poils qui vont si loin sur les mains d'un homme. Jusqu'aux ongles ou presque. Lorsque M. Middleton nous a présentés, je les ai tout de suite remarqués. C'était il y a belle lurette. Heureux de faire votre connaissance, tu m'as dit, et j'ai pensé : « Mon Dieu, il a de jolis poils sur les mains. »

Jack aurait voulu dire quelque chose, mais il était bouche bée. Les mains de Moira reposaient sur la table, paumes en l'air – *voilà, je t'ai tout avoué,* semblait-elle dire. En contrepartie, il ne lui avait rien dit du tout, rien qui compte vraiment. Il n'en ferait jamais rien. Soudain, il eut la révélation de la manie du secret chez ses semblables, de sa profondeur, de son inutilité. Quel gaspillage.

Délestée de son fardeau, Moira semblait dégriser à vue d'œil. Elle avait l'air plus jeune, plus détendue.

— Tu es le seul à être venu malgré la neige. Ça veut dire quelque chose, non ?

Il avait envie de dire oui, mais il craignait de s'enferrer dans les mots. À la place, il posa sa main sur celle de Moira, douce comme celle d'une petite fille. À quoi s'attendait-il ?

— Il y a une voiture à la porte, s'écria Roberto depuis la cuisine. Vous avez demandé un taxi ?

— Oui.

Moira avait prononcé le mot distinctement.

Jack l'aida à enfiler son manteau.

— Tu n'as jamais de fantasmes, toi ? lui demanda-t-elle en engageant les boutons en os dans leurs brides.

— Oui. Bien sûr. Comme tout le monde.

— Je suis paf. Mon Dieu que je suis soûl.

— Moi aussi.

— Je t'aime.

En route vers la porte, elle se heurta à lui.

— Je t'aime aussi, dit-il dans son sillage.

Qu'est-ce que ça voulait dire ? Il n'en avait pas la moindre idée. Il espéra qu'elle ne se retournerait pas pour lui poser la question.

Chapitre vingt-trois

Pour un certain nombre de raisons, toutes plus obscures les unes que les autres, Jack décida de rentrer à Elm Park à pied. La sortie de Moira l'avait étourdi ; il avait la tête pleine d'une euphorie fragile ; ses dents s'entrechoquaient ; il se sentait accablé, pris de vertige. Il lui fallait du temps pour réfléchir, redescendre sur Terre. Il était inutile de retourner à l'Institut – de toute évidence, la journée d'aujourd'hui passerait à l'histoire comme un congé officieux. À la vue des rues du centre-ville, désertes et balayées par la neige, il apparaissait clairement qu'aucun autobus ne circulait. Il aurait pu prendre le train, évidemment, mais pourquoi, au fond ? Il n'était que deux heures. Il avait tout l'après-midi pour rentrer chez lui.

Ce trajet, il ne l'avait encore jamais effectué à pied, même si, à la réflexion, il ne comprenait pas très bien pourquoi. De nos jours, une distance de seize kilomètres n'avait rien de déraisonnable ; pour un marathonien ou même pour un joggeur comme Bud Lewis, c'était à peine plus qu'un exercice d'échauffement. Marcher seize kilomètres lui ferait du bien, le dégriserait, tuerait l'après-midi – car l'après-midi béait devant lui, à la manière d'une gueule qu'il devait trouver le moyen de remplir. Une longue promenade solitaire était le remède tout indiqué. Par la suite, il raconterait à ceux qui l'interrogeraient et même à ceux qui n'en feraient rien que, l'après-midi de la grande tempête, il avait fait à pied le trajet entre le centre-ville et Elm Park.

— Vous avez vraiment marché de…
— Vous êtes le type qui a…

(Il aurait donné cher pour se prémunir contre ces pensées assourdissantes – pourquoi ne pouvait-il rien faire ni rien envisager sans tout jouer dans son esprit au préalable ? Ces petites répétitions et ces réponses convenues avaient quelque chose de méprisable. Était-il le seul à être la proie de ces échos ?)

Bizarre qu'il ait pu vivre toute sa vie à Chicago sans avoir l'idée d'une telle promenade. Comment était-ce possible ? Non, la longueur du trajet n'y était pour rien ; mais cette étendue particulière, son étalement, l'étanchéité apparente de ses strates, son dur encombrement urbain, tout cela constituait une sorte de tabou. Elle s'étendait, vaste territoire inconnu, bassin asséché, que seul un véhicule fermé permettait de traverser en toute sécurité.

Marcher seize kilomètres à la campagne était une chose, mais franchir la même distance à partir du centre d'une grande ville tenait de l'excentricité pure et simple, d'un romantisme de pacotille, du numéro de troubadour. D'autant qu'il n'y avait pas d'échappatoire facile vers l'ouest, pas de voie en bordure d'un parc sur laquelle trottiner. Qu'un noyau grossier et décrépit d'immeubles, de briques et de véhicules – aujourd'hui enseveli sous la neige. Sans parler des risques, évidemment : gangs aux coins des rues, couteaux, injures proférées dans des langues étrangères, arnaqueurs, pickpockets, ivrognes, proxénètes. Aujourd'hui, cependant, il était plus facile de croire ces dangers inexistants. La neige était moins une empêcheuse de tourner en rond qu'une forme d'apaisement. C'est grâce à tout ce blanc qu'il lui sembla possible de rentrer à pied. La neige et la pureté : symbolisme facile à saisir. La neige, pour avoir recouvert d'un simple voile le chaos de Chicago, était capable de conversions bizarres et immédiates. Sous la neige, les pâtés de maisons et les rues désertes se succéderaient, identiques les uns aux autres. Les quartiers s'amalgameraient dans une sorte d'enchevêtrement de districts postaux et scolaires, de circonscriptions administratives. À la pensée de cet anonymat nouveau, de l'oblitération des frontières géographiques par la neige charriée jusqu'aux limites de la ville et même au-delà, unissant l'immensité du centre couleur rouille à l'immobilité des réserves forestières, des petites fermes, des villages et des lacs, Jack se sentit heureux et curieusement en sécurité. Il respira profondément. L'effet du vin se dissipait, supplanté par un bizarre bourgeonnement de foi dans ses pieds et dans l'immense lumière blanche du firmament. Il décida d'emprunter Washington jusqu'au bout.

Il avait un faible pour ce boulevard. L'été, la surface asphaltée en était lisse et anonyme. À ses yeux, c'était la plus civilisée des artères dans l'axe est-ouest, droite comme une flèche, mais adoucie çà et là, à la mode européenne. Plus loin, il y aurait le parc Garfield, le dôme doré du Conservatoire, des arbres et des tours d'habitation dont les imposantes façades brunes, par beau temps, luisaient à la manière de visages dignes de confiance. Même au centre-ville, le boulevard Washington poussait un ronron différent, plus riche. Il avait quelque chose de plus décent, de plus décontracté, de plus poli. Les chasse-neige avaient en partie dégagé la voie, poussant de longs monticules sur les côtés. Il marcha au milieu de la chaussée, face à l'éblouissement blanc. En le voyant avancer péniblement, les rares automobilistes ralentirent afin de ne pas l'éclabousser : la gadoue s'accumulait à vue d'œil.

Une voiture, petite Ford toute rouillée au toit recouvert d'une croûte de neige fondante, se rangea près de lui. Un homme sortit la tête par la fenêtre et lui proposa de monter.

— Si vous allez vers l'ouest, je vous emmène.

Il avait une crinière démente – des cheveux d'étudiant – et un visage délicat.

— Je suis sorti marcher, répondit Jack. Merci quand même, cria-t-il dans le sillage de la voiture.

Voilà des années qu'on ne lui avait pas proposé de le déposer quelque part.

À la hauteur de Halsted, le claquement de ses bottes était devenu intolérable. Remarquant un bureau de tabac au coin de la rue, il s'y arrêta pour demander une pelote de ficelle.

— De la ficelle ?

Une vieille femme courte, costaude, au visage sillonné de rides, vêtue d'un cardigan gris, était juchée sur un tabouret près de la caisse. On aurait dit qu'elle entendait le mot «ficelle» pour la première fois de sa vie. Elle grommelait dans la plus pure tradition de Chicago.

— Nous ne vendons pas de ficelle. Il faut dire qu'il n'y a pas beaucoup de demande.

— Il m'en faudrait juste quelques centimètres. Pour attacher le haut de mes bottes.

— Si c'est tout ce qu'il vous faut...

La bouche se ferma avec un claquement. Ce retroussement des lèvres moites et humides pouvait-il être interprété comme un sourire?

— Je peux bien vous en donner.

Elle en mesura un bout, le divisa en deux et tendit le tout à Jack. Ses boucles d'oreille cliquèrent contre ses épaules voûtées.

— Tenez, fit-elle. Assoyez-vous là pour attacher vos caoutchoucs.

C'était un ordre.

Il s'assit sur une caisse en bois, glissa la ficelle dans la courroie de ses bottes, puis fit deux tours autour de chacune de ses jambes, fourrant les bords de son pantalon à l'intérieur, où ils formèrent un coussin relativement confortable entre ses chevilles et les bottes qui glissaient. Il se remit debout. Ah, c'était mieux, beaucoup plus solide. Il se dit qu'il pouvait tenir encore pendant des kilomètres.

— Merci infiniment, chère madame, dit-il.

Mon Dieu qu'il se donnait des airs élégants – c'était affreux. Un gentleman sorti tout droit d'un drame en costume d'époque.

Délaissant un instant son journal, la femme leva les yeux.

— Qu'est-ce qu'un bout de ficelle, par une journée pareille?

— J'ai été surpris de voir que c'était ouvert.

À peine à Halsted et déjà il se mourait de faire la conversation.

— Bah, fit-elle en haussant les épaules. Nous avons le choix d'ouvrir ou d'abandonner les lieux aux pilleurs. Des jeunes à la recherche de cigarettes, des idées de mauvais coups plein la tête...

Ah, les réalités, songea Jack en marchant entre Halsted et Damen en direction de la masse sombre du stade, les réalités auxquelles nous devons sans cesse faire face. Était-ce une vie ? Être toujours sur le qui-vive, dans la crainte d'agresseurs, de pilleurs, de flâneurs, toujours craindre que le pire s'abatte sur vous dès l'instant où vous baisserez votre garde, ne serait-ce qu'un instant ? Les exploitants de bureau de tabac avaient-ils des moments de répit ? Au jour le jour, les soucis pratiques en laissaient-ils au reste d'entre nous ? À quoi rimait cette prudente ronde quotidienne, monotone ? Il fallait qu'un événement inattendu interrompe le cycle, que des circonstances particulières soient réunies.

Au cours de la dernière heure, un homme lui avait proposé de le déposer quelque part et une femme lui avait donné un bout de ficelle. C'était insuffisant. En revanche, une femme lui avait dit qu'elle l'aimait. Depuis des années, par-dessus le marché. C'était incroyable. Plus il y songeait, moins cela lui semblait possible. Il se sentait étourdi, mais rasséréné. Un muscle de son visage palpitait. Quoi d'autre ? C'était le mois de janvier et Chicago était enseveli sous la neige. Une sorte de record, forcément. Et le voilà, lui, qui descendait le boulevard Washington, un mardi, vers quinze heures. Assez, sûrement, pour contrecarrer l'ordinaire de la vie. Ou à tout le moins en décréter une suspension provisoire. Autre chose : nul ne savait où il se trouvait. On ne pouvait pas le joindre. En ce moment précis, on n'attendait rien de lui ; il n'avait de comptes à rendre à personne. Tout un après-midi s'ouvrait devant lui, il n'avait qu'à tendre la main. C'était peut-être une illusion – c'était sûrement une illusion –, mais au cours des trois heures qu'il mettrait à aller de Damen à Elm Park, selon ses estimations, il était, à titre provisoire, libéré, homme invisible survolant une rue fantôme dans une ville étrangère.

Quelques voitures passèrent. L'école Willa Cather était sombre, déserte. Dehors, quelques enfants jouaient dans la cour – les écoles étaient sans doute toutes fermées – et lançaient des boules de neige. Lui-même se sentait à l'abri du danger et des catastrophes. Du repas avec Moira, il était ressorti curieusement anesthésié, mais en même temps affranchi. Il avait obtenu certaines réponses, mais les questions elles-mêmes demeuraient des mystères indicibles. Le boulevard Washington était une route de campagne et, sous un soleil terne et métallique, il marchait vers des liens et des possibilités qui n'avaient rien de trop déplaisant. Ce soir, il téléphonerait à Harriet Post. Ce soir, Brenda appellerait de Philadelphie, et le combiné serait illuminé par la clarté de sa voix. Ses enfants l'attendraient à la maison. Il leur parlerait sagement. Il bavarderait avec Bernie, l'interrogerait sur ses intentions et, au besoin, lui offrirait des conseils ou le consolerait. Il pouvait encore mettre de l'ordre dans sa vie.

Il passa devant une boutique fermée à la vitrine de laquelle était accrochée une enseigne peinte à la main : Poisson-chat. Un calme intense s'installa en lui. Il devrait s'ouvrir aux autres, les faire profiter de sa sensibilité tranquille. Si, à ce moment-là, un clochard s'était avancé vers lui pour lui demander un dollar, il lui en aurait donné dix. Si on l'avait agressé, il aurait dit : prenez mon portefeuille, prenez mon chapeau et mes gants, prenez tout. Il était un homme, un historien, rentrant chez lui à pied. Aujourd'hui, un certain sérieux s'était introduit dans sa vie, une vision égale, réfléchie et altruiste. L'insatisfaction, se dit-il, n'était causée que par une réticence à l'idée d'examiner la vie sobrement – nous ne pouvons pas toujours opter pour les portes de sortie faciles.

— Bien sûr, avait-il dit à Moira Burke, à la porte de chez Roberto, vacillant à cause du vin, bien sûr que j'ai des fantasmes sexuels.

Ce qu'il lui avait toutefois caché, c'est que ses fantasmes tournaient invariablement autour de Brenda, sa femme, et avaient toujours pour cadre son environnement familier, la chambre blanche et bleue de leur maison d'Elm Park, où les photos des enfants trônaient sur la commode. Moira, après tous les livres qu'elle avait lus, aurait été surprise et peut-être attristée de l'apprendre. Lui-même l'était quelque peu. L'imagination lui faisait défaut ou encore il était doté d'une nature terne, obstinément monogame et domestique. (Récemment, à l'occasion d'une soirée, un psychologue au service du conseil scolaire lui avait appris que l'homme moyen avait une pensée à caractère sexuel toutes les vingt minutes – il s'était alors demandé, dubitatif, s'il était représentatif de l'homme moyen.)

Le doux renflement des hanches de Brenda lui revint en mémoire. Il avait beau savoir que la chair se relâche et vieillit inévitablement, Jack n'arrivait pas à imaginer que la sensation de sa main ouverte sur la hanche de Brenda puisse un jour le laisser de glace. Ou encore le bout des doigts de Brenda, naturels et familiers, effleurant son visage.

Vingt ans auparavant, Harriet Post l'avait invité à monter à son studio et, d'un seul geste, avait, les coudes en l'air, ôté son pull. Puis elle avait ouvert le canapé-lit qui, en résonnant sur le sol, avait affolé et réjoui le cœur de Jack.

— Tu te décides? avait-elle demandé.

La première fois, elle l'avait guidé, mais il avait appris vite. Les soirs d'hiver, allongé sur le velours noir du canapé du studio, il s'initiait aux arcanes du rythme et de l'intensité, sentait son corps lent s'éveiller à la vie. Sous lui, Harriet, haletante, poussait des gémissements réalistes ; son bassin étroit avait la consistance d'un cadre en bois solidement cloué. Il nageait sur son corps, s'y noyait presque, se fondait à lui, mais toujours une arrière-pensée, sèche et circonspecte, le retenait, sorte de picotement de honte qui lui parlait d'une voix curieusement assimilable à de la friture :

— À quoi ça sert ? À quoi ça sert ?

Après son mariage avec Brenda, la voix avait disparu sans laisser de trace. Il n'y avait pas pensé depuis des années. Il n'en avait jamais parlé à Brenda. D'ailleurs, il n'aurait pas su quoi lui dire. Il était simplement heureux de s'en être débarrassé. Étonné aussi. Il avait le sentiment de l'avoir échappé belle. Il n'aurait cependant pas su dire exactement à quoi.

Dans le boulevard Washington, le temps fraîchissait. Pendant qu'il traversait Kedzie, la ficelle autour de sa botte gauche se cassa. Merde. Dire qu'il avait enfin trouvé son rythme. À côté d'un magasin de vins et spiritueux, fermé et cadenassé, se trouvait un casse-croûte, Margie's Lunch, miraculeusement ouvert. Il s'y arrêta pour prendre un café et renouer ses bottes. Les lieux étaient déserts. Il s'installa au comptoir et sentit l'extrême fatigue de son dos et de ses jambes. Il plia les genoux, éprouvant tour à tour des sensations de douleur et de soulagement. Pour la première fois, il se dit qu'il n'irait peut-être pas jusqu'au bout. Kedzie n'était même pas à mi-chemin – nom de Dieu. Il retira ses bottes. À travers la chaussette de son pied droit, il sentait une petite ampoule se former sur un de ses orteils.

— Un beigne avec le café?

Le garçon derrière le comptoir avait environ l'âge de Rob. Dents blanches dans un visage noir, hésitant et éperdu de mélancolie.

— Un café seulement. Noir. Vous n'auriez pas de la ficelle, par hasard? Pour attacher ma botte?

— Non. Pas de ficelle.

— Je pourrais nouer les deux bouts, j'imagine, mais c'est un peu court.

— Où as-tu dégoté des godasses pareilles, mon vieux?

— Je les ai depuis un moment.

— Sans blague? Comment tu fais pour marcher avec ça, mon vieux?

— Si seulement j'avais un bout de...

— Allons, donne-moi ça. Laisse-moi jeter un coup d'œil.

Jack tendit les bouts de ficelle et regarda le garçon les entortiller entre ses doigts brun-rose, faire un nœud épais et en éprouver la solidité en tirant fort dessus. Il poussa un couinement satisfait.

— Tiens, mon vieux. Ça devrait faire l'affaire.

— Euh... merci.

— Je serais toi, je m'achèterais une nouvelle paire de bottes.

Il leva les yeux au plafond et laissa échapper une sorte de gloussement aigu, mystérieux.

— Oui, c'est beaucoup mieux, dit Jack.

Réchauffé par le café, il se sentait prêt à se remettre en route.

— Salut, fit-il.

Il sourit puissamment en direction du comptoir dans l'espoir d'arracher un sourire au garçon. Il avait ri – pourquoi ne sourirait-il pas?

Le soleil déclinait lorsque Jack, après avoir traversé le parc Garfield, déboucha sur Pulaski. Les immeubles du carrefour – une rôtisserie, une station-service, le Temple de la délivrance – semblèrent s'embraser. Pulaski, le nom de jeune fille de Brenda, était typique de Chicago.

— Pulaski, comme la rue, Brenda avait-elle dit à Jack en se présentant.

Par la suite, chaque fois qu'il avait vu un panneau sur lequel figurait le nom «Pulaski», il s'était remémoré avec exactitude la manière dont elle avait prononcé les mots: légèrement, mais avec une intensité sentie, comme s'il s'agissait d'une plaisanterie éculée mais pouvant encore servir. Elle avait la tête un peu penchée et les lèvres entrouvertes sur une amorce de sourire.

Qu'il était facile de raviver ces images. Comme s'il trimballait avec lui une bande de film, une histoire complète de Brenda Pulaski Bowman, à la fois distincte et différente de la perception qu'elle-même avait de son histoire personnelle. Nul doute qu'elle aussi avait une bande de film le concernant – incapable d'en imaginer le contenu, il se disait que les détails en seraient forcément déconcertants et étrangers. Une chose était certaine, en tout cas, il n'avait jamais soupçonné l'autre vie qu'il avait vécue dans la tête de Moira Burke pendant des années. (Il s'imagina en train de la ligoter avec des bas et sentit une douleur aiguë dans la gorge, une sorte de renflement de plaisir – fallait-il en rire ou en pleurer?) Nous avons tous en tête un nombre infini de récits. Le dispositif de repérage le plus perfectionné qui soit ne réussirait pas à les colliger et à les intégrer tous (il faudrait qu'il en discute avec Bernie, vendredi). On oublierait des sources, on négligerait d'examiner certains faits.

Un jour, il avait annoncé à sa mère qu'il ramènerait à la maison une jeune fille du nom de Brenda Pulaski.

— Une Polaque? avait demandé sa mère, aussitôt sur le qui-vive.

— Une Polonaise, l'avait-il corrigée promptement.

Sa mère ne se souviendrait plus des mots qu'elle avait proférés – une Polaque – ni de la multitude d'attentes auxquelles ils avaient donné naissance. Il n'avait invité Harriet Post à la maison qu'une seule fois, le dimanche; sa mère avait préparé un rôti de porc; aujourd'hui, elle ne savait même plus qui était Harriet Post.

Selon toute vraisemblance, songea Jack, Harriet Post avait oublié sa mère, elle aussi, oublié le rôti de porc et la compote de pommes; peut-être l'avait-elle aussi oublié, lui, sans parler des longues nuits qu'ils avaient passées à se peloter sur le canapé étroit du studio. Au téléphone, ce soir, il devrait supposer qu'elle l'avait oublié. Il allait devoir lui rafraîchir la mémoire petit à petit.

— Allô? Harriet? Disons, euh... que je suis une voix du passé. Tu ne te souviens sans doute pas de moi, mais...

À moins qu'il n'adopte une approche plus directe.

— Harriet? Jack Bowman à l'appareil. Chicago? 1956?

Avenue Cicero. Pas trop tôt. Au coin, un magasin de meubles annonçait une offre spéciale pour quatre pièces. Une clinique médicale baignait dans une pénombre sinistre. En cette saison, la noirceur s'installait de bonne heure. Au moins, le boulevard Washington était relativement bien éclairé. S'il apercevait un taxi, il craquerait peut-être et ferait le reste du trajet en voiture. Sur son orteil, l'ampoule grandissait, et il avait commencé à grelotter. Il était dix-sept heures.

Passant devant un fleuriste, «Flower City», il s'étonna de constater qu'une boutique vendant des biens aussi peu essentiels fût ouverte. Un bouquet de glaïeuls à l'équilibre parfait trônait dans la vitrine. Il y avait aussi un écriteau : *Soldes. Aujourd'hui seulement.* Jack jugea l'idée hilarante. Qui, par une journée pareille, se précipiterait pour acheter des fleurs à rabais ? Un mariage ? Des funérailles ? C'est à ce moment qu'il se rendit compte qu'il allait, lui, acheter des fleurs. Il allait – à cette pensée, il irradia de bonheur – il allait faire livrer un bouquet de fleurs à Moira Burke.

Il se retrouva donc devant la boutique éclairée d'un fleuriste. Chez elle, Moira Burke préparait ses bagages en dessoûlant, en proie, sans doute, à de sombres constats. Le cœur de Jack se gonfla d'une affection sincère. Il lui enverrait des fleurs. Mais pas des glaïeuls. Quoi, dans ce cas ? Qu'enverrait un amoureux ? Des roses.

— Vous avez des roses ? demanda-t-il à la dame qui se tenait derrière le comptoir.

Elle l'examina d'un œil méfiant. Son manteau sur le dos, ses clés de voiture à la main, elle avait l'air pressé de fermer boutique.

— Nous avons tout ce que vous voulez, répondit-elle. Là, derrière.

— Une douzaine de roses ?

— Vous les emportez ou nous les livrons ?

— Vous les livrez. Evergreen Park. Vous allez jusque-là ?

— C'est possible, mais ça va vous coûter cher.

— Elles seront livrées ce soir ?

— Je ne sais pas. Avec toute cette neige... Peut-être. Je vais essayer.

— Il faut absolument qu'elles arrivent ce soir.

— Qu'est-ce que j'inscris sur la carte ?

— Quelle carte ?

— Celle qui dit qui envoie les fleurs.

Elle tapotait du bout de son stylo, l'air légèrement moqueur.

— Pas de carte, trancha Jack. Seulement les fleurs.

— C'est vous qui décidez.

Elle lui décocha un regard soutenu.

— Vous acceptez les chèques ?

— Hmmmm. En général, non.

— Je vous en prie.

Ôtant ses gants, il sortit son chéquier ; sous l'éclairage vif de la boutique, les poils de ses mains dansaient. Il écarta les doigts, observa le jeu de la lumière. Il était un homme qui faisait livrer des fleurs à une femme qui lui avait avoué aimer les poils de ses mains. Il secoua la tête, étourdi, heureux. Qu'allait-il faire de cette révélation ?

— Merci, monsieur Bowman. Si vous voulez bien signer ici...

À la façon dont la fleuriste lui avait dit « monsieur Bowman » et lui avait tendu le stylo, Jack sut qu'il se rapprochait de chez lui. Encore une heure, s'il pressait le pas.

En réalité, il mit un peu plus d'une heure à atteindre le pas de sa porte. Le ciel avait l'air feutré, tout proche. La neige d'Elm Park, plus profonde et plus ferme que celle du centre-ville, se tassait, magnifique, le long des maisons illuminées. De petits arbustes vacillaient sous son poids. La maison de Jack était délicatement bordée de tablettes blanc-bleu. Personne ne s'était donné la peine de tirer les rideaux, et la lumière jaillissant des fenêtres du salon découpait des carrés dorés dans la cour. Il ouvrit la porte et aspira à pleins poumons la tiédeur du foyer et l'arôme de la viande qui cuit. En guise d'accueil, Laurie le gratifia d'une féroce étreinte.

— Bernie est là. Il nous prépare des steaks.

Rob s'encadra dans la porte de la cuisine, les yeux rêveurs, étonnamment grand.

— Maman vient juste de téléphoner de Philadelphie. Il y a dix minutes.

— Cinq, le corrigea Laurie.

— Ella a appelé ? Déjà ?

Jack se sentait défaillir de fatigue.

— Nous lui avons parlé tous les deux.

— Qu'est-ce qu'elle a dit ?

Il devrait enlever son manteau, s'asseoir, retirer ses bottes.

— Seulement qu'elle se paie du bon temps.

— Du bon temps ?

— *Second avènement* a reçu une mention honorable, dit Laurie.

— Quoi d'autre ?

— À part la mention honorable ?

— Elle a dit autre chose ? Elle a laissé un message ?

— Elle fait dire qu'elle t'embrasse, affirma Rob.

— C'est tout ? dit Jack.

Il était si fatigué qu'il craignait de perdre connaissance.

— C'est tout ?

Chapitre vingt-quatre

Une grosse fourchette à la main, Bernie sifflait et tapait du pied en laissant tomber les steaks dans les assiettes. La scène, pour domestique qu'elle fût, avait quelque chose de déroutant – Bernie s'acquittait de ses tâches culinaires à la manière d'un locataire qu'on aurait conscrit de force –, mais Jack, nauséeux à force d'avoir faim, lui était trop reconnaissant pour approfondir la question. En regardant autour de lui, il se rendit compte qu'on avait fait le ménage de la cuisine. Les assiettes sales avaient été rangées dans le lave-vaisselle. Un gros sac à ordures, fermé avec soin, attendait près de la porte de derrière. On aurait même dit que quelqu'un avait passé le balai.

Bernie mâchait sa viande avec entrain, mais il semblait agité. Une touffe de cheveux ambrés se dressait, hirsute, sur son front, et il avait des sillons blanchâtres au-dessus des yeux. Jack brûlait d'envie de lui parler de son repas chez Roberto, non pas de Moira Burke, mais bien de sa rencontre avec Roberto en chair et en os; Bernie, cependant, avait d'autres préoccupations. Le soir même, il allait à l'hôpital général d'Austin rendre visite à Larry Carpenter. Il consulta sa montre. La période des visites débutait à vingt heures.

Larry allait beaucoup mieux, signala Bernie, du moins selon les plus récentes nouvelles communiquées par Janey, qui avait passé la journée à l'hôpital. Il se sentait prêt à accueillir des visiteurs, disait encore Janey, et le psychiatre ne voyait pas l'idée d'un mauvais œil. Un à la fois, bien entendu. Janey avait demandé à Bernie de venir ce soir pendant une heure.

— Ah, oui, j'oubliais : Janey fait dire merci à Laurie d'avoir nourri les chiens.

— J'avais l'intention d'envoyer une plante verte, dit Jack.

— Selon Janey, Larry est de bonne humeur. C'est étonnant. Il a hâte de rentrer à la maison, hâte de retourner au journal et tout ça.

— Déjà ?

— On pourrait même lui donner son congé dès demain. Évidemment, il va devoir prendre des tranquillisants pendant un certain temps.

— J'imagine.

Bernie bondit et s'empara de son coupe-vent.

— Désolé de me sauver comme un voleur, mais il faut que j'y aille.

Silence. À la vue du coupe-vent de Bernie, Rob demanda :

— Vous voulez que je vous prête ma veste de ski ?

— Ça ira, merci. Il ne fait pas froid.

— Et des bottes ? demanda Jack.

Bernie haussa les épaules et les laissa retomber d'une manière théâtrale, puis un curieux hennissement s'échappa de sa bouche.

— À quoi bon ? Mes chaussures sont déjà trempées.

— À propos de ce soir...

— Ne t'en fais pas pour moi, dit Bernie avec un sourire de jeune marié. Je vais crécher à côté.

Il sortit par-derrière. Ils entendirent ses chaussures glisser sur le bois de la véranda. Sous le plafonnier de la cuisine, Rob et Laurie restèrent pétrifiés, telles des statues ; sans même lever les yeux, Jack sentit leurs regards accusateurs peser sur lui. Pourquoi lui, nom de Dieu ?

— Je ne comprends pas, fit Laurie en coupant sa viande.

— Qu'est-ce que tu ne comprends pas ?

— Pourquoi tu n'as pas pris le métro au lieu de rentrer à pied.

— Pourquoi je l'ai fait ?

À quoi rimait cet interrogatoire ? Certes, il ne s'attendait ni à des félicitations ni à des applaudissements au sortir d'une entreprise qui, en rétrospective, lui semblait fantasque et téméraire. Mais il n'avait pas non plus prévu de se justifier.

— Je ne sais pas, dit-il.

— Tu ne l'avais encore jamais fait.

Elle semblait sincèrement perdue – Jack connaissait bien ce ton. Y perçait la perplexité d'une jeune enfant menacée par le changement. À douze ans, elle est encore très jeune, songea-t-il.

— C'est peut-être pour ça que je l'ai fait, dit-il. Parce que je ne l'avais encore jamais fait.

— Ce n'est pas une très bonne raison...

Rob s'interposa.

— Pas besoin de raison pour faire quelque chose, idiote.

Il avait prononcé le mot « idiote » avec un accent de camaraderie qui l'avait en quelque sorte adouci.

Assis face à lui, Jack le regarda d'un air approbateur et solennel.

Rob en était à sa troisième tasse de thé. Il s'était déclaré incapable de faire face à un steak. Personne n'avait manifesté la moindre surprise ; personne n'avait posé de questions. Il y avait des jours qu'il se trouvait dans cet état.

Son inappétence n'avait pas encore acquis la consistance définitive d'un fait. Jack n'avait pas commencé à s'inquiéter. Ni même, du reste, à y voir un problème. Par ailleurs, la chose avait été constatée. Et assimilée. Et, pour le moment, admise.

～

La standardiste était d'une remarquable amabilité.

— Je suis navrée, sincèrement navrée, monsieur, fit-elle.

— Et si j'essaie de nouveau dans une heure ?

— Je ne sais pas.

Elle s'efforçait de le laisser tomber en douceur.

— Il paraît qu'il n'y aura pas moyen d'établir la communication avec Rochester ce soir. Ni avec Buffalo, d'ailleurs.

— Vous êtes sûre ?

Il avait déjà répété mot pour mot les propos qu'il allait tenir à Harriet Post.

— Ce qu'il y a, c'est qu'il me semble impossible que la compagnie du téléphone...

— C'est effectivement inhabituel, mais on nous dit – qui ça, «on » ? – que notre tempête s'est déplacée vers là-bas.

L'expression «notre tempête » plut beaucoup à Jack. Imaginant une version légèrement plus âgée et grisonnante de Moira Burke, il se montrait hésitant à l'idée de raccrocher.

— Ce soir, nous avons reçu un interurbain de Philadelphie, expliqua-t-il. Comment se fait-il, dans ces conditions, que Rochester ne réponde pas ?

— C'était à quelle heure, monsieur ?

Pourquoi fallait-il qu'elle gâche le moment en lui donnant du «monsieur » ?

— Vers six heures, je crois.

— Tout ce que je peux vous dire, c'est que la situation s'est beaucoup détériorée depuis. Apparemment, un tas de lignes de transmission sont tombées. Il semble que l'est soit plus durement touché que Chicago.

— Difficile à croire, fit Jack, mondain. Que le temps soit encore plus mauvais, je veux dire.

— N'est-ce pas ? fit-elle sur un ton de commisération. Nous avons vécu une journée incroyable.

— Bon, j'ai l'impression que je vais devoir attendre à demain soir.

— Vous ne devriez avoir aucune difficulté demain soir. En fait, je peux presque vous le garantir.

— À qui tu téléphonais ? demanda Laurie, aussitôt qu'il eut raccroché.

Ils faisaient tous les trois la lecture au salon.

— À une femme de Rochester.

« À une femme de Rochester » – comme s'il s'agissait d'un personnage mythique, la Dame du Lac.

— Qui ça ? demanda Laurie sans détour.

— Elle s'appelle Harriet Post.

— Harriet Post ?

La tête de Rob sortit de derrière son journal. Depuis une heure, il lisait des reportages sur la tempête.

— Qui c'est, Harriet Post ?

Jack se cala dans son fauteuil, son café à la main, heureux d'avoir un auditoire.

— Je l'ai connue à l'époque où j'étais encore étudiant.

— Pourquoi tu lui téléphones ? demanda Laurie, plus résolue encore qu'à l'accoutumée.

— Eh bien, je viens d'apprendre qu'elle a écrit un livre. Et il se trouve que son livre porte sur le même sujet que le mien.

— Les Indiens, tu veux dire ? demanda Rob.

— Vous avez tous les deux écrit exactement le même livre ?

— Plus ou moins, oui. En fait, elle ne savait pas que je préparais un livre sur la question et vice-versa. Ce sont des choses qui arrivent.

Formule commode.

— Mais pourquoi tu lui téléphones ?

— Eh bien, fit Jack en marquant une pause, il faut que je sache exactement sur quoi porte son livre. À ce stade-ci, il faut que je détermine si je dois ou non terminer le mien.

Rob posa son journal.

— Tu veux dire que tu pourrais ne pas le finir ?

— Il serait absurde de publier deux livres sur le même sujet. La même année, par-dessus le marché. Vous comprenez ?

— Ouais, répondit Laurie. Ce serait bête.

— Évidemment, confirma Rob en se replongeant dans son journal.

Jack entendit le vent secouer les contre-fenêtres. Il sentit la paix s'installer en lui. Il dormirait volontiers là, dans ce fauteuil.

~

À minuit, le téléphone sonna.

— Allô, fit-il, hébété.

— C'est moi, Jack. Papa.

— Papa? Qu'est-ce qui ne va pas, au nom du ciel?

— Tout va bien, très bien. J'ai l'impression que je te réveille.

— Je ne dormais pas. J'étais seulement assoupi.

— J'ai eu envie de te téléphoner, sans raison.

— Maman va bien?

— Bien. À merveille. Elle dort depuis des heures.

— Vous vous en sortez? De la tempête et tout ça.

— Oui, oui. Ça va. Nous n'avons pas de trottoir à entretenir.

— Papa?

— Oui?

— Tu me téléphonais pour quoi, au juste? C'est la première fois que tu m'appelles au milieu de la nuit. Il faut bien qu'il y ait une raison.

— Rien, Jack. Rien du tout...

— Tu fais de l'insomnie? C'est ça?

— Oui, mais j'ai l'habitude.

— Alors veux-tu bien me dire...

— L'autre jour, j'ai acheté un livre. J'ai passé la journée à le lire.

— Quel livre?

— Ça s'intitule *Vivre dangereusement*.

— Je t'écoute.

— L'auteur est un agent d'immeubles de la Californie. Il l'était, en tout cas. Brillant, j'ai l'impression. Ce qui est sûr, c'est qu'il a un tas de bonnes idées.

— Comme...

— Des idées pour pimenter l'existence. Tu comprends, Jack? Sortir de la routine.

— Hmmmm.

— Le genre de choses qu'on peut se permettre sans faire chavirer le navire.

— Comme...

— Manger son dessert en premier, par exemple. C'est une possibilité.

— Ah bon ? Tu as essayé ?

— Demain. Il propose aussi d'écrire une lettre de remerciements. À son cousin ou à son représentant au Congrès. Sans crier gare, tu comprends ?

— Tu l'as fait ?

— J'y songe.

— Quoi d'autre ?

— Téléphoner à quelqu'un au beau milieu de la nuit. Sur un coup de tête, comme ça.

— Ce que tu as fait.

— Quand on veut remettre un peu de piquant dans sa vie, il paraît qu'il vaut mieux commencer par quelque chose de petit. Je me suis dit : « Pourquoi pas ? »

— Bravo, papa.

— Heureusement que tu ne dormais pas. Je m'en serais voulu de te réveiller.

— Je vais me coucher de ce pas.

— Mieux vaut que je te laisse alors. Bonne nuit.

— On se voit demain, papa.

— Demain ? Demain, c'est mercredi.

— Je me suis dit que j'allais arrêter vous voir en rentrant du travail.

— Tu es sûr ? Un mercredi ?

— Sûr et certain.

— Bon...

— Bonne nuit, papa.

— Bonne nuit, Jack. Fais de beaux rêves.

Chapitre vingt-cinq

Mercredi matin. Laurie, la fille de Jack, allait se faire tuer. C'est du moins ce qu'elle soutenait.

Elle allait se faire tuer, massacrer, par son professeur d'économie domestique de septième année, faute d'avoir acheté le patron et le tissu pour la jupe qu'elle était censée confectionner.

— Ne dis pas de bêtises, fit Jack. Un patron, ce n'est pas la fin du monde.

— Oui, oui, c'est la fin du monde, dit-elle en pleurnichant, misérable.

Sa tête vacillait, bercée par sa souffrance ; ses poings battaient l'air.

— Tu les apporteras demain, dit fermement Jack.

Elle se mit à pleurer avec abandon, sans se donner la peine de se voiler le visage. Ses larmes, si différentes de celles, lentes et rares, de Brenda, jaillirent en torrents brûlants.

— Elle va me tuer. Tu ne la connais pas.

Il était huit heures. Il buvait tranquillement son café quand Laurie était arrivée en hurlant dans la cuisine.

— Pourquoi tu ne m'en as pas parlé hier ?

Elle poussa un long soupir affligé.

— J'avais oublié.

Le visage de Laurie se gonflait à vue d'œil. La mollesse d'amibe de sa fille provoquait invariablement en lui des élans de pitié.

— Tu étais sans doute au courant depuis des semaines.

— Maman devait passer les prendre la semaine dernière.

Elle sanglotait plus calmement, accrochée au dossier d'une chaise.

— La semaine dernière, ta mère était débordée.

Et voilà qu'il cherchait des excuses à Brenda. Il sentit monter en lui une vague de colère : « Merde, Brenda, qu'est-ce que cette enfant va devenir pendant que toi tu... » Il envisagea l'expression « cours la galipote à l'autre bout du pays », mais il la rejeta aussitôt, parce qu'elle était injuste.

— Bon, bon, Laurie, à quelle heure commence ton cours d'économie domestique ?

Elle se fourra les poings dans les yeux et cessa de pleurer.

— À neuf heures et demie.

— Écoute, ma puce, je ne promets rien parce que j'ai rendez-vous avec M. Middleton à dix heures. Mais je vais essayer, d'accord ?

— Oh, papa !

Il fut anéanti par la force de la gratitude de Laurie. Son doux visage était rayonnant.

— Écris-moi exactement ce qu'il te faut et je vais laisser le tout au bureau de la direction. Tu as les renseignements ?

— J'ai le numéro du patron ici même. Butterick. Ils l'ont chez Zimmerman.

— Et le tissu ?

— Il faut qu'il soit en partie en polyester. Pas uni. Un imprimé.

— Un imprimé ? D'accord.

— Papa ? Il faut un imprimé fin, d'accord ? Sinon, je vais avoir l'air d'un éléphant. C'est Mme Frost qui l'a dit.

— Elle a dit ça ?

— Et foncé. Il me faut un tissu foncé. Elle a dit que ce serait plus avantageux pour moi.

— Elle est pour qui, cette jupe ? Tu fais ce que tu veux, pour l'amour du ciel.

Il vaut mieux que je fasse ce qu'elle dit, sinon elle va me tuer. Papa? Il me faut aussi une fermeture éclair. Dix-sept centimètres, d'accord?

Elle s'empara de la main de son père, la pétrit sans ménagement.

— Mon Dieu, Laurie.

— Tu crois vraiment que tu vas réussir à tout trouver pour neuf heures trente?

— Évidemment, répondit-il. En tout cas, je vais faire de mon mieux.

Levé tard, Rob, qui bâillait en ramassant ses livres et en mettant ses bottes, affichait, par comparaison, un calme exaspérant.

— Tu me déposes à l'école, papa? Je n'ai pas entendu le réveil.

— Je dois passer prendre quelque chose pour Laurie. Tu peux être prêt dans cinq minutes?

— Je suis prêt maintenant.

— Tu ne manges rien?

— J'ai pris un café.

— Que dirais-tu d'une tranche de pain grillé?

— Je n'ai pas vraiment faim.

— Comment ça?

— Qu'est-ce que tu veux dire?

— Bon, ça suffit, Rob. Arrêtons de tourner autour du pot. Ça ne va pas?

— Moi?

— À ma connaissance, tu n'as rien avalé depuis samedi dernier.

— Je ne vois pas de quoi tu veux parler.

— Bien sûr que tu sais.

— Et alors? répondit Rob. Je n'ai pas faim, bon. C'est un crime?

— Il se trouve que nous sommes aujourd'hui mercredi. De samedi à mercredi – je te laisse faire le compte. C'est long pour un garçon réputé en bonne santé.

La mine sombre, Rob examina le dos de ses mains.

— Dis-moi, Rob, fit Jack en cherchant son souffle. As-tu l'intention de recommencer à manger un jour?

— Évidemment.

— Quand ça?

— Samedi.

— Samedi? Pourquoi samedi?

Rob fit la grimace, les yeux rivés au sol.

— Ça va faire sept jours.

— Je comprends, dit Jack.

Fait stupéfiant, il comprenait vraiment. Il n'y avait pas eu d'explosion de lumière dans sa tête. La vérité s'était plutôt accompagnée d'un bruit cristallin de plus en plus rapproché, un peu comme une sonnette de vélo.

— Tu as entrepris une grève de la faim? Un jeûne?

— Ouais, c'est à peu près ça.

— Je comprends.

N'avait-il donc rien de plus brillant à dire à ce garçon que « Je comprends » ?

— Écoute, ça t'ennuierait de me dire s'il y a une raison particulière?

— Non, il n'y a pas de raison particulière. Pas vraiment. Je voulais juste voir si j'y arriverais.

— Tu fais pénitence?

— Non.

— Ça n'a rien à voir avec ta visite à Charleston, la semaine dernière?

— Non, rien du tout. J'en suis revenu. J'ai même dit à Bernie que je l'accompagnerais de nouveau, dimanche prochain.

— Pour voir si tu en es capable?

— En gros, oui.

— Je comprends. Je pense que je comprends.

— Tu trouves ça idiot?

— Non. En fait, ça peut sembler idiot, mais ce n'est probablement pas bête.

— Ce que tu viens de dire l'était, par contre.

De la gorge de Rob s'échappa une sorte de croassement grinçant.

— Écoute, Rob, il vaudrait mieux que nous y allions. Je ne sais même pas si je vais réussir à sortir la voiture du garage.

— Une bonne partie de la neige a fondu. Et Bernie a dégagé la ruelle presque au complet. C'était fermé à DePaul, hier, alors il a passé la journée ici.

— Sacré Bernie. Il nous prépare des steaks et il nous déblaie notre entrée. Que deviendrions-nous sans lui ?

— À propos de Bernie, fit Rob. Tu ne trouves pas ça drôle qu'il habite à côté ?

— Un peu.

— Je me demandais s'ils... tu penses qu'ils... Mme Carpenter et lui... tu penses qu'ils... euh...

— Oui, probablement. Vraisemblablement. La nature humaine est ainsi faite.

Jack chercha ses clés de voiture dans la poche de son manteau. Qu'il semblait calme, étonnamment modéré et détaché.

Rob se frotta le menton du dos de son gant.

— Ça ne te semble pas un peu... Après tout, M. Carpenter est à l'hôpital. Sans compter qu'il a tenté de s'enlever la vie. Et Bernie, pendant ce temps-là, euh... s'envoie en l'air avec sa femme.

— Tu as vu mes clés de voiture ?

— Sur la table du vestibule.

— Merci. Il y a des tas de choses qui ont l'air insensé. Parfois, les gens ne réagissent pas comme on s'y attendrait.

Il agita les bras.

— Prends le jour des funérailles de grand-maman Elsa, par exemple. C'était un lundi, tu te souviens ? Vous aviez, attends voir que je fasse le calcul, dix ans...

— Je me souviens des funérailles.

— Bon, te souviens-tu aussi de ce que nous avons fait après ?

— Pas vraiment.

— Nous sommes allés chez grand-papa et grand-maman et nous avons joué à la canasta tout l'après-midi.

— À la canasta?

— Je sais que ce n'est pas la même chose, mais...

— Je pense que je vois où tu veux en venir.

— Une fois M. Carpenter de retour, je suis certain que tout reviendra à la normale.

— Et toi? As-tu déjà... Une fois marié avec maman, je veux dire, as-tu... euh... tu sais bien... avec quelqu'un d'autre?

— Jamais.

Il avait répondu avec tant de force qu'il en avait presque eu le souffle coupé. Sa vie était truffée de petites trahisons, d'impostures et d'infidélités, mais, de loin en loin, l'occasion lui était donnée de dire la vérité. C'était grisant.

— Jamais. Je ne saurais t'expliquer. Mais, pour résumer, disons que je n'en ai jamais eu envie. C'est trop compliqué. Mais la réponse, c'est «jamais».

— Il vaut mieux qu'on y aille.

— Qu'as-tu l'intention de manger à la fin de ton jeûne?

— Un hamburger géant. Garni à mort. Et une double portion de frites avec un *milk-shake* à la banane ou encore une grande *root beer*. Je ne suis pas encore sûr, mais je vais probablement choisir une *root beer*.

Chapitre vingt-six

Sans Moira, le bureau, en ce mercredi, n'était plus le même. Appuyé sur la machine à café, après le déjeuner, Calvin White (géologie), voisin de bureau de Jack, déplorait le fait que, depuis le départ de Moira et son remplacement par le garçon aux cheveux d'or, Melvin Zaddo, l'Institut était devenu un bastion exclusivement masculin.

— Moira nous obligeait à la vigilance, dit Calvin, non sans une certaine ambiguïté, en remuant son café dans une tasse en styromousse.

Brian Petrie (anthropologie culturelle) lui donna raison. Moira Burke allait beaucoup leur manquer.

— Les heures que cette femme se tapait ! Des heures non rémunérées, en plus. C'est elle, je vous le rappelle, qui installait les décorations de Noël dans la salle de conférences. Année après année, pour l'amour du ciel.

— Ce Mel Zaddo, quelle nullité, déclara Milton McInnis (restauration). En plus, son orthographe laisse à désirer.

— Mel... fait des fautes à la pelle. Ha !

— Il ne tape pas trop mal, dit Calvin White en fronçant les sourcils. En fait, il tape extrêmement bien.

— Il m'a tout l'air d'avoir un sacré tempérament, ajouta Brian Petrie. Il a de ces sautes d'humeur. Radieux un jour, sombre le lendemain.

— Pour le résumé des procès-verbaux, il s'est bien tiré d'affaire, dit Jack. Étonnamment bien, en fait.

— J'ai comme l'impression qu'il ne va pas faire long feu.

— Le plus surprenant, c'est que M. Middleton...

— C'est bizarre, voilà le mot.

— J'ai hâte de voir pendant combien de temps il va réussir à conserver cette crinière...

— Le temps qu'il maîtrise le catalogage...

— ... et apprenne à s'occuper du téléphone comme Moira en avait le secret...

— Son eau de Cologne, dit Brian Petrie, ou je ne sais trop ce qu'il porte, me donne des allergies.

— Il est d'humeur changeante, mais...

— On verra avec le temps.

— Il paraît qu'il a déjà demandé une nouvelle machine à écrire. Une machine à marguerite, vous voyez le genre?

— Nom de Dieu, ces machines-là existent depuis des années.

— Pas ici.

— Tiens, le voilà. Quand on parle du loup... Mon Dieu. Il porte un pantalon violet.

— Alors, Mel, ça va?

— Pas trop mal.

— C'est aujourd'hui que vous commencez à voler de vos propres ailes?

— On dirait bien, oui.

— Café? demanda Jack.

— Non, merci. En fait, monsieur Bowman, je voulais simplement vous dire que quelqu'un vous attend dans votre bureau.

— Qui donc?

— Elle a dit s'appeler Dr Koltz.

— Dr Koltz?

— C'est ce qu'elle a dit.

— Tiens, tiens.

~

— Salut, Jack.

— Comment ça va, Sue ?

— Surpris de me voir ?

— Un peu, oui. Assieds-toi. Laisse-moi prendre ton manteau.

— C'est la première fois que je viens à ton bureau, tu sais.

Elle avait un ton péremptoire mais sensuel.

— Ce n'est pas grand-chose. Assieds-toi donc. Je t'en prie.

— Je ne voudrais surtout pas te déranger.

— Bah, ne t'en fais pas. Je ne suis pas particulièrement occupé, cet après-midi.

— Tu es sûr ?

— Certain. Prends le temps de t'asseoir, je t'assure. Tu m'as l'air très... en forme.

— Merci. C'est les cheveux.

— Très joli.

— À l'hôpital, on m'appelle « la crépue ».

Elle sourit sans avertissement, timidement reconnaissante, heureuse d'elle-même.

— Docteur « la crépue », pour vous servir.

— Ça me plaît bien, dit-il, sincère.

Les joues de Sue, encadrées par des mèches de cheveux courts, lui avaient toujours semblé d'une maigreur exagérée. On aurait dit des sinus à l'envers. Les boucles l'embellissaient. Son visage avait l'air intelligent, animé. Il imaginait sans mal qu'une tête pareille éveillât la passion.

— Et le chef-d'œuvre, demanda-t-elle en s'assoyant, ça avance ?

— En fait, pas vraiment. Il paraît – me voilà reparti comme en quarante, se dit-il – que quelqu'un d'autre prépare un livre similaire. M. Middleton – tu te souviens peut-être d'avoir fait sa connaissance chez nous, un soir...

— Comment aurais-je pu l'oublier ?

— Nous avons eu une longue conversation, ce matin, et il est d'avis que... Il est d'accord avec moi pour dire que j'enfonce peut-être une porte ouverte.

— Tu veux parler du livre ?

— Je n'ai pas encore arrêté ma décision, mais il se pourrait bien que je laisse tomber.

Les petits yeux de Sue clignèrent une fois.

— Que tu laisses tomber ?

— Que je le mette de côté. Que j'abandonne.

Elle gonfla ses joues d'air et expira d'un coup. Pop.

— Quelquefois, Jack, je me dis qu'il y a déjà trop de livres dans le monde. Je me demande qui va les lire.

— La question se pose, en effet.

— Écoute, Jack.

À ces mots, sa voix descendit d'une octave, se fissura tout d'un coup.

— Je sais que Bernie vit chez toi. Il est là, non ? Il ne peut pas être ailleurs. Tu veux savoir comment je le sais ? Parce que tu es son seul véritable ami. J'ai donc apporté un certain nombre de choses dont il risque d'avoir besoin. Son pardessus, des pulls, des chaussettes et ainsi de suite. Je me suis dit que j'allais les déposer ici et que tu les lui apporterais.

— Bien sûr. Avec plaisir.

— J'ai aussi apporté les clés de l'appartement. Mon jeu à moi.

— Tu n'en as pas besoin ?

— J'ai sorti toutes mes choses ce matin. Mes vêtements, je veux dire. Et le chat. J'ai laissé tout le reste. Tu lui feras le message, d'accord ?

— D'accord.

— Tu as l'air sceptique, Jack.

— Non. Seulement, je me disais... Remarque, ça ne me regarde pas.

— Dis-moi le fond de ta pensée, Jack.

Elle posa ses petits coudes nus sur le bureau. À leur vue, Jack songea à des pommes de terre nouvelles, brunes et appétissantes.

— Tu ne dis jamais ce que tu penses. Tu ne l'as jamais fait. Pas en ma présence, en tout cas. C'est différent quand vous vous retrouvez, Bernie et toi, je suppose.

Jack interpréta ces propos comme une accusation.

— Je me disais juste que tout ça me semblait un peu définitif. La remise des clés et tout le reste.

— Je sais. Définitif et triste. Ne va surtout pas croire que je ne m'en rends pas compte.

— Ce qu'il y a, c'est que tu es là... Tu t'es donné la peine d'apporter le manteau de Bernie jusqu'ici, tu as pris l'ascenseur et tu es venue jusqu'à mon bureau, simplement parce que tu as peur qu'il ait froid. Est-ce que ce n'est pas signe de... euh... quelque chose? Tu ne l'aimerais pas encore un peu, par hasard?

— Arrête de...

— Est-ce que...

— Non, je ne l'aime plus.

Les yeux de Sue se remplirent de larmes. Sa bouche prit une teinte bleutée.

— Je ne veux pas qu'il attrape froid, je ne veux pas qu'il attrape le rhume, je ne veux pas qu'il attrape la pneumonie, mais je ne... l'aime plus.

— Comment peux-tu en être aussi certaine?

— Il y a environ un an, nous sommes allés voir un film, Bernie et moi.

Elle reprit son souffle.

— C'était un Woody Allen. Un vieux. Nous n'allons jamais au cinéma, tu sais. Presque jamais. Au milieu du film, je me suis tournée vers Bernie. Il mangeait du pop-corn. J'ai regardé son profil et j'ai compris que je ne l'aimais plus.

— Comme ça?

— Plus ou moins, oui. J'aimerais bien qu'il en soit autrement, crois-moi. C'est parti. À cause de Sarah, notamment, mais c'est parti.

— Et ça ne pourrait pas revenir?

— C'est de l'histoire ancienne, comme vous diriez, Bernie et toi. Ou quelque chose de métaphysique du même genre. L'histoire n'est-elle pas votre sujet de l'année?

— Eh oui, répondit Jack, qui se sentit vaguement idiot.

— Vingt ans que ça dure, vous deux. Tous les vendredis ! C'est renversant !

— Oui.

Jack n'arrivait pas à déterminer si elle se payait sa tête ou non.

— Ce n'est pas si renversant que ça.

— Je suppose que vous allez continuer jusqu'à la fin des temps.

— Difficile à dire.

Il ressentit un mouvement de panique.

— Vous aurez les cheveux gris, tous les deux. À moins que vous ne soyez chauves. Je donnerais cher pour savoir si vous allez devenir plus ou moins abstraits avec le temps.

— Je pense que...

— Je parierais pour moins.

— Je te tiendrai au courant.

— Je t'en serais reconnaissante. Si, si, je t'assure.

Sa tête oscilla, à la manière d'un saule.

— Je vais me faire du souci pour Bernie pendant un certain temps, je suppose. Tu crois qu'il va s'en sortir, Jack ?

Jack réfléchit. Le bonheur n'est qu'une abstraction utile, lui avait un jour dit Bernie. C'était l'année où ils avaient discuté de Kierkegaard : 1972.

— Alors, Jack, qu'est-ce que tu en penses ?

— Je pense qu'il va s'en sortir. Sincèrement. Je dois cependant t'avouer que nous n'avons pas vraiment discuté de...

— Bien sûr que non.

Elle se moquait à peine.

— Mais qui sait ? Notre prochain sujet sera peut-être...

— L'amour ? Voilà qui serait intéressant. Ce que je donnerais pour entendre ça...

Jack sourit sans rien dire.

— Brenda et toi, poursuivit-elle, vous avez de la chance. Les enfants vous servent en quelque sorte de contexte. Comment vont-ils, au fait ? Il y a une éternité que je ne les ai pas vus.

— Pas mal. Ils grandissent. Ils nous rendent complètement fous, la plupart du temps, mais ça va...

— Tant mieux.

Sourire glacial, faussement radieux. Elle avait posé la question par pure politesse.

— Pour le moment, Rob traverse une phase un peu étrange. Je devrais peut-être... euh... te demander ton avis. C'est un problème d'ordre médical.

— Il se masturbe?

— Il ne mange pas.

— Ah bon? Comment ça?

— Il a entrepris un jeûne. D'une durée de sept jours.

Le visage de Sue se radoucit.

— Il fait partie des grévistes de la faim?

— Non. Il est tout seul. C'est un jeûne solitaire.

— Il explore ses limites, dit-elle en hochant la tête.

Jamais encore Jack ne l'avait vue faire preuve de tant de sollicitude.

— C'est fréquent, chez les jeunes. J'aimerais bien pouvoir en faire autant. J'ai pris trois kilos l'année dernière.

— Ça te va bien.

— Merci. De toute façon, ça ne devrait pas lui faire de tort.

— Il ne risque pas de perdre connaissance ni rien de ce genre?

— À condition de boire beaucoup, il tiendrait pendant des semaines. On dit même que c'est bon pour la santé, à petite dose. Les jeûneurs ont le sentiment d'avoir leur vie bien en main.

— Je devrais peut-être m'y mettre, moi aussi.

Il ne plaisantait qu'à moitié.

— Toi, Jack?

La bouche de Sue s'étira.

— Tu me fais rire.

— Ah bon? Vraiment?

Chapitre vingt-sept

— Tu m'as l'air sérieux, Jack, dit son père. Je le vois bien.
— Je le suis.

— Mais ton idée n'est pas faite à cent pour cent ?

— Non, pas à cent pour cent. Mais presque.

Son père tambourina sur la table, perdu dans ses pensées. Sa mère hocha la tête en guise d'acquiescement. Était-ce plutôt un signe de compassion ? Jack voyait la plaque rosée familière au sommet du crâne de sa mère, à l'endroit où ses cheveux étaient séparés. Elle fit travailler sa mâchoire en silence ; son visage était long et étroit. Assis tous les trois à la table de la cuisine, ils buvaient du café d'un air solennel.

Jack s'était arrêté en rentrant de l'Institut, chose qu'il ne faisait presque jamais. À son arrivée, vers dix-sept heures trente, il était tombé sur une scène étrange.

— C'est ouvert, avait crié sa mère d'une voix chevrotante.

Il avait trouvé son père et sa mère assis côte à côte sur le vieux canapé rouge. Le salon, éclairé seulement par une petite lampe de table dans un coin et par l'éclat mauve et clignotant de la télé, baignait dans la pénombre. Jack mit une minute à comprendre ce qu'ils fabriquaient.

La main de sa mère reposait sur une serviette blanche posée sur les genoux de son père, qui tenait une paire de petits ciseaux, des ciseaux de manucure. Il lui coupait les ongles.

— Tu baisses le volume, Jack ? dit son père.

— Nous avons presque terminé, chantonna sa mère. Assieds-toi.

Jack obéit et les observa. Une fois la taille terminée, son père lima les ongles de sa femme. Puis il les recouvrit d'une couche de vernis clair. Pendant un instant, l'air de la petite pièce fut saturé de vapeurs de vernis. Bouche bée, Jack vit son père, armé du pinceau minuscule, appliquer le vernis par petites touches délicates, d'une main experte, féminine. L'entreprise prit moins d'une minute – des années d'entraînement, songea Jack –, puis son père remit le bouchon sur la bouteille, qu'il déposa sur la table basse, sans fournir la moindre explication.

Au nom de quoi devrait-il se justifier? se demanda Jack. Depuis des années déjà, les mains de sa mère étaient rongées par l'arthrite ; depuis des années déjà, elle n'arrivait plus à tricoter ni même à tenir un stylo. Impossible, dans ces conditions, qu'elle se coupe les ongles, même si, bizarrement, il n'avait jamais pensé à ce détail.

Plus tard, dans la cuisine, Jack fit le point sur son livre, et ses parents l'écoutèrent en silence.

— Je vois le problème, Jack, dit son père. Je vois où tu veux en venir.

— Ce n'est pas tant le travail qui est en cause, expliqua-t-il. Il s'agit plutôt d'éviter les dédoublements inutiles. En fin de compte, la question est de savoir si le jeu en vaut la chandelle.

— De toute façon, fit sa mère en lui versant une autre tasse de café, rien ne t'oblige à finir le livre.

— Exactement, renchérit son père. Après tout, tu as un bon boulot, que tu fasses ce livre ou pas.

— Tu l'as dit toi-même, Jack, ce sont des choses qui...

— Où est le problème?

— J'avais seulement peur, je suppose, de vous décevoir.

— Doux Jésus, Jack, tu n'auras qu'à écrire un autre livre. Ce ne sont pas les sujets qui manquent, que diable!

— Tu as le temps, dit sa mère. Tu es jeune.

— Plus si jeune que ça.

— L'important, ajouta-t-elle, c'est que tu fasses ce qui te plaît.

— Que penses-tu du café que ta mère a acheté?

Coloré, exubérant, le visage de son père exprimait la satis-faction.

— Il est bon, dit Jack. Bon et fort.

— C'est du café turc. Tu avais déjà bu du café turc? Ta mère en a pris à l'épicerie fine. Tu te souviens de *Vivre dangereusement*, le livre dont je t'ai parlé? L'auteur suggère de faire l'essai du café turc. Juste pour changer. C'est une de ses nombreuses idées.

— Ressers-toi, Jack. J'en ai fait beaucoup.

— Mais oui, bien sûr, vas-y. Ça donne du cœur au ventre, comme on dit.

Il ne les avait pas crus capables d'une chose pareille – de cette forme d'évitement, de ce pardon, sans parler du souci qu'ils se faisaient pour cette chose absurde, illogique et informe : son bonheur.

Il écouta leurs voix : d'abord son père, puis sa mère, à toi, à moi, à toi, à moi, comme dans un tissage. Les ongles vernis de sa mère réfléchissaient la lumière ; elle s'en aperçut, elle aussi. Soulevant les mains, elle écarta les doigts et les admira d'un air modérément approbateur.

Jack les observa. Entre eux, ils avaient négocié d'innombrables ententes, sans jamais y déroger. Et dire qu'il les avait imaginés impuissants en son absence.

Chapitre vingt-huit

Les historiens, de l'avis de Jack, voyaient l'histoire d'un point de vue architectural, comme un objet structuré et mesurable, précis et incessible. Cent ans, c'est cent ans. Cinq jours, c'est cinq jours ou cent vingt heures. L'idée qu'une période de cinq jours puisse être longue ou courte est irrecevable, romantique. Aux yeux de Jack, c'était d'ailleurs une des lacunes de la perspective historique. Il y avait effectivement un temps lent et un temps rapide. L'histoire est un art doté de deux âmes, à la fois mètre et télescope.

À dix heures, en ce mercredi soir, une fois Rob et Laurie montés dans leur chambre, il semblait à Jack que Brenda était partie non pas depuis cinq jours, mais depuis un siècle. Il se rappelait son visage, mais il n'arrivait pas à se souvenir de ce dont ils parlaient les soirs de semaine comme celui-ci. Des affaires publiques? Non, presque jamais. De sa journée à lui? De sa journée à elle? Des enfants? De tout et de rien? De menus événements et de leur dénouement? Du temps qu'il faisait? De quoi parlaient-ils, au juste?

Peu après vingt-deux heures, on frappa à la porte. C'était Bernie, grelottant. Jack s'était justement demandé ce qu'il devenait.

— Tiens, fit Bernie en entrant. Je te présente toutes mes excuses.

— Qu'est-ce que c'est?

— Ton blouson, tu te souviens? Tu me l'as prêté, samedi dernier.

— Pourquoi est-ce qu'il est tout emballé?

— Il sort de chez le nettoyeur. À un moment donné – vers la fin de la soirée, je crois –, j'ai renversé dessus des litres de vin. Du vin rouge, évidemment. Mais je pense que tout est parti.

— J'ai quelque chose pour toi, moi aussi. Là, dans le placard.

— Mon manteau ! D'où il sort ?

— Sue me l'a apporté au bureau, cet après-midi.

— Sue ?

— Elle a peur que tu prennes froid.

— Elle a toujours eu le sens du geste d'éclat.

— Et, ajouta Jack, elle t'envoie les clés de l'appartement.

— Les clés ?

— Ses clés à elle. Elle fait dire qu'il est tout à toi. L'appartement, je veux dire.

— Je me disais, aussi, qu'on en arriverait là.

— Je suis désolé, Bernie...

— Mais non, pas la peine. C'était inévitable.

— Je t'offre un verre ?

— Non. Je rentre chez moi. Mieux vaut que je m'habitue à ma nouvelle vie.

— Pourquoi ne pas rester ici, cette nuit ? Tu peux dormir sur le canapé. Rien ne presse.

— Je pense qu'il est préférable que je rentre. En fait, je voulais te remercier de m'avoir laissé traîner dans les parages toute la semaine.

— Pourquoi ne pas...

Bernie s'assit.

— En fait, j'ai quelque chose à te dire.

— Quoi donc ?

— Larry Carpenter est rentré aujourd'hui.

— Tu avais mentionné cette possibilité. Hier soir, tu as dit que...

— Voici leur version des faits. Samedi dernier, il avait trop bu. Une fois tous les invités partis, il a décidé d'aller voir le lever du soleil au-dessus du lac. Mais il a perdu connaissance tout de suite après avoir mis le contact.

— Avant d'avoir ouvert la porte du garage ?

— Exactement. Tu as tout compris.

— Qu'est-ce que je t'ai déjà dit à propos de l'histoire, Bernie ? Il ne faut jamais prêter foi aux versions de seconde main.

— Nous avons tous besoin d'illusions, j'imagine.

— Ça s'est passé comment, hier ? Ta visite à l'hôpital ?

— J'y venais justement, Jack.

— C'est-à-dire ?

— Assieds-toi, d'accord ? Comment veux-tu que je te parle quand tu t'agites comme ça ?

— C'est mieux ?

— Oui.

— Je t'écoute.

— C'est difficile.

— Crache le morceau.

— J'ai fait quelque chose d'irréfléchi. Et de stupide. À vrai dire, je ne sais même pas comment c'est arrivé. J'ai laissé les troubles de la semaine me monter à la tête, je suppose.

— Allez, Bernie, cesse de tourner autour du pot.

— Je me suis laissé... euh... emporter. Tu vois ce que je veux dire ?

— Oui, je crois.

— Je donnerais n'importe quoi pour défaire ce que j'ai fait. Mais je ne vois pas comment. C'est vis-à-vis de toi que je me sens le plus mal.

— Moi ?

— J'ai l'impression de t'avoir vendu.

— Veux-tu bien me dire ce que je viens faire là-dedans ?

— C'est ce que j'essaie de te dire...

— Alors, vas-y.

— Moi et ma grande gueule...

— Accouche, Bernie.

— Hier soir, pendant que je parlais avec Larry... à l'hôpital ? Janey était là, évidemment.

— Évidemment.

— Elle tenait tant à ce qu'il ait un peu de compagnie. Elle a été vraiment extraordinaire. Elle voulait qu'il fasse un brin de conversation. Elle m'en a parlé sur le chemin de l'hôpital. Elle m'a demandé d'aider Larry à se changer les idées.

— Continue.

— Au début, tout le monde était un peu mal à l'aise. Jusqu'à ce que nous nous mettions à parler de toi. Après tout, tu es le trait d'union entre nous. Sans toi, je n'aurais pas connu ce type et je ne me serais pas retrouvé dans sa chambre d'hôpital, un mardi soir...

— Viens-en au fait, tu veux?

— Je lui ai dit que nous nous sommes connus quand nous étions enfants.

— Et?

— Je lui ai raconté que nous sommes allés à l'école ensemble, jusqu'à l'université. Et que nous dînons ensemble tous les vendredis.

— Et alors?

— Bon, je lui ai parlé de ce dont nous discutons, des sujets que nous avons abordés au fil des ans. Je me suis vite rendu compte que ces questions le changeaient de ses problèmes personnels. À un moment donné, il m'a dit s'intéresser beaucoup à l'entropie. Il a lu tout Kierkegaard, tu sais?

— Ensuite?

— Il se montrait vivement intéressé. Posait des questions, semblait animé et ainsi de suite. Il répétait sans cesse que c'était tout à fait remarquable. Que nous ayons tenu le coup pendant toutes ces années. Vingt ans. En fait, Jack, c'est effectivement remarquable, quand on y pense.

— Je sais.

— Ce qu'il y a, c'est qu'il n'arrêtait pas de s'extasier. De souligner l'importance de... J'oublie le mot qu'il a utilisé. De ce genre de lien. Quelque chose du genre.

— Et?

— Première nouvelle, je me suis ouvert le clapet... et je lui ai demandé s'il aimerait se joindre à nous.

— Tu as invité Larry à dîner avec nous? Larry Carpenter?

— Ne me demande pas pourquoi. C'est sorti tout seul. En réalité, c'est peut-être un peu plus compliqué, mais...

— Il va venir?

— Je m'en veux de te l'avouer, mais oui... Il était... Tout ce que je peux dire, c'est qu'il était aux anges...

— À l'idée d'aller chez Roberto? Attends qu'il voie de quoi le restaurant a l'air.

— Je me serais tranché les veines, Jack. Une minute après avoir ouvert ma grande gueule, je me serais gaiement tranché les veines.

— Mais il était trop tard.

— Écoute, c'est seulement pour vendredi prochain. Rien ne nous oblige à tolérer ce type pour l'éternité, tu comprends? Je ne lui ai pas proposé d'adhérer à un club.

— Nous allons en quelque sorte le mettre à l'essai?

— C'est juste que... je ne cherche pas à me justifier... mais si tu avais été là...

— J'aurais fait la même chose?

— Je ne sais pas. Peut-être pas. Je sais qu'il ne te plaît pas trop. De toute façon, c'est moi qui l'ai fait et j'en suis désolé. À vrai dire, je me sens un peu comme le cousin au premier degré de Benedict Arnold.

— Ça ne fait rien, Bernie. Après toutes ces années, nous avons peut-être besoin d'un peu de sang neuf. Nous sommes peut-être à l'aube d'une ère nouvelle...

— C'était un acte de charité, tu comprends? En fait, ce n'est peut-être pas le bon mot.

— D'expiation?

— C'est mieux, oui.

— Tu es sûr de ne pas vouloir que je te serve à boire?

— Oui.

Il se leva, s'étira.

— Je rentre chez moi. Il faut probablement que tu travailles à ton livre.

— En fait, je songe à m'incliner devant Harriet.

— Pourquoi?

— Je ne sais pas.

Jack adopta un ton badin.

— J'aimerais pouvoir dire qu'il s'agit d'un acte de charité.

— De charité?

— Ou peut-être que je cherche une porte de sortie.

— Bon, si c'est ce que tu veux...

— Je crois, oui. Je pense que...

— Réfléchis. La nuit porte...

— C'est le premier conseil que tu me donnes, Bernie. Tu le savais?

— Vraiment? Tu es sûr?

— Bonne nuit, Bernie.

— Bonne nuit, Jack. On se voit... vendredi, je suppose.

— Absolument. À vendredi.

Chapitre vingt-neuf

À vingt-trois heures une minute, Jack téléphona à Rochester. Il obtint tout de suite la ligne. Ce soir, pas de conversation aimable avec une standardiste. Le monde était de retour à la normale.

— Vous avez la communication, fit simplement la standardiste.

— Harriet?

Ce couinement lâche, c'était sa voix?

— Vous voulez parler à Harriet?

Une merveilleuse voix de baryton, solide, raffinée. Jack se représenta une poitrine large comme un tonneau, une chevelure abondante.

— Oui. Puis-je parler à Harriet, je vous prie?

Ah, voilà qui était mieux.

— Désolé, Harriet est à l'extérieur.

— À l'extérieur?

— Elle ne rentre que dans trois jours. En fait, elle est à l'étranger. C'est un interurbain?

— Oui. Je téléphone de Chicago.

— Dans ce cas, fit l'homme d'une voix polie, chaleureuse, serviable, aux intonations peut-être britanniques, pourquoi ne pas me laisser votre numéro et Harriet vous rappellera à son retour?

— Vous avez bien dit trois jours?

— Oui. Elle se trouve à Calcutta, mais elle prend l'avion pour Bombay demain. De là, elle rentre directement.

— Calcutta?

— Puis-je savoir qui la demande?

Oui, Britannique, assurément.

— Un collègue à elle.

Le mot «collègue», qui lui était venu telle une inspiration, sonnait beaucoup mieux que «vieille connaissance», «compagnon d'études» ou...

— Je vois. Quoi qu'il en soit, Harriet est partie en vitesse vérifier quelques sources et je ne sais trop quoi pour son nouveau livre et...

— Son livre sur les pratiques commerciales des Indiens?

— Oui.

Ton de plus en plus étonné.

— Vous êtes au courant?

— Oui, j'ai vu l'annonce. Dans le *Historical Journal.*

— Mon Dieu, déjà? On ne peut pas dire que ses éditeurs aient perdu du temps.

— Vous avez bien dit Calcutta? Et Bombay?

— New Delhi aussi, mais c'était plutôt pour le plaisir.

— Je vois.

— Vous êtes en gros dans le même domaine, si je comprends bien?

— Pas exactement. Pas du tout, en fait. Je téléphonais uniquement pour lui offrir mes félicitations.

— Je lui demande de vous rappeler.

— Je vous prierais de bien vouloir lui transmettre mes plus sincères...

— Avec plaisir. Je n'y manquerai pas. Harriet vous sera reconnaissante d'avoir pensé à elle.

— Si vous vouliez bien lui...

— J'ai peur de ne pas avoir saisi votre nom.

— Jack Bowman.

— Parfait, Jack. C'est très aimable à vous d'avoir téléphoné.

— C'est la moindre des choses.

La moindre des choses.

Chapitre trente

L'avion de Brenda devait se poser jeudi, en début de soirée. Au sortir de l'Institut, Jack se rendit directement à O'Hare, où il arriva avec une demi-heure d'avance.

En ville, presque toute la neige avait fondu. Brenda aurait peine à croire qu'il avait fait si mauvais. Comment une telle quantité de neige avait-elle pu tomber et être absorbée par la terre en si peu de temps ? Les rues du centre-ville, presque entièrement dégagées, avaient, du jour au lendemain, recouvré leur crasse originelle. Sous la lune tiède, à l'aspect liquide, les toits des maisons et des usines se délestaient de leur blancheur. Tous les vols en provenance de l'est, lui dit-on, étaient à l'heure.

Au téléphone, un peu plus tôt, Laurie était au bord de l'hystérie.

— J'essaie de ranger le salon, cria-t-elle. Tu entends ce bruit ? C'est Rob qui passe l'aspirateur.

— Ne te donne pas la peine de faire le grand ménage.

— Mais c'est un tel fouillis.

— La perfection n'est pas de ce monde.

— Aujourd'hui, j'ai taillé ma jupe, papa. En économie domestique.

— Ah bon ? Très bien.

— Mme Frost a aimé le tissu que tu as choisi. Elle trouve qu'il me va bien.

— Tant mieux, ma puce.

En attendant l'avion, il se rappela que, tôt le matin, il avait poussé la porte de la salle de travail de Brenda. Dans la pièce, l'air frisquet sentait le renfermé. Sans doute la porte était-elle restée fermée depuis le départ de Brenda. La pièce lui avait donné l'impression d'être la seule de la maison à ne pas être en désordre. Le métier, la boîte dans laquelle étaient entreposées les courtepointes, les éclaboussures de soleil au milieu des plantes vertes à la fenêtre, la confusion ordonnée des fils entremêlés et des retailles : on aurait dit qu'une musique lente montait de l'immobilité, chaque note ayant la forme d'une cuillère, chaque note parfaite. Sur deux chaises, une courtepointe en cours était étendue.

C'était un tourbillon de couleurs, des jaunes surtout, entre-coupés de quelques traits vert vif. Les jaunes bouillonnaient à partir d'un centre qu'on aurait lui aussi dit en ébullition. Jack ignorait qu'il y eût tant de tons de jaune. À ses yeux, les formes ne signi-fiaient rien. Il n'y avait pas d'image reconnaissable, comme dans les premières courtepointes de Brenda. C'était simplement – non, pas « simplement » – une étrange et complexe explosion de lumière. Brenda est si ouverte, lui répétait-on à tout bout de champ, mais le tourbillon qu'il avait eu sous les yeux était indéchiffrable. À quoi donc pensait Brenda, se demanda-t-il, au cours des longues heures qu'elle passait à coudre dans cette pièce ? Ces heures exis-taient. Il fallait donc qu'elles aient un sens. Il avait fait courir ses doigts sur les coutures. Une pensée lui était venue, tel un petit poisson d'argent, puis elle avait disparu, insaisissable. C'était, lui avait dit Brenda, la technique des points libres. Les coutures erraient à gauche et à droite sur le tissu, dont elles suivaient et soulignaient les motifs, adhésif dansant qui soulevait et fronçait les formes de couleur. Le mot « libres », cependant, semblait mal choisi, car les points avaient quelque chose de délibéré et d'implacable, phéno-mène paradoxal et ironique qui piqua sa curiosité. Il se dit qu'il poserait la question à Brenda. Mais il n'en ferait rien. Elle ne comprendrait pas où il voulait en venir ; il ne comprendrait pas la réponse qu'elle lui ferait.

Sur le tableau des arrivées, une lumière se mit à clignoter. Jack sursauta. L'avion de Brenda s'était posé. Elle allait franchir la porte d'ici quelques minutes.

Elle l'avait souvent attendu au même endroit. D'ici, ils mettraient une demi-heure à rentrer chez eux. À cause de la circulation, c'était toujours plus long qu'ils ne l'escomptaient.

— Qu'est-ce qui t'est arrivé de mieux pendant ton absence? lui demandait-elle toujours. Qu'est-ce qui t'est arrivé de pire?

C'était la formule consacrée. Elle avait pour but de dissiper le climat d'étrangeté dans lequel baignaient les retrouvailles. Les bonnes nouvelles d'abord, les mauvaises ensuite. Ou était-ce le contraire? Il ne s'en souvenait plus.

Il avait souvent observé que, dans la voiture, les révélations ne faisaient qu'effleurer la vérité; Brenda et lui attendaient invariablement d'être en sécurité à la maison avant d'échanger les vraies nouvelles, bonnes ou mauvaises. En route, ils se contentaient d'entre-deux, de quelques représentations insignifiantes et humoristiques, des anecdotes qui convenaient parfaitement à la voiture, qui les ramenaient peu à peu en pays de connaissance.

La bonne nouvelle, lui dirait-il, c'est que Laurie va peut-être maigrir. Ce soir, au téléphone, elle lui avait fait part de son intention d'entreprendre un jeûne d'une semaine. Elle entendait le commencer samedi, dès que Rob aurait terminé le sien.

— J'ai tellement hâte, lui avait-elle crié à l'oreille d'une voix aiguë.

La mauvaise nouvelle, dirait-il à Brenda, c'est que M. Middleton, au cours d'un entretien le matin même, avait proposé à Jack, au vu de leur longue collaboration, de laisser tomber cet encombrant «M. Middleton» et de l'appeler «Gerald».

Gerald! Jack avait passé le reste de la journée à éviter son patron. Il était sorti dîner tard, puis il était rentré peu de temps après. Il avait même sauté la pause-café de l'après-midi. Gerald! Il mettrait du temps à s'habituer. Il n'avait pas encore fait l'essai du mot audacieux, excessif. Bonjour, Gerald. Oui, Gerald, le chapitre sept devrait être prêt au début de mars. Avril au plus tard. Oui, Gerald, j'ai passé un bon week-end. Et vous, Gerald?

Le meilleur et le pire – quant au reste, il attendrait, dans certains cas pour l'éternité. Du moins jusqu'à ce qu'il ait eu le temps d'absorber tout ce qui s'était passé : il avait perdu la foi, mais, depuis, son moral avait, contre toute attente, entrepris une lente remontée. La même chose, il s'en rendait compte, risquait de lui arriver de nouveau. À répétition.

Tiens, la voilà. Il distinguait son imper rouge, mais pas son visage. Quelqu'un lui obstruait la vue en brandissant une valise. Il fit un pas de côté. Oui, c'était bien elle. Mais elle ne le voyait pas. Elle regardait autour d'elle, l'air désorienté. Soudain, il eut envie de la tirer de sa confusion, de courir déposer à ses pieds son amour et ses professions de foi.

Il se rapprocha de la porte. À mesure qu'il s'avançait, il sentit son cœur se cabrer, car déjà il emprisonnait l'instant dans le fixatif transparent de l'histoire. Pas moyen, apparemment, de faire autrement. Il sentit la lumière faiblir, sa force le quitter. Il l'aimait. En même temps, il craignait que son accueil ne soit pas à la hauteur. L'arrimage entre la perception et le moment présent échouerait, échouerait toujours. Il devait, quoi qu'il advienne, l'empêcher de savoir.

Là! Elle l'avait aperçu. Elle agitait le bras, prononçait son nom, s'avançait vers lui.

Chapitre un

Tous les matins, Brenda se lève, enfile sa robe de chambre et, par le large escalier en chêne, glisse dignement – *glisser* est bien le mot qui convient – jusqu'en bas pour préparer le déjeuner de son mari et de ses enfants. La descente, le long des marches nues, tient du rituel, peut-être parce que le même manège se poursuit depuis si longtemps : Jack et elle habitent la maison d'Elm Park depuis treize ans. Lorsqu'ils ont emménagé, Rob était encore bébé ; Laurie, qui a eu douze ans en octobre, n'était pas encore née.

Dans la cuisine, Brenda trouve le commutateur. Il est sept heures trente, un matin de janvier, et le plafonnier clignote une fois, deux fois, avant de s'allumer pour de bon, inondant le comptoir bleu d'une lumière crue qui lui donne un léger tournis. Ses mains distribuent les assiettes, sortent du réfrigérateur le lait et le jus d'orange, des armoires les Raisin Bran et les grains de café. À Noël, son mari, Jack, lui a offert un nouveau moulin à café, petit gadget suédois qui lui semble toujours un peu étranger. Un bouton situé sur le flanc lisse de l'appareil active un minuscule moteur, bourdonnement bref – zzzz – qui libère aussitôt un agréable arôme de café.

— Philadelphie, murmure Brenda dans l'air adouci par le café.

Depuis un mois, depuis qu'elle a décidé d'aller à Philadelphie, son horaire de vol est punaisé dans le coin inférieur droit du babillard de la cuisine. Heure de départ, heure d'arrivée, numéro de vol – tous les détails consignés de sa main sur une des fiches de format 75 x 125 de Jack.

Au-dessus de la fiche trônent d'autres rappels. Depuis des semaines, se dit Brenda, qui resserre la ceinture de sa robe de chambre en bâillant. Des mois. Elle devrait faire un peu de ménage, élaguer çà et là, mais, pour l'essentiel, elle s'accommode volontiers de la pagaille des avis et des messages. L'idée d'être une femme occupée lui plaît. Brenda Bowman – *voilà une femme occupée!*

Le fouillis de papiers qui encombre le petit panneau de liège, creuset de possibilités, l'interpelle, la prémunit, pour le moment du moins, contre l'inactivité. À sa vue, il lui arrive pourtant d'éprouver un léger mouvement d'impatience. N'y a-t-il donc aucune limite à la tyrannie des détails? Rendez-vous. Factures. Listes. Annonces. D'ailleurs, ces petits rappels d'événements présents et passés s'accompagnent parfois de déceptions ou de risques. Ce vieux programme, par exemple, celui de la production du théâtre amateur à laquelle ils avaient assisté – c'était quand, déjà? En novembre. *La Duchesse de Malfi.* Elle avait détesté *La Duchesse de Malfi.* Jack aussi, contre toute attente.

Quelqu'un – Jack sans doute, qui d'autre? – avait épinglé là une caricature, tirée du journal, à propos du scandale du conseil scolaire. On y voyait deux bonshommes en forme de poire qui, perchés sur des vélos à deux sous, se disputaient un sac sur lequel était marqué $ $ $ $. Brenda avait eu beau suivre l'affaire, la signification des vélos lui échappait totalement.

Et là, seul dans le coin – elle avait débroussaillé aux alentours –, se trouve son horaire de vol. Pimpant et sérieux, il s'impose, au milieu de ce foisonnement, par sa petite aura prioritaire. Brenda y jette un coup d'œil tous les matins en descendant préparer le déjeuner. C'est même la première chose qu'elle voit. Avant de brancher le moulin à café ou de s'attaquer aux œufs, elle l'examine, tout de suite rassurée par sa propre écriture méticuleuse : vol 452, United Airlines, départ de Chicago à huit heures trente-cinq. Demain matin, samedi. Arrivée à Philadelphie à treize heures trente-trois.

Il y a deux courtes escales : Fort Wayne et Cleveland. L'aller-retour – comme elle ne s'absentera que cinq jours, elle n'a pas eu droit au tarif excursion d'une semaine – revient à 218 $. Le billet se trouve dans une enveloppe qu'elle a déposée sur la table du vestibule, sous un morceau de quartz rose que quelqu'un a rapporté de Grèce. À la pensée du billet, elle est prise d'un élan de joie à la fois absurde et puéril. Pendant un moment, elle se sent pitoyable. Ridicule. Comme si sa vie, à quarante ans, était devenue si vide que l'idée de passer cinq jours à Philadelphie la conduisait au bord de l'extase. C'est navrant !

Non seulement navrant, mais injustifié. Avec Jack, elle est allée à New York à plusieurs reprises. Une fois, enfant, elle avait visité les Smoky Mountains avec sa mère. Puis il y avait eu son voyage de noces à Williamsburg et des séjours à Denver et à San Francisco avec Jack, à l'occasion de rencontres de la Société historique nationale ; ils étaient allés deux fois aux Bermudes et, il y a quatre ans, ils se sont rendus en France. Philadelphie n'avait même pas la réputation d'être une ville très attrayante. Quelqu'un – elle ne savait plus qui – avait, à la faveur d'une réception récente, affirmé que Philadelphie était l'« anus » de la côte est, une de ces villes qui, trop proches de New York, n'ont que des autoroutes, des hôtels, des usines et un complexe d'infériorité. Malgré tout, quand elle murmure le mot « Philadelphie » dans les effluves du café, elle éprouve un sentiment d'anticipation qui la comble, une sensation d'étrangeté riche et rose qui lui chatouille le cœur et nuit à sa concentration.

Au cours des derniers jours, elle s'est sentie obligée de dissimuler son excitation, d'affecter le calme. On dirait qu'une main posée sur son épaule lui rappelle d'être sur ses gardes, de rester équilibrée, stable. (Fausse stabilité ayant néanmoins accouché d'un calme réel, car elle a bel et bien réussi à dresser des listes, à tout organiser.) Elle a même eu un haussement d'épaules désabusé à la vue du programme de l'exposition de Philadelphie, arrivé par la

poste il y a une semaine, et de son nom reproduit au dos : Brenda Bowman, artisane, Société des métiers d'arts de Chicago.

Il est vrai que son nom figurait parmi des centaines d'autres, minuscule comme dans le bottin téléphonique, les confectionneuses de courtepointes noyées au milieu des fileuses, des tisserandes et même des tapissières et des adeptes du macramé. Oui, a-t-elle répondu à Hap Lewis, elle-même une passionnée du macramé, oui, elle se félicite d'avoir décidé d'y aller. Pourquoi pas ? Ce serait intéressant (en prononçant ces mots, elle avait haussé légèrement les épaules, pour montrer qu'elle n'y tenait pas vraiment) de voir ce que font les collègues des autres coins du pays. Ce serait peut-être même (nouveau haussement d'épaules) inspirant. Elle avait fait preuve de retenue, même devant Hap, qu'elle considérait comme une de ses meilleures amies, grimacé à demi à l'évocation du coût exorbitant des vols intérieurs, mis le voyage sur le compte de l'inspiration du moment – inspiration qui n'en exigeait pas moins certains préparatifs. Jack et les enfants n'avaient pas l'habitude de se passer d'elle. Il y avait les repas ; il y avait la lessive.

— Merde aux repas ; merde à la foutue lessive, avait dit Hap pour l'encourager.

Départ : huit heures trente-cinq ; arrivée : treize heures trente-trois. Brenda avait noté les renseignements au téléphone et pris la précaution de demander au préposé de répéter les heures et le numéro du vol. Elle aime la solidité des faits, mais elle demeure sur ses gardes. Après le déjeuner, une fois seule, elle a l'intention de téléphoner de nouveau à United pour faire confirmer le tout.

Dans la poêle, elle fait fondre une infime quantité de beurre et y casse quatre œufs, deux pour Jack et un pour chacun des enfants. Elle-même s'en abstient. Elle surveille sa ligne. Sans être au régime, elle fait attention. Elle se maintient. Elle a à l'œil sa fille Laurie qui, au cours de la dernière année, est passée de la taille douze pour enfants à la taille quatorze pour adolescentes un peu rondes. Dans l'état actuel des choses, son jean flambant neuf lui va à peine, mais, après son œuf, ce matin, elle s'offrira tout de même une deuxième

tranche de pain grillé. À l'heure actuelle, seule l'ingestion constante de glucides fait en sorte qu'elle se comporte comme un être à peu près civilisé. La puberté est la plus grave des maladies, pire en un sens que celles qui s'accompagnent d'un étiolement de l'appétit ou de diètes draconiennes. Le regard perdu dans le flanc luisant du percolateur, Brenda voit les bourgeons tendres des seins de Laurie fondre et disparaître sous de nouvelles couches de graisse. À son retour dans une semaine, elle imagine trouver une Laurie gonflée de nourriture dans des proportions obscènes et poussée à la démence par des envies de sucre. Pauvre Laurie.

— On dirait bien que nous allons nous retrouver avec un bébé éléphant sur les bras, lui avait fait observer Jack à peine une semaine plus tôt.

Elle avait réagi avec fureur.

— C'est seulement du gras de bébé. Toutes les filles passent par là.

Il n'empêche qu'elle devrait trouver un moment, aujourd'hui, pour parler à sa fille à cœur ouvert. De femme à femme.

Mais le temps lui manque. Elle n'a même pas commencé à faire ses valises. Deux de ses blouses ont besoin d'être repassées : la verte, qui va avec son costume et aussi avec l'ensemble pantalon, et l'imprimée, qu'elle entend porter au banquet de clôture. À quinze heures quinze, elle a rendez-vous chez le coiffeur (coupe, teinture et mise en plis) au nouveau salon de la rue Lake, là où il y a des paniers en osier et des géraniums dans la vitrine, du papier peint écarlate et argent à l'intérieur. S'il lui reste du temps, elle préparera un ou deux plats à réchauffer pour Jack et les enfants – des lasagnes, peut-être, ils adorent les lasagnes. Évidemment, ils seraient capables de se débrouiller tout seuls. Même Rob sait préparer des choses simples : des œufs brouillés, des hamburgers. Et Laurie a appris à faire une salade César tout à fait convenable. Ce ne sont plus des bébés, se dit Brenda. Ni l'un ni l'autre.

Demain matin, samedi, Jack la conduira à l'aéroport. Ils devraient se mettre en route à sept heures. Non, plus tôt. Depuis

quelque temps, la voiture fait des siennes : les freins arrière. À son retour de Philadelphie, elle devra elle-même aller au garage. Dès qu'il s'agit de mécanique, Jack a tendance à être évasif et trop confiant (ou trop méfiant). Et s'ils faisaient une crevaison en route ? Peu probable, mais... Elle réglera le réveil à six heures, prendra une douche, s'habillera, puis réveillera Jack. Elle dira au revoir aux enfants ce soir. À quoi bon les tirer du lit si tôt un matin de week-end ?

D'ailleurs, Laurie risquerait de s'accrocher à elle. À son âge, elle ne devrait plus en être là, et pourtant... Avant de partir pour l'école, il lui arrive encore de rester plantée dans l'embrasure de la porte, par où s'échappe la chaleur, accrochée à Brenda. Ces étreintes sont muettes, empreintes d'un fort sentiment d'urgence, et le souffle de Laurie semble emprisonné dans sa poitrine pantelante. Brenda sent ou croit sentir les battements désespérés et irréguliers du cœur de sa fille à travers sa veste de ski.

Sans compter que Rob, ces derniers temps, est horriblement grincheux le matin. Malappris, dit Jack, mais Brenda le défend bec et ongles. Rob, ou Robbie, comme il lui arrive encore parfois de l'appeler en secret, est, après tout, son premier-né. À la vue des yeux baissés (boudeurs), des cheveux bouclés et sombres de son fils, elle a encore le cœur qui se serre d'amour.

— C'est l'adolescence, répète-t-elle à Jack. Les hormones. Quatorze ans, c'est l'âge le plus ingrat. Au moins, il ne se drogue pas, il ne sèche pas l'école. Tout le contraire de Benny Wallberg. Même Billy Lewis...

Elle pose les couteaux et les fourchettes sur la table, jette un coup d'œil aux œufs. Il faudra en acheter aujourd'hui. Les œufs dépannent. L'aliment complet par excellence. Où a-t-elle lu ça, déjà ? Et de la soupe en conserve. Jack préfère la soupe poulet et riz, mais Rob ne mange que la soupe à la tomate, et Laurie... Quoi d'autre ?

D'en haut lui proviennent les bruits familiers du petit matin. Venus de tous les coins, ils forment une sorte de trame grossière à

laquelle, à cette heure, la maison semble suspendue : une radio (celle de Rob) derrière une porte close et le martèlement sporadique des sabots suédois de Laurie sur le parquet de sa chambre. Sans parler du ruissellement sans fin de la douche. Ne savent-ils pas – Jack le premier – combien coûte l'eau chaude tous les mois ?

Dans deux minutes ils seront tous en bas, affamés, renfrognés, affalés sur leur chaise, exigeants, passifs, préoccupés, encore enveloppés dans le sommeil, résistant aux sourires et aux salutations. Sur le menton de Rob, une nouvelle colonie de boutons aura fait son apparition, et ceux de la semaine dernière seront couverts de gales – « ne les gratte pas et ne les fais jamais éclater », lui a pourtant dit le docteur. Pauvre Rob. Déjà, la queue de la blouse de Laurie sortira de sa jupe, et il y aura, à la commissure de ses lèvres, une tache d'œuf, ronde comme une larme. Jack arrivera parfumé au talc, exhalant une sorte d'intimité masculine, comme si son corps s'était déjà acquitté de la moitié de ses rituels quotidiens. Il s'emparera machinalement du journal.

Devrait-elle lui en vouloir de faire main basse sur le premier cahier du *Chicago Tribune* et, à la manière d'un potentat, de distribuer à la ronde les cahiers de moindre importance, la mode, les sports, les affaires ? La plupart du temps, Brenda se contente du cahier des affaires qui, avec les années, lui semble nettement plus intéressant qu'elle ne l'aurait cru. Non, elle n'étudie pas les graphiques et elle ne se passionne pas non plus pour les articles sur le produit national brut ou la chute du prix de la fève de cacao en Afrique de l'Ouest. Ce qu'elle aime, c'est regarder les photos, les portraits de la largeur d'une colonne d'hommes – et, à l'occasion, de femmes, évidemment, les temps changent – récemment arrivés au faîte de la gloire administrative, nommés depuis peu à quelque prestigieux conseil d'administration ou élevés à la dignité de vice-présidents d'une société qui fabrique des couverts en argent, d'un cabinet d'avocats-conseils en gestion ou d'une compagnie d'assurances incendie et risques divers. À moins qu'ils ne gravissent les échelons de curieuses entreprises fabriquant des produits

mystérieux comme des dossiers à vacuum, des repoussoirs à gazon ou des gratteurs rotatifs. Aux yeux de Brenda, leur réussite semble à la fois éblouissante et discrète. On les sent prêts à faire feu, à bondir de la page, mais en même temps capables de se maîtriser. Les cous plaisants, tronqués, et les nœuds de cravate évoquent des muscles tenus en laisse, tandis que le trait sombre à la naissance des cheveux leur confère un air de brusque loyauté, de détermination et probablement de bonne santé. Pas de nitrates de sodium nuisibles ni d'œufs riches en cholestérol pour ces élus. Untel, bachelier de Northwestern, titulaire d'une maîtrise en administration publique de l'université Harvard, s'enorgueillit de longs états de service auprès de la société à laquelle il s'est associé comme stagiaire en 1960. (1960? L'année où Jack a accepté un poste à temps partiel à l'Institut.)

La reconnaissance publique, suppose Brenda, est dans ces cas méritée, largement méritée. Où vivent donc ces vedettes montantes? se demande-t-elle. À Wilmette? À Clarendon Hills? Dans la banlieue proche de la rive nord du lac? Ici, à Elm Park, peut-être? Bien sûr. Il arrive que des connaissances à Jack et à elle se retrouvent dans les pages du cahier des affaires. Pour l'essentiel, cependant, ces hommes sont des étrangers, de simples noms accolés à un visage. Sont-ils mariés? Divorcés? Ont-ils des enfants? Des enfants devenus difficiles et enclins à la morosité? Quoi qu'il en soit, ils grimpent les échelons, le visage gagné par un léger embonpoint, lissé, calmé et américanisé par le succès.

Étonnant, se dit Brenda, que chaque journée s'accompagne d'une cuvée nouvelle de visages; étonnant qu'il y ait de la place, dans le monde, pour autant de réussites et d'argent. Elle s'est laissé dire que de telles photos et annonces ne sont pas données. Acheter de l'espace dans le journal coûte les yeux de la tête. L'Institut des Grands Lacs, où travaille Jack, les considère comme une extravagance.

Sinon, il aurait peut-être eu droit à sa photo, lui aussi, lorsqu'il a été nommé au poste de conservateur par intérim des explorations.

Bien qu'il n'ait jamais trahi le moindre signe de déception devant la totale absence de reconnaissance publique, Brenda devine qu'il aurait aimé voir sa photo dans le journal. Il est étonnamment photogénique, Jack. À preuve, la photo de lui en chemisette de golf à rayures dorées, prise au lac l'été dernier – on lui donnerait trente-huit ans, pas quarante-trois. Outre son air serviable et modéré, il a eu de la chance avec ses dents, droites et blanches. En été, il bronze plus facilement que la majorité des hommes, et ses cheveux cendrés dissimulent mieux la calvitie que les cheveux foncés. Pauvre Jack. Oui, il aurait aimé voir sa photo dans le journal. Il aurait acheté des exemplaires supplémentaires pour ses parents et sa tante Ruth, qui vit dans un village de retraités près d'Indianapolis. Aux dégustations de vins et de fromages et aux barbecues organisés le week-end à Elm Park, il aurait pris plaisir à la pensée que ses amis étaient au courant de son avancement, qu'ils avaient vu sa photo aux côtés de celles de courtiers en valeurs mobilières ou de vendeurs d'équipement.

— Oui, aurait-il répondu, j'aurai un peu plus de responsabilités, peut-être plus de déplacements à faire, mais aussi plus d'embêtements.

L'Institut où il travaille, cependant, est financé par une fiducie, sous la houlette d'un conseil d'administration qui, récemment, a proposé que la climatisation ne fonctionne qu'en juillet et en août. Le budget de la bibliothèque est en voie de réduction et le projet de modernisation du matériel de bureau a été remis aux calendes grecques. Du reste, M. Middleton, directeur de l'Institut, est attaché, en bon universitaire, à l'idéal que représente l'anonymat. En cas d'avancement, on s'abstient donc de crier la nouvelle sur les toits, c'est-à-dire de faire paraître des annonces dans les journaux au profit de banlieusardes oisives, attablées devant leur café noir et leur pain grillé nature.

Mais demain, songe Brenda, demain à pareille heure, je serai loin d'ici. Le journal, le moulin à café, la fenêtre au-dessus de l'évier, où elle a suspendu un rideau rouge, la pellicule de glace qui recouvre la pelouse – tout sera encore à sa place, mais Brenda sera

partie. À la manière des atomes redistribués dans les récits de science-fiction que lit Rob, ses os s'élèveront de cette pièce et s'envoleront, brillants, dans le ciel de Chicago. Elle fera un petit salut de la main aux toits colorés, aux colonnes de fumée, propres comme dans une peinture. Elle contournera la pointe du lac, survolera Gary, dont les fumées délétères se dissiperont dans le bleu du firmament, puis Fort Wayne – elle n'a jamais mis les pieds à Fort Wayne, ni d'ailleurs à Cleveland. Déjeuner à bord de l'avion, café, puis Philadelphie. (Jack et elle avaient un jour évoqué la possibilité d'emmener les enfants voir la cloche de la Liberté et le hall de l'Indépendance, mais ils voulaient aussi se rendre à Washington et, à l'époque, Jack ne disposait que de deux semaines de vacances.)

Il y a tant à faire : ses valises, le salon de coiffure, les courses. En plus, elle a mal aux cuisses, signe que ses règles approchent. Elles ont choisi leur moment, celles-là ! Elle se démènera furieusement toute la journée, pensée qui l'inonde d'une joie si franche que, pour un peu, elle se mettrait à pleurer. Demain, quelqu'un d'autre actionnera la cafetière ; quelqu'un d'autre assénera une claque au grille-pain pour l'obliger à relâcher ses proies. Ses yeux ne seront plus là pour traquer les brins de poussière sur le tapis de la salle à manger ou les miettes accumulées autour du grille-pain. Demain, elle ne sera pas là pour psalmodier dans le doux silence du petit matin cette prière irrationnelle et gratuite, lamentation rituelle faite à parts égales de pitié et d'impuissance : *pauvre Laurie, pauvre Rob, pauvre Jack.*

Incantation qui, elle le sait bien, ne s'adresse à personne en particulier, mais qui vient souvent s'immiscer à la frontière de son champ de vision, l'irritant comme le ferait un morceau de pierre ponce. *Pauvre Laurie, pauvre Rob, pauvre Jack.* Il s'agit d'une sorte de bénédiction, suppose-t-elle, mais d'une bénédiction d'où la tendresse a récemment été chassée.

Bof, se console-t-elle en tournant les œufs et en se servant de café. Bof. Puis elle se met à fredonner, comme souvent le matin : *Aimer quand même, aimer toujours, malgré les peines d'amour.*

Chapitre deux

Onze heures du matin, et Hap Lewis se tenait à la porte de derrière, les bras croisés, grelottante, son long visage fendu d'un sourire.

— Entre, cria Brenda à l'abri de la contre-porte.

Il faisait froid dehors, près de dix degrés au-dessous de zéro, à en croire la radio, et ce n'était qu'un début. On prévoyait de la neige. Brenda, vêtue d'un vieux pull brun et d'un jean neuf, sentait l'air humide lui lécher les chevilles.

La voix de Hap résonnait à travers la vitre.

— Tu es sûre que je ne te dérange pas, Brenda ? Doux Jésus, tu dois en avoir plein les bras.

— Bien sûr que non. Entre. On gèle ce matin, et tu n'as même pas de manteau.

— Seigneur, tu dois être complètement débordée...

— Je m'en sors, dit Brenda en agitant une main au-dessus de son épaule et en refermant la porte de l'autre.

Déjà, elle avait fait les lits, un peu de lessive et un riz à l'espagnole, garni de fromage, qu'elle avait recouvert de papier aluminium et rangé au frigo, prêt à réchauffer. Sa valise – heureusement, elle en possède une qui soit présentable – reposait sur le lit, gueule ouverte ; ses blouses, repassées méticuleusement, attendaient sur des cintres. Elle les plierait à la dernière minute.

— Écoute, Brenda, je suis passée parce que... je voulais voir si tu avais besoin d'un coup de main.

— Je ne crois pas, Hap. Merci quand même. C'est très gentil.
Pour une fois, tout est pas mal prêt.

— C'est vrai ? Tu es sûre ?

— Ça va, Hap. Vraiment. Seulement, si tu allais au A & P...

— Au A & P ? Doux Jésus, il fallait que ça tombe aujourd'hui.
Le problème, c'est que je n'ai pas la voiture. Bud l'a prise pour aller
en ville. Une réunion spéciale, je ne sais trop quoi. Une réunion du
personnel de vente. Je déteste ces sales réunions du personnel de
vente. Autrement...

— Ça ne fait rien...

— Dis-moi seulement ce qu'il te faut. J'ai peut-être...

— Mais non, Hap. Il faut que je sorte de toute façon. J'ai
rendez-vous chez le coiffeur. Je m'arrêterai chez Vogel prendre les
deux ou trois choses qui me manquent.

— Écoute, mon foutu congélateur est rempli à craquer, tu le
sais bien. Si c'est de la nourriture qu'il te faut... Maïs, courgettes,
boulettes de viande... Tu n'as qu'à demander...

— Non, je t'assure...

— S'il y a autre chose, n'hésite surtout pas. Sinon, bordel, à
quoi servent les voisins, je te le demande un peu ?

Hap avait le cœur sur la main. Même Jack en convenait. Parfois,
elle donnait à Brenda l'impression d'être percluse de bonne volonté,
déformée par excès de bonté. Elle était dotée d'une énergie pro-
digieuse. Brenda se sentait inepte à la vue de Hap juchée sur une
échelle, grattant la peinture écaillée à l'aide d'une brosse métallique,
en prévision des grands travaux du printemps. Bud, les garçons et
elle se chargeraient eux-mêmes de repeindre la maison. L'année
d'avant, ils avaient refait le toit. Hap, perchée sur les pignons, le
marteau levé, avait semblé en plein dans son élément. Elle préparait
des gâteaux au citron pour les nouveaux arrivants dans le quartier,
attention que Brenda mettait sur le compte de l'éducation reçue
par Hap à Danville, dans l'Illinois. (Brenda n'était jamais allée à
Danville. En fait, elle ne savait pas grand-chose du sud de l'État,

qu'elle se représentait comme un simple rectangle, plaisamment peuplé d'âmes simples qui se saluaient de la main depuis la véranda de pimpantes maisons en bois.) Lorsqu'ils avaient emménagé dans la maison d'Elm Park, treize ans plus tôt, Jack et elle avaient eu droit à l'un des gâteaux au citron de Hap. Il reposait sur une assiette Fostoria bleu pâle, accompagné d'un mot jovial : « Salut, camarades. Bienvenue chez vous. »

Brenda, élevée dans un trois-pièces situé au-dessus d'une blanchisserie à Cicero, n'en était pas revenue. Le geste lui semblait appartenir à une époque révolue. Elle avait songé à des comédies musicales de Broadway comme *Oklahoma!* et *The Music Man*. En rapportant l'assiette, un jour ou deux plus tard, elle débordait de gratitude. Cette inconnue, cette Hap Lewis, était heureuse de l'accueillir comme voisine ; cette femme merveilleuse, enveloppante, voulait être son amie.

Hap Lewis ne se contentait pas de faire des gâteaux. Elle jouait au bridge, bien, avec constance. Elle et une certaine Ruby Bellamy avaient remporté deux fois le championnat de la banlieue ouest. Elle présidait un groupe de lecture qui se mesurait à Soljenitsyne et envisageait de s'attaquer à Flaubert au printemps. Elle dirigeait une troupe d'éclaireuses, la troupe n° 12, la plus ancienne d'Elm Park, et trouvait malgré tout le temps de tricoter des pulls pour son mari Bud et ses deux fils adolescents – de magnifiques pulls aux manches raglan et aux complexes motifs d'animaux. Elle faisait congeler les légumes de son jardin (des haricots artistement dissimulés derrière des pivoines, un rang de choux-fleurs entre deux rangs de pétunias) et préparait des courgettes marinées, selon une recette de famille secrète qu'elle avait malgré tout communiquée à Brenda – de même qu'à Leah Wallberg, à Ruby Bellamy et à une ou deux autres voisines.

Depuis quelques années, elle avait commencé à fabriquer et parfois même à vendre d'amples pièces murales, faites de laine brute, d'écorce d'arbre et d'autres matières naturelles. À en croire

Jack, ces tapisseries, aux festons et aux nœuds apparents, rappelaient certaines régions sombres du tube digestif, qu'on aurait mises à nu d'un coup de couteau et laissées pourrir à l'air libre.

— Ses pièces sont très appréciées, lui dit Brenda.

— Tu en voudrais une sur un de tes murs ? répliqua Jack.

— Il faut les voir comme une forme de sculpture, insista Brenda.

— Je préfère ne pas les voir du tout, trancha Jack.

Du même âge que Brenda, Hap était à la fois plus grande et plus forte. Le bas de ses hanches formait un double pli impitoyable. Pour dissimuler ses bourrelets, elle portait au-dessus de son jean d'amples tuniques qu'elle concevait et fabriquait elle-même. Son visage, perché au sommet d'une tunique, était étonnamment anguleux, comme s'il contenait plus que le nombre d'os habituel. C'était un visage long, nerveux, mobile ; derrière ses lunettes, on voyait des yeux brillants, interrogateurs, naïfs et pleins d'espoir. Une grande femme sans beauté au corps lourd. Jeune, se disait Brenda, elle devait être encore plus quelconque. Derrière ses actes de bonté spontanée, un peu fous, se lisait une longue histoire de laideur.

— Ça parle au diable ! s'exclama Hap, admirative. Ma foi du bon Dieu, tu es toute prête, on dirait. Si c'était moi qui partais demain, ce serait le bordel intégral.

— Crois-moi, j'ai...

— Et regardez-moi ce plancher ! De l'encaustique ! Voilà des années que je n'avais plus senti le parfum de l'encaustique...

— Ce n'est pas vraiment...

— Écoute-moi bien, Brenda. Je t'assure, parole d'honneur, parole de scout – ha ! – que je ne vais pas m'incruster. Tu as des tas de choses à faire, je sais bien, mais je me suis dit... j'ai pensé... Tu as eu le temps d'emballer les courtepointes ou pas ?

— Jack a dit qu'il me donnerait un coup de main ce soir à son...

— Je n'ai pas pu m'empêcher de venir souhaiter *bon voyage*[1] à *Second avènement.* Tu as terminé ?

---

1. N.d.t. En français dans le texte.

— Presque. Il me reste quelques points à faire dans un coin. Et j'ai fini les piqûres.

— Génial. Je n'ai jamais pensé que tu y...

— Je l'ai décrochée hier. Vers, laisse-moi voir, seize heures trente-cinq.

— Tu es extraordinaire, Bren. Tu aurais dû me téléphoner pour qu'on fête ça. Je ne sais pas comment tu fais.

— Monte. J'allais justement m'y mettre. Tu lui imposeras les mains pour me porter chance.

La salle de travail de Brenda – qu'elle appelait parfois son atelier – se trouvait dans le coin sud-est de la maison. À peine quatre ans plus tôt, la pièce servait de chambre d'amis : on y trouvait pour tout ameublement un canapé-lit recouvert de chintz qu'on dépliait, le cas échéant. Le canapé-lit était toujours là, mais Brenda l'avait tassé dans un coin et décoré d'une de ses premières œuvres, où couraient des cercles concentriques, déclinés en quelques teintes de bleu ; sur les trois coussins du fond, on voyait une version réduite du même motif. Vers la fin de l'après-midi, elle aimait s'installer là pour siroter son café ; du bout des doigts, elle caressait les carrés en relief, éprouvait leur toucher moelleux entre les coutures. Elle se disait : c'est moi qui ai fait ça.

Le métier occupait tout un mur. Il était si grand qu'il avait fallu l'incliner légèrement à une extrémité. Pour cette raison, la pièce avait l'air gai, un peu de guingois. En la voyant, Brenda songeait à la reproduction de la chambre de Van Gogh qu'ils avaient un jour eue en leur possession : une pièce en forme de cube doré, inclinée et ondulant sous le poids de meubles jaune paille comme on en trouve dans les contes de fées. C'est peut-être cette reproduction que Brenda avait en tête au moment de décider des couleurs de l'atelier. Elle avait elle-même peint les murs – trois blancs et l'autre jaune vif.

Ces couleurs ainsi que le tapis au crochet posé sur les lattes de bois verni faisaient de la salle de travail la pièce la plus claire de la

maison. On l'aurait dite née spontanément de l'enfilade de pièces plus ternes : le salon aux murs vert pâle et à la moquette sans éclat (« tenez-vous-en aux teintes neutres », recommandaient les magazines de décoration) ; la salle à manger et son Bigelow doré (pas mal), la table, les chaises et le buffet provinciaux italiens (une erreur sur toute la ligne) et leur chambre à coucher – murs beiges, carpette trop petite, commode ayant connu des jours meilleurs. Décoré en dernier, il est vrai, l'atelier semblait appartenir à une famille beaucoup plus jeune, à des gens plus gais, plus énergiques, sûrs de leurs goûts. Il y avait une table de coupe blanche en plastique lustré, achetée en réclame chez Sears, qui évoquait pourtant le design scandinave. En face, une commode en pin, où Brenda rangeait ses patrons et ses articles de couture. Au-dessus, Rob, bombardé bricoleur après un semestre d'ébénisterie, avait installé une tablette sur laquelle trônaient des paniers en osier où Brenda entreposait son matériel. (Après les bleus, elle était passée aux verts. Elle explorait maintenant les jaunes.)

« Brenda Bowman, artisane de la région, ne craint pas de marier les couleurs primaires simples dans ses courtepointes », lisait-on dans un article publié en septembre dans l'*Elm Leaves Weekly*.

Dans un coin de la pièce se dressait une table basse faite de briques et de planches, qui n'était pas sans rappeler celle de leur appartement d'étudiants d'antan, en vaguement plus décoratif. Brenda y gardait une petite cafetière électrique et quelques tasses en terre cuite posées sur un plateau. Depuis un certain temps, elle avait pris l'habitude d'y accueillir ses amies.

Il n'y avait qu'une seule fenêtre, mais elle était grande, carrée et, par beau temps, inondée de soleil. Brenda avait fini par renoncer à l'idée d'y installer des rideaux. À la place, elle y avait suspendu des plantes : une plante araignée, un asparagus plumeux et une nouvelle, dans un pot en plastique, appelée séneçon de Rowley. Dans la cour, il y avait des ormes, des cerisiers et un petit chêne

noueux et raboteux, mais robuste – les enfants, petits, y grimpaient pendant des heures. La fenêtre donnait aussi sur la nouvelle terrasse en cèdre aménagée par les voisins, Larry et Janey Carpenter. De l'autre côté de la ruelle se trouvait la maison de Bud et de Hap Lewis, une imposante victorienne à deux étages, lambrissée à clin, visible, en hiver, à travers les branches nues. L'été, les feuilles la dissimulaient presque entièrement.

Brenda adorait sa maison de briques, construite dans les années vingt. Elle avait eu le coup de foudre pour elle. Par-dessus tout lui plaisaient le hall et la cage d'escalier en chêne qui, pour une raison ou une autre, en imposaient plus que le reste de la maison. Le large escalier exerçait sur elle une sorte de fascination. Le descendre tous les matins la forçait au calme. C'est l'escalier qui lui intimait l'ordre de *glisser*. Le lambris était lourd et solide ; la rampe avait une froideur satinée empreinte de sérénité.

Le hall mis à part, c'était la cour que Brenda préférait. Surtout les arbres. Certains ormes avaient péri, évidemment, et les trois qui restaient faisaient l'objet d'un nouveau traitement radical nécessitant des injections de sérum. Coûteux, mais le jeu en vaudrait la chandelle, avait décidé Jack. Et elle aimait les cerisiers japonais qu'ils avaient plantés devant le garage le premier été.

Jack était nerveux ; il n'avait jamais planté un arbre de sa vie. L'occasion leur avait semblé solennelle, à Brenda et à lui. Ils y voyaient presque un rite de passage. Ayant tous deux grandi en ville, ils redoutaient d'être porteurs de quelque tare citadine. Sans réfléchir, soutenait le père de Jack, ils avaient fait l'acquisition d'une maison dans une des banlieues les plus anciennes, les mieux établies. Peut-être avaient-ils un peu forcé la note en se dotant, outre cette solide structure de briques, d'un garage, d'une cabane de jardin, d'un terrain et d'une pelouse, de massifs de fleurs et d'arbustes. Autant de mystères.

C'est à une pépinière voisine, Westgate, dont le propriétaire s'était fait un plaisir de leur prodiguer des conseils, que Jack avait

acheté les deux jeunes cerisiers du Japon. Écoutant poliment, il avait noté les instructions dans un petit calepin : la profondeur des trous à creuser, la distance à respecter entre les arbres et le garage. Les racines, apprirent-ils, risquaient de nuire aux fondations. Ils apprirent également que le moment le plus propice pour planter un arbre était la fin de l'automne. On n'était qu'en juillet. Planter en plein mois de juillet présentait des risques.

— Hum... avait fait Jack en se frottant le menton.

Brenda et lui regardèrent les racines de l'arbre, entassées, aveugles, dans un sac. Comment un arbre peut-il savoir quel mois on est ? semblaient-ils se demander. Ils décidèrent de tenter leur chance.

— Je vous aurai prévenus, leur avait lancé d'un air menaçant le propriétaire de la pépinière.

Au début, un des arbres avait donné des signes d'étiolement, et Jack était retourné à la pépinière acheter de l'insecticide. Tous les soirs, à son retour de l'Institut, il déposait sa serviette sur la pelouse et jetait un coup d'œil sous les feuilles, à la recherche de mites. Brenda, tenant Rob dans les bras, sortait l'observer.

— Il a l'air bien, lui disait-elle toujours.

— J'aurais dû prendre une espèce plus robuste, répondait Jack, en proie au regret.

Ils se souvenaient tous les deux que Bud et Hap Lewis, les voisins d'en face, leur avaient recommandé une variété de prunier à fleurs, tout aussi décorative, mais plus résistante aux vents froids. Ils redoutaient le premier gel.

Cette année-là, l'automne avait été exceptionnellement doux, et l'hiver, l'un des plus cléments de l'histoire. Dès la mi-mars, les deux petits arbres étaient en fleurs. Le deuxième été, ils avaient crû de façon spectaculaire, gagnant soixante centimètres, et leurs branches rosâtres semblaient adoucir le garage en stuc derrière. Jack avait évoqué la possibilité de planter des asparagus. Douze ans plus tard, il lui arrivait encore de dire, de loin en loin, qu'il aimerait bien avoir des asparagus.

— Je suis certaine que la vue que vous avez depuis votre atelier est une source d'inspiration, avait dit la journaliste de l'*Elm Leaves Weekly*.

C'était une jeune fille vêtue d'une blouse brodée, une étudiante en journalisme embauchée pour l'été, qui était venue à la maison interviewer Brenda.

— Oui, je suppose, avait répondu Brenda, dubitative. C'est bien possible.

C'était peut-être même vrai. Il est certain que sa première vraie courtepointe – la première qu'elle ait vendue – s'inspirait des harmonies vertes naturelles de l'ombre et de la lumière. Elle s'intitulait *Forêt d'épinettes*.

— Pourquoi *Forêt d'épinettes*? avait demandé Jack. Pourquoi pas *Forêt de chênes* ou d'autre chose?

— Il fallait bien que je lui donne un nom, avait-elle répondu. Je remplissais le formulaire d'inscription, et *Forêt d'épinettes* m'est venu spontanément.

— Il faut aller jusqu'au Wisconsin pour voir une forêt d'épinettes, avait dit Jack, d'un ton geignard qui ne lui était pas coutumier.

En fait, la courtepointe faisait plutôt penser à une pelouse tiédissant en fin de journée, à un jardin de banlieue où dominaient les formes sombres et stylisées des spirées, des seringas et des feuilles de vigne. Brenda avait découpé de longues bandelettes de lin foncé (de l'herbe? des branches d'épinette? des vagues peut-être? des couteaux?) qui ondulaient et s'incurvaient sur toute la surface. Les formes s'avançaient et se chevauchaient, et le vert s'étendait jusqu'aux bordures et débordait même au-delà, puisque Brenda, prise d'un élan d'inspiration, avait eu l'idée de faire un contour irrégulier. (Plus tard, les contours irréguliers étaient en quelque sorte devenus sa marque de commerce.)

Quatre ans plus tôt, *Forêt d'épinettes* avait remporté le premier prix au Salon de l'artisanat de Chicago. Il y avait eu une cérémonie,

en présence du maire de la ville, et on avait remis à Brenda une médaille et un bouquet de roses.

— Comment vous sentiez-vous à ce moment précis, madame Bowman? lui avait demandé la journaliste. Aviez-vous le sentiment d'être à l'aube d'une nouvelle carrière?

Non. Elle avait seulement le sentiment d'avoir eu un fameux coup de chance, celle du débutant. Quelqu'un avait puisé dans ses économies pour faire l'acquisition d'un objet sorti tout droit de son imagination. Elle avait mis des jours à se résoudre à déposer le chèque à la banque.

Sy Adelman et sa femme, Slim Morgan, couple d'âge moyen à l'allure flamboyante, avaient acheté la courtepointe. À la réception, ils avaient vu *Forêt d'épinettes* et, sans la moindre hésitation, avaient tendu à Brenda un chèque de six cents dollars.

— Ce sera parfait pour notre salon, avait dit Sy Adelman. Nous vivons dans la vieille ville, un petit bijou de maison, plafond hauts, puits de lumière, vous voyez le genre.

— Votre salon?

— Il veut parler du mur, avait dit Slim Morgan d'une voix rappelant la prune rouge. Au-dessus du piano. Nous avons remué ciel et terre pour trouver l'œuvre parfaite.

— Ciel et terre, avait insisté Sy Adelman.

— Qui c'est, Sy Adelman? avait demandé Brenda à Jack. Qui c'est, Slim Morgan?

— Tu te souviens de Sy Adelman. Le numéro de cabaret? Le groupe du Chicago Review? Et Slim Morgan est pratiquement devenue une légende. Je ne sais plus qui me racontait l'autre jour que ses premiers disques sont devenus hors de prix.

— Dis donc, avait soufflé Brenda.

Pendant qu'elle travaillait à une courtepointe, elle regardait rarement par la fenêtre. En fait, elle levait rarement les yeux de son ouvrage. Il lui arrivait parfois de faire un petit croquis sommaire, à peine quelques lignes griffonnées sur un bout de papier, mais les motifs avaient des racines beaucoup plus simples dans sa mémoire.

Ils lui venaient parfois, telle une poussée trépidante, tandis qu'elle sarclait dans le jardin ou pelletait la neige dans l'entrée ; le plus souvent, cependant, elle les voyait tôt le matin, avant d'ouvrir les yeux, œuvre achevée projetée sur l'écran intérieur de ses paupières. Elle apercevait le moindre détail, le moindre point de couture. Couleurs, formes et proportions : tout était là. En ouvrant les yeux, elle craignait toujours vaguement que l'image ne disparaisse, mais elle restait là, intacte, imprimée sur un mur imaginaire ou palpitant doucement dans l'esprit de Brenda. Quant à la source des idées, elle ne la connaissait pas.

Il existe sans doute, se disait-elle, une sorte de réservoir intérieur. Mais comment était-il ? Elle s'imaginait un organe palpitant, mi-cœur, mi-placenta. À côté, des motifs empilés proprement comme des assiettes de porcelaine sur une tablette. Qu'elle puisse extraire ces images compliquées des recoins de son cerveau, où étaient entreposées des recettes simples et les dates d'anniversaire de ses amies, la laissait perplexe. Elle ne s'était jamais considérée comme originale ni portée sur l'introspection. («Brenda est une femme si ouverte», avait répété Hap Lewis à quelques personnes, à portée de voix de Brenda.)

— Je crois déceler une influence turque ou byzantine dans le travail de Brenda, avait dit Leah Wallberg, diplômée en histoire de l'art.

Brenda, qui, avant de se marier avec Jack, était secrétaire et copiste, ne savait presque rien de l'histoire de l'art. Rien, en réalité. Pourtant, elle semblait effectivement disposer d'une réserve innée de couleurs et de motifs, curieusement facile d'accès, qu'elle exploitait à sa guise. L'inspiration jaillissait naturellement et régulièrement, sous une forme qu'elle n'avait pas de mal à traduire. En fait, c'était parfois ridiculement facile, et Brenda demeurait convaincue que son art était à la portée du premier venu.

En même temps, elle se rendait compte que ses courtepointes se transformaient. Les oiseaux, les fleurs, les bateaux et les maisons qui égayaient les premières – pendant ce que Leah Wallberg appelait

sa « période folklorique » – avaient fait place à des éléments plus abstraits. Les formes s'imbriquaient de façon différente, plus complexe. Un an plus tôt, elle n'aurait jamais osé les nouvelles bordures à effets de plumes. Heureusement, plus personne ne l'interrogeait sur le « sujet » de ses courtepointes. De toute façon, elle n'aurait pas su quoi répondre. De la même manière, on lui demandait rarement de justifier le titre de ses compositions. Même Jack ne haussait plus le sourcil en demandant :

— Pourquoi *Forêt d'épinettes*? Pourquoi *Le Chant de Bouddha*? Pourquoi *Éclat de rocher*?

On supposait qu'elle avait ses raisons, que ses dons s'accompagnaient d'un système de croyances, que les titres et les interprétations faisaient partie des prérogatives de l'artiste.

Évidemment, elle aurait pu les nommer d'après des couleurs ou encore les numéroter – *Étude en vert*, *Jaune brûlé n° 2* –, mais elle préférait leur donner des noms réels qui lui permettaient de s'approprier ses conceptions, même si les courtepointes étaient elles-mêmes destinées à la vente. Elle se souvenait que Rob et Laurie, quand ils étaient petits, baptisaient les minuscules îlots à proximité du chalet qu'ils louaient au mois d'août de chaque année. Nommer était une prise de possession, un privilège. Des tas de gens n'avaient jamais eu l'occasion de nommer quoi que ce soit.

Le titre de *Second avènement* lui était venu moins d'un mois auparavant. Un soir, Jack et elle se rendaient à une réception organisée par l'Institut. Par hasard, à Madison, ils étaient passés devant une petite église baptiste toute noircie, située à un carrefour mangé par les mauvaises herbes. « Le Second avènement est à nos portes », proclamait l'enseigne lumineuse placée sur le toit. Le Second avènement. Elle avait prononcé les mots à haute voix.

— Qu'est-ce que tu racontes? avait demandé Jack en s'arrêtant à un feu rouge.

— Rien.

Elle les prononça de nouveau, cette fois pour elle-même. Le Second avènement. Les mots avaient l'air important. De bon augure.

— Excellent titre, dit Hap, tandis que Brenda la conduisait à son atelier. Lourd de sous-entendus, si tu vois ce que je veux dire.

Brenda déplia prestement la courtepointe et l'étala sur la table de coupe. D'une voix théâtrale mal assurée, elle dit :

— La voici.

— Doux Jésus !

La voix graveleuse de Hap avait baissé d'un ton.

— Et alors ? fit Brenda, qui retenait son souffle. Dis-moi ce que tu en penses, sans mettre de gants blancs.

— Franchement ? Ma réaction instinctive ?

Hap marqua une pause.

— C'est ce que tu as fait de mieux. C'est formidable, en fait. A+. Encore mieux que le machin du Bouddha. Doux Jésus. Aide-moi à la redresser, que je voie.

— Le violet n'est pas trop vif ?

— Jamais de la vie. Il est sensationnel, ce violet, foutument sensationnel. Inattendu, mais parfait.

Elles soulevèrent la courtepointe, chacune à une extrémité, et la transportèrent vers la fenêtre. La lumière blafarde de janvier tomba sur un lit de blocs de couleur – des verts et des jaunes surtout. On aurait dit que des ondes de chaleur frénétiques s'élevaient à un bout. En guise de note explicative ou de légende, des taches violettes ayant la forme de bouches ponctuaient les bords.

— Que le diable m'emporte si tu ne rentres pas de Philadelphie avec un ruban ou deux.

— Je n'y compte pas.

— Toi et ta modestie... Attends que les juges jettent un coup d'œil à ça. Tu as vu les horreurs que certaines de tes collègues produisent ? Ce que je veux dire, Brenda, c'est que tu as réussi. Tu me comprends parfaitement. Il y a dans ce que tu fais de la retenue, pas exactement de la sérénité, plutôt une sorte de lente progression, comme quelqu'un qui a quelque chose à dire, mais qui ne trouve pas les mots. Tu vois ?

— Euh...

— Côté sensualité, tu bats tout le monde à plate couture – excuse le mauvais jeu de mots –, mais il y a aussi, tu comprends, le sexe brut.

— Le sexe brut?

Brenda pouffa de rire.

— On a envie de toucher. On a envie de se déshabiller et de se rouler dessus. Je ne parle pas du bon vieux coït, pouah, même si je n'ai rien contre. Je pense plutôt à... l'énergie, celle qu'on contient, qu'on refoule. Tu comprends? Il suffirait de relâcher un peu la pression pour qu'elle vous saute en plein visage.

Par-dessus la surface oblique de la courtepointe, Brenda fixait Hap d'un œil attendri, reconnaissant. Elle sentit sa gorge se gonfler de larmes tièdes.

Hap Lewis est un moulin à paroles, répétait Jack. D'accord, Hap avait tendance à papoter interminablement. Diarrhée verbale, disait Jack. Pour tout dire, elle lui tapait sur les nerfs, et il se demandait parfois comment Brenda faisait pour la supporter. Son cœur saignait, disait-il, à la pensée de Bud Lewis. Pauvre bougre. Comment faire l'amour à une femme incapable de se taire, ne serait-ce que dix secondes?

— Elle est sincère, répétait Brenda. C'est la grande leçon à retenir à son sujet. Elle ne triche jamais.

Elles restèrent un moment à la fenêtre, tenant toujours la courtepointe. Brenda avait le sentiment de vivre une expérience biblique : au puits, deux femmes recueillaient de la lumière dans une nacelle. Elles se taisaient, et Brenda eut le sentiment que le silence était incassable, baigné dans des souvenirs de moments heureux.

— Je donnerais cher pour que tu m'accompagnes, Hap, dit Brenda sous l'impulsion du moment, pour que tu aies décidé de venir, après tout.

Hap, sans lâcher la courtepointe, haussa les épaules.

— Comment faire? Bud, les garçons...

— Comment? Tu te souviens de ce que tu m'as dit quand j'ai soulevé la même objection?

— Tu me rafraîchis la mémoire?

— Tu as dit – et je cite : « Qu'ils aillent tous se faire foutre ! »

— Bravo! cria Hap. Bravo! Ça y est. Tu as réussi. Tu as dit un gros mot. Enfin. Tu sais ce que ça veut dire?

— Quoi donc?

Ensemble, elles avaient commencé à plier la courtepointe, d'abord en deux, puis en quatre.

— Je pense, dit Hap, que c'est un signe, le signe que quelque chose de bon va t'arriver.

Chapitre trois

— Jack?

Pas de réponse.

Elle essaya de nouveau, un peu plus fort.

— Jack?

— Oui.

Sa voix était rauque, éteinte, fêlée au sortir d'un profond sommeil.

— Il est six heures et quart.

Il se retourna et s'enfouit la tête sous l'oreiller.

— C'est l'heure de se lever, Jack.

— Dix minutes, tu veux? Il fait encore nuit.

— Je t'ai apporté du café. Là, sur la table.

— C'est une tentative de corruption, gémit-il au milieu des plumes.

Elle s'assit au bord du lit.

— Tu as bien dormi?

— Oui, mais pas assez longtemps.

— Demande-moi si j'ai bien dormi.

— Tu as bien dormi?

— J'ai affreusement mal dormi.

Elle se mit à lui flatter le dos sous son pyjama à rayures.

— Affreusement mal.

— Surtout, ne t'arrête pas. Ça fait du bien. Ahhhh.

— J'ai pensé sans arrêt à tout ce que j'allais oublier. Au type, par exemple, qui doit venir réparer la valve de la chaudière. Lundi, je crois.

— Hmmmm.

— J'ai l'impression d'être restée éveillée pendant des heures. J'entendais le tic-tac de l'horloge de la cuisine. Tout était si silencieux. Puis j'ai commencé à me faire du souci à propos des courte-pointes. Comment faire pour les récupérer? Va-t-on les apporter avec mes bagages? Faut-il que j'aille au comptoir du fret aérien?

— Je pense que...

— J'ai décidé de récupérer ma valise d'abord. Si la boîte n'est pas là, je vais monter dans un taxi et demander au chauffeur de me conduire au comptoir du fret aérien.

— Hmmmm.

— Pardon?

— J'ai dit que tu me donnes l'impression d'avoir pensé à tout.

— Tu es sur le point de te rendormir.

— Je faisais un rêve sublime.

— Ton café refroidit.

— Ah, ça fait du bien. Un peu plus bas, maintenant.

— Là?

— Nous devrions changer de matelas. Qu'est-ce que tu en dis? Un lit d'eau.

— Qu'est-ce qu'il a, ce matelas? Il est en parfait état.

— Après vingt ans, nous en méritons bien un nouveau. Il paraît que ça fait des merveilles pour...

— À quoi rêvais-tu?

— Je ne sais pas. Je pense que j'étais en train de rebondir sur un lit d'eau. Tout a disparu quand une femme à la voix stridente a hurlé « six heures et quart » dans mon oreille.

— Je ne tiens pas à être en retard.

— Fais-moi confiance, tu seras en avance.

— Jack?

— Quoi?

— J'ai oublié d'acheter du tissu pour Laurie.

— Quel tissu?

— Pour son cours d'économie domestique. Les élèves fabriquent une jupe et elle devait avoir le tissu la semaine dernière.

Silence.

— Tu crois, dit Brenda, que tu pourrais y aller avec elle? Cet après-midi, peut-être? Chez Zimmerman ou chez Mary Ann. Tu vois le genre?

— D'accord.

— Il lui faut aussi un patron. Elle sait lequel. Je lui ai posé la question hier.

— D'accord.

— Tu ne vas pas oublier?

— Parole d'honneur.

— Autre chose, à propos de Rob.

— Qu'est-ce qu'il a fait?

— Je pensais seulement à lui. La nuit dernière, quand je n'arrivais pas à dormir. Je me suis dit que tu devrais peut-être avoir une discussion avec lui.

— Il est relativement bien renseigné sur...

— Je pense que tu devrais lui parler, ou que nous devrions lui parler, de sa façon de nous traiter.

— Brenda?

— Quoi?

— Pourquoi ne viendrais-tu pas sous les couvertures un moment? Nous serons plus à l'aise pour bavarder.

— Tu cherches seulement à gagner du temps. Pour ne pas te lever.

— Faux.

— De toute façon, je suis déjà habillée. Je suis debout depuis une heure. Tu n'as pas entendu la douche?

— Non, je faisais ce rêve sublime et...

— C'était un rêve lascif?

— Lascif?

Se tournant vers elle, il lui sourit paresseusement.

— Tiens, voilà un mot que je n'avais pas entendu depuis, je ne sais pas, vingt ans.

— Cochon, si tu préfères. Tu faisais un de tes rêves cochons?

— Tu es sûre de ne pas vouloir venir sous les couvertures deux petites minutes?

— Sûre et certaine. Il est six heures et demie, ou presque...

— Une seule, alors? Je te promets de faire vite.

— Jack...

— Tu sens le dentifrice. J'ai un faible pour les femmes qui sentent le dentifrice à plein nez. L'eau de Crest.

— Infini. C'est le parfum que m'a envoyé ta tante. Sens mon poignet.

— Hmmmm.

— Ça te plaît?

— Je ne te demande pas quelle odeur j'ai, moi.

— Vaut mieux pas, en effet.

Il sentait les draps, les dents non brossées. Il dégageait une odeur vaguement fécale. Son corps était tiède et mou sous la couverture électrique – soudé à la chaleur de la couverture, en réalité – et, pendant un moment, elle envisagea d'ôter sa jupe et d'aller le rejoindre. Non, elle n'avait pas le temps. Sans compter qu'elle devrait prendre une autre douche, peut-être même repasser sa blouse...

— Repoussé, dit Jack. Repoussé et abandonné. Ça ferait un bon titre de film.

Elle lui caressa la joue.

— Ton café...

— Vous, les femmes de carrière, vous êtes toutes les mêmes.

— Sans blague?

— Toujours entre deux avions.

— C'est vraiment cruel.

— Dire que tu pourrais si facilement semer un peu de joie autour de toi.

— Et pourquoi tu n'y as pas pensé hier soir, à ce peu de joie ?

— Parce que vous m'avez obligé à regarder ce navet avec Barbra Streisand, les enfants et toi.

— Je croyais que tu aimais Barbra Streisand. Autrefois, tu…

— Barbra Streisand me fatigue. Elle me plonge dans un état de fatigue extrême.

— De toute façon, tu n'as pas répondu à ma question.

— Laquelle ?

— À propos du type qui doit venir ajuster la valve de la chaudière.

— Il va venir, Brenda. Il va sonner à la porte. Personne ne va répondre. Il va repartir sans faire de bruit.

— On risque de nous faire payer la visite.

— J'en doute.

— Si je me souviens bien, j'ai dit que je serais à la maison. On m'a téléphoné la semaine dernière pour savoir si la dame du logis serait là le…

— La dame du logis ?

— Et j'ai répondu…

Louchant vers elle, il répéta d'un ton stupéfait :

— La dame du logis ?

— Qu'est-ce que ça a de si drôle ?

— Comme la Dame du lac ? Et pourquoi pas, dit-il en marquant un temps d'arrêt, la fée du logis ?

— Si tu ne bois pas ton café, je vais le faire à ta place.

— Pas question.

Se soulevant sur un coude, il tendit la main vers la tasse.

— Tu devrais peut-être le boire en t'habillant.

Il avala une gorgée.

— Il est fort.

— C'est volontaire. Pour te réveiller.

— J'ai toujours eu un faible pour le café froid. Il va bien avec le dentifrice.

— Tu n'oublieras pas pour le tissu? Il faut, paraît-il, qu'il contienne du polyester.

— Quoi?

— Le tissu pour Laurie. Je viens de t'en parler. Elle...

— Ah, ce tissu-là.

— Tu crois que tu pourrais téléphoner aux gens de la chaudière, Jack, pour leur dire que je ne serai pas là? Tu trouveras le numéro dans mon carnet. Sous «M» pour «Mazout». Ou encore sous...

— Brenda, ma chérie?

— Oui.

— Je peux te poser une question? À moins qu'il ne soit trop tôt.

— Laquelle?

— Quelle est la population de Chicago?

— La population de Chicago? Comment veux-tu que je le sache?

— Tu as passé toute ta vie ici. Tu dois bien avoir une vague idée de...

— Trois millions d'habitants, je pense. Oui, c'est ça.

— Oui, à l'époque où tu fréquentais l'école. Aujourd'hui, c'est plutôt six millions.

— Et alors?

— Bon, si on suppose qu'il y a quatre personnes par foyer, ça nous fait, voyons voir, un million – un million! – et demi de foyers qui, jour après jour, survivent tant bien que mal sans que la célèbre dame du logis, la seule et unique Brenda Bowman, tienne le gouvernail.

— Debout! ordonna-t-elle en se levant brusquement.

D'un mouvement fluide, elle lui arracha les draps.

— Mon Dieu, on gèle.

Il fit un geste pour rattraper la couverture, sans succès.

— Il fait froid à cause de la valve de la chaudière. Elle entraîne une perte de chaleur. L'homme qui est venu nettoyer le filtre m'a expliqué que...

— Ça, c'est un boulot! Ça ne me déplairait pas du tout. Passer la journée à expliquer à des femmes le fonctionnement des valves.

— Il était très gentil. Jeune et...

— Tu sais que tu es particulièrement en beauté, ce matin?

— Tu sais quelle heure il est, Jack?

— Avec un petit côté Olivia de Havilland.

Il lui saisit la main.

— Merci, Brenda.

— De quoi?

Elle se rassit au bord du lit.

— De ne pas ressembler à Barbra Streisand.

— J'aimerais ça, pourtant.

— Et de ne pas avoir sa voix. Et de ne pas ouvrir ta bouche grand, grand, comme elle...

Elle le prit dans ses bras. Derrière la tête, il avait les cheveux qui se dressaient, hirsutes. Elle les lissa. Bientôt, il n'aurait plus de cheveux à cet endroit. Sa gorge se serra à la pensée de ce cercle vulnérable, et elle se pencha pour lui poser un baiser sur le front, où elle détecta un léger goût de sel.

— Ah, mon amour, murmura-t-il en fermant les yeux.

— Il faudrait vraiment y aller, dit-elle au bout d'un moment.

Il rouvrit les yeux.

— C'est nouveau?

— Quoi ça?

— Cette blouse?

— Ça? Je l'ai achetée la semaine dernière chez Field. Je te l'ai montrée. Tu te souviens?

— Ah, oui.

— Elle ne te plaît pas?

— Je l'adore.

Il la déboutonna. Protestant sans conviction, elle émit un miaulement de petite fille, tandis qu'il tendait les bras pour dégrafer son soutien-gorge.

Ils s'adonnaient depuis longtemps à ce jeu : lui incarnait le poursuivant, le flatteur, celui à qui revenaient les meilleures répliques, certaines vraies et fausses à la fois. Et elle, silencieuse, rusée, feignait la réticence, feignait la distraction, jusqu'au moment où elle se laissait enfin fléchir. Il y avait d'autres jeux, d'autres scènes, parfois plus crues, plus sauvages, mais ils revenaient invariablement à celle-ci. C'était, croyait Brenda, une façon de raviver leur jeunesse, un spectacle qu'ils donnaient pour amuser leur moi plus jeune. Il murmura dans le long sillon entre ses seins les mots *magnifiques, magnifiques,* et elle se fit opaque et muette, poussa de petits halètements, tandis que Jack faisait tourner sa langue autour de ses mamelons. Lentement.

Sa blouse gisait sous eux, et sa jupe – tweed noir et émeraude – était retroussée sur ses hanches. À des lieues de là, dans un lointain vert et égal, elle se surprit à se dire que les faux plis de sa jupe se corrigeraient sans doute d'eux-mêmes. Et que, de toute façon, la blouse serait dissimulée sous le veston. Qui la verrait ? Elle aurait peut-être même le temps de retoucher le col pendant que Jack se raserait.

Philadelphie, Philadelphie, scanda-t-elle pour elle-même en poussant le bassin contre Jack, à la manière d'un mantra lui ouvrant la porte d'un espace plus vaste et plus tiède que d'habitude. Happée par la familiarité, le coton, la peau, la pression des jambes de Jack, elle ferma hermétiquement les yeux sur un large et sombre corridor éclairé par des appliques rouges, de conception vaguement victorienne.

— Je t'aime, fit-elle comme chaque fois que les lumières flamboyaient.

Puis, ce matin, parce qu'elle s'en allait, elle ajouta :

— C'est vrai, tu sais.

— Mon amour, dit-il dans les cheveux dénoués de sa femme. Ma Brenda, mon brin d'amour, ma seule et unique.

Chapitre quatre

C'est sa mère, Elsa Pulaski, qui lui avait appris à coudre. Pendant toute l'enfance de Brenda, passée à Cicero dans l'Illinois, la machine à coudre noire de sa mère trônait dans un coin du salon encombré, coincé entre le radiateur et le canapé aux ressorts cassés. C'était une Singer Standard, en métal noir luisant, toujours un peu poussiéreuse, équipée d'une base toute en volutes dorées et d'un levier qu'il fallait actionner à l'aide du genou. Du moteur s'élevait une odeur lourde, un peu grasse. Elle produisait un son doux et rythmé, presque humain. Elsa ne se lassait pas de dire qu'elle l'avait achetée pour une bouchée de pain. Il lui avait suffi d'un minimum de marchandage pour l'avoir à trente dollars, au prix du gros, soit environ la moitié de sa valeur. C'était une machine à coudre intégrée à un meuble qui, une fois replié, formait une petite table en noyer – mais, à la vérité, elle l'était rarement.

— À quoi bon la ranger ? Elsa avait-elle coutume de demander avec son intonation montante caractéristique.

À quoi bon, en effet, puisque Elsa s'occupait sans cesse à des travaux d'aiguille – le soir, le week-end, dès qu'elle avait une minute à elle ? Appuyé sur la pédale, le genou d'Elsa, si délicat pour une femme bien en chair, avait initié Brenda aux vertus de l'allégresse. Elle fabriquait elle-même les robes de taille vingt-deux – manches longues en hiver, manches courtes en été – qu'elle portait pour travailler. (Pendant trente ans, elle avait vendu des chaussettes et des sous-vêtements pour hommes chez Ward, de neuf heures à dix-sept heures, du lundi au vendredi et un samedi matin sur deux,

jusqu'à ce que l'arrivée du syndicat mette un terme à la pratique.) Elle confectionnait ses jupes et ses blouses, même ses manteaux d'hiver.

— Essaie de trouver du beau prêt-à-porter pour une femme de ma taille.

À partir de retailles, elle se faisait aussi des chemises de nuit, dont certaines avec des tissus – de la moire ou du taffetas – qui auraient mieux convenu à des robes du soir. Si Ward n'avait pas accordé une remise de quinze pour cent à ses vendeuses, elle aurait aussi fait ses sous-vêtements. Elle avait cousu des rideaux en nylon pour les fenêtres de l'appartement de la 26ᵉ Rue, ainsi que la housse extensible des deux fauteuils et du canapé qu'elle dépliait le soir pour faire son lit. Elle ourlait ses torchons et ses draps.

— La qualité est bien meilleure, disait-elle. C'est le jour et la nuit. Ils ne s'effilochent pas au premier lavage, les miens.

Brenda se souvient du ton sur lequel sa mère proférait ces paroles, mais elle ne se rappelle plus si elle parlait anglais ou polonais. Elsa passait allègrement d'une langue à l'autre et Brenda, pendant son enfance, s'était habituée à ce va-et-vient rapide. Les mots changeaient, mais aussi les structures dominantes de la conscience et de l'humeur. Quand Elsa était particulièrement heureuse, elle privilégiait l'anglais, un anglais criard, comique, à la mode de Cicero.

Pendant son enfance, Brenda n'avait eu que des vêtements magnifiques. À l'école primaire publique Wilmot, où d'autres filles allaient vêtues de robes en rayonne aux couleurs fanées devenues trop petites pour leurs aînées, Brenda portait des robes neuves en coton égyptien, confectionnées à l'aide des tout derniers patrons de la rentrée de Butterick et de Simplicity.

— Ça se repasse comme des mouchoirs, disait Elsa.

Au col et aux manches, elles avaient des garnitures brodées à la main ou faites en piqué blanc. En quatrième année, Brenda avait été la première à avoir une jupe de ballerine « nouvelle vague », la première à porter une blouse ornée d'un col Barrymore. Pendant

toutes les années de son enfance, jamais il ne lui était arrivé d'ouvrir
la porte de la garde-robe de la chambre mal rangée qu'elle occupait
au fond de l'appartement et de ne rien y trouver à se mettre ; jamais
elle n'avait enfilé une robe, une chasuble ou une blouse sans piqûres
anglaises ni boutonnières renforcées ; jamais elle n'avait subi l'hu-
miliation d'un ourlet qui se défait, d'un bouton manquant ni d'une
blouse dont la couture s'ouvrait sous le bras lorsqu'elle levait la
main en classe. À neuf ou dix ans, elle se rendait aux fêtes d'anniversaire vêtue d'une robe de velours bleu royal ou bourgogne avec
une boucle dans le dos et un empiècement en dentelle ; quand elle
tournait sur elle-même, la jupe de ces robes formait un cercle
parfait. À l'école secondaire de Morton, où elle faisait office de
secrétaire de la classe, elle disposait d'une panoplie de jupes en
velours côtelé et de petites vestes assorties, de robes de laine aux
tissus écossais, dont les motifs étaient parfaitement alignés dans
le dos et sur les côtés, et de cols Claudine blancs faits main qu'elle
pouvait épingler à l'encolure de ses pulls. À quinze ans, pour son
premier bal, Elsa lui avait confectionné une robe du soir en filet
de nylon, façon bustier, et un cercle de tulle assorti pour retenir
sa queue de cheval. Sur une photo d'un de ses vieux albums de
finissants, on la voit vêtue de cette robe. Debout sous un panier
de basket-ball qu'on a recouvert de guirlandes de papier pour la
circonstance, elle a les yeux écarquillés et l'air heureuse. Elle tient
le bras d'un garçon maigre, Randy Saroka, aux cheveux courts et
frisés, la poitrine traversée d'une cravate rayée. À la taille de sa jupe
ample, elle a épinglé deux gardénias.

Lorsqu'il s'agissait des vêtements de Brenda, Elsa effectuait la
plupart des travaux de couture proprement dits et se réservait le
droit de tailler les tissus.

— La coupe fait foi de tout, se plaisait-elle à dire avec emphase,
sur un ton empreint de mystère. Elle insistait aussi pour se charger
des fermetures éclair et des manches.

— Quand tu seras grande, tu feras les manches, promettait-elle
à Brenda. Tu as bien le temps, va.

À treize ou quatorze ans, Brenda cousait les côtés, faufilait et ourlait. Le soir, pendant que Brenda faisait ses devoirs, ou plus tard, quand elle était au lit, Elsa, assise sous la lampe, exécutait des plis creux ou faisait des œillets à la main en écoutant la radio.

— La couture, c'est du boulot, disait-elle avec une pointe d'accent slave. Pas la peine de prendre des marchandises à la pièce bon marché.

Pour sa fille, Brenda, pas question d'utiliser de mélanges à rabais ni de chutes de tissu ; même pendant la guerre, Elsa réussissait à dénicher de la pure laine vierge pour les uniformes scolaires de Brenda. Pour un mètre de jersey anglais véritable, elle avait un jour payé six dollars cinquante.

— Regarde comment ça tombe, s'était-elle écriée en tenant le tissu contre la lumière et en l'étirant entre ses doigts avant de donner un coup sec de côté. Il ne faut rien ménager quand on fait de la couture. La qualité se voit. Elle ressort toujours.

Le jersey de laine, Brenda s'en souvenait après toutes ces années, avait servi à la confection d'une robe-housse. Elle avait été l'une des premières à porter une robe-housse.

Elle était certaine que sa mère, si elle avait été encore en vie, aurait approuvé l'imper rouge qu'elle s'était acheté en prévision de son voyage à Philadelphie. Elsa l'aurait retourné et posé à plat sur une table ; après avoir examiné les coutures et la doublure, elle aurait fini par déclarer qu'il s'agissait d'un vêtement bien fait, de belle qualité. Après avoir lu l'étiquette en hochant la tête d'un air satisfait, elle aurait laissé échapper entre les dents :

— À ce prix, c'est une aubaine.

À la pensée de l'approbation posthume de sa mère – Elsa était morte quatre ans plus tôt, à l'âge de cinquante-six ans, des suites d'une opération de routine à la vésicule biliaire –, Brenda, assise dans la voiture, vêtue de son manteau neuf et de son tailleur, se sentit réconfortée. Maintenant silencieux, Jack roulait vers l'aéroport, les dents serrées, l'air appliqué et sinistre.

— Foutus essuie-glaces.

Il se pencha pour mieux voir à travers le pare-brise barbouillé.

— Il n'y a pas à dire, on équipe ces voitures d'essuie-glaces bon marché.

Sa bonne humeur s'était évaporée sous l'effet des petites défaillances mécaniques de la voiture et peut-être aussi du vent froid qui balayait l'autoroute et de l'obscurité colorée de mauve par le faisceau des phares. Un camion les dépassa et se rabattit sans avertissement. Jack jura violemment.

— Merde, merde, merde !

Inexplicablement, Brenda se sentait coupable de tous ces événements, comme si, d'une façon ou d'une autre, ils étaient liés à sa décision de se rendre à Philadelphie.

Non, c'était absurde. Ridicule. C'est Jack lui-même qui avait eu l'idée du voyage. C'est lui qui l'avait proposé, lui qui avait laissé entendre qu'il s'agirait d'une expérience profitable. Les mots étaient de lui.

— Une expérience profitable.

Elle allait le lui rappeler quand il avait freiné subitement, les projetant tous deux vers le pare-brise.

— Tu as vu ça ? Merde ! Il n'a même pas mis son clignotant. Nous aurions pu lui rentrer dedans.

Brenda ne dit rien, préférant se concentrer sur ses mains, qui reposaient sur le tissu doux de son nouveau manteau. Elle l'avait payé deux cent cinquante dollars chez Carsons, une semaine plus tôt.

À la vue de l'étiquette sous l'éclairage tamisé du magasin, elle avait été prise de panique. C'était inconcevable. Deux cent cinquante dollars ! Sans compter la taxe ! Elle était estomaquée.

— J'étais estomaquée, s'imagina-t-elle dire plus tard à quelqu'un – n'importe qui.

Elle était loin de se douter que le prix des manteaux avait tant augmenté. Depuis quand ? L'inflation ? Il n'y avait pas si longtemps, lui semblait-il, elle avait payé quatre-vingts dollars un chaud manteau d'hiver muni d'une doublure en chamois et d'un col en

fourrure véritable – non, c'était il y a des lustres, l'année où Jack avait gravi un premier échelon. Le manteau en tweed bleu, elle l'avait porté pendant huit ans.

L'imper rouge était en solde. Au départ, il se vendait trois cent quinze dollars.

— Non mais quelle farce, Brenda s'entendit-elle dire à la faveur d'une conversation future, la voix de plus en plus haut perchée. Avoir le culot d'exiger trois cent quinze dollars pour un simple imperméable !

En revanche, se dit-elle, c'était une bonne marque. Elle avait vu des publicités dans le *New Yorker* : une fille aux longs cheveux se tenait sur un rocher ; derrière elle, un homme aux cheveux gris, à la carrure forte et aux traits fins, vu de demi-profil, observait le ressac d'un air grave. Et l'imper était muni d'une doublure amovible – elle le porterait presque à longueur d'année. Elle en aurait pour son argent. Si, par malheur, il déteignait – la couleur rouge a parfois cette vilaine habitude –, elle le rapporterait au magasin. Elle allait ranger la facture dans le tiroir de sa commode et...

Sur l'étiquette, on lisait « taille 12 ». Parfait. Les « tailles 12 » ne couraient pas les rues, il fallait chercher, chercher encore. (Déjà, elle avait décidé de l'acheter. Bien sûr que oui. Elle aurait été bête de ne pas l'acheter.)

Elle l'avait essayé. Il lui épousait les épaules à la perfection.

— À ce prix, il a intérêt à m'aller, bredouilla-t-elle pour elle-même en grimaçant.

Elle s'était sentie soudain joyeuse. Sous l'imper, elle avait les hanches presque étroites – il était taillé de façon ingénieuse. (« La coupe fait foi de tout. ») Il y avait un empiècement froncé à l'arrière et des surpiqûres au col et aux poignets, le genre de finition qui coûte cher, qu'il faut faire à la main. (« C'est la finition qui fait la qualité. ») Et pourtant, deux cent cinquante dollars, c'était une petite fortune. De quoi nourrir une famille pendant deux semaines et demie. Pour une telle somme, on obtenait un costume pour homme, un trois-pièces par-dessus le marché. Pour deux cent

cinquante dollars, elle pourrait s'acheter une nouvelle table basse en verre – la vieille, du faux Duncan Phyfe, était tout égratignée et plus laide de jour en jour. Malgré tout, deux cent cinquante dollars, c'était une somme considérable.

D'un autre côté, elle avait passé toute la matinée à faire les magasins – Field, Stevens, Saks – et se sentait gagnée par le découragement, sans compter qu'elle avait chaud. Elle s'imagina déambuler dans une rue de Philadelphie vêtue de ce manteau. Sous un ciel neutre, elle vit une rue étroite, froide, médiévale, bordée de petites boutiques. Une pâtisserie apparut soudain, des petits pains frais alignés dans la vitrine. Bien au chaud dans son manteau neuf, elle se montrerait courageuse et passerait devant la vitrine sans s'arrêter, son sac en cuir ballant à son épaule.

Elle paya le manteau avec un chèque au lieu de le faire porter à son compte. À la maison, elle le monta dans sa chambre, le sortit de sa boîte et détacha les étiquettes. Elle l'enfila de nouveau et s'examina dans le miroir en pied installé derrière la porte de la garde-robe. Le tissu était soyeux au toucher. Jusqu'à la longueur qui était parfaite. Le manteau s'arrêtait tout juste à la hauteur de ses bottes – au moins, elle n'avait pas besoin de bottes neuves cette année. Il valait bien deux cent cinquante dollars. La voix au léger accent de sa mère monta du bord argenté et biseauté du miroir – « À ce prix, c'est une aubaine. » « La qualité se voit. » Brenda glissa les mains sous les revers et sourit.

Jack et elle n'en étaient plus à surveiller le moindre sou qu'ils dépensaient, se rappela-t-elle. Jack touchait un bon salaire à l'Institut ; tôt ou tard, il allait devenir administrateur principal. Dans cinq ans, M. Middleton partirait à la retraite. Qui savait ce qui allait arriver ? Sans compter les revenus qu'elle tirait de la vente de ses courtepointes. Il s'en fallait de peu que son passe-temps se transforme en emploi rémunérateur. Au cours des deux dernières années, elle avait même rempli sa propre déclaration de revenus.

— C'est une étape capitale, espèce de chanceuse, s'était écriée Hap Lewis. Ta propre déclaration d'impôts ! Félicitations, petite.

Elle avait effectivement eu de la veine. Sa première courtepointe s'était vendue six cents dollars. « Un coup de chance », s'était-elle dit à l'époque. Elle l'attribuait au prix qu'elle avait remporté et à l'article paru dans le *Chicago Today* : « Le passe-temps d'une ménagère d'Elm Park se transforme en poule aux œufs d'or. » Elle s'était dit que cela ne se reproduirait plus jamais. Elle avait eu tort. Certains semblaient disposés à dépenser des sommes exorbitantes pour se procurer des œuvres artisanales originales. La dernière courtepointe qu'elle avait vendue, *Michigan Blue,* lui avait rapporté huit cents dollars. Des résidants d'Evanston, un dentiste et sa femme, s'en étaient portés acquéreurs. Ils avaient déboursé la somme sans rechigner, sans marchander, sans lui demander de leur consentir un rabais de cinquante dollars ni de renoncer à percevoir la taxe de vente. Ayant entendu parler de son travail par une connaissance, ils étaient venus d'Evanston un soir, après avoir pris rendez-vous par téléphone. La signature de Brenda était brodée dans le coin droit de la courtepointe, et ils l'avaient palpée d'un air satisfait.

— J'adore, avait murmuré la femme.

— Nous la prenons, avait dit le mari.

Elle disposait maintenant de cartes de visite à son nom, une idée de Jack.

Brenda Bowman

COURTEPOINTES ARTISANALES
CRÉATION ET ADAPTATIONS
576, boul. Franklin Nord, Elm Park, Illinois

Elle avait un carnet de reçus et un grand livre dans lequel elle consignait ses dépenses et ses ventes. Et cette semaine – aujourd'hui même, en fait –, elle se rendait à l'Exposition nationale d'artisanat, où les meilleures artisanes du pays présenteraient leurs œuvres. Eleanor Parkins. La grande Eleanor Parkins. Sandra French. Dorothea Thomas. W.B. Marx. Verna de Virginie. Pour une commande, ces femmes exigeaient mille dollars, parfois mille cinq cents. Récemment, Verna de Virginie avait vendu une courtepointe au

Metropolitan Museum of Modern Art. Dans le magazine *Quilting and Stitchery*, où il en avait été question, on avait laissé entendre que le musée avait payé plus de quatre mille dollars.

Et dire qu'un manteau de deux cent cinquante dollars la mettait dans tous ses états! Quelques jours de travail, voilà tout. À cette pensée, elle connut, l'espace d'un instant, un pouvoir tout nouveau et étourdissant.

Et le manteau avait plu à Jack. À son retour du bureau, il avait eu droit à un défilé de mode improvisé dans le salon. Elle avait enfilé ses bottes et mis son sac en bandoulière pour lui faire voir l'effet produit, soulignant la doublure amovible et les boutonnières cousues main qui faisaient penser à autant de larmes parfaites et satinées.

— Joli, avait-il dit. Très joli.

Il appréciait les beaux vêtements. Et lui-même n'était pas à l'abri d'achats impulsifs. À peine quelques semaines auparavant, il avait fait l'acquisition d'un blouson en daim, lui qui n'avait jamais porté de blouson en daim et, selon Brenda, n'en porterait jamais. (Il n'en avait pas précisé le prix, et elle avait résisté à la tentation de lui poser la question; depuis, le blouson, accroché dans leur garde-robe commune, sentait le neuf et le cher.)

— Il te plaît vraiment?

Elle s'était retournée pour faire tourbillonner l'ourlet à la manière d'une petite fille. Elle avait lissé le tissu sur ses hanches et, prise d'un élan soudain, elle avait décoché dans l'air un battement de pieds court et sec – un pas de cancan parfaitement exécuté.

— Tu vas faire fureur à Philadelphie, lui avait-il dit en souriant.

Elle lui avait jeté un long regard impassible. Assis sur le canapé brun, détendu, il sirotait un gin tonic dans son verre dépoli préféré, les jambes croisées. À l'instigation de Brenda, il avait, un an plus tôt, pris l'habitude de porter des chaussettes longues. L'approbation se lisait dans son regard. Et pourtant, au moment même où il avait dit «joli, très joli» en hochant la tête, sa main, suivant une trajectoire latérale, se dirigeait vers le journal. Déjà, son sourire s'effaçait.

Prise d'une envie soudaine de le restaurer, de retenir l'attention de Jack encore un peu, elle avait déclaré en exécutant un ultime tour sur elle-même :

— Tu veux que je te dise la meilleure, Jack ? Il était en solde.

Il avait haussé les sourcils. Le sourire semblait sur le point de ressusciter.

— Une vente-réclame spéciale. Réduit à cent cinquante dollars.

En prononçant ces mots, elle s'était immobilisée devant la table basse, les mains coquettement enfoncées dans les poches du manteau rouge.

Après un moment d'hésitation, Jack avait soulevé son verre en signe de célébration.

— C'est donné, avait-il dit.

— Donné ?

Elle eut un sourire glacial.

— Cent cinquante dollars ? Tu appelles ça « donné » ?

Sa voix, elle le savait, grinçait. Et elle avait senti une expression de ruse éhontée se figer sur les os de son visage.

— Il faut dire que par les temps qui courent...

Jack avait fait tourner les glaçons dans son verre.

— L'inflation...

Il se laissait trop facilement abuser ; il n'avait opposé aucune résistance ; elle s'était sentie vaguement flouée. Et prise d'élans furieux de détestation d'elle-même. Pourquoi, pourquoi, pourquoi ? Plus tard, elle avait déchiré la facture. Et si le manteau se décolorait ? Tant pis. Elle ne le retournerait plus, maintenant.

À cette petite tromperie s'en ajouta une autre – laquelle, cependant, n'avait rien à voir avec la logique : le billet pour Philadelphie, qui lui avait coûté deux cent dix-huit dollars.

Au moment où elle avait pris sa décision, le tarif aérien était le cadet de ses soucis. Seule la préoccupait cette absence d'une semaine.

— Pas une semaine, lui avait rappelé Jack. Cinq jours.

— Je sais, mais...

Il n'y aurait pas eu de problème si sa mère avait encore été en vie : elle serait venue veiller sur Jack et les enfants. Les parents de Jack, même s'ils vivaient tout près, étaient trop vieux, trop nerveux dès qu'ils s'éloignaient de chez eux, ne serait-ce que pour une nuit. Au bout de quelques heures, les enfants leur tapaient sur les nerfs.

Jack lui avait donné l'assurance qu'il saurait s'en sortir. De toute façon, les enfants étaient assez grands maintenant. Ils n'avaient plus besoin qu'on s'occupe d'eux du matin au soir. Tout ce qu'il leur fallait, c'était de la nourriture et quelqu'un qui les oblige à se coucher, le soir venu. De cela, il était certainement capable.

Deux jours plus tard, Brenda s'était enfin décidée à téléphoner à United. Le billet coûtait deux cent dix-huit dollars.

— Vous n'avez pas de tarifs excursion ? avait demandé Brenda.

Jack lui avait suggéré de se renseigner au sujet d'éventuels tarifs réduits.

— Nous avons un tarif de nuit, lui avait dit la préposée à la voix doucereuse. Seulement cent soixante-seize dollars.

— À quelle heure l'avion arrive-t-il à Philadelphie ?

— À trois heures quinze. Du matin.

— Trois heures quinze ?

— Le vol est très populaire auprès des hommes d'affaires.

Brenda avait hésité. Trois heures quinze du matin. En pleine noirceur. Elle survolerait Gary, Fort Wayne et Cleveland dans l'obscurité. En janvier par-dessus le marché, le point creux de l'année. Elle avait imaginé l'avion traverser l'air noir des Appalaches, l'air de la côte est. Au-dessus de Philadelphie, il y aurait la descente vertigineuse, puis les ténèbres, la confusion et l'éclairage cru d'un aéroport inconnu. Il y aurait des sorties et des bretelles partant dans des directions qui ne lui étaient pas familières. À cette pensée, elle s'était sentie mal à l'aise et légèrement nauséeuse. Où aller à une heure pareille ? Comment ? Elle aurait besoin de sommeil, d'un lit, d'un oreiller.

Deux cent dix-huit dollars au lieu de cent soixante-seize. La différence était de quarante-deux dollars. Brenda avait toujours eu la bosse de l'arithmétique. Le moment venu de calculer des prix ou des pourcentages, elle se tirait mieux d'affaire que Jack. C'est elle qui payait les factures et, au printemps, se chargeait des déclarations d'impôts.

Quarante-deux dollars. Une bagatelle. Même pas la peine d'y penser. Elle avait violemment secoué la tête. De nos jours, que valaient quarante-deux dollars ? C'était un bien petit prix à payer pour être en sécurité. Elle devait penser aux enfants et à Jack. Les vols de nuit sont plus risqués, c'est bien connu, même si Jack, qui prenait souvent l'avion, prétendait que voler, c'était moins dangereux que de rouler sur l'autoroute à dix-sept heures.

Et surtout, depuis que Jack lui avait proposé d'aller à Philadelphie, elle avait eu le temps de se faire une image mentale du voyage, laquelle reposait sur un départ matinal – à l'aéroport, elle buvait un café dans une tasse en styromousse, tandis que le soleil cherchait tant bien que mal à égayer l'aube blafarde de Chicago. Quelques minutes avant le décollage, le plein jour éclatait enfin.

— Je vais prendre le vol du matin, avait-elle dit dans le combiné.

— Comme vous voulez. Je vous réserve donc une place à bord du vol 452. Vous avez dit Bowman. Mademoiselle ou madame ?

— Madame.

Désormais déterminée, professionnelle.

— Je vous remercie, madame Bowman. Et merci d'avoir choisi United.

Quelques jours plus tard, les billets étaient arrivés par la poste. Elle les avait montrés à Jack.

— Ça me semble raisonnable, avait-il dit. Il n'y avait pas de tarifs réduits ?

— Non, avait répondu Brenda. Pas pour des séjours de cinq jours.

— Dans ce cas...

Il était préoccupé, débordé de travail à l'Institut et frustré parce qu'il ne trouvait jamais le temps de travailler à son livre.

Brenda avait rangé les billets sous le bloc de quartz rose de la table du hall d'entrée.

Chapitre cinq

— Pardon, madame, dit un jeune homme en costume brun voyant.

Debout dans l'allée, il s'adressait à Brenda, la tête inclinée à la manière d'un plongeur sur le point de s'élancer.

Brenda leva les yeux de son magazine.

— Oui?

— J'ai bien peur que vous ayez pris mon siège.

— Votre siège?

— Le 14 A.

Il ouvrit la bouche – coussin rose au milieu du visage avide –, découvrant du même coup une portion surprenante de ses gencives inférieures.

— On m'a attribué le 14 A.

— Je crois que ma carte d'embarquement...

— Il doit y avoir erreur, fit-il avec fermeté.

Décontenancée, Brenda se mit à la recherche de son sac.

— Je suis pourtant certaine d'avoir laissé ma carte d'embarquement ici.

— On vous a probablement attribué le 14 B, ici, au milieu. Ou encore le 14 C. Les deux sont libres. Presque tout le monde est à bord. On ferme les portes.

— Je ne sais plus où j'ai mis ma carte d'embarquement. Je l'avais il y a un instant.

— Ce ne serait pas ça? La carte rose. Sous ce manteau?

— Tiens, oui. C'est elle.

— Et alors?

— Ça dit bien 14A. À mes yeux du moins. C'est bizarre, non? Et vous dites qu'on vous a attribué la même place?

— Tenez.

Il lui fourra la carte sous le nez.

— Voyez vous-même.

— C'est vraiment bizarre.

Il secoua la tête et la rejeta violemment vers l'arrière, dévoilant une fois de plus ses gencives inférieures. Roses comme celles d'un enfant.

— C'est chaque fois la même chose. Chaque fois que je prends l'avion, quelqu'un fait une gaffe. La dernière fois...

— Pourquoi ne pas demander à un agent de bord si...

— La dernière fois, fit-il d'un air confidentiel en se perchant au bord du 14B, la dernière fois, on m'a mis dans la section fumeurs. Vous vous rendez compte? De Chicago jusqu'à Cleveland dans la section fumeurs. Je n'ai rien contre les fumeurs, vous comprenez, mais la fumée déclenche mes allergies. Et ça me donne le mal de l'air.

— Ah bon? dit Brenda, faute de mieux.

— Enfant, déjà, j'étais malade en voiture. Au premier coin de rue, je me mettais à dégueuler. C'est pour cette raison que je demande toujours un siège côté hublot. Quand on a le mal des transports, mieux vaut s'asseoir près du hublot. En tout cas, c'est ce qu'on dit. C'est psychologique, je crois.

— Je vais me faire un plaisir de vous céder...

— Quelqu'un a dû commettre une erreur au comptoir. Sinon, pourquoi m'aurait-on...

— Une erreur d'ordinateur? risqua faiblement Brenda.

— Les ordinateurs. Je voudrais bien pouvoir dire à qui de droit ce que je pense des ordinateurs.

— Asseyez-vous là, fit Brenda qui, soudain décidée, rassemblait ses affaires – son magazine, son sac, son manteau rouge tout neuf – et je vais prendre le fauteuil du milieu.

— Vous êtes sûre que ça ne vous dérange pas ?

— Pas du tout.

— Vous n'êtes pas malade en avion ?

— Jamais, dit-elle, émue par le ton catégorique de sa propre voix, par sa force saine, mûre.

— Les passagers devraient écrire à la compagnie aérienne pour dire ce qu'ils pensent du service. Du prétendu service, devrais-je dire. À mon retour à Chicago, je vais peut-être...

— En fait, j'aime mieux me...

Se levant, Brenda se serra contre lui pour gagner l'allée.

— Laissez-moi au moins m'occuper de votre manteau.

— Merci.

Elle lui tendit l'imper et, chagrinée, le vit le rouler en boule pour le ranger au-dessus de leurs têtes.

— Ouf, c'est mieux.

Il se laissa choir dans le fauteuil côté hublot et tendit le bras pour ajuster la bouche d'aération, un poignet osseux dépassant du bord lustré du veston brun.

— Vous avez trop de vent ?

— Non, ça va.

Elle soupira, aux prises avec la sensation d'être vieille, asexuée et complaisante ; une sorte d'affabilité visqueuse lui collait à la peau, telle la plaque dentaire. Elle la sentait lui poisser les dents et la langue. Elle et son affreuse gentillesse.

— Je respire toujours un bol d'air avant le décollage. Il paraît que c'est bon contre les malaises qu'on ressent parfois...

Brenda ouvrit son magazine. Le *Quilter's Quarterly*. Jack lui avait offert un abonnement pour son anniversaire. Dans le plus récent numéro, il y avait notamment des diagrammes illustrant la confection de courtepointes à motifs d'animaux en trois dimensions destinées aux enfants. À une certaine époque, de telles courtepointes l'auraient intéressée ; aujourd'hui, elles lui semblaient trop artificielles, en particulier un spécimen en forme d'éléphant aux teintes vives, affublé de grands yeux représentés par des boutons et

d'une trompe rembourrée qui faisait bien un mètre. Il y a seulement quatre ans, à la vue d'une telle chose, elle aurait pensé...

— Pas mal, dites donc !

Le jeune homme fixait le magazine par-dessus son épaule. Elle sentait son haleine dans son cou.

— Pardon ?

— L'éléphant, là. C'est mignon. Pour un jeune enfant, je veux dire.

— Hmmmm.

Une mèche de cheveux lui tomba sur l'œil et elle la repoussa. Jamais encore ses cheveux n'avaient été coiffés de cette manière, bouffants à partir de la raie centrale. Le fixatif, c'est fini, lui avait dit le coiffeur, pas plus tard que la veille. On préconisait désormais une allure naturelle et saine. Les permanentes ? Soyons sérieux. Chacun voulait des cheveux vivants et lustrés. Libérez-les, laissez-les trouver leur propre forme.

À sa sortie du salon de coiffure unisexe de la rue Lake, la veille, elle avait eu l'impression de flotter. L'air lui semblait plus doux. En regardant autour d'elle, elle avait éprouvé une envie aiguë de... tiens, une envie de printemps. Elle avait presque réussi à se convaincre que le printemps était arrivé.

Ce jour-là, cependant, des mèches lui tombaient sans cesse sur les yeux.

— Vous devriez essayer un des nouveaux peignes à la mode, lui avait recommandé le coiffeur. Ou encore une fleur.

À l'idée de se voir avec une fleur fichée dans les cheveux, elle avait failli éclater de rire. Elle avait eu l'intention d'en parler à Jack – l'imaginait-il en train de préparer le repas, une fleur sur l'oreille ?

— Bon, on dirait bien que nous décollons, fit le jeune homme d'une voix stridente.

Il consulta nerveusement sa montre. Poignet osseux, remarqua Brenda, carence en calcium. Et des taches de son, des centaines de taches de son. Un type de peau incroyablement fragile.

— Nous avons cinq minutes de retard. Le pilote rattrapera le temps perdu en vol.

— Probablement, dit Brenda, affable.

Affable, affable, toujours affable. Les courtepointes mises à part, l'affabilité était son unique talent. (Elle s'était fait cette réflexion avec une délectation morose, sans y croire un seul instant.)

— Oh la la! Ça, c'est la partie que je déteste le plus. Le décollage, je veux dire. Une fois là-haut, ça va, on peut se détendre.

— Oui, concéda Brenda.

— Et l'atterrissage n'est pas de tout repos non plus.

— Hmmmm, fit Brenda.

Elle vit les deux mains roses du jeune homme chercher sans succès les extrémités de sa ceinture.

— Tenez, dit-elle, serviable. Voici la boucle.

— Merci. Elles ne sont pas commodes, ces ceintures.

— C'est vrai.

En feuilletant le magazine, elle tomba sur un article consacré au piquage en creux, technique européenne dont elle avait entendu parler à la Guilde des artisans. Difficile à maîtriser, elle n'en produisait pas moins des effets intéressants. Il faudrait qu'elle s'y mette un de ces quatre, décida-t-elle.

— Vous allez à Cleveland, vous aussi? demanda la voix à côté d'elle.

— Non. À Philadelphie.

Bref silence. Puis :

— Je ne suis jamais allé à Philadelphie.

Cette fois, le silence se prolongea. Brenda décida de renoncer à son article.

— Nous n'avons pas de succursales à Philadelphie, confessa-t-il. Seulement à Cleveland. Et à Syracuse, dans l'État de New York.

— Ah bon.

— Sans oublier Chicago, bien entendu. Notre siège social se trouve à Chicago.

— Hmmmm.

— En fait, il est possible que je sois muté au bureau de Cleveland l'année prochaine. À titre permanent. Remarquez, je ne suis pas fou de Cleveland, comme ville, je veux dire. C'est une ville moribonde. Pratiquement morte. On le dit, en tout cas.

— Vraiment?

— Je ne tiens pas mordicus à cette mutation, mais le problème, voyez-vous, c'est que mon superviseur et moi ne voyons pas toujours les choses du même œil.

— C'est regrettable.

— Pas au sujet de la stratégie. À ce propos, nous sommes sur la même longueur d'onde. Mais il y a entre nous ce qu'on pourrait appeler un conflit de personnalité.

— Hmmmm.

— La plupart du temps, nous ne nous entendons pas trop mal, lui et moi. Puis, je ne sais pas pourquoi, il éclate à cause d'une peccadille. Il devient carrément violent. Un tempérament comme il s'en fait peu. Il est irlandais, mais on dit que l'explication ne tient plus. En tout cas, il est d'origine irlandaise, pour ce que ça vaut. Un jour, au beau milieu d'une conversation, il m'a traité de «bâtard imbécile».

— Ah bon?

— C'est comme je vous le dis. Je cite mot pour mot. C'est sorti tout d'un coup. En plein bureau, devant tout le monde. Quelle horreur.

— C'est terrible.

— Vous imaginez comment je me sentais.

— Oui, sans aucune difficulté.

— Imaginez comment vous vous sentiriez si quelqu'un vous traitait de...

Il s'interrompit.

— Ça m'est arrivé, dit Brenda.

— Quoi donc?

— Un jour, on m'a traitée de «bâtarde».

— Vous? Vraiment?

— Oui.

— Je... je ne savais pas que le mot s'appliquait aux dames. Je croyais qu'il était réservé aux hommes.

— J'étais très jeune. J'allais à l'école.

— Qu'est-ce que vous avez fait?

— Pas grand-chose, à vrai dire. Le mot ne m'était pas familier. Après tout, je ne devais avoir que six ans.

— Six ans! Mais vous vous en souvenez toujours, hein?

Sa bouche s'ouvrit toute grande. Dents jaunies, gencives roses, un air doux, poupin.

— Vous avez dû beaucoup souffrir.

— Le plus drôle, c'est que j'ai appris plus tard que j'étais une vraie bâtarde.

— Hein?

— Au sens propre du terme, j'étais effectivement une bâtarde.

— Vous...

— Ce qui veut dire, fit Brenda, que je n'avais pas de père.

— Tout le monde a un père, voyons.

Il ricana brièvement et tendit le bras pour rajuster l'arrivée d'oxygène.

— Ma mère n'était pas mariée, vous comprenez? À strictement parler, j'étais donc une bâtarde.

— Et le gamin qui vous a appelée par ce nom, je suppose qu'il était au courant, non? Au sujet de votre mère?

— Probablement.

— Les enfants sont parfois cruels. C'est bien connu.

— Le plus drôle, c'est que ça ne m'a rien fait. En tout cas pas grand-chose. Quand j'ai appris la signification du mot, je veux dire. Je devais avoir huit ou neuf ans finalement, au lieu de six. Et le mot figurait en toutes lettres dans le gros dictionnaire qui trônait au fond de la classe. Il n'y avait donc rien à redire.

— Ça n'a pas dû être facile. De grandir sans père, je veux dire.

— Oh, je ne sais pas...

— Pas de papa qui rentre à la maison, le soir.

— La seule chose, c'est que ma mère devait travailler à l'extérieur. C'était l'époque où toutes les mères restaient à la maison. Mais pour le reste, je ne crois pas qu'il m'ait manqué grand-chose.

— Mon papa à moi était plutôt sympathique. Je lui dois au moins ça.

— Tant mieux pour vous.

— Mais, bon sang, je parie que tout n'a pas toujours été rose. Je veux parler de l'opprobre. Aujourd'hui, ce n'est rien. Prenez Vanessa Redgrave, par exemple. Dans ce temps-là...

— En fait, fit Brenda en se raclant la gorge pour que sa voix soit nette et ferme – au fil des ans, quelques-unes de ses amies l'avaient complimentée sur la clarté de sa voix –, je ne me souviens de rien de ce genre. Peut-être grâce au quartier où nous vivions. Peut-être grâce à ma mère, au genre de femme qu'elle était.

— Vous deviez avoir une grande confiance en vous-même. On dit que les gens qui ont une grande confiance en eux-mêmes arrivent à surmonter à peu près tous les obstacles.

— C'est possible.

Elle lissa la couverture du magazine du plat de la main en regardant la bague à son doigt, un saphir de petite taille. Jack lui en avait fait cadeau deux années plus tôt. Un geste sentimental.

— Pour ma part, je n'ai jamais vraiment eu confiance en moi. Je suis des cours au YMCA, le mercredi soir : comment s'affirmer, se mettre en valeur. J'espère que ça va m'aider sur le plan professionnel.

— Et ça se passe bien?

— Je ne sais pas. Je n'en ai franchement aucune idée. Pour certains experts, c'est un talent qu'on a ou qu'on n'a pas. Si j'envisage sérieusement de partir à Cleveland, c'est entre autres pour cette raison. Un nouveau départ, vous comprenez?

— Je crois, oui.

— Mais on ne peut pas fuir ses problèmes. Ça, je le sais aussi.

— Non, c'est vrai.

— Évidemment, je suis encore jeune.

Il lui décocha un regard qui, aux yeux de Brenda, était à la fois une forme d'excuse et une manifestation de sournoiserie.

— J'ai tout le temps d'exploiter mon... mon potentiel.

— Oui, bien sûr, fit Brenda. Vous avez raison.

— Tenez, là, regardez.

— Ah, oui. Les nuages.

— C'est joli, non ?

— Oui.

Les nuages roulaient, blancs comme de la vapeur. Brenda se dérida, en paix soudain avec elle-même. Quel soulagement d'en avoir fini avec la jeunesse ! Le plaisir de s'ennuyer, de mériter ce plaisir et de se l'avouer à soi-même. À côté d'elle, il y avait cette misérable créature à la peau criblée de taches de son qui triturait sa mâchoire, luttait à grand-peine contre le mal de l'air, cherchait, haletant, à se donner du courage. Elle aurait dû avoir pitié de lui. Quelle vie il menait, celui-là. Elle aurait dû lui tapoter le genou pour le consoler. Être consolé, c'est ce dont il avait le plus besoin – sans s'en douter. Elle sourit sans le regarder, destinant aux nuages son doux regard empreint de pitié. Pauvre garçon, pauvre jeune homme.

Et pourtant, quand il avait ouvert la bouche quelques instants plus tard pour lui redemander où elle allait, elle avait répondu avec une brusquerie inhabituelle :

— Philadelphie.

Elle avait prononcé le mot sèchement, un goût de vinaigre sur la langue, pas du tout comme elle l'avait scandé à la maison, pas du tout comme elle l'avait murmuré au-dessus de son café matinal : Philadelphie.

Stupide. Insensé. Qu'espérait-elle, au juste ? Qu'espérait-elle, au nom du ciel ?

Pas ça, en tout cas. À la dérobée, elle jeta un coup d'œil à son compagnon de voyage qui, avec l'auriculaire, s'efforçait de déloger quelque particule d'aliment d'une molaire. Il avait déjà oublié ce qu'elle lui avait dit ou plutôt n'y avait accordé aucune attention. Qu'espérait-elle, au juste? Pas ça, non, pas ça.

Chapitre six

L e monde n'était pas peuplé d'êtres magnifiques, non, certainement pas, et Brenda n'était pas naïve au point de croire
le contraire.

Les mannequins, les vedettes de la télévision – ces gens-là
n'avaient rien de commun avec la réalité. Les gens ordinaires, même
les plus forts d'entre eux, étaient tristement criblés de points faibles
et d'incohérences. L'échec était omniprésent, au même titre que
l'égoïsme, la lâcheté, la mésentente et l'imperfection physique,
parfois extrême. Les gens ne vivaient ni pour de grandioses idéaux
ni pour de nobles visions ; ils ne vivaient que pour leurs divorces,
leur avancement personnel et des gratifications immédiates comme
le sexe et la nourriture. Ils racontaient des mensonges et s'adressaient à eux-mêmes des sourires subreptices dans les glaces qu'ils
croisaient au passage. Brenda ne le savait que trop.

— Brenda est réaliste, avait coutume de dire Jack, à l'époque
où il faisait de telles déclarations. Brenda voit les choses comme
elles sont.

Vraiment ? Au début de leur mariage, du temps où Jack, son
mari, louait de la sorte son sens du réel, il énonçait du même souffle
une autre vérité : que lui-même n'était pas comme elle. Que sa
vision du monde à lui était empreinte de romantisme, de retenue et
de méditation. L'allégorie, la métaphore et les richesses du symbole
et du mythe avaient aussi droit de cité. Il y avait des couches, d'innombrables couches de sens.

Les événements subissent l'influence des points de vue, Jack se plaisait-il à dire ; à l'époque, il travaillait à sa thèse, une nouvelle interprétation de l'explorateur LaSalle et de ses voyages. Brenda, qui, le soir, tapait le texte à la machine et aidait Jack à préparer l'index, se disait qu'il n'en finirait jamais. Les travaux de recherche et la rédaction avaient monopolisé une année entière et la majeure partie d'un deuxième été. C'est ce deuxième été qui avait été le plus dur. Leur petit meublé situé près du parc Lincoln était étouffant et mal aéré. Quand la chaleur s'était accumulée tout le jour, il y faisait trente-deux, trente-cinq degrés.

Brenda se souvenait qu'un soir très tard, Jack et elle, irritables et accablés par la chaleur, étaient allés faire une promenade au parc. Contre toute attente, ils étaient tombés sur un *love-in,* véritable phénomène des années soixante. Brenda avait lu des articles sur les hippies dans le magazine *Time* et entendu le slogan « Faites l'amour, pas la guerre ». Et voilà qu'on organisait une manifestation au beau milieu du parc Lincoln, à moins de six pâtés de maisons de leur appartement.

Partout, on voyait des corps étendus sur l'herbe fraîche. Il y avait aussi des guitares, des cheveux longs, quelques chansons, des gens qui s'interpellaient à voix basse, des fleurs dispersées çà et là. Dans l'air montaient des colonnes de fumée suave – *ça,* elle connaissait. Des ombres se balançaient aux branches des grands arbres, au-dessus desquels trônait une lune toute ronde, digne d'une comptine. Une caméra de la chaîne de télévision WGTV bourdonnait au centre de son propre halo de lumière.

Étonnée, Brenda s'était passionnée pour le spectacle, mais Jack avait préféré épier la scène à distance, campé sous un arbre, d'où il observait, passait des commentaires et, s'était dit Brenda, constituait une documentation impromptue. On pouvait voir le spectacle bizarre comme une page d'histoire. Comme si, déjà, il se laissait appréhender avec un certain recul. Le contexte, disait Jack, tempère et explique les événements – qui retiennent d'infimes lambeaux

de raison, se prêtent à des analogies – au moment même où ils se produisent. Et – c'était la partie que Brenda avait le plus de mal à saisir – il arrivait qu'un doute existentiel en mine encore la solidité : cela est-il réel ? Ces choses sont-elles vraiment en train de se produire ?

La conception du monde de Brenda était plus simple. En tout cas, c'est ce que Jack semblait croire. Les choses étaient ce qu'elles étaient, un point c'est tout. Voilà ce qui lui plaisait en elle. Il était tombé amoureux du regard impassible qu'elle portait sur le monde, de la rapidité avec laquelle elle comprenait, absorbait tout, appelait un chat un chat. Surtout, surtout, il était tombé amoureux de la façon qu'elle avait de lever les mains et, dans un geste de résignation féminine voluptueuse – quelle chance elle avait, cette Brenda –, de hausser les épaules.

Un simple haussement d'épaules. C'était un geste si exotique, si européen et en même temps si primitif ; romantique, Jack y voyait la résurgence d'un fragment du patrimoine ancestral qui avait miraculeusement remonté jusqu'à lui.

Le geste, à vrai dire, était pratiquement la seule caractéristique visible que Brenda ait héritée de sa mère polonaise. Le haussement atavique des épaules, les coudes qui se soulèvent, les mains qui s'ouvrent, paumes tournées vers le ciel, était un geste qui proclamait le magnifique et impuissant silence slave – ainsi soit-il, que la volonté de Dieu soit faite. Tendrement, Jack soutenait que Brenda l'avait gratifié d'un de ses légendaires haussements d'épaules le jour de leur première rencontre, chez Roberto. Elle avait à moitié terminé sa soupe aux légumes quand l'événement s'était produit. Les mains en l'air. Les sourcils en l'air. Il avait été conquis, se plaisait-il à dire, conquis sur-le-champ par la simplicité du mouvement, sa grâce.

Lui-même ne haussait pas les épaules. (Au début, ils disaient, à la blague, qu'il possédait plutôt tous les tics de la classe moyenne inférieure, c'est-à-dire qu'il se caressait le menton, se mordait les

lèvres, tambourinait du bout des doigts et tapait du pied.) Rob
et Laurie, leurs enfants, n'étaient pas non plus portés sur les
haussements d'épaules : à la place, ils se rongeaient les ongles et
se grattaient les mollets. Il arrivait parfois à Rob de plisser le front
de travers, ce qui était du plus curieux effet ; Laurie tapait du pied
contre les pattes de la table et, la nuit, grinçait des dents. Seule
Brenda haussait les épaules. Elle était, supposait-elle, la dernière
de sa lignée.

Ces derniers jours, Brenda elle-même semblait hausser les
épaules moins souvent. Jack se disait toutefois qu'elle réussissait
à hausser les épaules avec sa voix. Quelque chose s'était produit,
elle ne savait trop quoi, mais plus rien ne lui semblait aussi simple
qu'avant. Ses enfants grandissaient. Sa mère était morte. Elle-même
avait quarante ans. Elle hésitait, désormais, à dire : bon, c'est ainsi,
n'en parlons plus. À la vue d'une chose – un visage, une maison,
un paysage –, elle était dorénavant plus susceptible de songer :
c'est tout, c'est vraiment tout ?

Il lui arrivait de regretter celle qu'elle avait été : l'ancienne
Brenda, souriante et terre à terre. (L'index de la thèse sur LaSalle avait
été un modèle d'organisation logique ; à l'Institut, M. Middleton
avait déclaré n'avoir jamais rien vu de pareil.) Depuis environ un
an, tout était pour elle source de frustration. Comme si elle était
sans cesse en proie à la colère et à l'agitation ; comme si elle avait
affaire à des messages qui n'étaient pas arrivés à destination. Au
début de l'automne, peu après leur retour du lac, elle avait commencé une nouvelle courtepointe. Toujours inachevée, elle était
disposée sur une chaise dans un coin de sa salle de travail. Brenda
l'avait provisoirement mise de côté pour travailler à *Second avènement,* qui, bien que de facture expérimentale, explorait un motif
plus conventionnel, proposition moins risquée dans le contexte
d'une exposition (comme la réaction des juges était imprévisible,
mieux valait privilégier l'équilibre). La courtepointe inachevée
– c'est d'ailleurs sous ce titre, *La Courtepointe inachevée,* que
Brenda se la représentait – n'avait pas de véritable motif ; il s'agissait

essentiellement d'un vaste tourbillon de couleurs, des jaunes surtout. Il y avait dans cette courtepointe une richesse et une énergie qui envoûtaient Brenda. Pourtant, cette œuvre traduisait une sorte d'écart préoccupant, de rupture par rapport à l'ordre et à l'équanimité de ses travaux antérieurs.

« Les œuvres de Brenda Bowman respirent l'ordre et on les aime pour cela », avait déclaré l'auteur de l'article paru dans l'*Elm Leaves Weekly.*

La nuit, Brenda rêvait quelquefois à la courtepointe. Achevée aux trois quarts seulement, celle-ci comptait déjà des centaines de pièces. Il y avait des touches de couleur pas plus grosses que le bout de ses doigts, pulsations vitales qui caracolaient, emportées par un torrent d'énergie intime. Malgré une envie de contenir ce torrent à grand renfort de points de couture, elle avait repoussé le moment de tout terminer. D'une certaine façon, le métier à courtepointe semblait trop rigide pour contenir tout ce qu'elle voulait y mettre. Elle avait plutôt entrepris de travailler sur un métier portatif – avant même que toutes les pièces ne soient en place. À vrai dire, elle ne savait trop comment la terminer et craignait d'avoir la main trop lourde. Elle rêvait d'un motif austère mais lyrique. Elle allait devoir faire preuve de prudence, faute de quoi elle risquait de se précipiter vers quelque chose de clos et de référentiel, au moment même où elle aspirait à plus. Peut-être, avait-elle fini par s'avouer à elle-même – un jour que, par la fenêtre, elle observait la lumière blafarde de la fin de l'après-midi zébrer le toit du garage –, espérait-elle plus que ce qu'elle pouvait tirer du tissu et des points de couture. Et pourtant, voilà : elle avait soudain envie de plus. Elle ne pensait qu'à cela. En avoir davantage.

∼

— Tu as des pommettes magnifiques, lui avait un jour dit Leah Wallberg.

Plus jeune, avant leur mariage, à Irv et à elle, Leah avait été scénographe au Goodman Theatre. Elle travaillait encore à droite et à gauche, à titre semi-professionnel, disait-elle. C'est elle qui avait signé le décor de la récente représentation de *Hamlet* donnée par la troupe de théâtre amateur d'Elm Park. (Des tentures blanches et jaunes de même qu'un enchevêtrement d'escaliers, austère et épuré, avait-on rapporté à Brenda, qui avait raté la pièce.) Leah, paraît-il, avait l'œil ; les pommettes étaient précisément le genre de détails qui ne lui échappaient pas.

— Rien à voir avec celles des sœurs Hepburn. Toi, Brenda, tu as les os larges. À la longue, ils sont plus intéressants à regarder.

D'où lui étaient donc venues ses pommettes ? De sa mère ? D'aussi loin que Brenda se souvînt, Elsa avait souffert d'embonpoint. À la fin de sa vie, elle pesait plus de cent kilos. Elle avait de gros os, disait-elle, de la tête aux pieds. Sous ses robes imprimées en jersey – elle privilégiait les bleus et les blancs –, ses seins lourds annonçaient leur volume, leur ampleur parfumée. Les gaines et les soutiens-gorge lui donnaient des crampes. Le soir et les week-ends, elle s'en passait, laissant sa chair se répandre à sa guise.

— Attends que je retire ma gaine et que je me fasse un café.

C'est ainsi que, pendant des années, elle avait salué sa fille Brenda à son retour du travail. Ses hanches, qu'on aurait presque dit soupirant d'aise, s'abandonnaient alors ; ses cuisses enfin libérées, à l'endroit où la bande élastique s'était enfoncée dans ses chairs, paraissaient bouffies et zébrées de taches rouges. (Jeune fille, Brenda, qui partageait avec sa mère la salle de bains mal éclairée, observait avec détachement ces lacérations, certaine de contempler son avenir.) Elsa avait les bras ronds, aussi amples que la taille d'une femme plus petite. Après un copieux repas, elle se tapait les hanches d'un air aimable de conspiratrice. Sans être recherchée, la graisse était accueillie avec bonne humeur. Le visage d'Elsa était devenu massif et flamboyant. Y étaient encastrés des yeux petits et vifs et une bouche qui, quand elle riait, formait un H plissé et barbouillé de rouge à lèvres. Si Elsa Maria Pulaski était connue pour

ses larges pommettes, Brenda n'en avait jamais entendu parler ; le visage de sa mère était plutôt un cercle de graisse souriant. Pourquoi ce cercle aurait-il eu besoin de pommettes ?

Effilées, étirées, les pommettes de Brenda, en revanche, étaient nettement définies. Elle avait les yeux légèrement bridés, vaguement orientaux – des yeux magyars, au dire de Jack. Sur sa photo de finissante, à l'école secondaire, elle avait un petit air sain et engageant. Certaines de ses amies avaient détecté une nette ressemblance entre elle et June Allyson. Dans sa classe, on l'avait élue « Mademoiselle Affabilité », titre qui figurait d'ailleurs sous sa photo, en lettres cursives ombragées. À l'époque, elle avait les cheveux plus clairs – blond délavé –, même si, à la faveur de ses rêves éveillés, elle préférait les voir comme « blond miel ».

— J'adore tes cheveux blond miel, lui susurrait une voix à l'oreille.

Ses cheveux clairs, ses yeux magyars et ses pommettes plates et effilées lui avaient donné un air avenant.

L'image lui collait à la peau. Elle possédait une aisance naturelle qui, au fur et à mesure qu'elle vieillissait, lui avait valu la réputation d'être très raisonnable.

— Pourquoi n'as-tu pas de complexes comme les autres pauvres imbéciles que nous sommes ? lui avait un jour demandé Hap Lewis.

Elle n'en savait rien. Dans la glace, son reflet lui rendait son regard, aimable, serein, un peu espiègle. Derrière le visage se lisaient l'équanimité et un bon naturel. Jack avait peut-être raison. Elle était réaliste. Elle acceptait les choses comme elles étaient.

Comment se faisait-il, dans ce cas, que, depuis quelques années, certaines choses l'irritaient ? La mettaient en rogne ? Elle avait du mal à s'expliquer le mépris qu'elle ressentait parfois, sa susceptibilité nouvelle, secrète. De quel droit portait-elle de tels jugements ? Elle, Brenda Pulaski Bowman, fille sans père de Cicero, résidante d'Elm Park – mais pas du quartier le plus désirable –, diplômée de l'école de secrétariat Katherine Gibbs. Elle avait suivi le cours de

deux ans au lieu de celui qui ne durait qu'une année; malgré tout, ce n'était pas l'université ni même l'école normale. Pour qui te prends-tu? se demandait-elle sans ménagement. Pour qui te prends-tu, hein? Pourquoi la manie que Jack avait de coincer des cartes de visite et des reçus dans le cadre du miroir de leur chambre à coucher l'énervait-elle soudain? Il le faisait depuis le début. Parfois, les bouts de papier demeuraient là pendant des semaines. Il avait aussi l'habitude de mettre des bandes élastiques autour des poignées de porte. Pourquoi? Par souci d'économie? De propreté? Elle n'en savait rien. Subitement, elle s'en formalisait. Elle les brisait d'un coup sec et les jetait. Elle arrachait les cartes des coins du miroir et les lançait dans le tiroir de Jack, par-dessus ses chaussettes bien rangées.

Autre sujet de contrariété : la seule mention du nom de Farah Fawcett-Majors la mettait hors d'elle.

— Tu devrais la voir dans *Les Anges de Charlie,* lui avait dit Rob à la faveur d'un de leurs moments de complicité mère-fils.

Un soir, elle avait donc regardé l'émission. En proie à l'incrédulité, elle s'était sentie frémir de mépris et d'ennui.

— C'est seulement un divertissement, lui avait dit Rob, sur la défensive.

— Hmmmm, avait-elle fait sur un ton sans appel.

Elle-même avait grandi en écoutant *Fibber McGee and Molly* et *Duffy's Tavern* à la radio. Au nom de quoi se permettait-elle d'accabler Farah Fawcett-Majors?

À l'occasion d'une soirée donnée par Larry et Janey Carpenter, il n'y avait pas si longtemps, elle avait remarqué, dans un élan de fureur inexplicable, la présence d'un numéro du *New Yorker* dans la salle de bains. Il faut dire que la salle de bains était le centre d'attraction de la maison des Carpenter : puits de lumière au verre teinté, sculpture suspendue en os de baleine et baignoire antique peinte en violet. Aubergine, avait dit Larry. Aubergine! Elle avait admiré la plupart des accessoires de la pièce; seule la présence du *New Yorker,* stratégiquement posé sur une tablette immaculée

installée au-dessus de la toilette, lui avait semblé intolérable. La subtilité du magazine mêlée aux grognements et aux efforts les plus intimes ; à ses yeux, l'idée même était obscène. Elle s'était moquée de sa nouvelle délicatesse. De quel droit osait-elle mépriser les Carpenter ? Larry Carpenter avait étudié à Princeton. Ou dans un établissement aussi prestigieux.

Elle avait reçu de la part de l'institutrice de Laurie un mot commençant ainsi : « Comme vous le savez, nous sommes d'avis que Laurie est une des élèves les plus uniques que nous ayons en septième année. »

— On est unique ou on ne l'est pas, s'était-elle emportée. « Une des plus uniques », mon œil ! Ça n'a pas de sens.

— Ne t'énerve pas, avait répondu Jack, désemparé.

Elle faisait la grimace quand Rob, à son départ pour l'école, le matin, lançait un « Ciao ! » rauque et retentissant.

— Ciao toi-même ! avait-elle envie de lui crier.

Tout sauf « ciao ! » ; rien plutôt que « ciao ! ».

Elle avait été contrariée quand Bernie Koltz, le meilleur ami de Jack, lui avait envoyé un arrangement floral à l'occasion de Noël.

— Il me croit mûre pour le service de gériatrie ? s'était-elle plainte à Jack. Regarde-moi ça, Jack. Des glaïeux !

L'air absent, Jack avait osé la corriger.

— Va au diable, lui avait-elle répondu, ce qui l'avait tout de suite ragaillardie.

Un jour, elle était allée acheter une blouse dans une boutique du boulevard Michigan appelée Le chat qui louche. Il y avait de la moquette café au lait épaisse, un plafond tapissé de miroirs et des lustres dernier cri diffusant une lumière tamisée. Les blouses, enfermées dans des sacs transparents, coûtaient entre quatre-vingts et cent quatre-vingts dollars, les jupes en tweed, deux cents dollars. Il y avait aussi des blazers en tweed assortis. Tandis qu'elle inspectait l'étiquette de l'un d'entre eux, elle avait entendu Simon et Garfunkel qui, en sourdine, chantaient « Scarborough Fair » :

Are you going to Scarborough Fair
Parsley, sage, rosemary and thyme.
Remember me to one who lives there.
She once was a true love of mine.

À une certaine époque, elle avait adoré cette chanson. En l'entendant, elle se voyait étendue sur le quai, au lac, ou en train de tondre la pelouse. Dans la boutique, pourtant, diffusée par les haut-parleurs dissimulés derrière des persiennes, cette chanson lui avait semblé mièvre et doucereuse. Les paroles étaient superficielles, insignifiantes. Pourquoi avait-elle mis tant de temps à s'en rendre compte ?

Peu avant Noël, Jack et elle avaient été invités à dîner chez Milton et Shirley McInnis à Evanston. Milt était le nouveau chef de la restauration de l'Institut, tandis que Shirley, grande, déterminée et brune, était travailleuse sociale dans le réseau scolaire d'Evanston. La famille avait vécu deux années à Zurich, et les enfants, venus tour à tour dans la salle à manger, avaient serré la main des invités d'un air grave.

— Elle est passablement brillante, avait murmuré Shirley à propos de Daphne. Il est terriblement brillant, avait-elle dit de Roger. Nous pensons qu'elle va être brillante, avait-elle confié au sujet de la petite Stephanie, âgée de quatre ans.

Brenda, entre deux bouchées de risotto, avait ressenti de l'indignation, puis de la répugnance et enfin de la colère.

La semaine précédente, ils étaient allés prendre le déjeuner du dimanche chez les parents de Jack, comme toujours. Grand-maman et grand-papa Bowman habitaient un six-pièces sombre et vétuste à Austin. Le rituel était immuable : des brioches Sara Lee, à la cannelle ou aux cerises. Du café au percolateur. Les assiettes disposées sur la table de la cuisine. En fredonnant, la mère de Jack, chaussée de pantoufles, versait le café dans des tasses à rayures. Brenda aimait ses beaux-parents : ils l'aimaient aussi et la considéraient comme leur propre fille. Puis, à table, ce dimanche, ils

lui avaient tendu une enveloppe. C'était une carte recouverte de brillants sur laquelle on voyait des oiseaux bleus battre des ailes dans un firmament azur ; ils lui souhaitaient bon voyage. À l'intérieur, il y avait un billet de dix dollars plié en deux.

— Pour tes vacances, avait dit grand-maman Bowman en souriant, soudain timide.

— Tu t'offriras un bon petit gueuleton à notre santé, avait renchéri grand-papa Bowman en lui décochant un clin d'œil.

Brenda s'était sentie blessée, indignée. Elle se rendait à une exposition nationale ; elle-même faisait partie des exposants ; en fait, on l'avait invitée à y participer. Quand Jack se rendait à Milwaukee ou à Detroit pour présenter des communications à d'autres services de l'Institut, grand-maman et grand-papa Bowman ne lui faisaient pas cadeau d'un billet de dix dollars. Sans compter que la carte pouvait passer pour un rappel du fait qu'elle abandonnait sa famille, qu'elle partait en voyage non pas par nécessité, mais bien pour le plaisir. Elle les avait remerciés avec profusion – bien intentionnés, ils n'avaient cherché qu'à se montrer gentils –, mais elle avait eu grand-peine à réprimer ses larmes.

Que signifiait cette impatience nouvelle, cette réaction épidermique à la moindre contrariété ? Les choses risquaient de s'aggraver, Brenda s'en rendait compte. Une rage pareille avait le pouvoir de vous paralyser. Quel gaspillage, à la longue. Cette colère nouvelle, cette sensibilité à fleur de peau face aux menus tourments de la vie, comment la nommer ? se demandait-elle.

Ce changement d'attitude s'expliquait en partie par le regret, croyait-elle, car elle avait récemment été assaillie par la certitude d'avoir raté des occasions. Des événements du passé remontaient à la surface et lui inspiraient de stériles bouffées de ressentiment. Elle se souvenait de cette soirée d'été, il y avait si longtemps, au parc Lincoln – le *love-in*, les hippies aux cheveux longs étendus dans l'herbe. Elle les avait observés, fascinée, avant de céder, trop tôt, au curieux détachement de Jack. Voilà maintenant qu'elle aurait voulu revivre la scène. Elle aurait déposé son sac à côté des racines sombres

d'un arbre et ôté ses chaussures. Elle se serait avancée, un peu hésitante. Aujourd'hui, elle imaginait la caresse de la lune sur ses joues lisses ; elle imaginait la texture du sol sous ses pieds, froid, un peu rugueux là où la pelouse était râpée. Tout de suite, elle aurait été happée par la douce musique et la proximité des autres corps. Des frères et des sœurs, tous si jeunes. D'une voix basse, quelqu'un aurait prononcé son nom...

Elle faisait face à deux problèmes, liés, croyait-elle, à sa totale incapacité de faire des distinctions. La courtepointe inachevée disposée sur une chaise dans sa salle de travail : c'était ce qu'elle avait fabriqué de mieux ou encore de pire. Elle était incapable de trancher. Et la colère nouvelle qui l'habitait. Peut-être avait-elle simplement besoin de passer quelques jours à l'extérieur. Besoin d'un congé. D'un changement de rythme.

À moins – et elle sentit une nouvelle vague de colère la submerger à cette pensée – que toute sa vie n'ait été qu'une erreur.

Chapitre sept

— Votre nom ?
— Brenda Bowman.
— Ça s'écrit comme ça se prononce ?
— Oui.
— Vous êtes une des dernières arrivées.
— Ah bon ?

Brenda déposa sa valise.

La femme derrière la table d'accueil fit courir son stylo le long d'une liste de noms. Ses cheveux couleur goudron, maintenant grisonnants, étaient négligemment remontés et retenus par un peigne en écaille de tortue. Elle avait l'air intelligent et débordé. Son maquillage était d'une extrême précision.

— Et vous êtes de... demanda-t-elle.
— Chicago.
— Chicago ?

Levant les yeux sur Brenda, elle lui fit un sourire si large et si lumineux qu'il sembla englober tout le hall de l'hôtel. Puis elle dit :

— J'ai bien peur que vous ne figuriez pas sur la liste. Vous êtes sûre d'avoir suivi la procédure de pré-inscription ?

— J'ai envoyé un formulaire...

— Hmmmm, c'est drôle. Vous ne figurez nulle part sous « Chicago ».

— Elm Park, peut-être ?

Brenda devait hausser le ton à cause de la rumeur d'une fontaine décorative qui bouillonnait à deux pas d'elle.

— Je suis membre de la Guilde des artisans de Chicago, mais j'habite à Elm Park. C'est une banlieue de Chicago.

— C'est vrai ?

Un air de vif intérêt traversa le visage de la femme.

— J'ai entendu parler d'Elm Park. N'est-ce pas là qu'Hemingway a...

— Vous confondez avec Oak Park. C'est juste à côté de...

— Ah ! vous voilà. Je savais bien que je réussirais à vous trouver. Brenda Bowman, Mme. Domiciliée au 576, boulevard Franklin Nord. C'est bien ça ?

— Oui.

— Du boulevard Franklin au Franklin Court Arms. Quelle trajectoire !

Elle eut un petit rire sec et rejeta la tête par-derrière, soudain animée.

— Je n'avais pas fait le rapprochement, dit Brenda.

— Vous savez ce que je vais faire ? Je vais indiquer dans le dossier que vous êtes membre de la délégation de Chicago.

— Très bien, fit Brenda, qui se sentait plus heureuse parce que, à ses oreilles, le mot « délégation » sonnait bien. Je vous remercie.

— Tout m'a l'air en règle, madame Bowman. Vous voilà officiellement inscrite. Nous avons reçu votre chèque par la poste. Donnez-moi une minute et je vous prépare votre reçu sur-le-champ.

— Oh, vous savez, ce n'est pas la p...

— Vous en aurez besoin à l'époque bénie des déclarations d'impôts.

Elle leva les yeux au ciel.

— Vous pouvez soustraire les frais d'inscription. Il s'agit d'une déduction admissible.

— C'est le genre de détail que j'oublie toujours, dit Brenda. Il n'y a que deux ans que je paie des impôts.

Elle éclata d'un rire plus juvénile qu'elle ne l'aurait voulu.

— Par les temps qui courent, le moindre sou compte.

— Ça, je ne vous le fais pas dire, confirma Brenda avec enthou-siasme.

— Et vos œuvres ? Il s'agit de courtepointes, n'est-ce pas ?

— Je les ai avec moi, fit Brenda en désignant la volumineuse boîte en carton qui reposait à côté de sa valise. Juste ici.

— Si vous voulez, je m'occupe de les faire accrocher.

— Vraiment ? Comme c'est gentil. La boîte est terriblement encombrante et...

— Voici votre insigne. Cette année, nous faisons l'essai d'un nouveau modèle autocollant. Vous n'avez qu'à tirer sur la petite bande et à le coller sur votre manteau. Il n'y aura pas de trou dans les vêtements comme l'année dernière. Vous n'avez pas idée du nombre de plaintes que nous avons reçues. Nous avons donc opté pour ces...

— Je n'étais pas là, l'année dernière. En fait, c'est ma première...

— Et voici votre trousse, fin prête. Comme vous voyez, votre nom y figure déjà.

— C'est magnifique. La trousse, je veux dire.

— N'est-ce pas ? On l'a conçue exprès pour nous à New York. Il nous a semblé qu'elle rendait bien compte de la thématique arti-sanale et...

— Avec ce fini texturé...

— ... et ces riches tons de beige et de brun. Nous avons insisté sur ces teintes-là.

— Elles comptent parmi mes préférées, s'entendit dire Brenda.

— À l'intérieur, vous trouverez un plan de Philadelphie, gra-cieuseté de l'Office du tourisme. Vous connaissez Philadelphie ? Ça ne fait rien. On s'y démêle facilement. Et voici votre autocollant de pare-chocs.

— Mon autocollant de pare-chocs ?

— Elle dit : « Je fais des courtepointes. » Nous en avons aussi pour les tisseuses et les fileuses. J'aime bien celle qui dit : « Je suis tisseuse de bonne aventure. »

— Vous êtes tisseuse ?

— Ah non, pas moi. Je suis la relationniste de l'association. Betty Vetter. J'aurais dû me présenter plus tôt. C'est moi qui ai eu l'idée des autocollants, l'année dernière. Ils ont fait un malheur.

— Tant mieux, fit Brenda en souriant de l'autre côté du bureau d'accueil.

— En plus du plan et de l'autocollant, il y a une liste des églises et des synagogues du centre-ville, à vous de choisir, fournie par le Conseil interconfessionnel de Phil...

— Je ne crois pas avoir b...

— Et, au cas où vous auriez le temps – j'en doute, car nous avons tout un programme, cette année –, mais bon, juste au cas, nous avons aussi inclus des renseignements touristiques. On propose entre autres des promenades à pied dans le quartier historique. Excellentes, à ce qu'il paraît. Les guides sont des bénévoles, des femmes qui connaissent leur affaire.

— Ça me semble...

— Et un nécessaire de couture, du fil et des aiguilles. Il y a aussi un imper jetable. Cadeau d'un fabricant. On ne sait jamais, ça pourrait vous être utile. Même si je constate que vous portez déjà un imperméable.

— Oui. En tout cas, on le dit à l'épreuve de l'eau.

— Il y a aussi une trousse de maquillage, des échantillons de rouge à lèvres et de fard à joues, j'en passe et des meilleures. Don de la société New Women Industries de Houston...

— Merci, fit Brenda.

Le mot se perdit dans la rumeur de la fontaine de l'hôtel, qui semblait maintenant pomper l'eau et la recracher avec un surcroît d'énergie. Pendant un moment, Brenda crut sentir un fin crachin sur sa nuque.

— Et voici la liste des spectacles à voir en ville. On donne actuellement *Mame*. Toujours divertissant. Il y a aussi autre chose à propos d'un homme qui se meurt. Si vous voulez des billets, vous n'avez qu'à vous adresser à la réception. Voici enfin votre répertoire.

Vous y trouverez le nom de toutes les participantes, de leur conjoint ou je ne sais quoi. Personne ne vous accompagne, n'est-ce pas ?

— Non, fit Brenda en posant les yeux sur les petites boucles d'oreilles brunes de Betty Vetter. Non, répéta-t-elle d'une voix plus affirmée. Je suis seule.

— Parfait, parfait, dit Betty Vetter.

Outre les boucles d'oreilles, Betty portait une antique montre de gousset accrochée à une chaîne qu'elle avait autour du cou. Chaque fois qu'elle se penchait pour écrire, la montre donnait contre la table. Elle avait des mains rougeaudes aux doigts minces et dépourvus de bagues et, sous les yeux, de petites poches squameuses curieusement attirantes.

— Comme vous êtes seule, dit-elle en se penchant vers Brenda, vous permettez que je vous demande une immense faveur ?

— Évidemment, fit Brenda, soucieuse de se montrer serviable.

— Eh bien, nous sommes pour ainsi dire aux prises – à ces mots, Betty Vetter marqua une pause et plissa les lèvres – avec un léger problème.

— Ah bon ?

— En réalité, nous sommes victimes de notre succès. L'année dernière, tout le monde s'est bien amusé. Alors, cette année, nous nous retrouvons avec un nombre d'inscriptions supérieur à tout ce que nous avions pu imaginer. C'est comme si nous tricotions les participantes, au sens propre du terme. Ha ha. Et je ne vous parle même pas des maris et des accompagnateurs. On dirait que tout le monde a eu envie de venir à Philadelphie. Bref, le Franklin a accepté beaucoup trop de réservations.

— Ah bon ? répéta Brenda.

— Nous avons retenu des chambres supplémentaires au Holiday Inn et au Travelodge. Le problème, ce sont les métallurgistes.

— Les métallurgistes ?

— Les métallurgistes, exactement. La Société internationale d'iceux, en fait. Ils ont eu la bonne idée de se réunir en même temps

que nous. Et ils sont des centaines. Ce que je veux vous demander, madame Bowman – vous permettez que je vous appelle Brenda?

— Je vous en prie, s'empressa de dire Brenda.

— Appelez-moi Betty. Betty la Folle, pour vous servir. Je sais que je vous demande un gros sacrifice, Brenda – et je m'en veux à mort de vous en parler –, mais accepteriez-vous de partager votre chambre?

— De partager ma chambre? Eh bien, euh, je...

Brenda fut littéralement sans voix. Elle sentit ses lèvres s'assécher.

— Il y a pas mal de femmes seules qui partagent une chambre, vous savez. Ce n'est pas comme si nous étions de parfaites étrangères. Nous faisons toutes partie de la grande famille des artisanes, n'est-ce pas? Les participantes, vous savez, sont dignes de confiance. Nous avons la conviction que...

— Ça n'a rien à voir.

— Et, se hâta d'ajouter Betty Vetter, il n'y en a pas pour longtemps. Cinq nuits, pas plus. Quand on assiste à un congrès, vous le savez aussi bien que moi, c'est à peine si on met les pieds dans sa chambre, de toute façon. En réalité, on y va uniquement pour dormir et prendre une douche. Sans compter, fit-elle en respirant un bon coup et en tirant sur la montre qu'elle portait au cou, que le prix de la chambre sera considérablement réduit. Voyons voir. Au départ, vous deviez payer quarante et un dollars par nuit. Si vous acceptez de partager, vous ne paierez que trente-deux dollars. La direction m'a donné l'assurance que nous aurions les chambres à trente-deux dollars. C'est une économie nette de, voyons voir – quarante et un moins...

— Neuf dollars.

— Neuf dollars. Voilà.

— Ce n'est pas une question d'argent, dit Brenda.

— Alors? Qu'est-ce que vous en dites?

Le stylo s'immobilisa, suspendu dans l'air.

— C'est seulement...

Merde, merde. Brenda se sentait fatiguée. Oui, elle était *fatiguée*.
Ses règles étaient imminentes et elles s'accompagnaient toujours
de douleurs aux jambes. Elle avait trouvé l'aéroport de Philadelphie
immense et drôlement organisé, tout à fait différent d'O'Hare, et
le préposé au fret aérien s'était montré sec, à la limite de la grossièreté. Le devant de son imper rouge était tout froissé, et il y avait
une minuscule tache sur le col, de la graisse, peut-être. Oui, elle
était fatiguée. Elle avait envie de s'étendre sur un lit et de fermer les
yeux. Elle s'était fait une image mentale – un mois durant ! – d'une
petite chambre à elle toute seule, équipée d'un lit à une place, aux
draps sobrement tirés, presque un lit de religieuse. Dans un coin,
une chaise sur laquelle, le matin, elle s'installerait pour prendre
un café et des muffins, si tel était son bon plaisir. Des muffins au
son. Il y aurait une longue et étroite fenêtre ouvrant sur une rue
au caractère vaguement historique et, de l'autre côté, un mur de
briques rosâtres et aussi un réverbère, probablement, un de ces
vieux machins ornementés en fer...

Tant pis. D'un seul coup, une vague de déception la submergea.
Elle jeta un coup d'œil à Betty Vetter qui, assise devant elle, attendait. Elle s'efforça de lui sourire et y parvint tant bien que mal.
Betty Vetter lui rendit son sourire. Soudain, il ne resta plus de sa
déception qu'un léger pincement de regret – qui lui-même commença presque tout de suite à s'estomper. L'assiette de muffins au
son s'évanouit. Derrière Brenda, la fontaine bouillonnait, guillerette.

— Je ne saurais vous dire, Brenda, jusqu'à quel point nous
apprécions votre geste. Je veux dire – la vérité, c'est que, pour le
moment, je ne vois pas d'autre solution.

— Ce n'est pas grand-chose...

— C'est magnifique. C'est fantastique. Tout à fait dans l'esprit
de ce que nous cherchons à accomplir, soit dit en toute franchise.
Vous seriez surprise du nombre de participantes qui ont du mal
à se faire à l'idée de...

— Après tout, il n'y en a jamais que pour cinq nuits.

— D'autant que nous partageons toutes les mêmes croyances.

— Hmmmm, fit Brenda, prise au dépourvu.

— On vous remettra votre clé à la réception. Ce sera la chambre 2424.

Elle lança à Brenda un regard pétillant.

— J'espère que vous n'avez pas le vertige.

— Non, non. Les hauteurs ne m'ont jamais...

— Et votre compagne de chambre s'appelle, voyons voir, Verna Glanville. Elle fait des courtepointes, elle aussi.

— Vous avez dit Verna Glanville ?

— Une chic fille. Vous allez vous entendre comme larrons en...

— De Norfolk, en Virginie ?

— Je crois, oui.

— Verna de Virginie. C'est son nom d'artiste.

— Ah bon ? De toute façon, elle est arrivée il y a une heure ou deux. Elle s'est montrée très compréhensive. À propos du problème des chambres, je veux dire. Plus on est de fous, plus on rit, a-t-elle dit. Après m'avoir entendue lui proposer de partager une chambre...

— C'est drôle, fit Brenda. Je viens tout juste de lire un article à son sujet. Verna de Virginie. Elle a vendu une courtepointe au Metropolitan Museum de New York.

— Elle jouit d'une solide réputation dans son...

— C'est une des meilleures, sinon la meilleure...

— ... et elle a un sourire pour tout le monde. Moi, en tout cas, c'est ce qui m'a frappée.

— Moi qui espérais avoir l'occasion de la rencontrer. Et voilà que je vais...

— Une dernière chose, madame Bowman. Brenda. On demande à tout le monde de se réunir à quatre heures précises dans la salle de la Constitution pour le dévoilement du programme. C'est à l'étage au-dessus. La mezzanine. Il est déjà presque quatre heures. Si vous voulez vous y rendre tout de suite, je peux faire monter vos bagages à votre chambre.

— Merci beaucoup, dit Brenda, avant d'ajouter, après une courte pause, Betty.

— De rien.

— Je vous suis très reconnaissante...

— Ce n'est rien du tout. Heureuse d'avoir pu vous aider. Nous sommes là pour ça.

Chapitre huit

À la vue du hall du Franklin Court Arms, à la moquette vert épinard et aux murs lambrissés en bois naturel, Brenda songe à certains lieux en plein air, en particulier à un secteur du parc Columbus où Jack, les enfants et elle ont l'habitude d'aller se promener les soirs d'été. Il y a d'énormes plantes en pot – des arbres, en réalité – et, à proximité de la table d'accueil, la grande fontaine bruyante, faite de plaques d'acier inoxydable et de tubes de verre. Partout, l'éclairage diffuse de discrets halos aux teintes douces qui semblent ronronner. L'escalier qui conduit à la mezzanine – étage où se déroule le congrès – est en bois blond. En chêne, peut-être, estime Brenda. Les degrés aux contremarches à claire-voie ont une épaisseur hors du commun ; elle a l'impression de flotter jusqu'en haut. On a suspendu des jardinières chargées de plantes vert pâle, plumeuses et ponctuées de lumière que, pour la plupart, Brenda ne reconnaît pas. Presque certainement des fougères.

La salle de la Constitution, constate Brenda, se remplit à vue d'œil. Surtout de femmes. Bon, c'était à prévoir. Deux ou trois hommes sont assis ensemble d'un côté, et un élégant monsieur à la barbe grise fait de grands gestes à l'avant. Au bout, on a aménagé une estrade recouverte de panneaux de toile de jute beiges et bruns – la même qui a servi à la confection de la trousse qu'elle tient à la main. On a disposé des centaines de chaises pliantes en arc de cercle, la plupart occupées, et des employés de l'hôtel tentent tant bien que mal d'en caser une rangée de plus, au fond. La pièce résonne de

voix, aimable brouhaha qui se répercute sur les murs lisses et s'élève jusqu'au plafond aux arcs de bois, où trois chandeliers scintillent et clignotent. Du bout du doigt, Brenda touche son insigne en cherchant du regard un endroit où s'asseoir.

— Chut, fait une femme. Chut.

— Ça commence.

— Mesdames et monsieur...

— Monsieur ? Quel monsieur ?

Rires éraillés.

— Excusez-moi, chuchote Brenda. Est-ce que cette place est libre ?

— Je la garde pour quelqu'un. Elle sera là dans une minute.

— Excusez-moi.

— Chut.

— Mesdames et messieurs, si vous voulez bien...

— Cette place est libre ?

— Non, hélas.

— Vous m'entendez bien derrière ? Sinon, levez la main, je vous prie. Un, deux, un, deux.

— Ça va à peu près, fait une voix éraillée. Mais on manque de chaises.

— Ça vient, dit une voix d'homme, elles devraient être là dans quelques minutes.

— Votre attention, s'il vous plaît...

— Excusez-moi, madame le président ou plutôt madame la présidente.

C'est toujours la même voix rauque qui retentit dans un coin de la salle.

Brenda sent qu'on lui tire la manche.

— Il y a une place libre ici, fait une voix douce.

— Merci, c'est gentil.

— Je m'appelle Lenora Knox. Je viens de Santa Fe.

Elle porte des lunettes à la monture bleu pâle et ses cheveux bruns sont légèrement ondulés.

— Vous avez fait un long voyage, dit Brenda de sa voix mondaine.

— Vous êtes?

Lenora sourit, encourageante. Elle a des traits très fins.

— Brenda Bowman. De Chicago. De la région de Chicago, disons.

— Je ne suis jamais allée à Chicago. Nous espérons un jour – je veux dire, avec l'Art Institute et tout...

— Je déclare ouvert le quatrième congrès national annuel des artisans.

— Vous faites quoi? demande Lenora Knox de sa voix de petite fille.

— Des courtepointes.

— Moi aussi!

— C'est vrai?

— Quelle coïncidence. Il faut absolument que nous prenions un café ensemble. Pour parler «courtepointes», sérieusement.

— Je peux poser une question, madame la présidente?

Encore la voix.

— La requête est irrecevable.

— Elle ne figure pas à l'ordre du jour.

— Il se trouve, insiste la voix, que la question que je soulève revêt la plus haute importance. Vous en conviendrez, j'en suis certaine, si vous me laissez parler.

— Je crains fort...

La présidente est une blonde corpulente dans la quarantaine. Elle a un visage joli et doux, empreint d'un très grand calme.

— La présidence peut avoir l'assurance que la question concerne chacune d'entre nous.

— Qui c'est? demande Brenda.

— Je ne sais pas.

Lenora Knox s'exprime d'une voix menue, douce et nette.

— C'est la première fois que j'assiste à une manifestation de ce genre.

— Moi aussi.

— Je n'aurais jamais cru qu'il y aurait autant de monde.

Brenda regarde autour d'elle. Parmi toutes ces femmes, il y a forcément Verna Glanville. Verna de Virginie. Si seulement Brenda savait à quoi elle ressemble. Dommage qu'il n'y ait pas eu de photo...

— Silence, s'il vous plaît.

— Je demande humblement...

— La présidence cède la parole à Charlotte Dance.

— Merci de votre collaboration, madame la présidente. Dès que vous aurez entendu ce que je...

— Soyez brève, Charlotte, je vous prie. Et apolitique. Nous sommes en simple séance d'orientation.

Pour une raison que Brenda ignore, la remarque suscite de grands éclats de rire. Même Charlotte Dance rit fort, à la mode sans doute de la Nouvelle-Angleterre.

— Je ne demande que deux minutes de votre temps.

— Allez-y. La parole est à vous.

— Ouf! Le problème que je tiens à soulever ne relève pas à proprement parler de la politique, mais il nous concerne toutes puisqu'il a trait à une violation de nos droits en tant que femmes.

Acclamations. Deux ou trois gémissements.

— Il semble que l'hôtel, celui auquel nous avons fait l'honneur de confier notre congrès – je veux parler du Franklin Court Arms –, se soit comporté comme toutes les institutions commerciales dominées par les hommes...

— Vous voulez bien en venir au fait, Charlotte?

La présidente arbore un vaste sourire.

— Nous n'avons la salle que pour une heure et...

— Peut-être certaines des participantes savent-elles déjà que l'hébergement accuse de graves lacunes.

Des applaudissements accueillent ces propos.

— La direction de l'hôtel, paraît-il, nous informe qu'il n'y a pas assez de chambres pour nous toutes, en dépit du fait que nous

avons des réservations – des réservations confirmées, je me permets d'insister – depuis des mois.

— Vous êtes dans quelle chambre? demande Lenora en chuchotant.

— 2424, répond Brenda sur le même ton.

— On vous a demandé de partager avec quelqu'un?

— Oui, je...

— Moi aussi.

— J'attire l'attention de la présidente sur le fait qu'on a demandé à un grand nombre d'entre nous de partager leur chambre, et je précise d'emblée que je n'y vois pas d'inconvénients. Je ne suis pas opposée à l'idée de partager ma chambre. Mais voilà qu'on demande à certaines d'entre nous de séjourner au Ramada Inn, qui, je vous le donne en mille, se trouve à quatre kilomètres d'ici. Quatre kilomètres! Évidemment, j'ai posé des questions. Il semble bien que nous ayons été supplantées – c'est, je crois, le mot qu'on utilise – par la Société internationale des métallurgistes. La présidence est-elle en mesure de confirmer cette information?

— Il semble y avoir eu un problème de surréservation. Il y a environ une heure, j'ai appris que certaines de nos membres seraient transportées par autobus, sans frais...

— On nous demande de céder notre place à un autre groupe, même si c'est nous qui avons réservé en premier...

— Je crois savoir que seules les personnes accompagnées...

— Excusez-moi, madame la présidente, mais je tiens à souligner, haut et fort, qu'on oblige une organisation composée presque entièrement de femmes...

— Pas entièrement, Charlotte, mon poussin, dit une voix aimable – celle de l'homme à la barbe grise – en provenance de la première rangée.

— ... Désolée. On oblige un groupe majoritairement composé de femmes à céder sa place à un autre qui, comme par hasard, se compose exclusivement d'hommes.

On pousse des hourras. On tape du pied. On applaudit.

Brenda et Lenora échangent des regards. Lenora a l'air effrayé. La présidente réclame le silence à grands coups de marteau.

— Je sais qu'on m'a demandé d'être brève, poursuit Charlotte Dance, et je pense qu'il n'y a rien à ajouter. Les faits parlent d'eux-mêmes. Cette situation démontre une absence flagrante de responsabilité morale de la part de la direction de cet hôtel, et je propose la formation d'un comité chargé de faire le point sans délai – ce soir même, dans la mesure du possible.

— J'en suis.

— Compte sur nous, Charlotte.

— À l'intention des journalistes – je suppose qu'il y en a dans la salle –, je précise que je me ferai un plaisir de vous rencontrer après l'assemblée pour discuter avec vous d'autres manifestations...

— Merci, Charlotte, d'avoir porté cette question à notre attention. Je pense qu'il vaut mieux passer maintenant à la suite de notre ordre du jour et...

— Une question, s'il vous plaît.

— J'ai bien peur de ne pas...

— Une question, c'est tout. Promis.

L'intervenante est une femme qui s'est levée devant Brenda et agite les bras. Elle est jeune – de dos, en tout cas, elle a l'air jeune – et a de longs cheveux noirs qui lui descendent jusqu'à la taille. Elle porte un châle en tricot aux tons pourpre et mauve. Serait-ce Verna de Virginie ?

— Laissez-la parler. Donnez-lui une minute.

— D'accord.

Le microphone laisse clairement entendre un soupir.

— Une question seulement. Et vous ne disposez que d'une minute. Après, j'ai...

— Au nom de toutes les femmes ici réunies, je tiens à protester contre...

— Auriez-vous l'obligeance de vous identifier, s'il vous plaît, aux fins du procès-verbal ?

— Margaret Malone, de la Guilde des artisans d'Atlanta.

— La présidence cède la parole à Margaret Malone.

— Elle est superbe, murmure Lenora.

Brenda fait oui de la tête.

— Je tiens à protester contre le prétendu cadeau que nous avons toutes reçu aujourd'hui de la part d'un groupe qui se fait appeler New Women Industries. Je veux parler, fait-elle en brandissant la trousse de maquillage, de ce... de cet hommage gratuit à la vanité féminité traditionnelle.

— Ça, c'est bien envoyé.

Charlotte Dance est debout encore une fois.

— Ce que j'aimerais savoir, ajoute Margaret Malone, c'est si les membres de la Société internationale des métallurgistes ont aussi eu droit à de petites... attentions comme celles-ci. De la lotion après-rasage, par exemple. Ou encore de l'eau de Cologne, virile et aguichante.

— Elle a raison, vous savez, dit Lenora Knox tout doucement.

— Vous avez soulevé une question pertinente, dit la présidente, mais nous devons maintenant...

— Par le plus grand des hasards, j'ai ici un grand sac à ordures. Avec la permission de la présidence, je propose de le déposer à l'arrière. J'invite celles qui souhaitent se défaire du cadeau non sollicité offert par – elle marque une pause – New Women Industries à se joindre à moi pour...

— Merci beaucoup. Je suis convaincue que nous saisissons toutes le sens de...

Soudain, tout le monde parle en même temps. Certaines participantes se dirigent vers le fond de la salle, où se trouve le sac à ordures. Brenda songe à les imiter, mais elle craint de perdre sa place. Le marteau de la présidente monte et descend, mais la sonorisation semble tout à coup défectueuse. D'un côté de la salle, une femme grimpe sur une chaise. Quelqu'un l'aide à monter. Voilà maintenant qu'elle se met à parler. Brenda essaie d'entendre ce qu'elle dit, mais dans la cacophonie ambiante, elle a peine à distinguer les mots. Quelque chose à propos de la loi sur l'avortement.

Quelque chose à propos des droits fondamentaux bafoués en Alabama et au Mississippi. Ailleurs, on dirait qu'une femme pleure, à moins qu'elle ne crie dans l'espoir d'être entendue. La sonorisation pousse un couic électronique. Brenda a l'impression que la salle vacille. Au fond, deux ou trois femmes chantent. Serait-ce l'«Hymne de bataille de la république»? *Glory, glory, Hallelujah.* Des rires hystériques fusent. L'homme à la barbe grise chuchote à l'oreille de Charlotte Dance. Celle-ci a posé les mains sur ses hanches. La bouche entrouverte, elle balance la tête d'un côté à l'autre.

— Juste ciel, dit Lenora Knox de sa voix douce.

Chapitre neuf

L'homme qui montait dans l'ascenseur en même temps que Brenda portait un costume à rayures fines. Elle l'examina du coin de l'œil. Récemment, elle avait fini par convaincre Jack d'acheter un tel costume; coupé de la même façon, il était marine plutôt que brun.

En l'occurrence, l'homme descendit lui aussi au vingt-quatrième étage. Comme si la coïncidence était une sorte de plaisanterie les concernant tous deux, il fit à Brenda un sourire fugitif, distrait. Sur sa poche de poitrine, il y avait une petite carte plastifiée où elle lut : Société internationale des métallurgistes. « Il est du nombre », songea-t-elle en le gratifiant d'un regard plus sévère. Son nom figurait aussi sur la carte, en caractères plus petits, mais, en sortant de l'ascenseur, elle n'avait pas réussi à le déchiffrer. D'ailleurs, elle ne voulait pas donner l'impression de fixer l'homme de trop près. Quelle importance? Il s'éloigna dans une direction, tandis qu'elle-même, d'un pas plus hésitant, s'engageait dans l'autre. Le vingt-quatrième étage. Betty Vetter, elle s'en souvenait maintenant, lui avait demandé si elle avait le vertige, puis, un air de triomphe sur le visage, elle se rappela le jeune homme de l'avion, le type aux gencives rose vif. Aux prises avec ses craintes et ses gémissements, comment aurait-il réagi à l'idée d'habiter au vingt-quatrième étage?

Lorsque la Société historique s'était réunie à New York, Jack et elle avaient occupé une chambre au trente-troisième étage d'un hôtel du centre-ville. Allongés sur le lit, ils avaient l'impression de sentir l'immeuble osciller légèrement de gauche à droite. Elle n'avait

pas du tout eu peur; l'idée du centimètre de jeu dont bénéficiait la fine tour d'acier dans la tourmente, de cette infime reddition technique à laquelle elle participait, lui plaisait plutôt. En hauteur, il arrivait même qu'on se sente en sécurité – tout restait derrière, le hall, les cafés et les bars se trouvaient désormais à des kilomètres de distance. Là-haut, les chambres étaient détachées et abandonnées à leur propre faisceau de ténèbres. Dans le corridor, tout était calme.

Brenda tira la lourde clé de la poche de son imper et en vérifia le numéro. La chambre 2424 devait se trouver à l'autre bout du corridor; oui, elle y était, à côté de la machine à glaçons. Brenda avait hâte d'ouvrir la porte et d'ôter ses chaussures, celle de droite en particulier, qui lui serrait les orteils. Plus jamais elle n'achèterait de chaussures italiennes, même en solde. Le jeu n'en valait pas la chandelle.

Verna de Virginie serait-elle arrivée? Brenda espérait que non. Elle était impatiente de faire sa connaissance, mais elle avait envie – besoin, même – de quelques minutes de solitude. Elle allait ôter ses chaussures et peut-être aussi sa jupe. La réception ne débutait que dans une heure et demie. Largement le temps de se glisser entre les draps et, si le cœur lui en disait, de fermer les yeux et de s'octroyer un petit somme. Les siestes avaient des propriétés tonifiantes à ne pas dédaigner. Dix minutes de ce que le père de Jack appelait un «répit pour les yeux» faisaient souvent des miracles. (Avant une soirée chez des amis, Jack s'allongeait parfois pendant quelques minutes.) Heureusement qu'elle avait apporté son petit réveil de voyage. En le réglant pour six heures, elle aurait encore le temps de prendre une douche avant la réception. À condition que Verna ne soit pas à la chambre.

Verna, cependant, était là.

Brenda, en tout cas, supposa qu'il s'agissait de Verna. Quoi qu'il en soit, une femme, dépouillée de ses vêtements, gisait sur le lit près de la fenêtre. Les lumières étaient allumées – une lampe sur la commode, une lampe sur pied dans un coin –, mais Brenda ne voyait pas du tout le visage de Verna, ni d'ailleurs la plus grande

partie de son corps, car un homme était couché sur elle. Lui non plus ne portait pas de vêtements. Il avait des épaules lisses et musclées, observa Brenda, et un dos large, de forme ovale. Elle détecta une pilosité modérée et, en dessous, de la peau blanche. Et des fesses rougeaudes, plutôt petites. La petitesse des fesses masculines la prenait toujours par surprise.

De la musique montait du lit. Non, pas de la musique, des gémissements. Brenda n'aurait su dire s'ils venaient de l'homme ou de la femme. Il était dix-sept heures. Dehors, il faisait noir, un vrai temps d'hiver. Les fesses de l'homme montaient et descendaient avec effort, par à-coups. Les longues jambes de Verna (était-ce bien elle?) s'écartaient puis se refermaient sur le dos velu de l'homme, les pieds se soudant l'un à l'autre. Brenda songea à une sculpture, à un objet monté sur un lourd piédestal au milieu d'un parc, façon Henry Moore, peut-être, tout en angles et en ouvertures. Il y eut un autre gémissement, presque un murmure, puis, plus secs, des halètements, des bruits de lutte et la voix étouffée de la femme :

— Ça vient, ça vient.

Brenda les observa pendant deux ou trois secondes. L'expression «partie de jambes en l'air», qu'elle n'avait jamais employée de sa vie, la frappa de plein fouet. Elle conservait néanmoins un calme olympien. On avait monté sa valise, constata-t-elle. Elle était là, toute sage, entre les deux lits. Au-dessus d'eux, il y avait un tableau, une nature morte, des fruits, des abricots, peut-être...

L'instant d'après, elle était sortie de la chambre. Elle avait réussi à refermer la porte sans bruit. Tout près, passé le coin, la machine à glaçons cliquetait. Elle jeta un coup d'œil le long du corridor, qui semblait interminable et d'une sérénité surnaturelle. Toutes les portes étaient closes – une série de surfaces lisses, symboles d'intimité et de pudeur. Et derrière ces fausses portes? Elle eut une vision étourdissante, celle de multiples accouplements féroces, de la fusion de membres étranges et poisseux, de cris étouffés, de murmures inhumains en fin d'après-midi. Des paroxysmes d'extase. Hasard. Accident. Risque. Elle contemplait un trou historique profond

renfermant des millions de coïts – un trou sans fond, en fait. Elle mit la clé dans sa poche et, tanguant légèrement, s'appuya sur le mur. Ses dents, curieusement, s'entrechoquaient.

— Vous avez laissé votre clé à l'intérieur ? demanda une voix derrière elle.

C'était l'homme au costume à rayures fines, un seau à glaçons à la main. Il avait parlé d'une voix gaie, presque à la manière d'un voisin.

— Non, répondit-elle.

Il s'arrêta devant elle et la regarda presque sous le nez.

— Dans ce cas, puis-je... Ça ne va pas ?

Il la fixait droit dans les yeux. Avec intensité. Il la croyait peut-être ivre. Ou malade. La taille de ses pupilles ? Sans parler du bruit que faisaient ses dents en s'entrechoquant. En fait, elle tremblait des pieds à la tête.

Vous devriez peut-être vous asseoir, proposa-t-il gentiment.

Les rayures dansaient devant elle, lui blessant les yeux. Elle remarqua le nœud de sa cravate bleue et bourgogne, exubérant et soyeux.

— Oui, fit-elle en agitant la main d'un air vague. Où ?

— Vous préférez que je prévienne quelqu'un ?

— Qui ça ?

— Il doit bien y avoir un médecin à l'hôtel. Ou encore une infirmière. Quelqu'un qui soit de garde.

— Je n'ai pas besoin de médecin, dit Brenda, sidérée par l'idée.

— J'ai pensé que, euh... vous ne vous sentiez pas bien.

— Je suis seulement... un peu étourdie, je crois.

— Laissez-moi vous raccompagner à votre chambre, m'assurer que tout va bien.

— C'est ma chambre. Là.

En guise de preuve, Brenda flatta le bois doux de la porte.

— Je vois.

Il attendit.

— Je vais beaucoup mieux maintenant.

Pourquoi ne s'en allaient-ils pas, son seau à glaçons et lui ?

— Je ne me sens plus étourdie du tout.

— Bien, très bien.

Il était de petite taille, à peine plus grand qu'elle. Ses yeux bruns étaient alertes, animés, inquiets. Il avait les cheveux extrêmement fournis – Brenda remarquait les cheveux au même titre que Leah Wallberg remarquait les pommettes –, entre le brun et le gris. Les cheveux d'un homme en bonne santé. Il devait avoir la fin de la quarantaine, imagina Brenda.

— Je vais bien.

Elle se sentait effectivement mieux et, pour une raison quelconque, au bord du fou rire. Les nerfs, probablement. Surtout, ne ris pas, s'ordonna-t-elle.

— Écoutez, fit-il, j'allais justement me servir à boire. Pourquoi ne pas m'accompagner – ma chambre est un peu plus loin.

— Merci, mais...

— Vous pourriez vous asseoir un moment, le temps de reprendre vos esprits...

— Je vais bien, je vous assure.

Elle hocha vivement la tête pour montrer qu'elle disait la vérité.

— Au cas où vous vous feriez du souci à mon sujet, je ne suis ni un violeur ni un assassin.

Comme pour le lui prouver, il désigna sa carte de métallurgiste.

— Venez vous asseoir une minute ou deux, prenez un verre si le cœur vous en dit, et vous vous sentirez mieux.

— Mais je me sens déjà mieux et...

— Sans vouloir vous offenser, je vous trouve encore un peu pâle.

— Pourtant, je vous assure...

— Parfois, ce sont ces fichus ascenseurs qui rendent les gens malades, les hauteurs...

Il lui sourit gaiement et Brenda songea : «Quel homme charmant. Quel homme attentionné. Incroyable qu'il ait pensé aux ascenseurs. »

— En fait, commença-t-elle – elle lui devait bien une explication –, il m'est arrivé quelque chose de drôle. Là, maintenant.

— Drôle au sens d'étrange ou...

— Les deux.

— Ah bon.

Il attendit en souriant d'un air perplexe. Ses dents de devant se chevauchaient d'une façon que Brenda jugea sympathique.

— Pas exactement amusant.

Elle s'interrompit, sourit.

— Plutôt...

— ... bizarre?

— Bizarre. Oui, c'est le mot juste. Surréel, aussi. Et...

Elle succomba à une crise de fou rire.

— ... franchement comique.

Elle se souvint des fesses rougeaudes, dures comme des pommes, allègres et pourtant étrangement menaçantes. Elle rit encore plus fort. Elle s'appuya sur le mur, la tête projetée en arrière, la bouche ouverte. Elle devait avoir l'air d'une folle ; l'homme en costume à fines rayures, accroché à son seau à glaçons, devait la croire cinglée.

Non, apparemment. Il se mit à rire avec elle, avec aisance, en bon camarade. Brenda n'arrivait pas à imaginer pourquoi. Elle entendait le cliquetis des glaçons, bruit mondain, rassurant et normal. Elle respira un bon coup.

— Volontiers, fit-elle. Je veux parler du verre.

— Bien. Parfait. Je suis de ce côté. Tout près de l'ascenseur.

— C'est très gentil à vous. Je ne vous connais même pas et...

— Tout le plaisir est pour moi.

Il la prit par le coude, geste qu'elle aurait dû juger alarmant, se dit-elle, mais qui, pour une raison quelconque, ne l'effaroucha pas. À la façon qu'il avait de prononcer certains mots, elle avait cru déceler chez l'homme une trace d'accent britannique.

Il avait une chambre double. Au-dessus des lits, d'autres tableaux représentaient des fruits, l'air mal équilibrés et fripés, perdus au fond de plats profonds en porcelaine. Sur un support, une valise, gueule ouverte, d'où ressortaient une cravate et des sous-vêtements froissés. Dans un coin, une lampe suspendue éclairait un fauteuil brun mat en vinyle rembourré.

— Assoyez-vous, proposa l'homme en aidant Brenda à ôter son manteau, qu'il déposa précautionneusement sur un des lits.

Il ne s'émerveilla ni du manteau ni des pommettes de sa propriétaire. À la place, il dit :

— Faites comme chez vous, je vous en prie.

— Comme c'est bizarre !

En s'assoyant, Brenda sentit une douleur aiguë derrière ses genoux. La journée avait été longue. Elle se pencha et, avec la main, massa son cou-de-pied droit. Commettrait-elle une impolitesse en enlevant ses chaussures ? Probablement.

— Bizarre ?

Devant une table, il débarrassait des verres de leur enveloppe de papier.

— Être ici, je veux dire. Pour boire un verre. Je ne vous connais pas et...

— Barry Ollershaw. J'aurais dû me présenter plus tôt. Excusez-moi.

Barry. Ce prénom ne lui avait jamais plu. Il manquait de sérieux ; il avait quelque chose de coquin.

— Et vous êtes d'où ? demanda-t-elle poliment.

— De Vancouver, en Colombie-Britannique. C'est au Canada.

— On dit que c'est magnifique, fit Brenda, incertaine de la situation géographique exacte de Vancouver.

Au milieu des montagnes ? Soudain, elle se demanda ce qu'elle fabriquait dans la chambre de cet homme et, mue par un réflexe involontaire, jeta un coup d'œil à la porte.

— Vous préféreriez que je laisse la porte ouverte ? demanda Barry Ollershaw.

— Non, ce n'est pas...

— À l'université, c'était obligatoire. Quand nous recevions une jeune fille dans notre chambre, à la résidence, nous devions laisser la porte entrouverte. Le règlement, vous savez. Évidemment, c'était dans les années cinquante. L'âge des ténèbres, pour ainsi dire.

— Vraiment?

Elle eut un autre rire nerveux.

— Remarquez, je comprends votre malaise. Seigneur Dieu. Avec ce qu'on lit dans les journaux... On peut l'ouvrir, la...

— Non, ça va.

Les violeurs et les assassins n'ont pas cet air-là : détendu, intelligent. Ils ne se baladent pas non plus avec un insigne. À quoi donc ressemblaient-ils? Elle les reconnaîtrait. De cela, elle avait la certitude.

— Du gin, ça vous va? C'est tout ce que j'ai, malheureusement. J'ai aussi du tonic et un peu de bitter.

— Va pour le tonic. J'aime bien le tonic, en fait.

Elle marmonnait des propos incohérents, à l'égale de Hap Lewis.

— Pas trop de gin, s'il vous plaît.

— Comme ça?

— Parfait. Je suis heureuse de vous avoir rencontré. J'étais vraiment étourdie.

— Santé.

L'homme leva son verre.

— Pardon? Ah oui. À la bonne vôtre.

— Et vous êtes, fit-il en se penchant sur son insigne, Brenda Bowman, de la Guilde des artisans de Chicago.

— Oui.

Elle commençait à se détendre un peu.

— Ravie de faire votre connaissance.

Il se percha au bord du lit, face à elle, le verre au creux de la main.

— Et, maintenant, j'espère que allez me parler de cette chose étrange, bizarre et surréelle qui vous a donné des étourdissements.

— Vous risquez d'être déçu. À la réflexion, ça me paraît plutôt idiot.

— La distraction me fera du bien. J'ai été en réunion tout l'après-midi.

— Vous n'êtes pas...

Elle le regarda dans les yeux. Ils étaient bruns, avec des sourcils tirant sur le roux.

— ... prude, j'espère?

— Prude? On ne m'a encore jamais accusé de l'être. Vous trouvez que j'ai l'air prude?

— Je n'ai encore jamais rencontré de Canadien.

Pourquoi avoir dit une ânerie pareille? Qu'est-ce qui lui prenait, au juste? D'ailleurs, c'était faux – à l'Institut, il y avait Bill Lawless. Originaire de Winnipeg, il n'avait rien de prude. Au contraire, il...

— Eh bien? fit Barry Ollershaw.

En guise d'encouragement, il fit tourner les glaçons dans son verre.

— Bon, commença Brenda. Il faut d'abord que je vous dise que je suis ici pour l'Exposition nationale d'artisanat.

— Ça, je l'avais compris. À cause de votre insigne.

— Et je devais avoir ma propre chambre. Pour une raison que j'ignore, il n'y a pas assez de chambres. En fait, la rumeur veut que nous ayons été déplacées par la Société internationale des...

— N'en dites pas plus. Je suis au courant. Je sors d'un comité, et il paraît que nous sommes dans de beaux draps.

— À l'accueil, on m'a demandé si j'accepterais de partager ma chambre. Avec une autre artisane. Je fabrique des courtepointes, vous comprenez?

— Je suis fou des courtepointes. Ma mère en faisait. Ma tante aussi. Des sortes de mosaïques. Évidemment, elles n'étaient pas dans la même ligue que vous. Mais poursuivez, je vous prie.

— Je ne connais pas l'autre, sinon de réputation. En fait, je ne l'ai jamais rencontrée. Quand je suis montée à la chambre, elle était déjà là.

— Et ?

— J'ai ouvert la porte, il y a quelques instants à peine, et je suis tombée sur elle... seulement, elle n'était pas seule.

Brenda avait du mal avec sa bouche, qui lui semblait curieusement lâche et moite. Sans compter qu'elle ne savait pas où poser les yeux.

— Elle n'était pas seule, répéta Barry Ollershaw, comme s'il s'agissait d'un simple énoncé de fait.

— En réalité, elle ne m'a même pas vue entrer. Elle était... eh bien... avec un homme. Ils faisaient... vous voyez... l'amour.

— Haha !

Barry lança la tête par-derrière.

— Je vois.

— C'est vrai ?

— Oui, même nous, Canadiens...

— C'est juste que... je ne sais trop comment vous expliquer... j'ai été prise au dépourvu. Pendant une minute ou deux seulement. J'ai été un peu accablée, je suppose. Ce que je veux dire, c'est que je ne m'attendais pas à ça. Les lumières étaient toutes allumées. Sauf que maintenant...

Brenda était reprise de fou rire. Elle renversa une goutte de gin sur la jupe de son tailleur et s'empressa de la faire disparaître du revers de la main.

— Sauf que maintenant ?

— Eh bien, ça me semble plutôt drôle. Absurde. Fou, quand on y pense.

Barry eut un large sourire et secoua la tête d'un air compréhensif.

— Première position ? demanda-t-il sans crier gare.

— Pardon ?

— La position du missionnaire ? Ils avaient adopté la position du missionnaire ?

— Eh bien, fit Brenda, avant de marquer une pause et d'avaler une gorgée de gin, oui.

Elle vida son verre d'un trait et regarda les fruits sur le mur, derrière Barry Ollershaw.

— Je conçois votre surprise.

— Quand on y réfléchit dans l'abstrait...

— À quoi?

— Aux relations sexuelles. Dans l'abstrait, c'est un peu... je ne sais pas... ridicule.

— La bête à deux dos.

Il avait prononcé ces mots sur le même ton neutre.

— Quoi? Ah oui. Donc, vous voyez ce que je veux dire?

— Absolument. C'est une sorte de plaisanterie aux dépens de la race humaine. Histoire de nous rabaisser le caquet. Mais qui sait, dans des millions d'années, à supposer que nous tenions le coup aussi longtemps, nous allons peut-être évoluer vers quelque chose de plus... gracieux.

— Comme les poissons, s'entendit dire Brenda. Je viens de lire un article sur les poissons – dans *Newsweek,* je crois, vous l'avez peut-être vu. Au sujet des œufs des poissons qui sont en quelque sorte... expulsés... et se dispersent dans l'eau à la manière d'éventails.

— Je vous sers un autre verre?

— Un peu de tonic, s'il vous en reste. Je me demande pourquoi j'ai si soif. Les nerfs, probablement. Mais je ne voudrais surtout pas vous retenir. Vous avez sûrement beaucoup à...

Elle retint son souffle. La dernière chose dont elle avait envie, c'était de se lever de cette chaise.

— Je suis libre jusqu'à huit heures. Laissez-moi vous resservir, je vous en prie. Il faut que vous me teniez compagnie. Ne bougez pas.

Peut-être pourrait-elle retirer ses chaussures. La droite, à tout le moins. À bien y penser...

— Vous êtes marié? demanda-t-elle à Barry Ollershaw, qui lui tournait le dos.

Il essayait de faire tomber des glaçons dans le verre de Brenda, plutôt maladroitement, pour éviter de les toucher avec les doigts.

— Oui, répondit-il.

— Moi aussi. C'est drôle. Je suis mariée depuis vingt ans, un bail, en somme. Mais je n'avais encore jamais vu – vu de mes yeux vu, je veux dire – personne en train de faire l'amour. Personne d'autre, je veux dire. Ce n'est pas un peu bizarre, quand on y pense ?

— Sans doute un peu, oui, surtout qu'il s'agit d'une activité plutôt commune. Mais, au fond, ce n'est probablement pas si étrange.

— Heureuse de vous l'entendre dire. Parce que, tout d'un coup, ça me semble très étrange, à moi.

— Eh bien, fit-il en se retournant, certaines personnes, naturellement, ont recours à des miroirs au plafond et à d'autres stratagèmes du même genre.

Il avait prononcé ces mots sur un ton posé, spéculatif, et Brenda s'était demandé si lui-même faisait partie de ces personnes.

— Oui, je suppose.

— Et il y a aussi les films. Les films pour adultes, je veux dire. Quelquefois, dans les soirées « pour hommes seulement » – mais vous ne fréquentez pas ce genre de fêtes, j'imagine.

— D'accord, mais ce n'est pas la même chose que de... d'être dans la même pièce que deux personnes en train de...

— Je suppose que non. Pourtant, la plupart des enfants finissent par surprendre leurs parents une fois ou deux, par accident...

— Ça vous est arrivé ?

Elle songea à la mère qui confectionnait des courtepointes.

— Il se trouve que oui. Mon frère et moi. Bien entendu, il faisait noir, alors nous n'avons pas vu grand-chose. Seulement les draps qui s'agitaient en tous sens, vous voyez le genre. Je me souviens de l'effet que la scène a eu sur nous, mon frère et moi. Nous avons ri comme des fous, à moitié hystériques, mais, en même temps, nous avions été profondément choqués.

— Je crois que c'est ce que j'ai ressenti aujourd'hui.

— Et vos parents ? Les avez-vous...

— Ce qu'il y a, c'est que je n'ai jamais vraiment eu de père.

— Ah bon?

Le visage de l'homme trahissait l'intérêt. Ayant bu la moitié de son deuxième gin tonic, il avait l'air encore plus enjoué, et Brenda se demanda s'il ne s'agissait pas d'une sorte de truc, maîtrisé à la perfection, auquel il faisait appel en société – toujours se montrer sensible, toujours déborder d'énergie. D'ailleurs, à quoi s'employait un métallurgiste? Quelque chose à propos du métal – des essais, sans doute.

— C'est que, fit-elle prudemment, ma mère ne s'est jamais mariée.

— Je vois.

Hochement de tête empathique, regard rivé sur elle.

— Il y a forcément eu quelqu'un, au moins une fois. Ma mère n'en parlait jamais. Il n'y a jamais eu personne d'autre – à ma connaissance, en tout cas.

— Hmmmm.

Pourquoi, ces derniers temps, insistait-elle tellement pour faire état, en particulier auprès d'inconnus, de son absence de père? C'était la deuxième fois ce jour-là. Il faudrait qu'elle se surveille. Était-ce la seule confidence intéressante qu'elle ait à faire, le seul trait qui la distingue : son absence de père? Après avoir lu un certain nombre d'articles sur la psychologie dans des magazines, elle ne pouvait pas balayer du revers de la main l'hypothèse de l'exhibitionnisme et ce qu'il dissimulait peut-être. Le désir de choquer? À moins qu'elle n'ait eu l'intention d'impressionner ses interlocuteurs par la facilité avec laquelle elle avait surmonté ce supposé traumatisme. Il y a des tas de gens qui suivent des psychothérapies pour beaucoup moins. D'interminables années de psys, de cauchemars, de névroses. Certains faisaient paraître des annonces dans les journaux dans l'espoir de retrouver leur père perdu, dans l'espoir de se compléter eux-mêmes, coûte que coûte. Ils retenaient les services d'un détective privé. Et ils tourmentaient leur mère,

qu'ils abreuvaient de questions et d'accusations. Pas elle, non, pas elle. Elle tirait une certaine vanité de sa robuste santé mentale – au même titre qu'elle faisait parade de son absence de vertige.

Barry Ollershaw toussota légèrement.

— Il n'y avait donc personne – pas d'homme, en tout cas – dans le portrait ?

— Jamais. Inutile de préciser, dans ces conditions, que je n'ai jamais... Et, bien sûr, chez nous...

— Quoi ?

— La porte de la chambre se verrouille.

— Ah bon ?

Toujours le même air captivé.

— C'est probablement une bonne idée.

— Eh bien, fit-elle, comme si elle se sentait l'obligation de se justifier, le verrou était déjà là quand nous avons emménagé. Un petit crochet, vous voyez le genre ? Nous avons d'abord pensé que c'était bizarre, mon mari et moi, mais, plus tard, quand les enfants ont grandi...

— Évidemment.

— Quoi qu'il en soit, rien de tel ne m'était encore arrivé, je veux dire entrer dans une pièce et tomber sur... Heureusement qu'ils ne m'ont pas vue. En tout cas, je suis à peu près certaine qu'ils ne m'ont pas vue entrer. Qu'est-ce qu'on dit dans ces cas-là ?

— « Faites comme si je n'étais pas là », peut-être ?

— « Ne vous arrêtez pas en si bon chemin. »

— Même s'ils vous avaient vue, dit Barry, vous n'y étiez tout de même pour rien. S'ils voulaient de l'intimité, ils n'avaient qu'à verrouiller la porte à double tour. C'est ce que font les gens, en général.

Vraiment ? Brenda lui donna raison.

— C'était peut-être, vous savez, non prémédité.

— Possible, oui. La nature humaine est ainsi faite.

— « La nature humaine est ainsi faite »... C'est une expression qu'affectionne Jack, mon mari.

— Auriez-vous faim, par hasard ? Je pourrais faire monter quelque chose, des sandwichs, du café.

Brenda bondit de sa chaise. La réception ! Il était presque dix-huit heures trente.

— Il faut que j'y aille, dit-elle à Barry.

Aïe, ses pieds. Ses pauvres pieds.

— Vous permettez que j'utilise votre salle de bains pour me débarbouiller un peu ?

Elle porta la main à ses cheveux, les remonta, s'empara de son imper.

— Je vous en prie.

Il s'écarta pour lui indiquer le chemin. Aux yeux de Brenda, son visage innocent était celui d'un homme digne de confiance. Il fallait qu'elle dise quelque chose, n'importe quoi.

— Merci de ne m'avoir ni violée ni assassinée.

En guise de réponse, il s'inclina exagérément, et elle observa une fois de plus l'épaisseur de ses cheveux. Des cheveux remarquables. Épais comme de l'herbe, dotés de leur propre énergie. Elle aurait aimé y plonger la main pour en éprouver la résistance. Puis elle se souvint du désir qu'elle avait eu, un peu plus tôt, de toucher le genou de l'homme de l'avion. Jamais, elle s'en rendit compte, elle ne céderait à un tel mouvement. Jamais.

Chapitre dix

À la réception, il y a un bar ouvert, des tables chargées de nourriture et des centaines de personnes qui mangent, boivent
et bavardent debout. La rumeur de toutes ces voix humaines est
assourdissante mais agréable, et Brenda, arrivée tard, cueille un
petit sandwich carré sur un plateau et sent l'anticipation monter
en elle. Tout est possible.

Dans le sandwich, il y a quelque chose de caoutchouteux, du
hareng probablement. (Elle adore le hareng. À la maison, il y en
a toujours un bocal au frigo. Parfois, au milieu de l'après-midi, elle
y glisse les doigts et en prend une tranche.) Il y a aussi des vol-au-
vent de la taille de son pouce, débordant de fromage orangé. Et des
trucs chauds accrochés à des cure-dents – qu'est-ce que c'est? On
dirait des boulettes de viande surmontées d'une tranche de cham-
pignon. Délicieux. Un serveur en livrée blanche lui offre à boire.

— Un verre de punch, madame?

Brenda balaie la salle de la République des yeux, à la recherche
d'une quelconque connaissance. En principe, Lottie Hart, de la
Guilde des artisans de Chicago, devrait être là. En tout cas, elle a
dit qu'elle viendrait, mais c'était il y a deux semaines. Et Susan
Hammerman – elle siège au bureau de direction national – est
forcément ici. Évidemment, Brenda la connaît à peine; elle l'a rencontrée une fois, au printemps dernier, à l'occasion d'une réception bruyante organisée à Chicago – une réception un peu comme
celle-ci, en fait. Pourtant, il serait agréable de... puis Brenda aperçoit
Betty Vetter, quelques pas plus loin. Un visage familier; Brenda

essaie d'attirer son attention, mais Betty converse avec un serveur qui porte un plateau recouvert de verres à punch. Elle agite les bras – en fait, elle ne les agite pas exactement, elle donne plutôt l'impression de hacher l'air devant elle à petits coups –, et Brenda saisit la chute fervente d'une phrase :

— ... sans perdre de vue le plan d'urgence, eu égard aux annulations possibles.

Conversation grave et urgente, selon toute vraisemblance.

Derrière Brenda, deux femmes discutent.

— Au moins, le programme est plus attrayant que celui de l'année dernière, dit l'une d'elles. Il y a plus de chair, tu comprends ?

— Oui, réplique l'autre, mi-maussade, mi-nostalgique, mais au début, nous connaissions tout le monde. Tu te souviens ? Tu te souviens de la première année, à St. Louis ? Je n'oublierai jamais, jamais, l'esprit qui régnait à cette occasion-là... Nous connaissions absolument tout le monde. Tandis qu'aujourd'hui...

～

Voilà Susan Hammerman, à l'autre bout de la pièce. Magnifique – elle est magnifique, se dit Brenda. Le libre mouvement des cheveux gris, coupés par un coiffeur hors de prix. La robe en soie jaune. Le jaune ne va pas à tout le monde, du moins passé un certain âge, à cause de l'effet de la couleur sur la peau, mais il convient à merveille à Susan Hammerman. Brenda constate que celle-ci est en grande conversation avec un groupe de femmes. Pendant un moment, elle envisage d'aller les rejoindre. Elle n'aurait qu'à se glisser parmi elles en disant :

— Excusez-moi de vous interrompre, mais nous nous sommes rencontrées à la foire de l'artisanat, le printemps dernier.

Il est peu probable que Susan Hammerman se souvienne d'elle, mais comme elle vient de la même ville...

— Un autre verre de punch, madame ?

— Pas tout de suite, non, merci.

Brenda se demande si Verna de Virginie est descendue à la réception. Elle est peut-être ici en ce moment même, resplendissante, tout juste sortie de la douche, un verre de punch glacé à la main ; il est peut-être là, lui aussi, à côté d'elle, le teint cramoisi, l'air content de lui-même.

— Tiens, bonsoir, Brenda.

C'est Lenora Knox de Santa Fe. Sortie de nulle part, elle arbore un mignon sourire et une jupe longue en coton rose légèrement fripée. De ses cheveux bien peignés monte un parfum de fleurs musqué. Pour un peu, Brenda l'embrasserait.

— Je ne connais pas un chat, confie-t-elle à Lenora.

À ses oreilles, les mots font l'effet d'un aveu d'insuffisance.

— Vous avez trouvé votre chambre, Brenda ? demande Lenora.

— Oui, dit Brenda. Et vous ? ajoute-t-elle au bout d'un moment.

— Eh bien – déjà, Brenda pressent que le récit sera long –, ma compagne de chambre vient de Fort Worth, au Texas, et elle est adorable. Elle conçoit des patrons pour les tapisseries. Comme nous sommes du Sud-Ouest, toutes les deux, les organisatrices se seront dit... seulement, elle est timide comme tout. Je ne sais pas quoi faire. C'est à peine si elle m'a adressé la parole. Elle a l'air, vous savez, perdu. Quand je lui ai demandé si elle descendait à la réception, elle m'a répondu que non. Elle ne connaissait personne, alors à quoi bon ? Je lui ai répondu que c'était précisément le but des réceptions. Les participantes se mêlent les unes aux autres et font connaissance.

— Brenda Bowman ! crie une voix puissante.

C'est celle de Susan Hammerman, qui traverse la pièce à la manière d'une chanteuse d'opéra, évite le serveur et contourne Betty Vetter, sa robe jaune luisant sur ses hanches.

— J'ignorais que vous seriez là, Brenda. Vous auriez dû me prévenir. On ne peut pas dire que les artisanes de Chicago soient en force, cette année, vous ne trouvez pas ? Lottie Hart a dû annuler. N'empêche, c'est fabuleux de voir des gens de tout le pays ainsi

réunis. Je viens de rencontrer une femme extraordinaire de St. Paul, au Minnesota. Elle s'est mise au tissage à soixante-cinq ans. Vous imaginez? Mon Dieu, j'espère seulement que mes pauvres doigts ne vont pas se raidir avant. Quelle source d'inspiration, n'est-ce pas?

— Oui, dit Brenda.

— Absolument, renchérit Lenora Knox de sa petite voix égale de hautbois.

~

— J'ai commencé à cause de ma grand-mère, raconte quelqu'un à Brenda. Ma grand-mère maternelle. Avant, je me disais : « Pauvre vieille mamie qui, tous les mardis, se réunit avec ses vieilles biques pour faire de la couture. » Moi, j'aurais préféré me rouler en boule pour attendre la mort que de passer ma vie à faire un truc de ce genre. Je suis diplômée en biologie de Missouri State. Mais ma grand-mère m'a appris. À l'époque, j'étais mariée, j'avais des enfants. J'ai commencé par de petits machins, pour tuer le temps. Franchement, au début, je n'avais aucune idée de la satisfaction qu'on peut tirer de la fabrication d'objets, à partir de rien. De presque rien, en tout cas. Voulez-vous bien me dire ce qu'ils ont mis dans ce punch? Du rhum? C'est sournois, en tout cas. Aujourd'hui, je les comprends mieux, ces femmes qui se réunissent en cercles d'artisanes. Ces jetés, ces tabliers, ces poignées... Qui peut affirmer qu'elles ne sont pas des artistes? Des artistes populaires, à tout le moins? Vous êtes de Chicago, à ce que je vois.

— Oui, fait Brenda.

— J'ai un frère qui vit à Chicago. À Riverside, plus précisément.

~

— Ce que je n'arrive pas à comprendre, c'est pourquoi on l'a choisi comme conférencier d'honneur. Sait-il seulement de quoi il parle?

— Je pense qu'il va traiter des nouvelles tendances interna-
tionales du marché de l'artisanat...

— Je veux bien, mais qu'est-ce qu'il en sait ? D'accord, il s'y
connaît peut-être en marketing, mais la vente et la confection, ça
fait deux.

— Quelqu'un m'a dit qu'il était très amusant...

— Amusant ! On n'est pas au cirque, ici !

~

Brenda s'empare d'un petit cœur d'artichaut mariné et mord dans
quelque chose de dur. Une amande. Qui a bien pu avoir une idée
pareille ? Il faudra qu'elle en parle à Bev Coulson. Bev copiera la
recette sur une fiche, laquelle ira rejoindre une multitude de hors-
d'œuvre possibles. Un jour que Jack et elle rendaient visite aux
Coulson, Bev leur avait servi des boulettes de soja au cari, recette
végétarienne qui lui avait été inspirée par un plat auquel ils avaient
goûté au Japon, Roger et elle.

La cuisine est-elle un art ? Sur le chemin du retour, Jack et elle
avaient discuté de cette question. Non, avait répondu Jack, en
raison de l'absence de pérennité et même de toute prétention à la
pérennité. Brenda avait pour sa part soutenu que la cuisine était
un art parce qu'elle faisait directement appel à l'esthétique et supposait des choix esthétiques. (Depuis un certain temps, elle se tirait
beaucoup mieux d'affaire dans ce genre de débat.) Sans renoncer
à ses doutes, Jack avait concédé qu'elle tenait peut-être quelque
chose. Brenda lui avait parlé de l'origami, art éphémère par excellence. Elle avait aussi évoqué les sculptures sur fil des Esquimaux.
Enfin, elle avait rappelé à Jack le chemin parcouru par Bev Coulson
depuis l'époque où, après les matchs de football américain, elle
leur servait le « favori des foules », c'est-à-dire du bœuf haché en
sauce et des fèves déposés sur des petits pains.

— C'est vrai, avait admis Jack.

~

— Comme ça, vous faites des courtepointes ? demande quelqu'un à Brenda. Au fait, on dit « quilteuse » ou « fabricante de courtepointes » ?

— L'un ou l'autre, dit Brenda, heureuse. À l'occasion d'une fête donnée dans le voisinage, quelqu'un m'a présentée comme une « fabricante de courtepointes à part entière ».

— J'ai entendu dire que Verna de Virginie serait présente. Vous la connaissez ?

— Non, mais, puisque vous me posez la question…

~

— Je suis ce qu'on appelle un accompagnateur, dit à Brenda un homme en costume. Bref, un mari. C'est ma femme, là, en tailleur blanc. C'est elle, l'artiste de la famille. Elle fait dans le macramé. Elle a commencé avant même que le macramé devienne à la mode. Aujourd'hui, elle donne des cours au YMCA. Ça l'occupe, ça lui évite de faire des bêtises. Moi, je suis dans l'hydraulique. Une petite société, deux associés, du personnel de bureau. Nous faisons l'impossible pour rester petits. On grandit, on grandit, et tout s'écroule d'un coup. À quoi bon ? Je viens de lire un livre de poche, *Small Is Beautiful*. À chaque page, je me disais : « Voilà, c'est ça. » Philadelphie ne manque pas de charme, mais, franchement, qui voudrait vivre ici ? Je vous apporte un autre verre de punch ? J'allais justement me resservir. Heureux d'avoir fait votre connaissance. Décidément, c'est une grosse machine, ce congrès, pas vrai ?

~

— Non, je vous assure. Les Capricornes ont un tempérament plus artistique que les Gémeaux.

— Vraiment ?

～

— Je fais de l'artisanat depuis maintenant huit ans, dit une femme. J'ai appris à l'hôpital. Une thérapeute venait nous voir chaque jour pour nous donner des instructions. Des trucs élémentaires, mais comme je ne m'étais jamais servie de mes dix doigts, c'était tout nouveau pour moi. J'avais reçu plusieurs séries d'électrochocs et, la plupart du temps, j'étais complètement sonnée, mais au moins mes doigts fonctionnaient. Quand j'y repense, c'est comme un rêve. J'avais la laine dans les mains, et la thérapeute m'aidait à la tenir entre mes doigts. Certaines femmes détestaient l'artisanat. Elles se mettaient à pleurer. Une d'elles s'était assise par terre et avait enlevé ses chaussures, puis elle avait enroulé la laine autour de ses jambes. D'une certaine façon, c'était plutôt drôle. Il m'a fallu environ un mois pour finir la première pièce. Je m'endormais à tout bout de champ. J'ai mis beaucoup moins de temps pour la deuxième, et la technique était cent fois meilleure. Même moi, je voyais la différence. On m'a envoyée dans un autre service, où on me laissait travailler tant que je voulais. C'est comme ça que j'ai commencé.

— ... la variation Crossland.

— D'accord, mais est-ce convaincant ?

— Oui et non.

～

— Dites donc, demande une femme, a-t-on enfin réglé le problème des chambres ?

— Je ne sais pas, répond Brenda. Je n'en ai plus entendu parler.

— Moi, s'interpose une autre, j'ai entendu dire que le comité allait rencontrer les métallurgistes demain matin. Évidemment, la direction de l'hôtel est seule à blâmer.

— Quelqu'un a dit que les métallurgistes avaient reçu quelques chambres de plus parce que nous avons eu droit à cette salle pour la réception. Un genre de marché, en somme...

— Il paraît qu'ils ont dû tenir la leur au Caveau bavarois.

— C'est vrai. Juste ciel, c'est tout en bas, dans les entrailles...

— En revanche, l'atmosphère est sympathique. Décontractée. Propice à la conversation. Je trouve notre réception exagérément guindée.

— Ça, oui.

Levant les yeux, Brenda embrasse du regard les volutes blanches du plafond, les candélabres, les moulures géorgiennes, les lourds rideaux de velours bleu retenus par de curieuses ferrures tordues. Un immense portrait de Benjamin Franklin domine tout un mur.

— Vous voyez comme il nous regarde de haut ? dit l'une des femmes.

— Lui et ses joues roses.

— Un vieil homme admirable, en réalité. Mais sur le portrait, il a l'air d'un juge de campagne et non d'un génie.

— Est-ce un portrait ressemblant, demande Brenda, ou seulement une version idéalisée ?

— En tout cas, on dirait qu'il nous condamne sans appel. Pensez donc, nous buvons du punch, alors que nous aurions dû nous coucher avec le soleil pour nous lever avec lui.

— *Un sou épargné est un sou gagné.*

— C'est de Benjamin Franklin, ça ?

— Je crois, oui. Je confonds parfois avec le Livre des Proverbes.

— Quelle polyvalence. Un véritable homme de la Renaissance.

— Pendant que j'y pense, on n'entend jamais parler des femmes de la Renaissance ou je me trompe ?

— La polyvalence exige du temps. Qui en a, du temps libre ?

— Les choses changent. Je lisais justement un article dans *Ms...*

— Ce que je veux savoir, moi, c'est de combien de temps dispose la femme moyenne pour poursuivre quelque entreprise que ce soit. Elle ne peut surtout pas se permettre de tout recommencer après un faux départ. Si elle est une artiste, et j'inclus les artisanes...

— Amen.

— ... on s'attend à ce qu'elle crée son œuvre entre deux brassées de lessive. Il faut qu'elle se démène comme une folle juste pour se réserver une heure ou deux par jour.

— La situation évolue, vous ne pensez pas?

— Pour ma part, j'ai fini par imposer mes conditions et m'aménager un atelier. Et vous, Brenda?

— Eh bien...

— Une chambre à soi. Cette bonne vieille Virginia... Elle avait une tête sur les épaules, celle-là.

— Mais...

— Nous devons beaucoup aux pionnières qui...

— Je m'installe devant mon métier et je me dis que je devrais peut-être faire des biscuits pour les enfants, ou encore une tarte. Quelque chose d'idiot, en tout cas. Quelle farce!

— Ma dernière tarte remonte à au moins cinq ans.

— Moi, je n'en ai jamais fait.

— Qui a besoin de tartes, de toute façon?

— Pas moi, en tout cas!

— Il m'arrive de penser à un livre, *Le Regain américain*. Vous vous souvenez? L'auteur voyait dans l'artisanat un signe de la résurgence spirituelle des États-Unis.

— C'est magnifique. Il faudra que je note ça par écrit.

— C'est une paraphrase. En tout cas, le sens est là.

— Le punch fait son effet. Je monte me coucher.

— Moi aussi. Le discours d'ouverture commence à neuf heures précises.

— Il est une heure déjà. Je n'en reviens pas.

— Moi qui voulais téléphoner à la maison pour voir si la petite famille se porte bien.

— Trop tard.

— Oui, je suppose.

— Vous avez des enfants, Brenda ?

— Oui, répond Brenda. Deux.

— Moi aussi. Les vôtres ont quel âge ?

— J'ai un garçon de quatorze ans et une fille de douze.

— Je parie qu'ils vous manquent déjà.

Ces mots, la femme les a prononcés d'une voix douce, où transparaît un léger accent du Sud, mais ils ont sur Brenda l'effet d'une décharge électrique. Elle n'a pas pensé aux enfants de toute la journée. Pas une seule fois.

～

Chambre 2424. Brenda glisse la clé dans la serrure, la fait tourner lentement, sent son cœur se serrer. C'est ridicule, se dit-elle sur un ton de reproche. Elle ne va tout de même pas camper dans le couloir toute la nuit. C'est sa chambre ; on la lui a attribuée.

La pièce est vide. Le lit de Verna aussi. Les draps et les couvertures tirés créent un semblant d'ordre et de correction. On a laissé la lampe de chevet allumée ; à l'intention de Brenda, dirait-on, elle projette sur le plafond un halo de lumière jaune accueillante.

Brenda est fatiguée, crevée, étourdie par les effets du punch au rhum et de la multitude de personnes qu'elle a rencontrées. Que de noms... Impossible qu'elle les retienne tous. Elle attendra demain matin pour se laver les cheveux, décide-t-elle. Demain aussi, elle empruntera un fer pour repasser son autre jupe. Elle est impatiente de se mettre au lit, de fermer les yeux.

Et le sommeil lui vient facilement. De petits nuages tout ronds passent sans bruit devant elle. Elle pense à Jack – non pas à son visage, mais plutôt à la consistance et à l'odeur de son corps. Elle pense à ses enfants, qui dorment à la maison, non pas tels qu'ils sont aujourd'hui, mais comme ils étaient, petits – chauds, exhalant

un doux parfum au sortir du bain. Elle pense à ses courtepointes ; quelque part dans les ténèbres de cet hôtel, ses trois courtepointes attendent. *Second avènement, Second avènement.* Elle déplace un doigt en pensée le long du panneau central en relief, se souvient de la grande précision des bords et des coins. Elle pense à son imper rouge (et à la petite tache préoccupante sur le col) accroché dans la chambre de Barry Ollershaw, au bout du couloir. Il a promis de le lui rapporter demain, et elle ne doute pas un instant qu'il le fera. Cette certitude s'accompagne d'un éclat de joie. La foi exerce une pression, chargée du poids de la gravité. Brenda est en sécurité, tout va bien. Elle rêve au cœur d'artichaut vert pâle, à ses feuilles entrouvertes, à l'ovale pointu de l'amande lovée en son centre.

Chapitre onze

Elle aimait ses enfants, bien sûr qu'elle les aimait, ses bébés, Rob et Laurie. (Robert John Bowman, né en 1964, 3,3 kilos. Laura Jane Bowman, née en 1966, une minute après minuit, 3,7 kilos.) La première pensée qui vint à l'esprit de Brenda, à l'instant où elle ouvrit les yeux dans une chambre d'hôtel, seule en ce dimanche matin, fut celle de ses enfants.

Le réveil de voyage indiquait six heures trente, mais, à Elm Park, il n'était encore que cinq heures trente. Rob et Laurie dormaient profondément ; ils aimaient bien faire la grasse matinée le dimanche matin, surtout Rob, qui, s'il n'en tenait qu'à lui, paressait au lit jusqu'à midi et même plus. Au sortir de ces marathons de sommeil du dimanche matin, sa chambre était saturée d'odeurs délétères – poussière, haleine fétide, air glacé, malsain. Sans compter les monceaux de chaussettes sales à la traîne, les pièces de monnaie éparpillées sur la commode, les disques et les vieilles canettes de Sprite – autant d'éléments qui plongeaient Brenda dans la déprime. Il défonçait systématiquement ses canettes terminées, geste qu'elle jugeait compulsif et vaguement inquiétant, même si, elle le savait, nombreux étaient ceux qui faisaient la même chose.

Un an plus tôt à peine, les murs de la chambre de Rob étaient tapissés de fanions de forme triangulaire. Chicago Bears, y lisait-on. Wisconsin Dells. Cave of the Mounds. Dearborn, Mich. Delavan, Wisc. Crystal Clear, Ill. Ils avaient beau être faits de feutre mince et bon marché aux bords effilochés et porter des inscriptions criardes

aux couleurs inégales, la chambre, grâce à eux, conservait un halo d'innocence enfantine. À leur vue, Brenda se souvenait de voyages familiaux en voiture et de jours qui, aujourd'hui, lui semblaient moins troublés.

Un samedi matin, en janvier, Rob avait enlevé les fanions, les avait roulés et les avait rangés sur la tablette de sa garde-robe. À leur place, il avait accroché une petite gravure d'Escher, achetée avec son propre argent – celui qu'il avait reçu en cadeau à Noël, avait-il dit en réponse aux questions de Brenda. Il l'avait vue dans la vitrine d'une boutique du centre commercial Westgate et en avait tout de suite eu envie. La gravure se vendait cinquante dollars, mais, à la faveur des soldes d'après Noël, il l'avait obtenue pour trente-cinq.

Brenda ne se souvenait plus des motifs de l'émoi que l'achat de la gravure avait suscité en elle. Était-ce le montant – pour Rob, qui recevait cinq dollars d'argent de poche toutes les semaines, la somme était considérable – ou encore le secret dont il avait entouré toute l'entreprise? (Il ne les avait pas consultés, Jack et elle; il était simplement allé conclure la transaction à la boutique.) Maintenant, un an plus tard, elle s'arrêtait devant la gravure chaque fois qu'elle allait dans la chambre de Rob pour changer les draps – elle y entrait rarement pour d'autres raisons.

À première vue, on aurait dit une peinture abstraite en noir et blanc, mais, en l'examinant de plus près, on distinguait une volée d'oiseaux majestueux, des mouettes, les ailes déployées, qui traversaient le papier de droite à gauche en obliquant légèrement vers le haut. Les blancs entre les oiseaux s'amenuisaient au fur et à mesure que ceux-ci se rapprochaient de la marge de gauche, où ils épousaient enfin la forme exacte des oiseaux eux-mêmes. C'était un casse-tête, un point d'interrogation suspendu dans l'espace. Il y avait un équilibre, lui semblait-il, un mystère, de la précision et quelque chose d'ironique dans la relation entre ces oiseaux et les espaces petits, aérés et distincts qui les séparaient. Brenda sentait le

mouvement de leurs ailes faire pression sur ses yeux. L'angle de leur ascension, à peine dix degrés, l'emplissait d'une douce et curieuse mélancolie.

— Que veut dire « convoiter » ? lui avait demandé Rob, il n'y avait pas si longtemps.

Assis à la table de la salle à manger, il préparait une composition sur la mythologie.

— Vouloir ce qui appartient à quelqu'un d'autre, lui avait-elle répondu. Moi, par exemple, je convoite ta gravure d'Escher.

Il avait levé les yeux, satisfait. À voir son air de contentement, son visage sans défense, elle avait eu presque mal.

Plus grande, plus claire et mieux rangée que celle de Rob, la chambre de Laurie n'en était pas moins une erreur sur toute la ligne. Toute cette mousseline suisse à pois, tous ces volants froncés. Elle avait beau être raisonnablement bien rangée, la pièce n'en donnait pas moins l'impression d'être un peu sale. Il y avait cette commode en érable, du faux Ethan Allen, rescapée de leur appartement d'étudiants à DePaul, rouge, voyante et couverte de fines égratignures. Après avoir découvert les fanions dans la garde-robe de son frère, Laurie l'avait supplié de les lui céder. Ils étaient désormais punaisés à ses murs tapissés de papier peint rose à guirlandes. L'ensemble donnait une impression de fièvre, de déséquilibre. Rempli de fleurs de papier, un vieux flacon de parfum de Brenda, autre rescapé, trônait sur la table de chevet de Laurie. (Laurie avait la manie d'écumer les poubelles et dépensait tout son argent de poche dans des bazars d'église ou des ventes de débarras.) Sur ses tablettes, il y avait des piles de bandes dessinées et de vieilles séries d'aventures des jumeaux Bobbsey aux jaquettes craquelées et gondolées. Des rangées d'animaux de porcelaine, des flacons miniatures. Des sifflets et des moulinets en plastique trouvés dans des boîtes de céréales. Des pantoufles trop petites en peluche rose poussiéreuse. Deux poupées en chiffon appuyées sur l'oreiller.

— Je crois aux poupées.

Vérité solennelle que Laurie avait chuchotée à l'oreille de Brenda, venue la border, il y avait très longtemps.

Sur le sol, il y avait le tapis qui occupait le couloir de l'étage avant l'installation de la moquette beige de qualité. Mangé par la rouille, le radiateur sous la fenêtre de Laurie avait besoin d'un coup de peinture. Brenda s'était promis d'y voir le printemps venu. Dans la chambre de sa fille, elle ne convoitait rien, rien du tout. Non, c'était faux. Elle convoitait la vue sur l'étendue paisible du boulevard Franklin Nord. En dépit des arbres, les fils électriques, les clôtures et les échappées sur les ruelles encombraient l'arrière de la maison. Du côté est, ils n'étaient qu'à quelques mètres du stuc gris et lisse de la maison de Larry et de Janey Carpenter ; du côté ouest, leurs buissons de seringa frôlaient la haie de Herb et Ginger Morrison. À l'avant de la maison, Laurie la chanceuse disposait d'un vaste point de vue, légèrement voilé, sur des ormes (dépourvus de feuilles, pour le moment), des pelouses, des arbustes, le lampadaire au verre dépoli planté de l'autre côté de la rue, les portes sombres et suppliantes des maisons voisines, dont une ou deux étaient encore ornées de décorations de Noël argentées. Elle avait de la chance, Laurie.

À son corps défendant, Brenda se demanda si Verna de Virginie avait des enfants. Elle en doutait. La valise de Verna était là, un fourre-tout à glissière en toile bleue et rouge, désinvolte, en tous points différente de la sienne.

— Je ne suis pas du genre à fouiller dans les bagages des autres.

Brenda s'était fait cette réflexion à elle-même, réjouie par sa vertu, mais en même temps surprise que l'idée lui soit venue.

Où donc était Verna ? À la vue des draps et des couvertures, Brenda comprit que Verna n'était pas rentrée. Où avait-elle passé la nuit, au juste ? Il y avait peut-être eu du changement. Peut-être avait-elle exigé une autre chambre. (L'image des fesses rouges lui traversa l'esprit, vive comme l'éclair d'un flash.) La valise, cependant, était là. C'était une énigme et, d'une certaine façon, une rebuffade. Mais non, c'était ridicule.

Elle décida de se faire monter le déjeuner. Quand ils passaient leurs vacances à l'hôtel, Jack et elle prenaient toujours le déjeuner à la chambre. C'était, soutenaient-ils, un des plaisirs du voyage. Mais c'était toujours Jack qui téléphonait. Détail curieux, maintenant qu'elle y pensait, puisque, à la maison, c'était elle qui s'occupait du repas du matin.

— Du jus d'orange, des muffins au son et du café, dit-elle dans le combiné, sur un ton délibérément ferme.

(Ah, une femme qui a les deux pieds sur terre et se commande un déjeuner nourrissant. Une femme alerte et active, une femme qui a des attentes bien précises, une femme habituée à donner des ordres.) En déposant le combiné, Brenda se fit la réflexion suivante : j'ai quarante ans et je viens de faire monter un repas à la chambre pour la première fois.

Brenda savait – depuis des années, en fait – que sa vie allait à l'encontre de l'air du temps. Pour s'en convaincre, elle n'avait qu'à songer au ton faussement autoritaire qu'elle avait pris pour passer sa commande au téléphone et aux magazines qu'elle lisait. On y trouvait des articles sur des femmes qui fondaient leur propre cabinet d'avocats, dirigeaient un orchestre symphonique, effectuaient des reportages photographiques au Cambodge. Des articles consacrés à des femmes qui vivaient seules dans une cabane en pleine nature, s'y plaisaient, s'y épanouissaient et en tiraient des livres. Des articles portant sur des femmes qui comprenaient les besoins de leur corps et s'arrangeaient pour les satisfaire, qui considéraient qu'un calendrier de « baise » bien organisé leur revenait de droit. « Baise » était le mot qu'on utilisait. Seule la charmante Mme Brenda Bowman d'Elm Park, dans l'Illinois, parlait toujours de l'« acte d'amour ». Quelle pauvre tarte elle avait été. Trop longtemps enfermée dans l'enfance, trop longtemps coupée de l'âge adulte.

À peine une semaine plus tôt, elle avait lu un article complet sur les poils pubiens, leur importance, les divers types, les soins à y apporter, les mesures à prendre pour les fortifier au besoin. Il y avait dans le monde, apparemment, des femmes qui se préoccupaient au

plus haut point de leurs poils pubiens, et la pensée de ces femmes accentuait le sentiment d'aliénation qui s'était emparé de Brenda. Elle avait atteint cet âge ingrat, la quarantaine, à une époque ingrate de l'histoire – trop tôt pour être une femme nouvelle, quel que soit le sens qu'on donne à ce terme, et trop tard pour être une femme à l'ancienne. C'était drôle, se disait-elle parfois, ou encore d'une tristesse insondable. Elle savait qu'il était idiot de se procurer un revitalisant spécial (produit naturel à base de fraises réduites en purée) pour donner plus d'éclat aux poils de son pubis, mais ne risquait-elle pas de passer à côté de quelque chose d'important ? Et elle n'arrivait pas à dire le mot « baiser » à haute voix. Cette incapacité signifiait-elle ce que Brenda pensait ? (Probablement pas.) Elle aimait ses enfants, elle aimait son mari, mais elle avait sauté, littéralement, sur l'occasion de s'éloigner d'eux. Et qu'avait-elle gagné ainsi ? Une chambre silencieuse et un déjeuner solitaire : muffins froids, café amer et jus d'orange en poudre. Quelle idiote elle faisait.

Elle songea au père de Jack qui, depuis qu'elle le connaissait, n'avait cessé de déplorer d'avoir été trop jeune pour faire la Première Guerre mondiale et trop vieux pour faire la Deuxième. (Dans ce dernier cas, on l'avait cependant bombardé chef d'îlot en prévision d'éventuels raids aériens et équipé d'une lampe de poche et d'un masque à gaz, biens éminemment précieux.) Il disait avoir été « floué » par son époque, comme elle-même l'avait été. Jack, pour sa part, aurait parlé d'accidents, d'événements fortuits. Pendant qu'elle changeait des couches, faisait les courses et appliquait du papier peint sur les murs de la salle de bains, d'autres femmes – qui étaient-elles ? – luttaient pour obtenir l'égalité, tandis qu'une guerre terrible faisait rage et que le pays vacillait, au bord de la révolution. Elle avait tout vu – mais seulement à la télé et dans les pages de *Newsweek*. Oui, elle avait été flouée. Mais elle avait probablement choisi de l'être. L'échappatoire des lâches. Brenda n'arrivait pas à décider si elle était le seul être sur la planète

à souffrir de cette forme particulière de dissociation ou si le mal était si répandu qu'on n'en parlait pas.

Au cours de la dernière année, elle avait souvent eu envie d'être figée dans le temps et de déterminer pour elle-même sa position exacte dans l'univers. Me voici, Brenda Bowman, montant à bord d'un avion en partance pour Philadelphie. Me voici en train de remplir une déclaration d'impôts à la table en pin de la cuisine. Me voici, à quarante ans, mère de deux enfants, femme d'un historien, occupée à appliquer du vernis à ongles couleur « roux soyeux », assise au bord de mon lit, à quinze heures. Je m'appelle Brenda Mary Pulaski Bowman, j'ai quarante ans, il est vingt-trois heures et demie et j'ai une relation sexuelle (« l'acte d'amour ») avec un homme du nom de Jack Bowman. Me voilà debout, femme dans la quarantaine, en train de contempler un petit jardin (le mien) par la fenêtre d'une chambre située à l'étage de ma maison en Illinois aux États-Unis d'Amérique dans le...

Ces déclarations, nées de moments qui semblaient les appeler à grands cris, la réconfortaient. Elles avaient l'effet de l'eau vive, puissante et rafraîchissante. Grâce à ces paroles, croyait-elle, elle serait en mesure de tracer des cercles précis autour d'elle-même, d'observer le contour de son corps et le rythme d'actes quotidiens auparavant invisibles. (Me voici en train de passer le balai dans la cuisine.) Et elle réussirait à délimiter, avec une clarté remarquable, certaines expériences qui, jusque-là, lui avaient fait défaut. Je ne suis jamais allée à Majorque ; je ne possède pas de bijoux en diamant, ma bague de fiançailles exceptée ; je n'ai jamais été hospitalisée pour cause de maladie ; je n'ai jamais été abandonnée ni réduite à l'indigence totale ; je n'ai jamais été accusée d'un crime ; personne ne m'a encore jamais dit qu'il me haïssait ; je n'ai couché avec personne d'autre que mon mari ; depuis que je suis mariée, je n'ai embrassé aucun autre homme que mon mari, sauf Bernie Koltz, une fois, parce qu'il était soûl ; moi-même, je n'ai jamais été vraiment ivre ; avant aujourd'hui, je n'avais encore jamais téléphoné pour qu'on monte des muffins et du café à ma chambre d'hôtel.

Cela, au moins, elle l'a fait. Rien de plus facile, en réalité. Le plateau en fournissait la preuve éclatante. Elle n'aurait eu qu'à tendre la main pour prendre un crayon et cocher cet élément sur la liste. Tiens, je viens de me commander à déjeuner.

Comme la chambre était trop silencieuse, Brenda alluma la télé; elle lui tiendrait compagnie. Dimanche matin. Rien que des dessins animés et des évangélistes à la voix mielleuse.

— Mes bien chers frères...

Elle syntonisa une chaîne éducative pour les enfants où était présentée une émission à vocation agricole commanditée par l'Association nationale des producteurs de lait.

— Bien le bonjour, les tout-petits.

Gros plan sur un fermier qui, en costume et cravate, ressemblait davantage à un homme d'affaires, le visage hâlé et joliment buriné, comme il seyait à un homme de sa profession. D'une voix aimable, mais dure, il dit :

— Aux quatre coins des États-Unis, mes petits amis, on trait des vaches en ce moment même.

S'il avait été là, Jack aurait bien ri, songea Brenda. C'est le genre d'affirmation qu'il trouvait rigolote.

— Aux quatre coins des États-Unis, des femmes enfilent leurs bas de nylon, dirait-il. Aux quatre coins des États-Unis, des hommes mettent leur caleçon en sifflant *Dixie*.

Que faisait-il maintenant? Il n'était que sept heures trente. Sans doute dormait-il encore. La veille, il avait probablement assisté à la fête donnée par les Carpenter. Il avait beau avoir peu d'amis très proches, il était incapable de résister à une invitation. Il risquait fort de se réveiller avec la gueule de bois. Si la migraine le tiraillait, il était peut-être déjà debout. En titubant, il se dirigeait vers la salle de bains, à la recherche des aspirines.

À moins qu'il ne soit déjà en bas, en train de se faire un café instantané en se frottant la nuque et en se disant qu'il aurait intérêt à travailler au livre qu'il préparait sur les pratiques commerciales

indiennes. Il avait peut-être repoussé cette idée et, par désœuvrement, allumé la télé, où il avait entendu le fermier dire :

— Aux quatre coins des États-Unis, mes petits amis, on trait des vaches en ce moment même.

Avait-il éclaté de rire dans le salon désert ? Elle en doutait. Le cas échéant, elle n'arrivait pas à en imaginer le son. Il y avait vingt-quatre heures qu'elle était partie et déjà elle avait oublié à quoi ressemblait le rire de Jack. Étonnant. Il faudrait peut-être qu'elle téléphone un peu plus tard pour voir comment ils se débrouillaient sans elle. En même temps, les appels interurbains posaient certains menus problèmes. Fallait-il faire un appel de personne à personne ? À quelle heure rentreraient-ils de chez grand-papa et grand-maman Bowman ? N'agirait-elle pas en névrosée en téléphonant après seulement vingt-quatre heures d'absence – un peu « fêlée », aurait dit Rob ? Fêlée. Chaque fois qu'il l'utilisait, le mot la faisait grimacer.

Une semaine plus tôt, Brenda avait lu un texte humoristique dans le *Tribune* au sujet de la transformation du dialogue dans les années soixante-dix. Certaines expressions étaient tombées en désuétude, tandis que d'autres – le nouveau jargon – régnaient en maître. Parler d'identité n'était plus à la mode ; le faire, c'était s'affirmer en tant que relique des années soixante. Il n'était plus de bon ton de chercher à se rapprocher de sa colère ou de ses sentiments et encore moins de soi-même. Parler de sa relation faisait « vieux jeu » (l'expression, curieusement, avait encore droit de cité), en particulier si vous prétendiez y « travailler ». L'expression « à la page » était datée, au même titre, d'ailleurs, que le mot « datée ». Seuls les enfants de douze ans se souciaient de leur « bulle ». Les mots « kitsch » et « fécond » avaient eu leur heure de gloire. Si vous criiez à la face du monde avoir été privé de « choix de vie », vous étiez sans l'ombre d'un doute prisonnier du début des années soixante-dix, pris dans un cliché d'où vous risquiez de ne jamais sortir. Avec votre colère et votre insistance morbide sur la validité,

vous alliez peut-être, à la manière des croulants qui disaient encore «sensass», «youpi» ou «nom de nom», rester accroché à une époque teintée de nostalgie.

La lecture de cet article avait plongé Brenda dans la fureur. Superficiel et racoleur, il constituait lui aussi une forme de trahison. En le lisant, elle avait éprouvé de la colère – pas de celle dont on se sert ni de celle qu'on partage. Elle avait aussi ressenti un terrible sentiment d'exclusion. Voilà qu'une autre décennie lui était passée sous le nez. D'abord les années soixante, puis ceci. Car les choses avaient indubitablement changé. On avait assisté à d'énormes changements de perspective. Des idées avaient pris naissance et étaient mortes sans même avoir effleuré le cœur et l'esprit de Brenda Bowman d'Elm Park, Illinois, États-Unis, Amérique du Nord, et cætera. Elle risquait désormais de ne jamais rattraper le temps perdu ; elle allait peut-être finir ses jours dans l'impasse incompréhensible que le temps et les circonstances avaient créée pour elle. Brenda Bowman, quarante ans, mère de Rob et de Laurie Bowman, emportée par le courant, résistant tant bien que mal – fallait-il s'en désoler ou s'en réjouir ? –, réagissant, attendant et s'enfuyant à l'occasion (que c'est minable !) vers des chambres d'hôtel dans des villes de deuxième ordre, commandant des muffins qu'elle regrettait aussitôt, envisageant la possibilité de téléphoner chez elle, déplorant que Hap Lewis ne l'ait pas accompagnée, se demandant si son mari, Jack, avait ou non entendu le fermier dire à la télé :

— Aux quatre coins des États-Unis...

Toc, toc. Brenda sursauta. Il était encore trop tôt pour la femme de chambre. Elle essuya les miettes de son peignoir. C'était peut-être Verna qui venait chercher sa valise. Machinalement, elle porta la main à sa coiffure.

Non. Elle ouvrit la porte et Barry Ollershaw, souriant nerveusement, fleurant la lotion après-rasage, lui dit bonjour (toujours ce léger accent britannique) et lui tendit un bouquet de fleurs.

Chapitre douze

— Des roses! s'exclama-t-elle en guise de bonjour. Des roses jaunes. Environ une demi-douzaine de minuscules boutons serrés qui, aux yeux de Brenda, ressemblaient davantage à des oignons qu'à des fleurs. C'est extraordinaire! (Il avait dû les payer cher, songea-t-elle malgré elle.)

— Pour moi? finit-elle par articuler.

— Bon dimanche.

Il lui décocha un sourire empressé, nerveux.

— Mais...

Ses mains, au moment où elle reçut le bouquet, éprouvèrent la moiteur du papier vert qu'utilisent les fleuristes. Elle rougit à la manière d'une fillette. Quelque chose lui disait d'être sur ses gardes. Méfie-toi.

— Mais pourquoi...?

Il écarta les mains.

— Il y avait une jeune vendeuse dans le hall. Elle portait une robe longue et avait une de ces petites charrettes. Je n'ai pas pu résister.

— Charmant.

Elle glissa un doigt au milieu des fleurs. Parmi les roses, il y avait quelques délicates frondes de fougères vert pâle, qui dégageaient un parfum humide de serre.

— En fait, euh... Brenda – on aurait dit qu'il vérifiait l'exactitude du prénom –, vous permettez, fit-il en jetant un coup d'œil dans la chambre, que j'entre un instant?

— Oui, bien sûr, entrez.

Elle fit un pas de côté, en proie à la confusion plus qu'à l'inquiétude. Des fleurs, des fleurs chères par-dessus le marché, et il était si tôt – même pas encore huit heures – et la télé faisait un boucan d'enfer.

— Je ne suis pas encore habillée, fit-elle en reculant.

Elle serrait contre elle les pans de sa robe de chambre.

— Je paressais, s'excusa-t-elle.

— Pourquoi ne pas en profiter, pour une fois?

Il se montrait aimable. Et prudent.

— Laissez-moi éteindre la télé.

La table était couverte de miettes de muffin. Côté manières à table, elle n'avait rien à envier à Laurie. Sans compter le café répandu dans la soucoupe. Et la serviette mouillée jetée sur la chaise. Le genre de choses qu'elle ne faisait jamais à la maison.

— Assoyez-vous, je vous en prie.

Elle s'empara de la serviette, la tortilla maladroitement entre ses mains. Où allait-elle? Puis, songeant aux fleurs, elle dit :

— Il faudrait les mettre dans l'eau tout de suite.

— Tenez, fit-il en bondissant. Pourquoi ne pas utiliser le thermos à café? Il devrait faire l'affaire.

— Vous croyez?

— Il est presque vide. Je peux jeter le reste, à moins que vous ne vouliez le terminer... Ensuite, je n'aurai qu'à y mettre de l'eau.

— Le café est imbuvable, de toute façon.

— Ah bon?

— Amer.

Le mot resta suspendu entre eux. Il fit oui de la tête, tout doucement.

— Les hôtels...

En tendant la main vers le thermos, Brenda heurta le bras de l'homme.

— J'y vais, dit-il avant d'entrer dans la salle de bains en sifflotant.

Enfin seule, tandis que l'eau coulait, elle se regarda dans le miroir. C'est fou, articula-t-elle dans la glace, sans un son, grimaçante. Elle avait laissé la salle de bains dans un état lamentable, jonchée de... quoi? Des bas de nylon accrochés à la tringle du rideau de la douche, du talc. Son shampoing. Son déodorant à bille. La crème Second début en format économique. Tout le contenu intime de sa trousse de voyage étalé sur le comptoir du lavabo, y compris, mon Dieu, une nouvelle boîte de Tampax (on ne sait jamais). Que sifflait-il? Quelque chose de discordant, en tout cas. « Yankee Doodle. » Brusquement, elle songea aux fredonnements de Jack dans la baignoire, pudiques, presque inaudibles.

— Voilà, fit Barry Ollershaw en déposant les fleurs sur le secrétaire.

— Elles sont très jolies, répéta Brenda.

— Je me demandais, Brenda, si, euh... vous aviez l'intention de sortir ce matin.

Sa voix trahissait un certain calcul.

— Sortir?

— De l'hôtel.

Il se percha sur le bras de la chaise et attendit. Brenda réfléchit un instant.

— Voyons voir, dit-elle. Le discours d'ouverture est à neuf heures. Puis il y a un atelier à onze heures. Je ne crois donc pas sortir ce matin. Pourquoi?

Il poussa un profond soupir.

— C'est à propos de votre manteau, celui que vous avez laissé dans ma chambre hier soir.

— Mon manteau neuf?

Le mot « neuf » lui avait échappé.

— Il était neuf? Oh, mon Dieu.

— Quoi? Que lui est-il arrivé?

— Je devais vous le rapporter ce matin. Vous vous souvenez?

— Oui, bien sûr.

Il avait perdu la raison ou quoi?

— Eh bien, fit-il en serrant les poings, mieux vaut tout vous dire sans détour. Il semble qu'il ait disparu.

— Quoi donc? Mon manteau?

— Je suis sûr de le récupérer. Ce que je veux dire, c'est qu'on ne l'a pas volé ni rien de ce genre. Seulement, je ne sais pas où il est. Pour le moment. Vous en avez un autre? demanda-t-il, soudain optimiste.

— Non, répondit lentement Brenda. Je n'ai que celui-là.

— Ah bon.

Il n'y avait pas grand-chose à ajouter.

— Vous voulez dire, fit Brenda en inspirant à fond, qu'il était accroché dans votre chambre hier soir et que, ce matin, il n'y est plus?

— Plus ou moins, oui. C'est exact.

— La femme de chambre est probablement au courant. Elle a peut-être pensé qu'il avait besoin d'être nettoyé ou repassé...

— Je lui ai déjà posé la question.

— Mais, fit Brenda en riant plus fort qu'elle n'en avait eu l'intention – on aurait dit une poule qui caquetait –, les manteaux ne s'envolent pas tout seuls.

— J'ai mon idée là-dessus. Les circonstances, vous comprenez?

— Pardon?

— Je crois que quelqu'un l'a, euh... emprunté.

— Mais qui...?

— C'est plutôt embêtant.

Fronçant les sourcils, Barry laissa ses yeux dévier vers le bouquet de roses jaunes, qu'il sembla étudier de près, comme s'il doutait de son existence.

— «Embêtant» en quel sens? demanda Brenda au bout d'un moment.

— En fait, ce n'est pas si embêtant. Il y a une explication logique. Ce qu'il y a, c'est que la direction m'a demandé si j'accepterais de

partager ma chambre, puisqu'il y a deux lits. Vous êtes au courant
des problèmes liés à la surréservation et...

— Oui?

— On m'a posé la question hier soir. Vers minuit.

— Minuit?

— Alors j'ai répondu oui, bien sûr. Je n'y voyais pas d'inconvénients.

— Et après?

— On m'a dit qu'un autre métallurgiste, de New York, je crois,
viendrait me rejoindre. Ce que je ne savais pas, c'est qu'il serait,
euh... accompagné.

— Par une femme, vous voulez dire?

— Exactement. Vous avez tout compris.

— Vous avez fait sa connaissance?

— À vrai dire, je ne les ai vus ni l'un ni l'autre.

Décidément, son accent plaisait à Brenda.

— À leur arrivée, je dormais. Il devait être environ deux heures
du matin. J'ai dû me réveiller brièvement en les entendant, mais ils
n'ont même pas allumé. Ils se sont préparés dans le noir. Je crois
qu'ils étaient passablement éméchés. C'est du moins l'impression
qu'ils m'ont donnée. Et plutôt passionnés, vous comprenez? Je
suis donc resté pudiquement tourné vers le mur.

— Je vois.

Brenda sourit en secouant la tête.

— J'ai eu droit à une prestation relativement longue et bruyante.
J'ai pensé à vous et à ce qui vous était arrivé hier. Seigneur Dieu!
Quand je me suis réveillé, ce matin – comme le veut le cliché, j'ai
dormi comme un loir, malgré tout –, ils étaient déjà partis. Et votre
manteau...

— ... était parti aussi.

— Ce que je pense, c'est qu'ils sont sortis faire une promenade.
Alors ils l'ont en quelque sorte emprunté. Je suis convaincu qu'ils
vont le rapporter. Pour ce que j'en sais, il est peut-être déjà de
retour. Je suis descendu interroger les préposés à la réception, mais...

— Et c'est ce qui explique les fleurs ?

— Eh bien...

— Vous n'y êtes pour rien. À propos du manteau, je veux dire.

— Et pourtant, je ne peux m'empêcher de me sentir responsable de...

— Je suis sûre qu'ils vont le rapporter... Barry.

Elle avait fait l'essai de son prénom à voix haute.

— Je l'espère.

Quel visage irlandais il avait – petit, compact, avec des yeux clairs et une bouche vive. Elle se demanda s'il était vraiment irlandais.

— Je craignais, dit-il, que vous ne soyez coincée à l'intérieur toute la matinée. Surtout avec cette neige.

— Quelle neige ?

— Vous n'êtes pas au courant ? Aux informations, on a dit qu'il avait neigé toute la nuit.

— Je n'ai pas encore regardé dehors.

Elle tira les rideaux. Effectivement, il y avait de la neige partout. Et elle continuait de tomber. Le ciel était saturé de lourds flocons mouillés. Ils passaient paresseusement devant la fenêtre, et Brenda songea à des notes de musique aux harmonies denses. De longs rectangles de neige s'accrochaient même à la tour de verre qu'on voyait en face. (Qui aurait cru qu'une surface aussi lisse soit en mesure d'attraper et de retenir ces formes minces ?) La couverture blanche adoucissait les angles du petit immeuble de briques voisin (une banque ?), dont le toit plat s'était transformé en champ vierge, en pré. Le ciel était étonnamment clair, tel un bout de pellicule, gris-blanc sur fond argenté, et tout en bas, Brenda distinguait la rue étroite, obstruée par des lames de neige. On aurait dit une petite route de village. Où était passée la circulation ? Où était passé le défilé incessant de voitures, d'autobus, de taxis ? Ils avaient disparu, et cette rivière blanche toute simple les avait remplacés. Des sortes de ronds, des silhouettes humaines, essaimaient vers ce qu'elle supposa être l'entrée principale de l'hôtel. À leur vue, Brenda songea à

de la limaille de fer, à un électroaimant, à M. Sloan de l'École secondaire de Morton, sérieux, théâtral et porté sur les calembours, qui donnait des démonstrations au sous-sol. Brenda se sentait attirée par lui, par les motifs en chevrons de son costume et le paquet de Pall Mall qui dépassait de sa poche. Il n'était resté qu'une seule année; plus tard, une fille avait dit à Brenda qu'on l'avait obligé à partir parce qu'il était «homo». À l'époque, elle n'en avait pas cru un mot, tant son innocence, en ce temps-là, était inébranlable et obstinée, mais, à la réflexion...

— C'est paisible, non? fit Barry Ollershaw.

— Il faudrait que je m'habille.

— Il y a deux ou trois ans, nous sommes allés au Japon.

Qui ça, nous? Sa femme et lui?

— Encore un congrès. Il avait neigé en plein Tokyo. De gros flocons comme ceux-là. Tout le monde s'était arrêté pour admirer. Cet après-midi-là, les gens étaient restés à boire du thé dans les restaurants et à regarder par les fenêtres. Quelqu'un nous a dit que c'était un des passe-temps favoris des Japonais. Au printemps, ils restent là à observer les cerisiers en fleurs, sans rien faire d'autre. Et l'hiver...

— C'est comme de l'hypnotisme.

— Une forme d'art, dit-on...

— De la méditation. Un cadre de méditation.

— La tranquillité.

— Ce qu'on ressent, c'est le silence. Ce verre épais...

— Tout semble étouffé, lointain...

— À Chicago, la neige n'a jamais cet aspect.

— Non?

— C'est possible, remarquez. Je ne prends jamais le temps de l'observer. Pas pendant qu'elle tombe, en tout cas.

— Nous sommes trop occupés, je suppose.

— Nous courons à gauche et à droite.

— À mon avis, les enfants le font, eux.

— Quoi donc?

— Ils s'arrêtent, ils prennent le temps de regarder.

— Vous avez probablement raison.

— Vous avez des enfants?

— Deux. Un garçon et une fille. Et vous?

— Non.

— Ah.

— Mais je me souviens du temps où j'étais petit. Je remarquais tout. Je vous ai dit hier que ma mère faisait des courtepointes. Même aujourd'hui, après toutes ces années, je pourrais vous dire avec exactitude de quoi avait l'air celle de mon lit. En particulier une section irrégulière du milieu, vaguement octogonale.

— Incroyable.

— C'était une sorte de laine un peu rugueuse, bleu marine. Je me souviens que je m'endormais les doigts dessus. Quand je pense à tout ce que j'ai oublié dans ma vie... Mais je me souviens de la forme et de la texture précises de ce bout de tissu.

— Mon mari est comme vous.

— Jack?

Silence.

— Vous connaissez son nom?

— Vous l'avez dit hier.

— Vraiment? C'est possible. Pendant son enfance, il avait une toupie en bois. Une toupie ordinaire avec une corde. Quand Rob et Laurie étaient petits, il a fait toutes les boutiques dans l'espoir d'en dénicher une, mais il n'en a pas trouvé une seule qui soit identique. Il dit qu'il arrive encore à la sentir dans sa paume.

— Il ne neige pas beaucoup à Vancouver. Peut-être une ou deux fois par année.

— Tiens, je l'ignorais. Je croyais qu'au Canada...

— C'est peut-être pour cette raison que j'aime tant la neige.

— Regardez. Elle tombe de plus en plus vite.

— À peine si on voit de l'autre côté de...

— Je me demande combien il en est tombé. D'ici, c'est impossible à dire.

— Ça fait drôle, non, de contempler le monde de cette hauteur ? Ce que je veux dire, c'est que, quand on est si haut, le temps qu'il fait importe peu. Tout est, euh...

— Abstrait ?

— Exactement. Abstrait.

— En un sens, remarquez, ce n'est peut-être pas une bonne chose. Se sentir détaché du temps qu'il fait. Ne pas en dépendre.

— Comme les agriculteurs dépendent du temps, vous voulez dire ?

— Oui, en quelque sorte. Encore une chose qu'on nous a enlevée.

— C'est apaisant, pourtant.

— Idéal pour les contemplatifs.

— Que nous faut-il d'autre, quand on y pense ? Les divertissements, la télé... À quoi bon ?

— Nous oublions de nous arrêter pour regarder autour de nous.

— Nous gobons des pilules. Nous courons chez le psy. Quand la solution consiste tout simplement à...

— Nous avons peur du silence. C'est une amie à moi qui le dit. La moindre pause dans la conversation nous donne le sentiment d'avoir échoué sur toute la ligne.

— La société contemporaine dans toute sa splendeur. Nous nous sentons obligés de communiquer du matin jusqu'au soir.

— Il m'arrive de me demander s'il n'y a pas trop de communication dans le monde.

— Et pas assez de temps.

— Tout ce qu'il nous faut, c'est le temps... d'être.

— Comme maintenant.

— De s'asseoir. De regarder la neige tomber.

— C'est réconfortant.

— C'est si bizarre.

— Oui.

Brenda n'avait jamais été infidèle à Jack. Vingt ans de mariage, et pas une seule fois elle ne l'avait trompé. Quand, quelques mois

plus tôt, Bernie Koltz, qui avait pris trop de vin, lui avait, à la faveur d'un pique-nique, déclaré qu'il l'adorait, qu'il l'avait toujours adorée, pas un seul instant elle n'avait envisagé d'avoir une aventure avec lui. Elle lui avait pris la main, l'avait tapotée, lui avait versé du café et dit qu'il était mignon – c'était du reste la plus stricte vérité. Pendant une semaine ou deux, aux moments les plus inopportuns, en particulier à l'heure du coucher, elle s'était rappelé avec exactitude la façon dont il l'avait regardée dans la réserve forestière, ce jour-là, en disant :

— Je t'adore, Brenda.

Mais c'était tout.

Une fois, il y avait quelques années, M. Middleton, directeur de l'Institut des Grands Lacs, lui avait dit une chose étrange.

— Vous avez des yeux magnifiques, Brenda, du genre de ceux qui font fondre le cœur des hommes. Vous allez me croire idiot, mais il m'arrive parfois de rêver à vos yeux.

Brenda avait été stupéfaite, perplexe, embarrassée. Elle avait pris le parti d'en rire.

— Dites donc, monsieur Middleton, avait-elle dit du ton qu'une fille aurait pris pour parler à son père, je risque de m'enfler la tête à entendre des choses pareilles.

Une autre fois, en plein après-midi, elle était tombée sur Bud, le mari de Hap Lewis, au magasin Marshall Field. Au rez-de-chaussée, elle achetait des chaussettes pour Laurie. Il l'avait invitée à boire un verre dans un bar de la rue State. Après un bourbon à l'eau, il lui avait saisi la main et déclaré qu'elle était une « merveille ». Qu'elle eût conservé sa silhouette était une « merveille ». Qu'elle s'occupât si bien de ses enfants était une « merveille ». Il l'avait pressée d'accepter un autre verre. Il lui arrivait d'être déprimé, avait-il confié à Brenda. Apparemment, Hap et lui avaient peu de choses en commun, à l'exception des garçons et de la maison. Brenda avait eu du mal à se défaire de lui. En fin de compte, elle avait dû prétexter un rendez-vous chez le médecin.

Quelques semaines auparavant, à l'occasion d'une soirée, elle avait rencontré un photographe de voyage. Il se spécialisait dans les plages, lui avait-il dit, et photographiait les plus belles du monde pour illustrer des dépliants d'hôtels. Il lui avait proposé de passer un jour à son studio voir certaines de ses œuvres. Les femmes intelligentes sachant écouter l'attiraient, avait-il ajouté.

Brenda n'avait jamais envisagé d'avoir une aventure avec M. Middleton, Bud Lewis ni Bernie Koltz. Ni même avec le photographe de voyage – dont elle ne savait pas le nom. Elle aimait Jack, elle avait confiance en lui. Elle connaissait les moindres plis, les moindres odeurs de son corps. Elle lui était reconnaissante de sa fidélité, qui lui inspirait une terreur sacrée. Bon nombre de couples que Jack et elle fréquentaient se permettaient des infidélités. Pas eux.

Et voilà que pour la toute première fois de sa vie, elle s'était abandonnée à l'infidélité. C'était donc ça ! Pas le sexe, non, mais l'appât du risque, l'attrait de la nouveauté, du possible. Assise dans une chambre d'hôtel de Philadelphie, elle regardait la neige tomber en observant un silence lourd de sens. Les minutes s'égrenaient une à une. Aux yeux de Brenda, ce silence était pur, serein, peut-être dangereux. Plus il durait, minute après minute, plus il se raréfiait. (Plus tard, il lui semblerait miniaturisé, mais intact.) Cette personne assise à côté d'elle – cet homme au visage irlandais animé et aux mains nerveuses – lui avait confié, sans crainte ni hésitation, le souvenir de la forme octogonale lovée au centre de sa courtepointe d'enfance. Parmi tous ses souvenirs, il avait choisi celui-là. Elle aurait aimé faire des confidences en échange. Mais pas tout de suite.

Elle pensa à Jack qui, chez eux, à Elm Park, sortait du sommeil dans un lit vide et tendait la main vers le réveil d'un air endormi, déjà – sans qu'il se doute de rien – trahi.

Chapitre treize

M orton Holman termine son discours d'ouverture. De ses yeux scintillants, perçants, il balaie le plafond en forme de coupole, puis consulte furtivement sa montre. Il fixe les membres de l'auditoire, les implore d'une voix haut perchée, les supplie de lui accorder cinq minutes de plus.

— L'histoire de l'artisanat est faite de renoncement, dit-il au micro d'une voix charmeuse. De fierté dans le renoncement. Vous connaissez parfaitement le sens de cette déclaration historique : « moins, c'est plus ». Mesdames, et je devrais ajouter messieurs, que voyez-vous dans le monde d'aujourd'hui ? L'artifice élevé au rang de l'art par une élite sans goût qui – il s'interrompt, hoche la tête tristement et ouvre la bouche pour avaler un peu d'air – une élite, dis-je, qui, en dépit de ses bonnes œuvres, de ses fiducies et de ses innombrables conseils consultatifs, est la plus grande ennemie de l'art véritable. Je veux parler de l'art né de la nécessité. Quel mot formidable que celui de « nécessité » ! Nécessaire. Les reproductions de batailles grecques exécutées par des Anglais languissants qui fainéantaient en Italie étaient-elles nécessaires ? Et les *objets d'art*[2] en porcelaine destinés à la chambre des rois invalides ? Songez aux franges et aux pompons odieux de la nouveauté et à la folle prétention tout aussi odieuse qui remplit notre monde de non-objets – l'horreur indicible, insoutenable, des sculptures qui encombrent les musées, par exemple. Mesdames et messieurs, les objets que

---

1. N.d.t. En français dans le texte.

je vous ai montrés aujourd'hui, c'est-à-dire le râteau à foin des Shakers, la poignée de porte en porcelaine et la girouette de la Nouvelle-Angleterre – vous pourrez les admirer à la sortie –, ces objets, dis-je, montrent ce dont l'imagination est capable sous l'emprise de la nécessité et du besoin à l'état brut. Raison et sentiments, comme disait l'autre. La main qui se tend vers l'œuvre d'une autre main. Voyez la subtilité de cette poignée de porte, la façon dont elle épouse la main, sa capacité de tourner et de déclencher un mouvement secondaire, un mouvement fonctionnel! Le temps file, je sais bien, mais je vous demande encore une minute de patience. Il faut que ces choses se disent, mesdames. Et messieurs. Car, par l'entremise de cette tactilité – je veux parler de celle de la poignée de porte –, on accède à ce que je crois être une nouvelle forme de spiritualité. Un précieux sentiment d'appartenance à la communauté. Nous devons d'abord connaître le fabricant, l'artisan, croire à sa proximité, cesser de le voir comme un être veule, éthéré – mais je constate que notre présidente me fait signe et c'est à regret que je m'arrête. En conclusion, donc, je vous demande de toujours garder en vous les mots de William Morris : douceur, simplicité et âme. Trinité de l'artiste honnête, de l'homme ou de la femme que n'effraie pas l'étiquette – oserai-je le dire – d'artisan. De l'homme ou de la femme qui, en fait, se réjouit de voir reconnaître son utilité dans un monde qui a désespérément besoin de fraîcheur. J'ai peur de ne pas avoir eu le temps de peaufiner ces réflexions autant que je l'aurais dû, mais je me rends bien compte que je prêche à des convertis, à des femmes et à des hommes qui mettent ces principes en pratique, affichent leurs couleurs ouvertement, sans honte, et laissent l'empreinte de leur humanité sur tout ce qu'ils touchent. Je vois qu'il faut vraiment que je m'arrête. Merci de votre attention. Je suis honoré de marcher parmi vous à la hauteur de mes modestes talents.

— Quel vieux casse-pieds! murmure Susan Hammerman à l'oreille de Brenda, au milieu des applaudissements.

— On raconte qu'il n'est jamais que le proxénète de la galerie Naif de New York, déclare Lottie Hart, arrivée inopinément par l'avion du matin. Je donnerais n'importe quoi pour savoir comment il a réussi à se faufiler dans le programme.

— ... rien à dire qu'on ne connaisse déjà.

— ... et pourtant...

— Pendant un moment, j'ai cru qu'il allait me faire dormir à force de « peaufiner ».

— Il est malgré tout terriblement inspirant, murmure Lenora Knox. Quand il parle de l'art, du sentiment d'appartenance à la communauté et le reste.

— Je n'ai rien entendu au sujet des tapisseries à l'aiguille. C'est peut-être trop « veule » ou trop « éthéré » à son goût.

— Il a raison, concède Susan Hammerman, de dire que nous sommes considérées comme des moins que rien par rapport aux « véritables » artistes de ce monde.

— Pourquoi diable faudrait-il s'excuser de fabriquer des objets utiles ?

— On peut dire qu'il connaît l'art populaire américain comme le fond de sa poche. J'ai lu un article à son sujet. Dans le magazine *Time*, je crois.

— Chut.

— Quoi encore ?

— Ah non, d'autres discours.

Devant le lutrin, Betty Vetter, en tailleur-pantalon bleu, une fleur à la boutonnière, réclame le silence.

— Mesdames et messieurs, j'arrive à l'instant de la réunion du comité spécial chargé d'étudier les griefs contre la direction de l'hôtel, et c'est avec plaisir que j'annonce la conclusion d'une entente provisoire avec la Société internationale des métallurgistes...

Huées.

— ... d'une entente provisoire au sujet de l'hébergement.

Il y a des acclamations. Assise devant Brenda, Charlotte Dance brandit le poing et regarde autour d'elle en souriant de toutes ses dents, triomphante.

Betty lève la main pour réclamer le silence.

— Quarante de leurs délégués ont accepté de partager leur chambre, ce qui a eu pour effet d'en libérer vingt pour nos membres – elle lève la main de nouveau –, soit le nombre exact qu'il nous fallait.

Nouvelles acclamations. Brenda se surprend en train d'applaudir furieusement.

— De plus, ils ont accepté de tenir leur banquet de clôture à six heures trente, mercredi soir, à condition – non, attendez – à condition, dis-je, que nous repoussions le nôtre à neuf heures. Je demande le vote sur la proposition.

— Compromission ! s'écrie une voix sévère.

— Certaines d'entre nous doivent prendre l'avion, lance une autre voix.

La mesure, cependant, est adoptée, et Brenda, au moment où elle lève la main droite, éprouve une sensation de joie grandissante. Voilà que les problèmes se règlent rapidement, comme par magie. Quelle chose remarquable que le consensus ! Le monde a besoin de gens comme Charlotte Dance et Betty Vetter, qui savent aplanir les difficultés.

Voilà les réflexions dont elle fait part à Lenora Knox pendant qu'elles cherchent la salle où se tiendra le premier atelier, un peu plus tard.

Lenora lui donne raison.

— Évidemment, je suis moi-même apolitique.

Brenda est sur le point de lui répondre qu'elle est apolitique, elle aussi, quand une voix d'homme l'interrompt en l'appelant par son nom.

— Madame Bowman ? Vous êtes bien madame Bowman ?

— Oui, fait Brenda, en proie à un mouvement de panique.

Il est arrivé quelque chose à la maison. Aux enfants. À Jack.

— Excusez-moi, madame Bowman.

La voix est mielleuse, exercée.

— Laissez-moi me présenter. Je m'appelle Hal Rago, journaliste à l'*Examiner* de Philadelphie. Nous consacrons au congrès des articles-vedettes, des interviews, vous voyez le genre. Ce qui nous intéresse, c'est le côté personnel, pratico-pratique, et je viens tout juste de parler à une certaine... Mme Hammerman, fait-il après avoir consulté une fiche. Elle m'a dit que vous accepteriez peut-être de nous accorder une interview.

— Moi?

— Le point de vue du Midwest, si vous voulez. Nous avons déjà traité l'Est et le Nord-Est. Les articles sont bouclés.

— Je ne sais pas. Ce que je veux dire, c'est que je ne sais pas trop ce que je pourrais vous raconter, mais ce serait avec plaisir...

— Très bien, très bien. Tenez, retrouvons-nous à l'Emerald, cet après-midi. Vers trois heures, disons.

— L'Emerald?

— À l'hôtel St. Christopher. À quelques pâtés de maisons d'ici. Super ambiance garantie. C'est là que les journalistes se tiennent, vous me suivez?

— À quelques pâtés de maisons?

Brenda songe à la neige et au fait qu'elle n'a pas de manteau. Elle l'aura sans doute récupéré d'ici là, mais...

— Disons plutôt quatre heures, voulez-vous?

— C'est un rendez-vous, madame Bowman. Cet après-midi, quatre heures, à l'Emerald. Vous n'avez qu'à demander Hal Rago.

— Dites donc, fait Lenora Knox. Vous allez être dans le journal.

Brenda a envie de lui parler des articles dans le *Chicago Today* et dans l'*Elm Leaves Weekly,* de l'interview présentée sur les ondes de WOPA, mais elle s'abstient.

— Je me demande bien ce qu'il entend par le point de vue du Midwest, dit-elle plutôt.

— Il veut peut-être parler des motifs régionaux. Dans le Sud-Ouest, par exemple, on note des liens très marqués avec le plein air,

sans parler de l'influence navajo et mexicaine. On la sent. Vous l'avez sans doute remarqué.

Brenda secoue la tête. Elle ne se souvient pas d'avoir associé « courtepointes » et « Midwest », même en pensée. Évidemment, il y avait *Michigan Blue;* elle pourrait toujours leur parler de cette œuvre-là. Et d'abord, que signifiait le Midwest pour elle ? L'espace. Les champs de maïs. Les rivières. La fertilité. Voilà, elle allait parler de la fertilité. Ou d'autre chose du même genre.

~

« Atelier de discussion sur les courtepointes », annonce sur une porte un panneau écrit à la main. Plus d'une vingtaine de femmes – Brenda les compte rapidement – sont réunies autour d'une longue table. Une femme dont l'insigne annonce « Reddie Grogan, Concord, N.H. » lance la discussion en posant une question sur la place qu'occupe la nostalgie dans la tradition. Elle veut savoir si, par association libre, le patchwork et l'appliqué connotent des notions de chez-soi, de retour au foyer, de chaleur, rappellent le bon vieux temps, en somme, et si cette dynamique joue un rôle dans la réponse esthétique fondamentale du public.

— Ne faut-il pas y voir une forme d'enrichissement ? laisse entendre une participante. Une autre dimension temporelle, une plus-value en quelque sorte, qui facilite le processus de création...

— Laquelle court-circuite, il faut bien l'admettre, l'énoncé de l'œuvre. Trouble l'eau, efface les frontières, brouille le message...

— Une courtepointe nostalgique marque un recul, affirme une jeune femme. Ce qui compte, c'est la mise au point de nouvelles formes.

— Je parle de rétrospective, pas d'immersion...

— Écoutez, dit une femme à l'air courageux, vêtue d'un tricot serré. Faut-il absolument que nous, à titre de fabricantes de courte-pointes, aspirions à la cosmologie ?

Avec les doigts, elle a tracé des guillemets imaginaires de part
et d'autre du dernier mot.

— Est-ce obligatoire ? Ne pouvons-nous pas revenir à l'essentiel, c'est-à-dire à la simple confection de couvre-lits attrayants
et douillets ?

Des rires fusent. Tout le monde sourit. Le soulagement est
palpable. Brenda se détend, heureuse maintenant, et échange des
regards avec Lenora Knox. Celle-ci a chaussé des lunettes sans
monture qui réfléchissent la lumière d'un plafonnier ; pendant un
moment, elle a l'air d'avoir cent ans.

— Ce qui distingue l'art de la courtepointe des autres formes
d'artisanat, c'est le frisson historique qu'il renferme.

C'est bien elle qui a parlé ? Elle ? Brenda Bowman ? Oui. Fait
inouï, Brenda d'Elm Park, dans l'Illinois, a ouvert la bouche et,
autour d'elle, des femmes écoutent en hochant la tête. (L'expression
« frisson historique » est de Jack, qui l'a empruntée à Flaubert, qu'il
cite toujours scrupuleusement. Il l'utilise relativement souvent.)

— Mais cela ne nous empêche-t-il pas d'avancer ? Voilà ce que je
veux savoir. Pas consciemment, je veux dire, mais inconsciemment.

— Faut-il comprendre...

— Une main surgie du passé, une contrainte, en fin de compte.
À condition, bien entendu, de ne pas être dupe.

— La tradition mexicaine...

Au tour de Lenora d'intervenir.

— Savons-nous seulement d'où viennent les motifs que nous
produisons ? demande quelqu'un. Comment savoir s'il s'agit de
legs du passé ou d'œuvres originales et novatrices ?

— Vous voulez dire qu'on aurait affaire, dans certains cas, à
de pures inventions ?

— Il y a toujours une part d'invention, non ? Quand je découpe
avec mes ciseaux, je crée une nouvelle forme.

— Je ne crois pas, dit Brenda à la pensée de *La Courtepointe
inachevée*, qui l'attend à la maison. Il y a des formes élémentaires.
Le cercle, par exemple.

— Le mandala, ajoute une voix qui donne l'impression de savoir de quoi elle parle.

— Le quoi?

— Comment s'éloigner du cercle? Il ne s'agit pas seulement d'une forme traditionnelle, c'est encore plus élémentaire.

— Mythique.

— La forme du monde, d'un creuset.

— D'une bouche de bébé.

— Ou de... j'ai le mot sur le bout de la langue... vous savez bien...

— Oui.

— Ces choses doivent-elles être définies? Faut-il obligatoirement les nommer?

— Non, répond Brenda. Nous n'avons même pas à y penser. Elles se matérialisent simplement sous nos doigts.

Pardon? Sait-elle seulement de quoi elle parle? Y croit-elle? Oui.

— Vous voulez dire que l'art est par définition anti-intellectuel, que c'est le bon vieil instinct qui est responsable de tout?

— Eh bien, fait-elle, prise au piège, je voulais plutôt dire que...

— Je crois comprendre où vous voulez en venir. Ce que vous dites, je pense, c'est que nous devons nous fier à nos mains, qu'il arrive à nos mains d'avoir une ou deux longueurs d'avance sur notre cerveau.

— Oui, confirme Brenda. Comme quand on tape à la machine. Les doigts trouvent les touches d'eux-mêmes.

— Je vois, oui.

— C'est intéressant. Je n'avais encore jamais vu les choses sous cet angle. La comparaison avec la dactylographie, je veux dire. Pour ma part, je prépare toujours un patron détaillé en premier et...

— Je suis toujours préoccupée par la question du sens. La courtepointe véhicule-t-elle un message ou non?

— Même chose pour moi.

— L'instinct et la spontanéité sont l'envers et l'endroit d'une seule et même médaille.

— Tandis que lorsqu'on supprime délibérément la mémoire ou la nostalgie...

— Je préfère l'expression de Brenda : le frisson historique.

Brenda regarde autour de la table. Que de femmes intelligentes ici réunies ! Elle éprouve un élan d'amour pour chacune d'elles. Il y en a une qui donne maintenant des coups de poing en l'air en évoquant la juxtaposition du temps et de la matière.

Le temps et la matière. Brenda range précautionneusement les mots dans un recoin de son esprit. Il faudra qu'elle en parle à Jack.

Chapitre quatorze

Le jour où elle fit la connaissance de Jack Bowman, Brenda avait dix-neuf ans. C'était pendant un hiver glacial à Chicago. Fin mars, elle s'en souvenait, il y avait encore des flocons de neige ; le vent du lac charriait avec lui des particules de glace et de poussière, secouait le manteau des jeunes secrétaires et commis de bureau, le soulevant sans crier gare quand, le matin, elles descendaient de l'autobus.

Contre toute attente, Brenda avait décroché un emploi de dactylo et de préposée au classement à l'Institut des Grands Lacs, situé dans l'avenue Keeley, à l'intérieur de la boucle que décrit le métro aérien autour du centre-ville. Elle avait répondu à une petite annonce parue dans le journal : « Recherchons dactylo d'expérience. » C'est M. Middleton lui-même qui l'avait reçue. Il lui avait offert du thé. Dans son bureau, une fenêtre s'ouvrait sur le petit carré vert d'un parc à l'aspect glacial, d'une symétrie toute spartiate : bancs de pierre, arbustes et statues. Un des murs du bureau de M. Middleton était recouvert d'huiles sombres représentant des paysages ; le long d'un autre, il avait disposé des figurines de bois.

— L'œuvre des Iroquois, avait-il dit à Brenda d'une voix froide, solitaire.

Sur son bureau trônait la photo d'une femme aux cheveux blonds lisses tirés de part et d'autre d'un visage mince.

— Anne, ma femme, avait dit M. Middleton sur un ton soudainement empreint de chaleur.

Sa façon de dire « Anne, ma femme » avait sidéré Brenda.
Jamais elle n'avait entendu quelqu'un parler d'une femme avec
autant de délicatesse, à l'exception possible de Cary Grant.

— Puis-je vous demander, mademoiselle Pulaski, pourquoi
vous envisagez de quitter Commonwealth Edison après seulement
quatre mois de service?

Brenda avait hésité. Elle avait porté une main à sa bouche. Que
dire? Qu'elle était à la recherche d'un emploi plus intéressant?
Plus stimulant? La vérité, c'est que, dans son premier emploi, elle
souffrait d'une solitude indicible et inimaginable; dans une longue
pièce sans ombre, sous la lumière implacable des plafonniers, trente
jeunes femmes et elle tapaient toute la journée; on entendait le clic-
clac de leurs machines à écrire du matin au soir. Une semaine plus
tôt, alors qu'elle se rendait au travail en autobus, son manteau
serré autour d'elle, elle avait senti des larmes lui monter aux yeux.
Pourquoi? Et voilà que, dans le bureau de M. Middleton, sa gorge
se nouait de nouveau, ses yeux se remplissaient d'eau. Elle pressa
sa tasse contre ses lèvres.

— Vous avez peut-être envie d'un changement? avait risqué
M. Middleton au bout d'un moment.

Tant bien que mal, Brenda avait réussi à hocher la tête.

À l'Institut, elles étaient quatre dactylos : Brenda, Glenda,
Rosemary et Gussie. Glenda avait les cheveux roux, la poitrine forte,
les hanches larges. Sur son nez massif, elle appliquait de la poudre
libre Charles of the Ritz d'une teinte spécialement conçue pour les
rousses. Ses pulls et ses blouses étaient invariablement dans des
tons de rose ou de cuivre.

— Selon Arlene Dahl, nous – elle voulait dire toutes les
rouquines du monde – avons intérêt à nous en tenir au rose et au
cuivre.

Elle portait une gaine faite expressément pour elle par le service
des corsets de Field et mettait de l'argent de côté en vue de s'acheter
des chaussures faites sur mesure.

— Il n'y a pas deux pieds pareils, nous sommes d'accord? Le docteur de Billings a juré ne jamais avoir vu une voûte plantaire comme la mienne.

Rosemary. Rosemary avait la trentaine, la peau couverte de taches de son et des yeux larmoyants. Elle était portée sur les confessions avilissantes, impuissantes, humiliantes, attachantes :

— Et moi, j'étais là, rouge comme une betterave...

Ou encore :

— J'ai cru mourir.

Fiancée depuis deux ans, elle avait un zircon au doigt. À quand les noces? La question faisait l'objet d'incessantes discussions. Quelques obstacles restaient à aplanir. Art, qui vivait avec son père et sa mère à Skokie, n'était pas prêt à se ranger. Pas moyen de trouver un appartement convenable. D'ailleurs, Art était juif et exigeait d'elle qu'elle se convertisse.

Gussie Sears avait vingt-deux ans et portait un appareil orthopédique à une jambe. La poliomyélite. Elle avait le visage sombre, émacié et laid. Pourtant, elle était mariée. Depuis près d'un an, sa destinée était unie à celle d'un garçon timide et tout aussi laid du nom de Franklin Sears, qui travaillait pour le compte d'une compagnie d'assurances de la rue LaSalle. Brenda, Glenda et Rosemary le voyaient chaque jour, car à dix-sept heures pile, il arrivait à l'Institut des Grands Lacs, essoufflé et le visage congestionné après sa longue marche. Gussie et lui rentraient ensemble en métro. À midi, il téléphonait à Gussie ou encore c'était elle qui l'appelait.

Aux toilettes, Gussie avait un jour fait à Brenda la confession suivante :

— Nous avons du mal à rester loin l'un de l'autre pendant toute une journée.

Proférés timidement, ces mots avaient retenti aux oreilles de Brenda à la manière d'une révélation. À son paroxysme, l'amour faisait donc mal. Et se pouvait-il vraiment que l'amour soit donné aux femmes dépourvues de beauté, dont le corps, sans le concours

d'Arlene Dahl ni de Charles of the Ritz, se résumait à un réceptacle fait de poils, d'os et de peau ? Comment la passion pouvait-elle naître de tant de banalité ? Et pourtant, pourtant... Gussie se languissait de Franklin ; dès le milieu de l'après-midi, elle se mettait à tambouriner avec son crayon et à épier l'horloge. Et, à l'évidence, la chair molle et cramoisie de Franklin désirait Gussie. Sur le coup de dix-sept heures, les échasses qui lui tenaient lieu de jambes le propulsaient dans le bureau des dactylos. Tandis qu'il aidait Gussie à enfiler son manteau de laine, ses mains maladroites tremblaient. Aux yeux de Brenda, cette excitation sensuelle paraissait grotesque, un peu risible, mais aussi étourdissante.

Dès le tout premier jour, son travail à l'Institut des Grands Lacs lui avait plu. Elle s'y sentait détendue. Elle s'y sentait chez elle. Les souvenirs terrifiants de Commonwealth Edison s'étaient rapidement estompés. Elle aimait les tiroirs à compartiments de son bureau, où étaient rangés les trombones, les crayons et les rubans de rechange de la machine à écrire. Et elle aimait Rosemary, Gussie et Glenda. Des heures qu'elles passaient à taper ensemble était née une sorte de sororité joviale, inentamable. Elles échangeaient du vernis à ongles et des papiers-mouchoirs, elles parlaient de leur mère, elles conspiraient affectueusement contre M. Middleton. Elles s'entraidaient, se faisaient confiance. Le jour de la paie, elles allaient chez Roberto, au coin, et commandaient des spaghettis ou des lasagnes à partager. Elles avaient l'impression d'être importantes et appréciées.

Seule Gussie se distinguait légèrement des autres, parce que, se disait Brenda, elle était la seule des quatre à être mariée.

Mariée ! C'était un tout autre état, un état scellé, inviolable, à la manière d'une enveloppe. Le mariage était sûr et secret, cercle de lumière enchanté flottant sereinement au-delà du présent si facile à faire chavirer.

Glenda, Brenda et Rosemary brûlaient de curiosité. Qu'avait préparé Gussie à souper ? Avait-elle essayé les côtelettes de porc

«nouvelle vague» qu'on faisait avec de la crème de champignons en boîte? Avait-elle risqué l'aventure des petits pains en trèfle? Et côté budget? Franklin et elle faisaient-ils un budget? Bien sûr que oui : tant pour les divertissements, tant pour l'épicerie. À son avis, l'encaustique en vaporisateur était-elle aussi efficace que l'encaustique en pâte? Que faisaient Franklin et Gussie, le soir? Regardaient-ils la télé? Côté meubles, que préféraient-ils? La «haute époque américaine» ou le «provincial français»? Et les buts, les idéaux? Avaient-ils l'intention de s'offrir un jour leur propre machine à laver? Faisaient-ils des économies en prévision de l'achat d'une maison? Un canapé-lit représentait-il un bon investissement pour un couple de jeunes mariés? Quand ils auraient des enfants, Gussie allait-elle rester à la maison pour s'occuper d'eux? Et l'argenterie? Sterling ou plaquée?

Brenda, Glenda et Rosemary étaient avides de détails. (On était en 1957.) Plus encore, elles voulaient savoir, sans oser le demander, si Gussie avait une réserve de nuisettes en nylon aux couleurs pastel et si elle ôtait son appareil avant de se mettre au lit – mais oui, forcément! Et comment on se sentait quand... euh... la première fois? Est-ce que ça faisait mal? Et combien de fois par semaine Franklin et elle le faisaient-ils? Éteignaient-ils les lumières? Prenait-elle une douche vaginale après?

Gussie, la pauvre, souriait face au barrage de questions concernant les petits pains en trèfle et l'encaustique en pâte; ses lèvres pâles, inégales, s'entrouvraient. Que ses dents ne fussent pas cassées tenait du miracle.

— Eh bien, disait-elle, perplexe, en laissant le «eh bien» s'étirer à la façon de la fumée d'une cigarette, je ne sais pas trop.

De toute évidence, leur intérêt pour les menus détails de la vie domestique la laissait pantoise. Jamais ces questions ne lui seraient venues à l'esprit. Franklin avait l'intention de finir les cours de comptabilité qu'il suivait le soir, avait-elle avancé de sa propre initiative. Le dimanche, ils allaient en voiture jusqu'à Sycamore,

où vivait la famille de Franklin. Ils collectionnaient les timbres-primes, mais sans méthode – la plupart du temps, ils oubliaient de les prendre. Parfois, l'été, ils assistaient aux concerts offerts au parc Grant. (À ces mots, Brenda, Glenda et Rosemary avaient souri et opiné du bonnet. Pour un jeune couple, voilà la chose à faire : en effet, c'était romantique, éducatif et, par surcroît, gratuit.)

Au sujet de la couleur de ses armoires de cuisine, Gussie demeurait cependant curieusement évasive.

— Elles sont peintes d'une couleur un peu jaunâtre.

Elle ne semblait pas savoir grand-chose de la nouvelle encaustique en vaporisateur et encore moins du papier pour tablettes ou des agents de blanchiment. Au bureau, excellente dactylo à la table de travail impeccable, elle faisait preuve d'une application tranquille. Lorsque M. Middleton avait un besoin particulier, un travail urgent à confier, c'était toujours à Gussie qu'il faisait appel. Tout son petit corps noueux penché vers l'avant, celle-ci martelait les touches de la machine avec énergie et savoir-faire. Certains jours, elle ne s'arrêtait pas lorsque venait l'heure de la pause-café, et Brenda, Glenda et Rosemary partaient seules à la cafétéria, où elles spéculaient, spéculaient sans fin, sur les dédales et les mystères de la vie conjugale.

Brenda elle-même ne s'expliquait pas son enthousiasme soudain pour la vie domestique. Ce n'était certes pas cet aspect de sa propre vie qui l'avait préparée au rôle de femme mariée. Sa mère et elle habitaient toujours le vieil appartement de Cicero, au-dessus de la blanchisserie, où elles avaient toujours vécu. La poussière continuait de s'accumuler gentiment sur la machine à coudre de sa mère et le radiateur du salon. Le frigidaire poussait le même ronron ; sur ses tablettes défraîchies à l'odeur métallique, il y avait comme toujours du salami, du hareng, un carton de lait et un sac d'oranges. Sur la table de la cuisine, la toile cirée était retenue, selon un ordre immuable, par le sucrier rose et blanc et par la salière et la poivrière en forme d'écureuils jumeaux. Si ces détails procuraient à Brenda un vague réconfort, aucun d'eux ne l'intéressait le moins du monde.

C'était la vie domestique de la jeune mariée qui l'enchantait, son aura fraîche et glacée comme les images des magazines, née de la blancheur des noces qui s'ouvraient comme un jeu sur une enfilade de pièces au parquet luisant. Chaises coquille d'œuf et coussins de velours assortis. Rideaux café montés sur des tringles en laiton. À l'époque, il arrivait à Brenda de rêver à des rideaux café. Quoi d'autre ? Une table basse Duncan Phyfe posée devant le canapé ; un album de photos de noces à la couverture blanche matelassée sorti à l'intention des visiteurs. Un tapis dans l'escalier ; une multitude de petites gravures encadrées représentant des fleurs. Dans la chambre : des draps de couleur, un volant de lit, peut-être un baldaquin. Des serviettes aux teintes vives empilées sur des tablettes ouvertes dans la salle de bains – quelle richesse – et des petits pains de savon parfumé dans des bocaux d'apothicaire en verre. Elle rêvait d'une armoire à linge ordonnée. Elle rêvait de plonger courageusement dans les réceptions bon marché, de s'investir corps et âme dans des casseroles fumantes de bœuf Stroganov. Pour dessert, de la tarte glacée au citron dans une croûte aux biscuits Graham. Tout lui faisait envie, tout : l'aspirateur et ses accessoires, le support à épices en érable rouge, la sonnette qui carillonne. Tout.

Des années plus tard, à l'occasion d'une soirée donnée en son honneur – elle venait de remporter son premier prix –, quelqu'un lui avait demandé pourquoi elle s'était mariée si jeune. Elle avait répondu avec une franchise qui l'avait elle-même surprise :

— Parce que j'avais envie d'une cuisine rose. Je mourais d'envie d'avoir une cuisine rose.

~

À l'époque, Jack, étudiant en histoire, en était à sa dernière année à DePaul et rédigeait un grand travail de recherche consacré à l'explorateur français LaSalle. Un matin de la fin mars, il s'était présenté à l'Institut des Grands Lacs pour jeter un coup d'œil à

une vieille carte. M. Middleton l'avait accueilli plutôt chaleureuse-
ment. Après lui avoir serré la main, il avait manifesté de l'intérêt
pour son projet :

— Nous avons besoin de jeunes hommes comme vous dans
le domaine.

En même temps, il était visiblement pressé de se débarrasser
de lui.

— Mlle Pulaski, que voici, je veux dire Brenda, s'occupera de
vous, avait-il promis.

Brenda avait précédé Jack le long du couloir. La salle des cartes,
au bout, après le tournant, était fermée à clé. La serrure avait donné
du fil à retordre à Brenda.

— Laissez.

Il s'était avancé. Il avait les mains fines, plutôt poilues (mais
sans excès), et portait une chemise à carreaux. La porte s'était
ouverte tout de suite en grinçant : ils s'étaient retournés l'un vers
l'autre pour se sourire.

Il avait parlé à Brenda de son travail de recherche.

— C'est un peu comme une thèse, sauf que le mot est réservé
aux études supérieures.

À l'époque, Brenda n'avait pas la moindre idée de ce qu'était
une thèse et elle n'avait encore jamais mis les pieds dans la salle
des cartes. L'air y était sec, rare au point de sembler malsain. Les
murs étaient tapissés de tiroirs et d'armoires verrouillés peints
d'un vert métallique mat. Elle posa les yeux sur le trousseau de
clés que lui avait remis M. Middleton.

— Ma p'tite vache a mal aux pattes, commença-t-elle, inepte.

Elle déverrouilla un tiroir et fit un pas de côté. Jack entreprit
d'extraire des cartes, une à une. Il les tenait par les bords en ayant
soin de ne pas les plier. Elle remarqua que sa chemise à carreaux
était faite d'une sorte de flanelle de coton que plus personne ne
portait. Les poignets en étaient usés à la corde, presque incolores,
et ce détail l'avait profondément attendrie.

— La voici, avait-il dit en brandissant une carte.

— Vous êtes sûr?

Qu'il l'eût trouvée si rapidement, dans le premier tiroir qu'elle avait ouvert par-dessus le marché, lui semblait impossible.

— Certain. Regardez les inscriptions, là, en bas.

Elle aperçut une rangée de symboles indéchiffrables.

— Ah bon.

— Je vous suis très reconnaissant de votre aide.

Elle avait jugé nécessaire de se justifier. C'était uniquement par chance qu'elle avait ouvert le bon tiroir. Elle travaillait à l'Institut depuis un mois seulement, et elle n'avait encore jamais été dans la salle des cartes. Habituellement, c'était une autre fille, Rosemary, qui s'occupait des visiteurs. Avant l'Institut, elle travaillait à Commonwealth Edison. Mais la boîte était trop grosse et il y avait trop de filles...

Elle parlait pour ne rien dire. Elle s'entendait, douloureusement consciente du petit feu sauvage qui rougissait sa lèvre supérieure. Il l'avait regardée d'un air étrange, comme s'il la croyait cinglée.

Mauvais départ.

Malgré tout, il l'avait invitée au restaurant.

— Il y a un bon petit bistro italien au coin de la rue. Vous aimez la cuisine italienne?

— Chez Roberto, vous voulez dire? J'adore la cuisine italienne. Le jour de la paie, la semaine dernière, nous...

Elle s'était interrompue à temps.

∼

Elle aimait le visage de Jack, bien qu'il lui parût trop large et plutôt banal. En fait, l'impression de banalité était fausse. À vingt et un ans, Jack attendait simplement d'être déverrouillé. (Brenda avait songé aux tiroirs de la salle des cartes.)

Chez Roberto, Brenda, se souvenant des poignets élimés de la chemise du jeune homme, avait commandé une soupe aux légumes, trente-cinq cents – il n'y avait rien de moins cher au menu –, et un sandwich au fromage fondu, puis elle lui avait parlé des circonstances qui l'avaient conduite à l'Institut, de sa nervosité pendant l'interview, du thé qu'elle avait failli renverser sur ses genoux.

— C'était très drôle, avait-elle dit en arrivant presque à y croire.

Le regard du jeune homme, d'abord un peu fermé, s'était ouvert. Il avait de grands yeux endormis. Elle l'avait vu étudier ses courbes sous son pull angora. Le regard du garçon avait trahi ce qui aurait pu passer pour de l'étonnement. Comment s'y était-elle prise, elle, pour le surprendre de la sorte?

Il lui avait parlé de l'explorateur LaSalle et, d'une voix lente, posée, avait admis avoir choisi ce sujet à l'instigation d'un professeur. On ne savait pas grand-chose du dernier voyage de LaSalle. Il s'agissait, pour ainsi dire, d'un territoire inexploré.

Les mots du garçon semblaient mûrement pesés plutôt que déversés avec prodigalité, et Brenda avait détecté chez lui une réserve cartographiée avec autant de soin qu'un littoral. Néanmoins, elle s'était sentie libre de tout lui dire et même de lui faire des aveux choquants. Ses mains qui maniaient la fourchette et le couteau avaient la densité propre à qui attend d'être choqué.

— C'est délicieux, avait déclaré Brenda qui, sa soupe terminée, entamait son sandwich.

Il avait voulu commander une bouteille de vin.

Elle avait consulté sa montre; elle lui avait dit craindre d'être en retard au travail.

— D'ailleurs, avait-elle ajouté, le vin à midi, ce n'est pas ma tasse de thé.

C'est du moins les propos que Jack lui attribuait quand il se souvenait de cette première rencontre.

Quant à elle, elle n'ose même pas imaginer qu'elle ait pu proférer une ineptie pareille. Elle n'en est toutefois pas absolument

certaine et répugne à l'idée de gâcher l'une des anecdotes favorites de Jack – anecdote qui la fait mal paraître, se dit-elle, mais laisse entrevoir une innocence à laquelle elle aimerait bien prétendre.

~

Elle allait l'épouser. La pensée lui était venue, fulgurante, comme l'éclair zèbre de traits vifs les ténèbres comateuses. Elle allait dire à Jimmy Soderstrom, avec qui elle était sortie tout l'hiver, qu'elle avait rencontré quelqu'un d'autre. Inutile d'entrer dans les détails. Elle n'aurait qu'à se montrer aimable et évasive. Au téléphone, ce serait plus facile. Elle allait les regretter, sa timidité et lui, sa galanterie un peu gauche et surtout ses mains empressées qui, sous le manteau d'hiver de Brenda, palpaient le devant de son pull si doux. Comme ils lui manqueraient, cette avidité, ce souffle court dans son cou, cet instant décisif où elle le repoussait tout doucement, prudemment.

Un jour qu'elle allait rendre visite à sa mère, des années plus tard, elle était tombée sur Jimmy Soderstrom en plein chemin Roosevelt. Il descendait d'une petite voiture sport dont il avait refermé la portière d'une façon énergique et familière. Ils avaient bavardé pendant quelques minutes et elle s'était étonnée de l'aisance avec laquelle il lui avait fait la conversation – il vendait des voitures chez un concessionnaire Chrysler –, lui qui, à l'époque, était si avare de mots.

Tout change. Tout, du moins, semble avoir changé. Après coup, Brenda a du mal à croire que, à l'époque où elle a commencé à travailler à l'Institut, M. Middleton n'avait que quarante ans; il était moins âgé alors que Jack ne l'est aujourd'hui. Incroyable. Et elle sait maintenant que la façon dont cette version plus jeune de M. Middleton avait prononcé les mots « Anne, ma femme » trahissait non pas de la tendresse, mais au contraire un épuisement douloureux. En ce temps-là, elle n'avait aucune idée du prix qu'il fallait parfois payer, simplement pour continuer.

Encore aujourd'hui, elle dîne une fois par année avec Gussie, Glenda et Rosemary. Elles organisent cette rencontre une semaine ou deux avant Noël, toujours à la salle Fountain du magasin Field, où elles commandent quelque chose de léger, une salade au thon ou une assiette de fruits, par exemple.

Toutes, elles ont quitté l'Institut ; toutes, elles sont mariées. Glenda, en fait, s'est mariée deux fois. Son premier mari était alcoolique. Un jour, il l'a cognée à la mâchoire. Une autre fois, il lui a fracturé deux côtes. Elle était malgré tout revenue à lui.

Rosemary a fini par se convertir au judaïsme et épouser Art. Aujourd'hui, ils vivent avec leur fille dans une minuscule maison en pierres du côté de Berwyn. Art, spécialiste du génie industriel, connaît périodiquement des périodes de chômage. Une fois, il est demeuré sans emploi pendant deux ans et quatre mois.

Et Gussie ? Elle vit dans une vieille baraque branlante à Sycamore, en Illinois, à une centaine de kilomètres de Chicago. Franklin souffre de polyarthrite rhumatoïde. En dépit de rémissions occasionnelles, il est plus ou moins cloué au lit. (Oui, confesse Gussie, elle vide des bassins.) Pour faire bouillir la marmite, Gussie tient les livres d'une scierie voisine et travaille comme secrétaire au conseil scolaire de Sycamore. Chaque fois qu'elle prend l'autocar pour venir au repas de Noël, elle apporte des photos de ses deux enfants, un garçon aux cheveux sombres qui porte des lunettes et une fillette blonde comme un ange, d'une beauté saisissante. Toujours la dernière arrivée, Gussie, toute joyeuse à l'idée d'avoir la journée de congé, enlève son manteau, s'assoit et, sans reprendre son souffle, déclare :

— Franklin vous envoie ses amitiés.

Quand elle se remémore les jours où elle était dactylo à l'Institut et sa rencontre avec Jack, Brenda a du mal à croire à la chance qu'elle a eue. Elle n'en revient pas de la confiance, de l'aveuglement avec lesquels elle s'est laissée emporter par le courant, nageuse léthargique à la dérive sur une mer démontée. Au fond, que voulait-elle, à part, bien entendu, une cuisine rose ? Presque rien, apparemment,

sauf une chose qu'elle avait aperçue du coin de l'œil, l'image d'un abri et de son maigre ameublement. Que savait-elle alors de l'extase? Rien du tout.

Tout, cependant, peut rompre l'arc fragile du bonheur. Tout. Il y a des victimes partout; souvent, Brenda tombe sur l'une d'elles ou en entend parler. Elle est de celles qui ont eu de la chance. Dans son sac, elle emporte des talismans : des photos, une pièce de monnaie française toute ternie, le vieux dé à coudre de sa mère, une coupure de journal annonçant la nomination de Jack au comité de protection du patrimoine d'Elm Park. Jusqu'au cliquetis de son trousseau de clés qui, synonyme d'abondance, de protection et de sécurité, lui porte chance.

Chapitre quinze

— S'il vous plaît, monsieur, j'ai des messages?
— Votre numéro de chambre?

Debout devant le comptoir de la réception, après le repas de midi, Brenda a dans la gorge une boule dure comme une noix, sans savoir pourquoi.

— Chambre 2424.

Le préposé surmené fronce les sourcils, se retourne puis lui tend un papier plié en deux.

— Seulement ceci.

Sur une feuille de bloc-notes à l'en-tête de l'hôtel, Barry Ollershaw a griffonné quelques mots : « Brenda (tiret, tiret) Toujours pas de manteau, mais je brûle. Vous tiendrai au courant. Amitiés (tiret, tiret) Barry. »

Le papier à la main, Brenda, contre toute attente, se sent soulevée par un sentiment d'allégresse, par un soudain allégement de l'air dans ses poumons. Sa gorge se desserre, elle respire. « Je brûle », a écrit Barry Ollershaw – comme s'ils étaient, elle et lui, de joyeux conspirateurs abandonnés à eux-mêmes dans le Franklin Court Arms, deux enfants lancés dans une chasse au trésor. (Un moment, Brenda ferme les yeux; venue de nulle part, une bande de film sépia apparaît; au vingt-quatrième étage de l'hôtel, Barry et elle, calmement assis sur leur chaise, regardent la neige passer devant la fenêtre et se perdre au loin.)

— Pas de mauvaises nouvelles, j'espère, chuchote Lenora Knox.

Brenda l'avait totalement oubliée, celle-là.

— Non, non, pas vraiment.

Elle n'ose pas affronter le regard inquiet, scrutateur, de Lenora.

— Les enfants vont bien ? fait Lenora.

Ses enfants. Rob et Laurie.

— Rien à voir avec les enfants.

Brenda secoue la tête. Pourquoi sourit-elle de cette manière ? Une vraie folle. Elle sent son visage se tirer, prêt à se fendre en deux. Elle baisse les yeux en se mordant la lèvre inférieure.

— Quand je m'absente, je me fais du souci à propos des détails les plus stupides, fait Lenora en repliant ses lunettes de grand-mère, qu'elle fourre dans son sac. J'ai peur que les enfants oublient leur clé, par exemple, ou encore leur boîte à lunch. Vous voyez le genre. Une fois...

Brenda replie le mot, en lisse le pli central avec l'ongle du pouce et le glisse dans la pochette latérale de son sac. Hmmmm. Elle le tapote, son sac, en éprouve une fois de plus le cuir bombé, soyeux. Devrait-elle laisser un mot à Barry ? Lui dire de ne pas s'en faire ? Lui promettre de lui donner des nouvelles ?

— Vous savez, Brenda, dit Lenora, nous devrions vraiment rester en contact, vous et moi. Une fois le congrès terminé, je veux dire. Qui sait ? Vous viendrez peut-être visiter le Nouveau-Mexique, un de ces jours. Si vous allez au Grand Canyon ou encore au Mexique. Évidemment, le Grand Canyon est en Arizona, mais c'est tout de même l'État voisin. Vous avez déjà vu le Grand Canyon ? Il y a des mules qu'on peut louer à la journée et...

— Pardon ? demande Brenda en repoussant une mèche qui lui cache les yeux.

Pour quelle raison Lenora parle-t-elle du Grand Canyon ?

— Nous pourrions à tout le moins échanger des cartes de Noël. C'est commercial et tout, je sais bien, mais la tradition évite aux gens de se perdre de vue.

— Oui, répond Brenda avec enthousiasme.

Au milieu du hall, la fontaine émet des éructations et des gargouillis, comme si quelqu'un en malmenait la pompe. Oui, il y a bel

et bien un ouvrier penché sur elle. Du bras, il fouille les entrailles d'acier inoxydable. À son toucher, l'eau fuse – jaillissement à la faveur duquel Brenda se sent le cœur léger et débordant de générosité. Oui, elle laissera un message à l'intention de Barry. Pourquoi pas? N'est-ce pas là la moindre des politesses? (Dans une autre vie, elle avait servi de correspondancière à l'Association des parents et maîtres de l'école Woodrow Wilson; récemment, on lui avait proposé de remplir le même office pour le compte de la Guilde des artisans de Chicago.) Il était injuste de laisser Barry se faire du mauvais sang pour la disparition de son manteau. Il n'était pas venu de Vancouver au Canada à seule fin de courir après son imper rouge, n'est-ce pas? Il n'y était pour rien, après tout.

— Dieu du ciel, Brenda, j'espère ne pas avoir fait de gaffe, au moins? Pour ce que j'en sais, vous êtes peut-être juive. Ou encore...

— Non, non. Nous ne sommes pas juifs.

— L'année dernière, j'ai brodé mes propres cartes de Noël. Il suffit d'un peu de percale, de papier de soie et de quelques bandes en zigzag. Mon mari a décrété que j'avais perdu la tête, que j'étais folle à lier, mais j'avais mis la main sur un patron publié dans le *Quilter's Quarterly*. Je vous l'enverrai, si vous voulez, à moins que...

Brenda réfléchit. Pourquoi ne pas inviter Barry à boire un verre? Elle se livre à de rapides calculs mentaux : Hal Rago l'interviewe à seize heures; il faudrait donc que ce soit plus tard, peut-être après le souper de la présidente, qu'elle ne peut pas décemment rater; sera-t-il alors trop tard? Vingt-trois heures, peut-être plus; mais les bars seront encore ouverts et aucune loi n'interdit de...

— Évidemment, j'ai mis une éternité à tout finir. Une éternité. Allen et moi, nous envoyons chaque année soixante-quinze cartes, alors vous voyez. Au moins, les frais de poste ont été les mêmes, c'est déjà...

Oui, elle allait laisser un mot. La curieuse et paisible légèreté qui l'habitait stabiliserait le stylo dans sa main, lui permettrait d'attaquer le papier à la manière d'une écolière. Salut! commencerait-elle en adoptant une écriture penchée, désinvolte. Elle se montrerait

enjouée, exubérante, éclabousserait la page de gros caractères un peu fous, et elle signerait simplement « Brenda » – à la fin, le mot ressortirait à la façon d'une bannière ou d'une écharpe de soie fouettée par le vent – « Brenda ». Sous son prénom, elle tracerait un ou deux traits – fermes, joyeux, résolus, féminins – « Brenda ».

— En un sens, il s'agit aussi de souvenirs, vous comprenez ? C'est du moins ce que tout le monde me dit.

— Lenora ?

— Oui, Brenda ?

Les yeux de Lenora baignent dans le bleu. Le bleu de la pureté. Le bleu de l'innocence.

— Vous n'auriez pas un bout de papier, par hasard ? N'importe quoi. Il faut que je laisse un message.

~

De l'hôtel, on accède à la grande salle d'exposition par une longue allée souterraine bordée de boutiques de souvenirs, d'agences de voyages et de boutiques de lingerie. (L'une d'elles, The Underneath Shop, attire l'attention de Brenda au moment où Lenora et elle passent devant la vitrine.) Aujourd'hui, dimanche, la plupart des établissements sont fermés, sombres derrière leur rideau métallique. De loin en loin, d'étroites avenues s'ouvrent dans d'autres directions, marquées par des panneaux : Parking, Cinémas, Entrée du musée. Il y a là, observe Brenda, toute une ville souterraine, à l'abri des intempéries, éclairée comme en plein jour. On pourrait passer une semaine ou un mois à Philadelphie sans mettre le nez dehors. Les cours, les clôtures et les maisons de Philadelphie – où sont-elles ? Il y en a forcément. Pas moyen de faire autrement. À l'extérieur de cette artère souterraine centrale, tout semble cependant réduit à l'état de supposition. Il est même possible d'imaginer que personne ne vit en surface, qu'il n'y a pas, dans cette ville,

d'habitants bruyants au quotidien fait de restaurants, de travail, de trajets en autobus et de sauts dans leur épicerie préférée. Seuls les visiteurs, les congressistes, les troupeaux grouillants de métallurgistes et d'artisanes existent. Nous sommes seuls, songe Brenda. Elle regarde Lenora et sourit.

En bavardant et en faisant du lèche-vitrine, elles parcourent ce qui leur paraît au moins un kilomètre dans les tunnels vivement éclairés aux sols en terrazzo. Des flèches aux couleurs primaires indiquent la direction de la salle d'exposition. La voilà enfin, vaste espace poli s'ouvrant devant elles, des hectares de vide. À sa vue, Brenda a l'impression d'un gymnase aménagé à l'intention de géants. Les poutres sont apparentes, et des puits de lumière laissent entrer la clarté du jour. Cette lumière d'un jaune vernissé, qui semble filtrée et venue de très loin, baigne dans un halo d'austérité le vaste espace à l'air confiné. Les lieux vibrent sous l'afflux de lumière. À moins qu'il ne s'agisse, plus vraisemblablement, du bourdonnement électrique des ventilateurs.

— C'est fermé, mesdames.

Un vigile en uniforme, les bras croisés sur sa poitrine bleu marine, leur bloque le passage.

— Nous voulons juste jeter un coup d'œil, dit Lenora de sa voix haut perchée, douce, raisonnable. Vous permettez ?

— Pas avant sept heures, madame. Consultez le journal. Vous n'avez pas vu le journal ? L'exposition ouvre à sept heures.

Lenora insiste. Sa petite bouche se raidit.

— Nous sommes des exposantes, vous comprenez ? Mon amie et moi voulons simplement voir nos œuvres accrochées.

— J'ai reçu pour consigne de...

— Je suis venue du Nouveau-Mexique, dans le sud-ouest des États-Unis.

Brenda reconnaît le timbre de voix de Lenora. Certaines de ses amies (Leah Wallberg, Sharon Olsen) ont les mêmes intonations, empreintes d'une implacable douceur.

Le vigile fait un pas de côté.

— On m'a dit de ne laisser entrer personne. Comment voulez-vous que je sache que...

— Merci, fait aimablement Lenora en passant devant lui.

Il y a le coin de la courtepointe. Il y a le coin du macramé. Il y a même une section réservée au travail du cuir et une sous-section pour les motifs perlés. Toutefois, ce sont les courtepointes qui occupent le plus de place. En fait, elles monopolisent toute l'extrémité est de la salle. Brenda n'en a encore jamais vu autant au même endroit. À la foire d'artisanat de Chicago, pourtant la plus importante du Midwest, il n'y en a jamais plus que trente ou quarante chaque année. Ici, on en voit des centaines, peut-être mille. Pour économiser l'espace, on les a suspendues à de vastes cadres pivotants qui rappellent à Brenda les présentoirs pour tapis orientaux qu'elle a vus chez Marshall Field. Il faut regarder les courtepointes une à la fois en faisant tourner les cadres articulés comme on tourne les pages d'un livre. De jeunes ouvriers en blouse blanche propre achèvent de les accrocher.

— Est-ce que ce n'est pas la chose... la plus merveilleuse...

Du poing, Lenora se frappe la tempe.

— Je n'en crois pas mes yeux.

— Oui, répond Brenda, intimidée.

— Exposer ici... en compagnie, fait Lenora en désignant les courtepointes, de toutes les autres. Quel bonheur.

— À qui le dites-vous.

Elles se rendent compte que les courtepointes sont accrochées dans l'ordre alphabétique, suivant le nom de leurs auteurs. Brenda et Lenora commencent au fond, à droite, pour ne pas gêner dans leur travail les ouvriers juchés sur des échelles.

— Regardez! s'écrie Brenda. Voici celles de Verna. Verna de Virginie.

— Votre énigmatique compagne de chambre.

— Exactement.

— Bonté divine, Brenda, regardez-moi ça.

De la main, Lenora caresse la bordure de la courtepointe de Verna. Sa voix n'est plus qu'un murmure désespéré.

— Je sais, dit Brenda d'un ton plaintif.

— Comment fait-elle?

— Ces couleurs...

— Question d'audace, je suppose. D'audace pure et simple.

— Elle travaille de main de maître.

— De main de maîtresse, vous voulez dire? demande Lenora, qui éclate d'un rire nerveux.

— Quel art du trapunto! Quelles feuilles!

— Ce sont des feuilles?

— Regardez-moi ces courbes. Et là, dans le coin. Vous voyez ce qu'elle a utilisé? Je n'en crois pas mes yeux. On dirait du denim.

— Du denim, oui. Du vieux denim délavé.

— Extraordinaire.

— Magnifique.

— On dirait que toute la composition flotte, non?

— Comme le ciel... Comme dans le Sud-Ouest...

— Ou comme l'eau... C'est frais comme l'eau.

— Vous avez probablement entendu dire que le Metropolitan Museum de New York...

— Je sais.

Elles poursuivent.

Pour le concours, Lenora a apporté deux de ses courtepointes favorites, *Fiesta* et *Terracotta*. L'éclat orange de *Terracotta* arrache à Brenda un cri de ravissement involontaire.

— C'est magnifique, Lenora.

— J'aime bien *Terracotta*, moi aussi, mais mon mari dit que, à tout prendre, il préfère encore *Fiesta*. Allen a un petit faible pour...

— *Terracotta* vous saute en plein visage. Ce panneau central, on a envie de le serrer dans ses bras. Je vous jure, Lenora. C'est vraiment magnifique.

Magnifique est le mot juste. Au centre se trouvent une fleur sans tige, qu'on dirait calcinée sous l'effet d'un feu intérieur, et une

couronne d'oiseaux fragiles aux yeux crépitants, gemmés, au bec cruel. Magnifique. Brenda a du mal à cacher son incrédulité. Mais pourquoi Lenora Knox de Santa Fe au Nouveau-Mexique ne serait-elle pas capable de créer une œuvre d'art vibrante d'originalité ? Originale, elle l'était sans aucun doute : qui aurait pensé à coudre une large bande de velours, de velours noir, autour d'un panneau central torride et embrasé comme celui-là ? (Brenda songe à un cercueil anonyme rempli de trésors primitifs éblouissants.)

— Elle a remporté le premier prix à l'expo de l'État, l'année dernière, avoue Lenora de sa voix douce, candide. J'ai été drôlement surprise. Sidérée, en fait.

Deux des courtepointes de Brenda, *Clairvoyant* et *Lakeside,* sont déjà en place. Un ouvrier grimpé sur un escabeau accroche *Second avènement* au cadre de métal.

— Bonté divine, s'exclame Lenora. Bonté divine, Brenda, quel talent !

Les yeux en forme de losange de Lenora s'écarquillent, mais Brenda croit détecter quelque chose de creux derrière les mots, comme si Lenora et elle, engagées dans un rituel, échangeaient des compliments exagérés. Elle est sur le point de parler à Lenora de *La Courtepointe inachevée,* restée à la maison, mais elle se retient. Brenda sait pertinemment que Lenora n'a nullement envie d'entendre parler de *La Courtepointe inachevée.* D'où lui vient cette certitude ? Du petit moineau aux plumes lustrées perché sur son épaule, le cynisme en d'autres mots. Il se trouve là depuis un moment, ce moineau. Un an ? Deux ans ? Difficile de circonscrire de telles choses. Difficile aussi d'imputer au petit volatile des torts particuliers. Mais il (est-ce bien d'un mâle qu'il s'agit ?) pépie à son oreille, à grand renfort de cui-cui fracturés, et pose des questions perfides (« À quoi ça sert, au juste ? ») ou remet en question des choses fiables et familières comme les compliments, les condo-léances, la sympathie – parfois même la vérité.

Lenora n'en finit plus de s'extasier.

— Je vous assure, Brenda, elles sont superbes, toutes les trois. Je parie que vous allez rentrer avec un prix. Je pense à celle-là en particulier. *Second avènement,* avez-vous dit?

Brenda observe l'ouvrier, à qui un des coins supérieurs de la courtepointe donne du fil à retordre. À cause de sa bordure irrégulière, elle ne se laisse pas facilement fixer au cadre.

— Merde, bredouille-t-il, le nez collé à l'étoffe.

Il y a à peine deux jours, elle s'en souvient, Hap Lewis et elle ont soulevé la même courtepointe et l'ont transportée jusqu'à la fenêtre de son atelier.

La maison lui manque, tout d'un coup, et elle a la nostalgie de la cour plongée dans le silence des ormes, des chênes et de la haie sans feuillage, la nostalgie aussi du rire gras et réconfortant de Hap Lewis, des plantes suspendues qui ont de nouvelles feuilles et même de la voix des enfants qui, au rez-de-chaussée, crient, se chamaillent et, en même temps, font vibrer et respirer les murs. Dans cette salle d'exposition gigantesque, *Second avènement* a l'air un peu perdu. Brenda l'emporterait volontiers jusqu'à sa chambre d'hôtel. Là, elle déposerait la courtepointe sur son lit étroit et s'étendrait sur les carrés jaunes tonifiants. («Puéril», se dit-elle sur un ton de reproche.) Pourquoi se sent-elle si lasse tout à coup?

Pas question de céder à la fatigue. Elle a rendez-vous à l'hôtel St. Christopher à seize heures, et il est déjà quinze heures passées.

— Excusez-moi, dit-elle soudain au jeune homme monté sur l'escabeau. Je m'appelle Brenda Bowman, c'est ma courtepointe.

— Ah bon?

Il la regarde, un air d'incompréhension peint sur le visage.

— Écoutez, il faut que je la reprenne un moment. Alors vous me la décrochez, hein?

À la maison, la manie qu'a Laurie de finir ses phrases par «hein?» irrite Brenda au plus haut point.

— Je ne sais pas si...

— J'ai encore quelques points à faire. Je vous la rapporte tout de suite.

— Vous croyez que c'est raisonnable, Brenda? s'inquiète Lenora.

— Oui, répond fermement Brenda.

— Il faut qu'elle soit de retour avant sept heures, dit l'homme monté sur l'escabeau. Les portes ouvrent à sept heures et on doit avoir fini, nous.

— Je vous la rapporterai bien avant, promet Brenda. Je me suis simplement dit que...

— Comme vous voulez, fait l'homme en haussant les épaules. C'est votre couvre-lit, après tout. Faites-en ce qui vous chante.

Et il laisse tomber la courtepointe, légère comme un parachute, dans les bras tendus de Brenda.

Chapitre seize

D evant l'hôtel, l'air était moite et lumineux, et la neige, qui avait enfin cessé de tomber, fondait sur les trottoirs. En franchissant les grandes portes de bronze, Brenda se félicita d'avoir mis ses bottes d'hiver.

Elle avait noué *Second avènement* sous son menton, où la retenait une grosse épingle de nourrice. Portée de travers, un coin replié vers l'intérieur, la courtepointe, qui lui descendait aux genoux, la tenait bien au chaud. Heureusement qu'elle avait utilisé du dacron – tant pis pour les puristes – et décentré la composition : ainsi, les blocs allongés et brillants s'étiraient en éventail à partir de l'épaule. On aurait pu croire la courtepointe conçue à cette fin précise. Ce n'était pas évident de la tenir fermée de l'intérieur, mais une fois habituée, elle...

Le St. Christopher n'était qu'à quatre pâtés de maisons, mais chacun était plutôt long. Le portier du Franklin lui avait montré par où passer. Il lui avait proposé de héler un taxi, tout en lui faisant comprendre d'un geste que toute tentative en ce sens serait vaine, mais Brenda avait balayé l'idée du revers de la main. Elle avait besoin d'air frais, d'un moment de solitude. Elle se sentait fiévreuse et les yeux lui piquaient, tant elle était énervée. À la vue de la cape de fortune portée par Brenda, le portier était lentement passé de la distraction à la surprise, puis à l'admiration à peine voilée. D'un geste théâtral, il avait galamment fait un pas de côté.

— Madame, fit-il en dégageant des effluves d'eau de Cologne et de whisky.

Le vent était frais et vivifiant, et les cheveux de Brenda, qui lui fouettaient le visage, retrouvèrent leur éclat, terni par vingt-quatre heures d'air confiné sec et d'éruptions métaboliques intimes (ses règles imminentes, qui accusaient déjà trois jours de retard). En hauteur, le ciel étroit s'encadrait entre les toits enchevêtrés des immeubles, qu'il bordait d'or et de bleu. « Je ne marche pas, se dit Brenda ; j'avance à grands pas. Je suis une femme de quarante ans, provisoirement absente de chez elle, avançant à grands pas dans une rue de Philadelphie, une courtepointe sur le dos. Je me dirige vers... »

Au coin de la rue, deux femmes emmitouflées dans des écharpes, arc-boutées contre le vent, levèrent les yeux à son passage. Au-dessus de leur tête, Brenda décocha un sourire et, en guise de récompense, entendit le mot « magnifique » passer près d'elle.

Ah, voici la « magnifique » Brenda Bowman qui s'avance à grands pas ou plutôt glisse sur des rails d'oxygène bleu. Sous les plis brillants, on voit émerger ses bottes, qui laissent des empreintes bien nettes dans la neige gaufrée. Mme Brenda Bowman d'Elm Park et de Chicago s'avance à grands pas, laissant dans la rue blanchie une traînée de couleur indélébile et, derrière elle, les couleurs encore plus vives de – quoi, au juste ? La force, la détermination, la certitude. Et une conscience aiguë de ce qu'elle aurait pu être ou pourrait encore devenir. Son ombre, qu'elle ne pouvait s'empêcher d'admirer, la précédait dans la rue inondée de soleil. Pour une fois, elle tranchait superbement sur les vitrines des boutiques, les affiches, les graffiti, la neige écrasée autour des bornes d'incendie et des lampadaires. Pendant quarante années, elle avait rampé, marché sur la pointe des pieds, pour apprendre à arpenter une rue comme celle-ci. Pendant quarante années, elle s'était préparée – quel gaspillage, quel gaspillage éhonté. Mais rien n'était irréparable, à condition de savoir s'y prendre.

Ses enjambées avaient quelque chose d'épique, une sorte d'élan matriarcal très ancien. Elle songea soudain à la *Victoire de Samothrace*.

En France, quatre ans plus tôt, Jack et elle s'étaient fait un point d'honneur d'aller admirer la *Victoire de Samothrace* au Louvre.

— Il est inconcevable d'aller à Paris sans voir la *Victoire de Samothrace*, avait décrété Leah Wallberg à l'occasion de la soirée surprise qu'Irving et elle avaient donnée pour leur souhaiter bon voyage.

Quelques jours plus tard, de l'autre côté de l'Atlantique, Jack et elle, dans le grand escalier du Louvre qui faisait face à la statue, avaient affiché un air de perplexité. C'était tout?

— Bon, avait dit Jack, compte tenu du fait qu'elle n'a ni tête ni bras...

— Leah a dit d'examiner le drapé du vêtement, lui avait rappelé Brenda. Et la façon dont la silhouette semble traverser la pierre.

— Hmmmm.

— Elle a aussi dit de regarder les jambes. On dirait qu'elles savent exactement où elles veulent aller.

— Oui, je suppose.

Jack avait le don de résister à la déception.

— Elle nous a recommandé de nous concentrer sur les ailes et les jambes, avait insisté Brenda, et d'essayer d'imaginer le reste.

— Je suppose que la statue dégage une sorte de force, avait-il concédé à la fin.

Et c'est le message qu'il avait rapporté à Elm Park, à Leah et Irv Wallberg : dans la *Victoire de Samothrace*, Brenda et lui avaient entrevu une véritable force.

— Ha! Je vous l'avais bien dit! s'était écriée Leah, les yeux brillants, les doigts sentencieusement levés vers le ciel.

Brenda serra contre elle les pans de la courtepointe. Le vent était plus froid qu'elle ne l'avait escompté, en particulier au carrefour, où il tourbillonnait et soufflait en rafales imprévisibles, cinglant la peau de sa nuque et de ses joues, balayant ses cheveux; les fondations en granit des immeubles à bureaux hurlaient sous les assauts du vent contre leurs angles aigus. D'ici une heure environ, le soleil allait se coucher et il ferait encore plus froid. Pourquoi devrait-elle

attendre en grelottant que le feu passe au vert ? Il n'y avait pratiquement pas une voiture en vue. Elle descendit du trottoir. Bravement. Dignement. La courtepointe tourbillonna autour de ses genoux. Dans sa tête, elle souriait.

Il y a longtemps, à l'Halloween, elle avait confectionné un habit de Superman pour son fils, Rob. Âgé de huit ou neuf ans, à l'époque, il était un enfant beaucoup plus excitable et passionné qu'aujourd'hui. Il l'avait enfilé et s'était précipité dans la cour, la cape de coton rouge volant derrière lui. Brenda se souvint qu'il portait aussi de vieux collants bleu marine, les siens, et qu'ils pendouillaient grotesquement à la hauteur de l'entrejambe, des genoux et des chevilles. Il semblait toutefois indifférent à de telles imperfections.

— Tu sais, s'était émerveillée Brenda en l'observant par la fenêtre de la cuisine, il se prend vraiment pour Superman. Regarde-le.

Jack, jetant à son tour un coup d'œil par la fenêtre, avait souri.

— L'habit fait le moine.

Ensemble, ils avaient regardé leur fils courir en tous sens sur la pelouse, sauter par-dessus le massif de fleurs et son enchevêtrement de chrysanthèmes morts, les bras tendus.

— En haut, en haut, et loin ! l'entendirent-ils crier malgré la contre-fenêtre.

C'était un hurlement sauvage, étonnamment aigu. Il tournoya sur lui-même, prit son envol et, bondissant par-dessus des arbustes, atterrit dans la cour de Mlle Anderson, où, saisissant une branche du chêne, il s'élança de toutes ses forces avant de s'écraser au milieu d'un tas de feuilles.

— Là, ça va être sa fête, avait fait Brenda, si fière qu'elle n'arrivait pas à s'arracher à la fenêtre.

Elle avait vu la bouche de Jack ramollir à force d'amour.

— Superman en personne, avait-il dit tendrement, les yeux remplis de larmes.

Mlle Anderson, la voisine immédiate, était une sorcière, fait bien connu des enfants de Brenda et de tous les enfants du quartier.

Le soir de l'Halloween, sa maison était la seule qu'ils approchaient en tremblant d'excitation et de terreur, même si, année après année, elle les recevait plutôt aimablement à sa porte où, vêtue de sa robe de chambre crasseuse, elle laissait tomber des caramels mous dans leur sac béant. Elle devait principalement sa réputation de sorcière, croyait Brenda, à l'un de ses yeux qui s'affaissait, hermétiquement fermé, jauni par des ulcères chroniques, et au long manteau dont elle aimait se vêtir, un manteau sorti tout droit de la fin des années quarante ou du début des années cinquante, absurde, ample, démodé, fait d'un tissu élégant et luisant comme le taffetas. Elle portait ce vieux manteau à longueur d'année, même quand elle arpentait les ruelles du sud d'Elm Park dans le cadre de sa mission printanière annuelle.

La mission en question consistait à semer des roses trémières dans les espaces perdus entre les garages, les clôtures et les poubelles du voisinage. Là, dans la terre déjà parasitée par de coriaces racines de pissenlit et de plantain, elle jetait des graines, les matins de mai, à l'aube. Tout le monde était au courant de ses expéditions – c'était un secret de Polichinelle – et Brenda, un jour qu'elle sortait les poubelles, l'avait vue de ses yeux vue. La vision avait du reste laissé en elle une impression durable, telle une image fixe entrevue dans de vieilles actualités filmées. Mlle Anderson, grande et maigre, s'avançait dans la ruelle, vêtue de son manteau bruissant, une écharpe de coton nouée sous le menton, un sac en tissu rempli de graines accroché au cou. Il n'y avait ni pénibles génuflexions ni positionnement soigneux des graines – bien sûr, la vue de Mlle Anderson déclinait depuis des années. Elle les semait de façon volontaire, arrogante, presque au petit bonheur. Son bras recouvert de noir fouillait dans le sac, en ressortait et lançait des poignées de graines sur le sol mince.

Un nombre surprenant de ces roses trémières prenaient racine. Mlle Anderson avait beau être morte deux ans plus tôt, les longues tiges pelucheuses et les fleurs délicates, froncées, persistaient avec une remarquable obstination. On ne pouvait en dire autant du

souvenir de Mlle Anderson, car, après sa mort, survenue si rapidement et si inopinément que Brenda en avait oublié la cause exacte, Larry et Janey Carpenter avaient acheté la maison, qu'ils avaient refaite de la cave au grenier, retourné le jardin et aménagé une splendide terrasse en cèdre, la première du genre à voir le jour boulevard Franklin. Aux yeux de Brenda, il était invraisemblable et un peu injuste qu'une vie, en particulier celle de Mlle Anderson, pût être effacée aussi vite et aussi parfaitement. De loin en loin, Hap Lewis, en proie à une sentimentalité joyeuse, évoquait le «vieux hérisson miteux», mais c'est à peine si les jeunes couples du quartier avaient entendu parler d'elle. Brenda s'étonnait de l'absence de mythe la concernant, étant donné ses habitudes curieuses; même Rob et Laurie semblaient avoir oublié jusqu'à son nom, eux qui, pour parler d'elle – ce qui leur arrivait encore de temps à autre –, disaient la «dame au manteau» ou encore «Mme Manteau».

Cet après-midi-là, cependant, les images de Mlle Anderson et de ses enjambées vigoureuses et déterminées dans les ruelles remuèrent en Brenda des souvenirs qu'elle préférait ne pas ressasser. N'aurait-elle pas dû chercher à mieux connaître cette femme de son vivant ? À cause de son manteau noir et de sa lubie de semer des roses trémières, elle avait semblé impénétrable et inaccessible; à cause de l'âge de Mlle Anderson, Brenda, plus jeune, s'était dit qu'elle n'en valait pas la peine.

Cependant, il aurait été intéressant, voire utile, de savoir quel genre d'enfance mystérieuse avait déterminé que Mlle Anderson serait vieille, intransigeante et, d'une certaine façon, heureuse. Quelque chose d'historique avait programmé sa démarche résolue. Quelque chose d'historique lui avait de la même façon insufflé un brin de folie douce. Après tout, chacun avait une histoire, chacun – même Mlle Anderson, même le fils de Brenda, Rob, même la femme anonyme à la beauté classique qui, tête et bras en plus, avait, des milliers d'années auparavant, servi de modèle à la *Victoire de Samothrace*.

Jack avait pourtant la conviction qu'elle, Brenda, était dépourvue de tout sens de l'histoire. Ce qu'il voulait dire, bien entendu, c'est qu'elle n'avait pas, au contraire de lui, la capacité de se faire une image précise d'un monde dans lequel elle n'avait pas vécu et qui, du reste, ne présentait pour elle aucun intérêt. D'ailleurs, elle n'en disconvenait pas. Jack, elle le savait, la plaignait, même s'il ne l'avait jamais dit ouvertement. Il la plaignait de la même façon qu'elle le plaignait pour son apparente incapacité à apprendre des langues étrangères.

Pour elle, les choses avaient été différentes. Petite, elle parlait et comprenait le polonais. Une vieille amie de sa mère lui avait même dit qu'elle avait un accent distingué, plutôt aristocratique – observation qui demeura à jamais inexplicable. Et elle n'avait jamais oublié les notions de français apprises à l'école secondaire. Quatre années avec Mlle Wilson à l'École secondaire de Morton et, encore aujourd'hui, elle arrivait à faire surgir n'importe quel verbe de sa mémoire, ce qui, admettait-elle volontiers, lui arrivait peu souvent. Dans l'escalier qu'elle empruntait le matin pour aller préparer le déjeuner, le mot « *descendre* » s'imposait parfois à son inconscient, pâle comme une opale. Lorsqu'elle faisait des courses, les vieux mots de vocabulaire (« *betterave* », « *haricot vert* », « *laitue* ») remontaient à la surface, dans l'ordre alphabétique, les pluriels irréguliers (« *pruneaux* ») clairement indiqués.

Pauvre Jack. En France, c'est elle qui avait passé les commandes dans les restaurants et organisé les visites guidées en autocar, tandis que lui, les mains dans le dos, restait mollement emmuré dans un quotidien décliné en anglais. À son intention, elle avait effectué des traductions patientes et minutieuses, qu'il avait accueillies avec gratitude, mais elle avait malgré tout eu le sentiment qu'il se faisait duper, que tout était pour lui injustement diminué. La platitude des mots anglais lui brisait le cœur, d'autant plus que Jack semblait insensible à toutes ces pertes. Il possédait en revanche une qualité dont elle-même était dépourvue : un sens de l'histoire ou, plus

précisément, un attachement personnel au passé. À Paris, Jack avait arpenté le vieux quartier révolutionnaire – il se passionnait pour la Révolution française –, éperdu de bonheur et si profondément plongé dans ses pensées qu'il avait gardé le silence pendant de longues minutes. De loin en loin, il s'arrêtait pour consulter le *Guide Michelin* – en version anglaise – et disait à Brenda :

— Tu te rends compte que, sur ces pavés...

Ou encore il s'exclamait :

— C'est à cet endroit précis, sous cette voûte que...

Elle s'efforçait de voir une partie de qu'il apercevait, lui, mais en vain. Non, elle n'arrivait pas à imaginer le romantisme brutal de paysans en haillons marchant sur Paris. Le dix-huitième siècle lui était inaccessible, au même titre d'ailleurs que le dix-neuvième. Non, elle n'arrivait pas non plus à se représenter Simone de Beauvoir attablée dans tel ou tel café, un carnet de notes ouvert devant elle ; elle ne voyait pas non plus les armées alliées défiler sur les Champs-Élysées. Résister aux images du passé faisait partie de sa nature. Ce que Jack interprétait comme une défaillance chez elle n'était en réalité que la contrepartie de sa propension à appeler un chat un chat, de son enracinement dans les faits et dans le moment présent.

Du reste, elle n'était pas si convaincue d'être dénuée de tout sens de l'histoire. D'une certaine façon, sa capacité de percevoir l'histoire était plus grande que celle de Jack ; elle était plus sensible aux détails et mieux arrimée aux sources que sont les causes et les effets. Jack était un romantique, condamné à n'appréhender que le tableau d'ensemble ; les événements historiques qu'il retenait se noyaient dans une mer de sang anonyme. L'histoire était une machine monstrueuse, une moissonneuse John Deere qui recueillait tout dans sa trémie.

Ce que Jack ne semblait pas saisir (au contraire de Brenda), c'est que l'histoire n'était rien de plus qu'un enchaînement de récits, une série de récits de vie qui, en temps utile, servaient de canevas à toutes les vies, la leur y compris. Que certains de ces récits fussent

sombres (la terrible et soudaine maladie de sa mère) et d'autres inondés de lumière (l'imprécision au fond purement aléatoire de son amour pour Jack et les enfants) – tout cela, en fin de compte, ne changeait rien à rien. Nés du mystère, ces récits se façonnaient, puis, à terme, cédaient la place à des récits neufs, différents. C'était tout simple, se disait Brenda ; par moments, pourtant, ce n'était pas simple du tout.

Car certains de ces récits étaient aussi tentaculaires que les plantes les plus exotiques, et leurs ramifications franchissaient des distances impossibles. À l'école secondaire de Morton, Mlle Wilson avait encouragé Brenda à aller à DeKalb faire des études de professeur de français, mais sa mère, Elsa, tenait à ce qu'elle devienne secrétaire pour ne pas avoir à travailler debout toute la journée, comme elle-même avait dû le faire. Brenda était donc devenue secrétaire et était allée travailler à l'Institut des Grands Lacs, où (par le plus grand des hasards) elle avait fait la connaissance de Jack Bowman et entrepris le plus long récit de sa vie.

Certains des récits de Brenda – un assez grand nombre, en fait, même si elle aurait répugné à l'admettre – s'ouvraient sur un avenir improbable. L'un d'eux lui vint, tandis qu'elle se dirigeait vers l'hôtel St. Christopher. Jack et elle se trouvent à Vancouver, au Canada, pour un congrès d'historiens, peut-être, et elle tue le temps dans un des grands magasins du centre-ville quand, soudain, apparaît un visage familier. Tiens, mais c'est Barry Ollershaw ! Quelle coïncidence ! Elle s'avance vers lui, lui touche le bras, et sa voix le surprend :

— Vous souvenez-vous...

Ou alors elle est attablée avec un homme (au visage embrouillé) qui pose ses doigts sur son poignet, l'endroit le plus soyeux de son corps, comme pour lui prendre le pouls, et suit le pâle écheveau des veines jusqu'à son coude. Peut-être fait-il courir ensuite ses doigts le long des lèvres, des paupières de Brenda, et puis – la petite table disparaît, aussitôt remplacée par une douce pelouse – il s'allonge près d'elle et la fait passer de ce récit-là au suivant.

Ce genre de récit, qui lui semble plus consistant qu'un simple fantasme, peut être raconté sur divers tons, suivant l'identité de l'interlocuteur. Devant les grands sourcils de sa mère : « Comment dire non ? » Devant Hap Lewis, bouche bée : « Pourquoi pas ? » Devant ses enfants, perplexes : « La vie est courte. »

Une chose est sûre. Ces récits imaginaires ne finissaient jamais comme dans les livres, où abondent les révélations : « elle se rendit compte alors... » ou « en cet instant, il comprit que... » Ils mouraient plutôt de leur belle mort, à court de carburant ou faute d'intérêt, ou encore, comme souvent, ils étaient interrompus par les exigences de la vraie vie et le retour au récit véritable et constant qui, à la manière d'un vêtement, leur faisait comme une seconde peau. La rue, le trottoir dur sous ses pieds, la neige qui vire au bleu à la tombée du jour.

Il était là enfin, le St. Christopher. Vieux, orné, avec des pierres sombres et suintantes, des portes aux vitres serties de plomb et, à l'intérieur, des lumières brillantes comme des rubis. Seize heures pile ; le soleil avait disparu, et Brenda, secouant ses bottes pour en faire tomber la neige, martela sur la grille en laiton du hall les mots d'un poème : « Ô Neige, ô Amour, ô Victoire ».

Chapitre dix-sept

Deux heures plus tard, Brenda était soûle. « Soûle comme une bourrique », aurait dit Hap Lewis. Ou « bourrée », selon l'expression privilégiée par Jack. Larry Carpenter, le voisin, se serait écrié, en empruntant un accent britannique de pacotille, qu'elle était « grise ». Elle était « beurrée », aurait dit son fils Rob, « paf », « pétée » (le mot ne s'appliquait-il qu'aux drogués ?). Elle était pompette, ronde, noire, pleine, partie. Elle était cuitée, paquetée, soûle, que Dieu lui pardonne, comme une Polonaise, Seigneur, doux Jésus, fils de Marie.

Tout s'était passé très vite. Elle ne parvenait pas à se l'expliquer. (La pression atmosphérique ? Les hormones en cavale ?) Elle était entrée au St. Christopher, avait trouvé l'Emerald et là, attablé dans un coin sombre, Hal Rago de l'*Examiner* de Philadelphie, une cigarette entre les doigts.

— Bonjour, madame B., lui dit-il dit en guise de salutations.

Madame B. ? Le ton sans cérémonie de l'homme semblait attester sa platitude à elle. Sa platitude de femme au foyer. Elle en fut bouleversée.

Elle s'assit, laissa tomber la courtepointe de ses épaules, et *Second avènement*, de cape à l'origine d'une métamorphose, redevint l'objet d'une ridicule improvisation. Du kitsch à l'état pur.

— Je crois que vous avez laissé tomber quelque chose, fit Hal à voix haute.

Puis il disparut sous la table, d'où il remonta l'épingle de nourrice.

— C'est à vous ?

Le plafond de l'Emerald était d'un noir profond, constellé de petites lumières vives. La spécialité de la maison était une mixture servie dans un haut verre de couleur verte, appelée « Strabisme irlandais ». De toute évidence, Hal Rago en avait descendu quelques-uns avant l'arrivée de Brenda.

— Essayez-en un, fit-il en lui décochant un regard polisson.

— Je vais prendre un brandy, dit Brenda, aux prises avec une envie soudaine, lancinante, de se montrer désobligeante.

— Comme vous voulez.

Il leva un doigt pour attirer l'attention du barman et, léchant son stylo-feutre d'un air lubrique, dit :

— Si nous commencions ?

— Pourquoi pas ? répondit Brenda, rassérénée par les minéraux vitreux qui s'entrechoquaient dans sa nouvelle voix.

Envolée la femme rayonnante qui marchait à grandes enjambées dans la neige. Pouf ! Le poids de vingt années s'était abattu sur elle d'un seul coup, avec, pour faire bonne mesure, le spectre de l'âge mûr, ses fausses allégeances, ses trahisons, ses écoulements corporels, ses plis de chair secrets et ses relents aigres. La *Victoire de Samothrace* – mon œil ! Elle ébouriffa ses cheveux sans ménagement et ne fit qu'une gorgée de son brandy.

— Enfin, une femme comme je les aime ! En plein le genre de remède qui convient par une journée merdique comme celle-ci.

Elle lui lança un regard furibond et il lui commanda tout de suite un autre brandy.

Avec tristesse et sans l'aide de miroirs, elle se vit telle qu'elle était : une femme dotée d'un prénom banal qu'on aurait dit sorti tout droit d'une bande dessinée – Brenda. Elle n'avait jamais eu raison de ses cuticules. Il lui manquait deux molaires. Elle avait le ventre parcouru de vergetures et le cou plissé – plissé ! Jamais plus elle n'éveillerait l'ardeur d'un homme ; quelle tarte elle faisait.

Hal sortit ses notes et les examina longuement, dans l'espoir, aurait-on dit, d'en tirer quelques parcelles de sobriété.

— Peut-être pourriez-vous me dire pour commencer comment vous avez découvert l'artisanat.

— C'est à peine si je m'en souviens, répondit Brenda.

Le brandy faisait son œuvre. Elle sourit à Hal, le gratifia de ce que Jack appelait son air de princesse.

— Vous êtes de la Ville du vent, non?

— Exactement.

Il nota quelques mots.

— Au journal, ils veulent le point de vue du Midwest. Merde, qui va chercher des idées pareilles? Qu'avez-vous de prégnant à dire sur le point de vue du Midwest?

— Franchement, je n'en sais trop rien.

Elle avala une longue gorgée de brandy.

— Vous avez grandi dans une ferme ou quelque chose du genre?

— À Cicero, en Illinois. Dans un appartement au-dessus d'une blanchisserie.

— Cicero? Nom de Dieu! N'est-ce pas là que le célèbre Al Capone...

Elle fit oui de la tête.

— Seigneur Dieu, ce n'est pas une ville de tout repos, Cicero. C'est le moins qu'on puisse dire.

Il commençait à lui plaire.

— Et vous, où avez-vous grandi? lui demanda-t-elle, sociable.

— En Pennsylvanie. Sur une ferme.

Ils éclatèrent tous deux d'un rire rugissant.

Il lui raconta alors une longue blague sans le moindre intérêt au sujet d'un fermier de la Pennsylvanie qui se rend à New York pour la saison d'opéra et enchaîna sur une anecdote décousue à propos de John O'Hara à l'époque où il était encore jeune.

Elle lui dit pourquoi elle portait une courtepointe au lieu d'un manteau.

Il lui demanda pourquoi celle-ci avait pour titre *Second avènement*, et elle lui parla de l'enseigne lumineuse de l'église qu'elle avait

vue dans le West Side de Chicago. « Le Second avènement est à nos portes. »

— Ça m'avait semblé prégnant, dit-elle avec un sursaut d'esprit.

Il lui parla de sa grand-mère italienne qui tenait à faire de lui un prêtre.

Elle lui parla de Mlle Wilson qui voulait qu'elle soit professeur de français. Elle prononça même quelques mots de français à l'intention de Hal. Puis quelques mots de polonais.

Il lui avoua avoir été renvoyé par le journal où il travaillait auparavant (une histoire compliquée à propos de l'interview d'un cadavre).

Elle lui dit avoir rencontré son mari dans la salle des cartes de l'Institut des Grands Lacs.

Il lui parla de son divorce d'avec une femme prénommée JoAnne. Cette histoire, qui comprenait moult chapitres, dura longtemps. C'était une histoire tragique – JoAnne avait à la longue révélé une nature de nymphomane –, mais il devait aussi y avoir des bouts drôles parce que, plus tard, Brenda se souvint d'avoir ri aux larmes en avalant de petits verres de brandy assassins.

Finalement, Hal la prit par le coude et la déposa dans un taxi.

— Magnifique interview, madame Brenda, dit-il, les yeux troubles. Vous êtes une femme superbe.

Elle dit au revoir à son large visage dur et cramoisi et parvint tant bien que mal à dire « Franklin Court Arms » au chauffeur.

De la course en taxi, elle ne se souvint de rien, bien qu'elle se rappelât vaguement avoir traversé le hall de l'hôtel, où des hordes déferlaient sur le large tapis et où le clapotis de la fontaine souleva en elle une vague de nausée extrême, qu'elle réussit à réprimer jusqu'à sa chambre.

Elle se réveilla à quelques reprises. À un certain moment, le téléphone se mit à sonner interminablement. Le bruit semblait provenir des murs sombres, une décharge d'un bleu électrique phosphorescent enrobant chaque sonnerie. Elle avait les yeux et les oreilles en feu. À deux occasions au moins, elle alla en titubant à

la salle de bains vider un verre d'eau dans son gosier brûlant. Plus tard, à l'approche de l'aube, elle ouvrit un œil et vit une femme appuyée sur l'oreiller dans le lit voisin. Elle fumait une cigarette. Pendant un moment, Brenda, hypnotisée, observa la braise rouge et luisante, les longues et énergiques colonnes de fumée.

Puis elle sombra dans un sommeil profond qui dura jusqu'à ce que le bourdonnement impitoyable de son réveil de voyage retentisse sur le coup de huit heures.

Chapitre dix-huit

— Je me dégoûte, dit Brenda, en appui sur l'oreiller.
— Chut. Buvez.

— Si je bois, je risque de me remettre à flotter.

— Ça va vous faire du bien. À quelle heure avez-vous pris une aspirine?

— Pas une. Trois. Vers huit heures, je pense. Quand le réveil a sonné.

— Vous pouvez probablement en prendre une autre. Il est onze heures passées.

— Onze heures! Ça veut dire que j'ai raté la séance théorique sur l'appliqué. Et l'atelier sur la technique anglaise. À moins que ce soit cet après-midi. Le pire, c'est que j'ai manqué le souper de la présidente, hier soir.

— Ce qu'il vous faut, c'est du repos.

Barry lui reprit le verre de jus d'orange et lui tendit une débarbouillette humide.

— J'ai tellement honte. Je dois avoir une de ces têtes. La chambre doit sentir...

— Pourquoi ne pas vous rendormir? Je vous téléphone vers deux heures. Vous devriez être prête à avaler quelque chose de solide.

— Jamais!

Un tantinet mélodramatique.

— Il ne faut jamais dire jamais.

— Barry ?

— Quoi ?

Sa main reposait sur l'oreiller, poids posé juste au bon endroit.

— Je tiens à ce vous sachiez une chose. Ça ne m'est encore jamais arrivé. Je ne sais pas pourquoi, mais je tiens à vous dire que je n'avais encore jamais vomi partout dans la salle de bains, ni perdu connaissance. C'est la première fois que je me couvre de ridicule et...

— Ce n'est...

— Il est important pour moi – j'ignore pourquoi – que vous ne rentriez pas à Vancouver en pensant...

— Chut.

— C'est mon premier véritable... déshonneur.

Elle pressa la débarbouillette contre son front. Le mot « déshonneur » recelait une richesse intrigante. Elle se sentait outrancièrement théâtrale, mais elle ne savait pas comment s'arrêter.

— Sans blague ? C'est votre premier déshonneur ?

— Vous semblez renversé.

— Je le suis.

— Pourquoi ?

— Vous me demandez pourquoi ? La plupart d'entre nous avons connu quelques catastrophes du genre à...

Il s'interrompit.

— À notre âge ? Allez, dites-le.

— Comme vous voulez. À notre âge, donc.

— Eh bien...

Elle réfléchit.

— Eh bien, quoi ?

— Une fois, Jack et moi... Jack, c'est mon mari...

— Je sais.

— Nous étions invités chez M. Middleton, à Highland Park. C'est le patron de l'Institut où Jack travaille.

— Et ?

— C'était il y a des années. À l'époque où j'étais encore trop innocente pour me faire du souci en prévision d'une soirée chic comme celle-là. Je me souviens qu'ils ont servi des endives. Je n'en avais encore jamais mangé.

Brenda, qui se laissait peu à peu prendre au jeu, sourit légèrement.

— Et une sorte de charlotte anglaise, dont je n'avais jamais entendu parler. Mais je ne m'étais pas laissé troubler. Au moment des adieux, je me sentais si joyeuse, si gaie et si heureuse d'être finalement arrivée au bout de cette soirée que j'ai enfilé mon manteau avec un peu trop d'entrain. Et, du coup, fait tomber une petite statuette que les Middleton gardaient dans le vestibule. C'était, il va sans dire, de la poterie ancienne.

— Irremplaçable, je suppose.

Les yeux de Barry pétillaient.

— Elle ne datait pas de l'époque précolombienne, mais presque. Je ne l'ai appris que plus tard. C'était horrible. Jack a failli mourir de honte. En ramassant les morceaux, M. Middleton avait des larmes – de vraies larmes – dans les yeux. Évidemment, ils ont été d'une exquise politesse. Jack a dit que nous allions les dédommager, bien entendu, et ils ont répondu qu'il n'en était pas question, qu'ils n'avaient qu'à ne pas laisser des objets du genre dans l'entrée. C'était vrai, en un sens, mais quand même. Vous imaginez comment je me sentais.

— Oui.

— Impossible de réparer une perte pareille. Pendant des années, je les ai invités à la maison, dans l'espoir qu'ils casseraient un objet auquel je tenais. Naturellement, ce n'est jamais arrivé.

— Vous ne voulez pas que je ferme les rideaux ? Le soleil vous arrive en plein dans les yeux.

— Je sais. Mais c'est exactement ce dont j'ai besoin. Souffrir.

— Le sac et la cendre.

Il lui sourit.

— C'est ça.

— Vous n'êtes pas la première à qui il arrive de trop boire.

— Je viens de me souvenir d'autre chose. D'un autre terrible déshonneur.

— Racontez.

Il se percha sur le climatiseur, les mains autour des genoux.

— Nous venions d'arriver à Elm Park. Des résidants du quartier ont organisé une petite fête pour nous permettre de rencontrer tout le monde. Vous voyez le genre de quartier – sympathique, sans être familier. Robin et Betty Fairweather – ils ont divorcé l'année dernière, soit dit en passant – ont tout arrangé. C'était un dimanche après-midi, et on a servi à boire et à grignoter – du fromage, des olives et patati et patata. Ils avaient retenu les services d'un homme chargé de servir les boissons et de faire circuler les plateaux de nourriture. Je n'avais encore jamais assisté à une fête où quelqu'un assurait le service. Je suis donc allée me présenter à cet homme. Il portait un veston blanc et tout le bazar, mais je n'ai jamais pensé qu'il était serveur. «Bonjour, je m'appelle Brenda Bowman.» Ces mots, je les ai bel et bien prononcés. Je lui ai même tendu la main.

— Et c'est votre pire déshonneur?

Barry secoua la tête.

— D'une certaine façon, ce n'en est même pas un, je suppose. Par miracle, il n'y avait personne dans les parages. Pas de témoins, donc. Alors il n'y a que ce serveur et moi qui soyons au courant. En fait, je n'en ai jamais parlé à personne.

— Même pas à...

— Même pas à Jack.

— Je me demande bien pourquoi.

— Je ne sais pas. Jack se serait probablement contenté de rigoler. Maintenant, je veux dire. À l'époque... eh bien, nous étions plus jeunes. Quelquefois, voyez-vous, j'ai l'impression que nous ne rions pas des mêmes choses.

— Je comprends.

— Et votre pire déshonneur à vous?

Dos au mur, il avait retroussé un genou. Cette posture favorisait une forme d'intimité. Il considéra gravement la question et répondit :

— La même que pour la plupart des hommes, je suppose. Une quelconque défaillance sexuelle.

— Ah bon.

Elle ferma les yeux.

— Je n'aurais pas dû vous poser la question. Ça ne me regarde pas. Je vous demande pardon.

— Pour quoi faire ?

— Je dois être encore un peu soûle. Je dis des bêtises.

— Vous n'êtes plus, euh... aussi pâle. Qu'avant, je veux dire.

— Merci. Et merci de vous occuper de moi. Le jus d'orange, l'aspirine et tout et tout. Merci aussi d'avoir rapporté la courtepointe à la salle d'exposition, ce matin. Je parie que j'ai vomi dessus ?

— Seulement un peu.

— Ooooohhhhh, gémit-elle dans ses mains.

— J'ai vaporisé quelque chose sur la tache. J'ai trouvé un produit dans votre salle de bains...

— Du fixatif.

— Je crois, oui.

— Bien fait pour moi.

— De toute façon, on m'a dit qu'il y avait encore le temps. Les courtepointes seront évaluées cet après-midi. Vers trois heures, si ma mémoire est bonne.

— Je n'arrive pas à le croire.

— Quoi donc ?

— Vous venez de la côte ouest pour assister à un congrès professionnel et vous passez la matinée à trimballer la courtepointe souillée et puant le vomi d'une femme que vous connaissez à peine...

— Moi ? Mais je vous connais depuis toujours.

Il avait prononcé les mots avec légèreté, en esquissant un sourire où ne perçait qu'un brin de moquerie.

— Vous ne croyez pas à la réincarnation ?

— Non, dit-il, l'air de s'excuser.

— Bien. Moi non plus.

— Selon ma femme, je n'ai pas un seul gène à caractère para-normal dans toute ma personne.

— C'est comme moi. Je ne lis même pas la page des horoscopes dans le *Tribune.*

— Moi, je ne me donne même pas la peine d'ouvrir les biscuits chinois.

— Dans ce cas, vous êtes encore plus puriste que moi. Je les ouvre, je lis, mais je n'y prête aucune foi.

— Je me suis souvent demandé ce qui rendait les gens comme ça. Comme nous, je veux dire.

— Moi aussi. Je pense que c'est inné. Nous formons une race à part. La race de ceux qui appellent un chat un chat.

— Une race privée du meilleur, peut-être.

— Pourquoi ?

— Songez à tout ce que nous manquons. À toute l'excitation. Une dimension supplémentaire.

— Probablement. Vous voudriez être à leur place ?

— Non.

— Elle était ici, cette nuit.

— Qui ça ?

Du menton, Brenda désigna l'autre lit.

— Verna. Ma compagne de chambre.

— Ah oui, la post-virginale Verna.

— En tout cas, je pense l'avoir vue. Je me suis réveillée et il y avait une femme en train de fumer une cigarette à côté. Il devait être environ cinq heures.

— Vous avez peut-être rêvé. À moins que...

— Non, je ne crois pas. Regardez le couvre-lit. Il est un peu froissé, non ?

— Un peu.

— Je ne devrais pas vous retenir. Vous avez sans doute un tas de choses à faire.

— Mieux vaut que je vous laisse dormir, de toute façon. Vous avez besoin de quelque chose avant que je m'en aille ?

— Je ne saurais trop vous remercier de...

— Chut.

Se levant, il tira les rideaux. Le noir fut comme une absolution.

— Je me sens comme une enfant comblée, dit Brenda.

Il resta là un moment, dans le noir, sans rien dire.

— C'est vraiment la pire des choses ? demanda Brenda. La défaillance sexuelle ?

— Je crois, oui.

— Pire que l'échec de l'amour ?

Il considéra la question. Brenda attendit, les yeux clos.

— Je vais y réfléchir, dit-il.

Chapitre dix-neuf

B renda n'en croit pas ses oreilles. Cette femme les fait-elle marcher ? Pas du tout.

Mary O'Leary, conférencière invitée : haut front laiteux, mèches bleutées dans ses abondants cheveux auburn, costume en laine lourde, voix débordant d'autorité. Elle semble par ailleurs dotée de compétences indiscutables. Brenda consulte le programme : Radcliffe (diplôme de premier cycle en psychologie), la Sorbonne, puis doctorat en histoire de l'art de Stanford. «Lecture freudienne de l'art de la courtepointe : une nouvelle interprétation», voilà son sujet d'aujourd'hui.

Y a-t-il du vrai dans ce qu'elle raconte ? Est-ce possible ? Autour d'elle, Brenda voit des femmes et un unique homme hocher la tête en signe d'assentiment, d'approbation. Mme O'Leary, une pile de fiches index à la main, passe en revue les motifs traditionnels les plus communs, les nomme avec légèreté, comme s'ils lui étaient aussi familiers que ses enfants ou ses meilleurs amis. Pour souligner ses propos, elle projette des diapositives sur un écran. Première diapo : de toute évidence, l'étoile de Bethléem représente une explosion orgasmique, bien qu'on puisse aussi y voir une immense vulve frissonnante.

— Les pionnières américaines ont refoulé leur sexualité, conformément aux diktats de la société, mais les travaux d'aiguille étaient une échappatoire donnant accès à l'extase.

Deuxième diapo : le toujours populaire anneau nuptial, qui symbolise la nature fermée, intime, de la féminité. Ensuite : le

double anneau nuptial qui, au lieu de briser cet enfermement, l'a simplement accentué. Puis il y a le motif en éventail traditionnel qui, mine de rien, tourne en dérision l'ontologie masculine – Brenda n'est pas certaine de la signification du mot «ontologie» – à force de répétitions ternes et inexorables. Cette dérision, selon Mme O'Leary, est à la fois subtile, punitive et douloureuse. La «cabane en rondins», le plus révélateur, le plus incriminant des motifs, se compose d'un champ ininterrompu de symboles phalliques, si étroitement collés les uns aux autres qu'il n'y a pas la moindre place pour les organes génitaux féminins. La multiplication des images phalliques traduit, d'une part, l'envie du pénis et, d'autre part, des fantasmes tournant autour du viol collectif.

Et enfin il y a le motif à pointes folles, au nom ironique, qui offrait aux premières Américaines un exutoire autorisé grâce auquel elles échappaient aux stéréotypes sociaux ou sexuels et, pour les plus audacieuses d'entre elles, exprimaient des désirs sauvages et primitifs. Mme O'Leary a analysé en détail les formes reproduites dans ces prétendues pointes folles. La présence de nombreux triangles trahit l'irrésolution, peut-être même l'androgynie ; fait intéressant, il y a plus de formes mammaires que de formes phalliques, mais Mme O'Leary et son assistante hésitent à en tirer des conclusions prématurées. Il est possible que les femmes défendent et affirment leur féminité ou encore, hypothèse plus plausible, qu'elles manifestent des besoins infantiles inassouvis. Quant au regain actuel de popularité de la courtepointe, Mme O'Leary y voit en partie une apologie, en partie un refus des responsabilités et en partie la reconduction de sa fonction de toujours, à savoir maîtriser, dans la mesure du possible, un univers chaotique et hostile. Fin de la conférence.

De l'auditoire montent quelques applaudissements, d'abord timides, puis plus nourris. On entend même quelques acclamations. Mais Brenda, qui se sait capable de graves capitulations, n'applaudit pas du tout. Muselée, elle est partagée entre la consternation ébahie et le rire indigné.

~

— Des sottises, dit Dorothea Thomas de Lexington, au Kentucky. Des calembredaines, du début à la fin.

Brenda sourit, se voit en train de rapporter ces propos à Hap Lewis, à Leah Wallberg et à Andrea Lord. (Je vous jure, elle a utilisé le mot «calembredaines»!)

Dorothea Thomas, considérée comme la Grandma Moses du monde de la courtepointe, poursuit :

— Parfois, je me demande pourquoi diable je me donne la peine de venir à ces congrès. Tout ce qu'on fait, c'est parler, parler, parler; on nous sert les idées les plus saugrenues, les plus tirées par les cheveux. L'étoile de Bethléem, c'est l'étoile de Bethléem, pour l'amour du ciel. Ni plus ni moins.

— Vous ne pensez pas que, dans l'inconscient, elle symbolise...

— Des billevesées, je vous dis! (Je vous jure, elle a utilisé le mot «billevesées»!)

— Mais le motif de la cabane en rondins...

— ... donne parmi les plus belles courtepointes qui soient. Ma propre mère – c'était en 1902 ou en 1903 – avait une courtepointe comme celle-là, faite de ses mains. Si vous l'aviez connue – il faut dire qu'elle est morte en 1919 –, vous sauriez qu'elle n'avait pas de pareilles idées en tête. Le viol et patati et patata. Elle avait beaucoup trop de travail – les enfants, la lessive, la couture, les cochons, les canards et je ne sais trop quoi encore – pour penser au viol. Elle cousait tout le temps – si vous aviez vu cette femme en train de coudre! Elle faisait tous nos vêtements, même ceux des garçons, leurs pantalons, leurs chemises, et au bout du compte, il lui est resté un tas de tout petits bouts de tissu. Qu'est-ce qu'elle en a fait? La même chose que les autres femmes qui vivaient à la campagne. Elle a confectionné une superbe courtepointe sur le motif «cabane en rondins»; je la conserve précieusement. Dans ce temps-là, il n'y avait pas d'électricité. Pour s'éclairer, on avait des lampes au kérosène ou la lueur du foyer. C'est là qu'elle avait réuni toutes les

pièces. Puis, pour l'assemblage, elle avait fait appel à ses amies. Ce qu'elle en avait, des amies! Mon père, moins. C'était un bon bougre, remarquez, mais ses amis se comptaient sur les doigts d'une seule main, et encore... Il était plutôt du genre solitaire, taciturne. C'est à peine s'il desserrait les dents. Ma mère, c'était une autre paire de manches. La maison était toujours pleine de gens de sa famille, des frères, des sœurs et des amis qui s'arrêtaient boire un café. Je ne me souviens pas d'une seule journée sans café sur le poêle à bois. Les femmes apportaient leur panier à coudre, elles avaient toujours un projet en marche – reprisage, raccommodage, broderie, crochet, j'en passe et des meilleures. Et elles riaient, elles riaient de tout et de rien, de souvenirs, du bon vieux temps, elles comméraient, je suppose, mais ce n'était pas méchant, elles ne disaient jamais de mal de personne. J'étais toujours avec elles. Du moins, c'est ce que je me rappelle. Je devais avoir sept ou huit ans. J'avais beau être toute petite, personne ne me disait de filer dans ma chambre, d'aller me faire voir ailleurs. Elles me tendaient le fil qu'elles avaient pris pour faufiler et je le démêlais pour qu'elles puissent s'en resservir. Vous imaginez? Ce que j'aimais être avec elles dans le salon pendant qu'elles cousaient et riaient. C'était merveilleux. Quelquefois, je m'arrêtais pour songer à mon père qui travaillait dans la grange, fin seul – laissez-moi vous dire qu'il ne faisait pas chaud, là-dedans –, et à la chance que j'avais d'être au chaud à l'intérieur en compagnie de ma mère et de ses amies qui cousaient, riaient et se racontaient des histoires.

~

Dorothea Thomas se spécialisait dans les courtepointes narratives. Elles l'avaient rendue célèbre. Certaines de ses œuvres faisaient partie de la collection permanente de musées ; d'autres avaient été vendues à des vedettes de cinéma. Paul Newman et Joanne Woodward, par exemple, en possédaient quelques-unes. L'année

dernière, la rubrique « Mode de vie » du magazine *Time* lui avait consacré un article accompagné de photos dans lequel on lui prêtait la déclaration suivante :

— Je ne suis pas insensible aux jolis motifs, mais il faut qu'ils racontent une histoire.

Brenda fit la connaissance de Dorothea Thomas à l'atelier sur les courtepointes narratives organisé l'après-midi. Trente femmes (et deux hommes) s'étaient entassés dans la salle de la Liberté, tout au bout de l'étage des congrès, pour écouter Mme Thomas, âgée de soixante-dix-huit ans, le menton enfoui entre ses joues rondes et rugueuses, parler de son art. Par « histoire », leur dit-elle, elle n'entendait pas un récit long et complexe, riche en rebondissements, comme on en trouvait dans les feuilletons télévisés ou dans *Autant en emporte le vent*. Seulement quelque chose avec un début, un milieu et une fin. Elle avait confectionné des courtepointes à partir de contes de fées ou de contes populaires, mais ses préférées reposaient sur des histoires familiales de tous les jours.

À titre de démonstration, elle montra sa courtepointe intitulée *Le Couronnement de la courge*. Elle demanda à Brenda et à Lenora Knox, assises au premier rang, de la tenir bien haut pour que tout le monde la voie. Plutôt petite, de la taille d'un lit de bébé, la courtepointe se divisait en quatre panneaux. Parfois, expliqua Dorothea, elle divisait ses courtepointes en huit ou en douze panneaux, selon la longueur du récit. Dans le coin supérieur gauche du *Couronnement de la courge*, on voyait la silhouette stylisée d'un garçon agenouillé laissant tomber une graine dans la terre. L'image se composait de couleurs et de formes primitives, moitié patchwork, moitié appliqué, le tout dénotant une maîtrise ahurissante du piqué – la salopette du garçon retenue par des bretelles en surpiqûres, la graine dans sa main représentée par un triple nœud français de couleur vive, effectué avec du fil de soie. Sur le deuxième panneau, le garçon mesure une jeune pousse verte de sa main brûlée par le soleil. Le troisième panneau – se penchant, Mme Thomas le désigna du bout d'un doigt osseux – était entièrement occupé par le jaune

bourgeonnant de la courge. Sur le dernier, on voyait le garçon, un ruban sur la poitrine, qui, dans sa main tournée vers le ciel, tenait une poignée de graines.

L'histoire, dit Dorothea Thomas, était véridique, inspirée de la vie de son fils Billy, aujourd'hui âgé de cinquante-cinq ans, propriétaire d'une beignerie franchisée dans l'est du Kentucky. Quand il était petit, la famille vivait à la campagne. Un été, il avait fait pousser une courge qui avait remporté un prix.

— Une chose est certaine, dit Mme Thomas à tous ceux qui étaient venus l'écouter, c'est que, même si je meurs à cent dix ans, je ne manquerai jamais d'histoires à raconter. Je n'ai qu'à ouvrir notre vieil album de photos, et les histoires me sautent au visage.

Elle avait fait des courtepointes de naissance et de mariage, même un assez grand nombre de courtepointes de funérailles. Allez savoir pourquoi, les courtepointes de funérailles sont les plus recherchées. L'une de ses premières œuvres – elle s'y était mise sérieusement à soixante ans – racontait en huit panneaux la vie d'un animal domestique de la famille, une chèvre répondant au nom de Ruthie-Sue.

— J'adore parler aux gens de cette vieille folle de Ruthie-Sue, de sa manie de foncer tête baissée contre la porte de derrière quand elle voulait de l'attention, de son goût pour mes belles-de-jour, de la façon dont elle se roulait sur le dos comme un chiot – on aurait dit qu'elle se prenait pour un chiot. Les jours de canicule, elle perdait la boule et se mettait à brouter les pneus de la camionnette d'une demi-tonne que nous avions à l'époque. Tout le monde, sans exception, prenait des nouvelles de Ruthie-Sue. Alors je me suis dit : pourquoi diable ne pas en faire le sujet d'une courtepointe ? Et c'est ce que j'ai fait.

En écoutant, Brenda songeait à des histoires – aux siennes ou plutôt à leurs histoires communes, à Jack et à elle –, si banales qu'elles n'avaient même pas leur place dans l'album de photos. Un jour, Rob s'est enfermé dans la salle de bains et il a fallu le sortir par la fenêtre ; à sept ans, Laurie a compris comment rassembler la

tondeuse en pièces détachées. La mère de Brenda s'est fait voler son sac à main dans la rue Wabash : dans son porte-monnaie, elle avait trente et un sous. Au restaurant Chez Jacques, Jack et Brenda se sont fait snober par un serveur ou ont eu l'impression de l'être. En France, ils ont vu un homme à vélo qui portait une bouteille de vin sous son bras ; le vélo a donné contre une pierre et l'homme, propulsé par-dessus le guidon, s'est rétabli à la façon d'un gymnaste, a sauvé la bouteille *in extremis*, puis s'est signé en plein vol. C'était une histoire merveilleuse, digne d'un film muet.

Quand ils racontent ces histoires à des amis, comme cela leur arrive parfois, Brenda ne dit jamais à Jack :

— Ah non, pas encore cette vieille rengaine.

Jack ne lui dit jamais :

— On la connaît par cœur, celle-là.

Ils chérissent ces histoires et, de façon tacite, les considèrent comme leur chasse gardée, leur butin personnel, que chaque narration parfume délicieusement. Le rythme et la formulation frisent désormais la perfection ; ils ont mis des années à peaufiner jusqu'au moindre détail. Brenda a le sentiment que tous les vieux couples disposent ainsi d'une réserve d'histoires à exploiter quand bon leur semble.

Lorsque, l'année dernière, Robin Fairweather a quitté Betty Fairweather pour une esthéticienne de vingt-quatre ans du nom de Sandra, Brenda a songé en tout premier lieu qu'elle n'entendrait plus jamais l'amusant récit de la lune de miel que Robin et Betty avaient passée à côté d'une animalerie à Akron, dans l'Ohio, en 1953. Robin, aujourd'hui âgé de cinquante ans et pourvu d'une ample bedaine sautillante, allait devoir recommencer à constituer une réserve d'histoires (et Sandra, avec ses verres de contact et son postérieur plat, faisait figure de piètre dépositaire). Quel gaspillage, s'était dit Brenda, que toute cette histoire commune effacée d'un seul coup.

Comment les gens le supportaient-ils ?

Après l'atelier, Brenda se dirigea vers Dorothea Thomas.

— Je ne saurais vous dire combien j'ai apprécié votre présentation, dit-elle. Quel plaisir de rencontrer une femme si sûre de ce qu'elle fait. En vous écoutant, j'ai senti que vous n'étiez jamais effleurée par le doute. Je pense que la plupart d'entre nous sommes rongées par le doute, au moins de temps en temps.

— Vous savez, je ne suis jamais qu'un vieux croûton qui fait de son mieux, dit fermement Mme Thomas, dont les grosses dents jetèrent des reflets, et c'est aussi simple que ça, dans le fond.

— J'ai vu *La Plantation du maïs*. L'année dernière, à l'exposition organisée au musée de Chicago.

— Ah, celle-là. Bonté divine, si seulement je pouvais remettre la main dessus... Elle est truffée d'erreurs, les deux derniers panneaux, en tout cas. Dès que je l'ai vendue, j'ai compris ce qui clochait, ce que j'aurais dû faire. Trop tard, hélas. C'est la vie.

— Je l'ai trouvée belle, moi, dit Brenda de sa voix horrible, sa voix d'imposteur.

— Ce qu'il y a, voyez-vous, poursuivit Dorothea Thomas, c'est que je croyais que chaque histoire n'avait qu'une seule fin. L'année dernière, en gros, j'ai commencé à me dire que j'avais tort. En réalité, la plupart des histoires ont trois ou quatre dénouements, parfois plus.

— Je ne suis pas certaine de vous suivre...

— Il y a la fin réelle, purement et simplement, c'est-à-dire la façon dont les choses se sont effectivement passées. C'est celle que j'ai toujours utilisée dans mes courtepointes. Puis il y la fin qu'on espère, celle qu'on attend impatiemment, les doigts croisés. Celle-là aussi est réelle, d'une certaine façon. Et il y a aussi la fin qu'on redoute, qu'on craint plus que tout. Enfin, il y a la pire fin possible – nous le savons tous –, soit la façon dont les choses auraient pu se passer si...

— Vous voulez parler du chemin qu'on n'a pas emprunté ?

— Bonté divine! s'écria Mme Thomas, c'est exactement ce que je voulais dire. J'aime beaucoup cette expression. Le chemin qu'on n'a pas emprunté.

— Oh, ce n'est pas de moi. Je crois que c'est Robert Frost qui...

— Le chemin qu'on n'a pas emprunté... Il faudra que je m'en souvienne. Mes nouvelles courtepointes, celles que j'ai faites l'automne dernier et cet hiver, ont toutes deux ou trois fins. Il faut dire qu'elles sont de plus en plus immenses et qu'elles n'arrêtent pas de grandir. Certains ne les aiment plus autant. D'abord, elles ne tiennent plus sur un lit. Ensuite, elles sont un tantinet déroutantes, j'imagine. Les gens les aiment quand elles sont comme un livre d'images avec une seule fin, un point c'est tout. À New York, ceux qui s'occupent de mes œuvres me disent qu'elles ne sont plus aussi populaires, qu'elles se vendent moins bien, vous comprenez? Que ce n'est plus vraiment de l'art primitif, que ce n'est plus comme avant. Tant pis, que je leur réponds. Ce n'est tout de même pas à mon âge que je vais commencer à me soucier du qu'en-dira-t-on. Je risque de mourir l'année prochaine, je risque de mourir demain.

— C'est vrai pour nous tous.

— Vous êtes si jeune que vous êtes comme une petite fille, une toute jeune fille avec la vie devant elle. Ce que je donnerais pour...

Elle s'interrompit et pressa ses paumes l'une contre l'autre en secouant la tête.

Émue, Brenda se promit d'être plus sévère avec elle-même. Mais aussi plus bienveillante.

Chapitre vingt

L'ARTISANAT EST UNE FORME D'ART,
AFFIRME UNE FEMME DE CHICAGO

La jolie Brenda Bowman a beau venir du Midwest américain, elle est à des lieues du stéréotype de la fabricante de courtepointes mal dégrossie issue de la ceinture du maïs. Mme Bowman est citadine jusqu'au bout des ongles, Chicagoenne de naissance et artisane de profession.

Le manteau dans lequel elle a affronté le blizzard qui soufflait sur Philadelphie hier – riche et dynamique assemblage de mauves et de jaunes – illustrait éloquemment la qualité de son travail.

«Je me suis mise à faire des courtepointes par accident, nous a-t-elle confessé hier. Il y a quelques années, je suis allée dans les magasins pour acheter un nouveau couvre-lit pour ma fille, et les prix m'ont littéralement estomaquée. J'ai donc décidé de lui en confectionner un à la place. Quelques bouts de tissu traînaient à la maison, et j'ai eu la chance d'être élevée par une mère économe qui m'a appris à coudre. Alors j'ai assemblé quelques carrés de tissus et – pouf! – j'avais accouché de ma première courtepointe. L'hiver suivant, des amies m'ont encouragée à m'inscrire à un cours de design à l'Art Institute, et c'est de cette façon que tout a débuté.»

Depuis, Brenda Bowman n'a jamais regardé en arrière. Au cours des quatre dernières années, elle a confectionné et vendu des douzaines

de courtepointes. Cette semaine, elle participe à l'Exposition nationale d'artisanat qui, pour son inauguration officielle hier, a attiré une foule record. Des fabricantes de courtepointes et d'autres artisanes venues de partout se sont donné rendez-vous au Franklin Court Arms pour parler de leur métier et comparer leurs techniques.

Interrogée sur ce qui constitue l'essence vitale du Midwest américain, Mme Bowman a répondu laconiquement : « La fertilité, une tradition de fertilité. » Chaleureuse et empathique, Brenda Bowman, mère de deux adolescents, a ensuite abordé la question des rapports entre l'art et l'artisanat : « L'art soulève une question morale ; l'artisanat répond à cette question et, en un sens, fournit l'énergie dynamique dont la société a besoin. »

(Demain, Hal Rago rencontre la tapissière Lily Sherman de Tallahassee, en Floride.)

∼

— Courage, dit Barry Ollershaw, penché sur son potage Parmentier. Il est plutôt bien, cet article.

— Il est épouvantable, répondit Brenda en avalant une cuillérée de potage.

Elle avait une faim de loup.

— Jolie, chaleureuse, empathique. Qu'est-ce qu'il y a à redire ?

— Je n'arrive pas à croire que j'aie pu faire cette déclaration pédante à propos de l'art qui pose des questions. Je ne vous parle même pas de cette ineptie au sujet de la fertilité. Je ne sais même pas ce que ça veut dire.

— Moi, je vous ai suivie jusqu'à l'« énergie dynamique » et après...

— De la bouillie pour les chats, dirait Dorothea Thomas.

— En un mot comme en cent, oui.

— Et encore, je me retiens. C'est encore pire que ça. C'est de la bouillie pour les chats prétentieux.

— Je vous trouve trop sévère.

— Le plus drôle, c'est quand il dit que je n'ai jamais regardé en arrière. Je sais qu'il ne l'entendait pas au sens propre, mais j'ai l'impression de passer la moitié de ma vie à regarder par-dessus mon épaule.

— Ah bon? Ça m'étonne.

— Pauvre Lily Sherman, qui qu'elle soit. En ce moment même, elle a probablement droit au grand jeu à l'Emerald. Je devrais peut-être tenter de la prévenir.

— Il est probablement déjà trop tard.

— Ma seule consolation, c'est que je ne connais personne à Philadelphie. À Chicago, on n'a eu connaissance de rien. Le pire, quand on y pense, c'est ce mot stupide, «pouf», qui vous saute au visage en plein milieu. J'ai vraiment dit «pouf?» Sans doute. Je m'en souviens vaguement. Je devrais aller me mettre la tête dans un seau rempli d'eau.

— Mangez plutôt votre soupe. Au fait, comment vous sentez-vous?

Joyeuse, affamée, Brenda, assise à une table éclairée à la chandelle du Captain's Buffet, renonça à ses inutiles jérémiades. Elle plia en deux la chronique de Hal Rago et sourit à Barry.

— Mieux que je ne le mérite. Bien, en réalité.

— Qui est Dorothea Thomas?

Elle lui sut gré d'avoir posé la question et de s'être souvenu du nom.

— Dorothea Thomas? C'est une fabricante de courtepointes du Kentucky dont les œuvres ont été primées. Elle a presque quatre-vingts ans. J'ai fait sa connaissance aujourd'hui. En la voyant, je me suis dit que vieillir n'était peut-être pas si catastrophique.

— La vieillesse vous fait peur?

Il avait l'art de poser des questions. Soulevant la bouteille de vin, il interrogea Brenda du regard.

— Mieux vaut pas, dit Brenda en secouant la tête. Si je n'avais pas peur de vieillir, je suppose que je ne m'imposerais pas les exercices

de l'Aviation tous les matins. Je déteste ça. Pendant que je me
penche et que je m'étire, je me dis : tout ça pour être pétante de
santé quand j'aurai soixante-dix ans.

— Je les fais, moi aussi.

— Quoi donc ?

— Les exercices de l'Aviation.

— Ah bon.

Le silence s'installa entre eux sans crier gare. Le serveur vint
prendre les bols de soupe vides et revint avec des assiettes fumantes
de paella. Brenda prit un pétoncle. Il goûtait le persil et l'ail sauté.

Le silence s'entêtait. Brenda se sentit tout d'un coup trop grosse
et maladroite. Que faisait-elle en face de cet homme ? Les mains
de Barry, plus délicates et plus agiles que les siennes, tenaient la
fourchette et le couteau d'une manière qui lui sembla typiquement
européenne. De quel droit osait-elle manger en tête-à-tête avec
cet étranger, au milieu de tout ce flafla (autre vocable emprunté
à Dorothea Thomas) romantique : chandelles, bouteille de vin,
service attentionné, musique douce en sourdine ? À quoi jouait-elle,
au juste ?

Peut-être Barry se faisait-il les mêmes réflexions. Comment
avait-il pu se laisser entraîner dans une pareille galère ? Elle le vit
tenter de harponner une crevette au bord de son assiette, en vain.
Il fixa avec intensité un morceau de tomate, puis il le coupa en
deux. Un homme petit aux gestes précis. Peut-être un peu efféminé.
Lors de leur première rencontre, il lui avait dit être fou des courtepointes. Aveu curieux, maintenant qu'elle y pensait. Pourquoi
l'avait-il invitée au restaurant ?

Ce qui les avait unis au départ, sa réaction – exagérée – aux
ébats de Verna, son manteau disparu, la neige qui tombait, semblait
désormais immatériel, consumé. Ils étaient deux êtres humains à
la dérive, rien de plus. À propos du manteau, Barry tenait une
piste. Le métallurgiste qui partageait sa chambre s'appelait Storton
McCormick. Apparemment, il avait été rappelé d'urgence à New

York. Il devait cependant être de retour à Philadelphie dans la matinée. Il présentait une communication l'après-midi, et Barry entendait profiter de l'occasion pour lui parler du manteau disparu.

— Je vous en serais vraiment reconnaissante, dit Brenda. Vous êtes sûr que ça ne vous causera pas trop d'embarras ?

— Pas du tout, dit Barry avant de retomber dans le silence.

Au bout d'une minute, il s'éclaircit la voix et s'attaqua de nouveau à la crevette.

Elle aurait dû accompagner Lenora Knox et sa compagne de chambre, parties faire une visite en autocar de Philadelphie la nuit.

Le riz était froid, réchauffé au four à micro-ondes. Elle avala et entendit, embarrassée, le bruit de sa déglutition. (« Citadine jusqu'au bout des ongles » : l'expression lui roula dans la gorge à la manière d'une bille.)

Sur la table, il y avait un bouquet de roses humides. L'œil paralysé de Brenda s'attarda à un pétale où perlaient des gouttes d'eau. À son âge, ne devrait-elle pas être plus sûre d'elle, capable de composer avec le silence ? Ce silence-ci n'avait toutefois rien à voir avec celui qu'elle avait partagé la veille avec Barry quand, assis dans la chambre de Brenda, ils avaient regardé la neige tomber. S'il s'était immiscé de force entre eux, c'était à cause de la solennité de l'occasion (une invitation : au téléphone, Barry lui avait proposé de dîner avec lui, un rendez-vous galant, quelle idée grotesque). Le tableau doucereux créé par la musique et les chandelles faisait peser un fardeau lourd d'attentes sur les épaules de Brenda – et sur celles de Barry aussi, se dit-elle –, soulevant la question suivante : qu'arrivera-t-il après ?

Le serveur rôdait dans les parages.

— Tout est à votre goût ?

— Oui, merci, répondirent-ils à l'unisson.

Brenda se sentait figée, comme si elle n'avait la force que de manger, de mastiquer et d'avaler. Il y avait bien des questions de pure politesse à lui poser. Lesquelles ? Il avait fait allusion au Japon.

Vous voyagez beaucoup ? Il y a de bons restaurants à Vancouver ? Sports ? Loisirs ? Et la rencontre d'aujourd'hui, c'était bien ? (Elle avait des résonances un peu trop conjugales, celle-là.)

Le vin était d'un rubis profond, doux au regard, probablement très sec. Les yeux de Barry semblaient verrouillés à la hauteur de son verre.

Qu'est-ce qui lui prenait ? Croyait-elle sincèrement que cet homme poli, d'un commerce agréable, cherchait à faire tomber ses défenses dans l'espoir de la séduire ? Elle avait des amies – Betty Corning, Kay Wigg – qui imaginaient sans cesse que tel ou tel homme les désirait, les reluquait, les déshabillait du regard. Ce genre d'illusions, c'étaient les femmes dans la quarantaine qui les avaient.

Quelle raseuse elle faisait ! Elle imagina Barry Ollershaw en train de songer à cette soirée, escomptant passer un bon moment, au lieu de quoi il se butait à la banalité et au silence. Elle avait peut-être encore la gueule de bois. Elle était victime du syndrome pré-menstruel. Ou les deux.

À moins qu'elle ne se sente coupable. Dirait-il à sa femme qu'il avait invité une autre femme au restaurant ? Elle-même parlerait-elle de cette soirée à Jack ? La question la frappa de plein fouet, en même temps que montaient en elle des protestations véhémentes. Pourquoi un homme et une femme s'étant rencontrés par hasard ne pourraient-ils pas manger ensemble ? (Rien de plus banal, même si cela ne lui était encore jamais arrivé.)

Le serveur était de retour.

— Puis-je vous offrir un dessert ?

À ses yeux, nous sommes mari et femme, songea Brenda.

Barry commanda une tarte aux pommes.

— Rien pour moi, dit Brenda d'une voix pincée.

Brenda Bowman, chaleureuse, empathique.

La tarte était un maigre triangle recouvert d'une pellicule de crème.

— Vous êtes sûre de ne pas en vouloir ? demanda poliment Barry.

— Certaine.

— Vraiment ?

— Oui.

— Brenda.

La voix de Barry était douce, lasse. Puis il posa sa main sur celle de Brenda. Sur la main de l'homme, qui tremblait légèrement, elle aperçut une veine saillante, détail qui l'attendrit. Pour son plus grand soulagement, elle rompit brusquement le silence.

Elle se mit à parler, fit du coq-à-l'âne et finit par aborder le sujet des histoires de Dorothea Thomas, qui s'était rendu compte qu'elles avaient plus d'une fin possible.

Barry, sans déplacer sa main, écouta, la tête inclinée, et dit que c'était vrai, oui, il en convenait volontiers, mais était-il sage de compliquer de la sorte ce qui était simple et direct ?

— A-t-elle le choix ? demanda Brenda, à l'aise avec la main sèche de Barry sur la sienne. Même à son âge, elle ne peut pas faire semblant. C'est comme un peintre primitif qui découvre la perspective, les jeux d'ombre et le reste.

— Elle n'a qu'à fermer les yeux, à se simplifier la vie.

— C'est ce que font les gens ? Je n'en suis pas certaine. Je ne sais même pas s'ils en sont capables. Moi, en tout cas, je n'y arrive pas. Et je donnerais cher pour qu'il en soit autrement, croyez-moi. J'étais plus heureuse avant que je ne le suis aujourd'hui.

— On ne retrouve jamais son innocence. Une fois perdue, elle est perdue pour toujours. La plupart d'entre nous faisons semblant, je suppose.

— Vous aussi ?

— Évidemment.

— Donnez-moi un exemple, fit gaiement Brenda.

— Du café ? demanda le serveur.

— Du café ? demanda Barry à Brenda.

— Volontiers.

— Où en étions-nous?

Il se tourna vers elle.

— On fait semblant que les choses sont simples alors qu'il n'en est rien.

— Vous m'avez demandé un exemple.

Brenda fit oui de la tête.

— Ce n'est pas un exemple très heureux.

Elle se sentait téméraire.

— Dites toujours.

— Il concerne les enfants.

— Les enfants?

— L'autre jour, vous m'avez demandé si j'en avais. Vous vous souvenez?

— Oui. Vous avez répondu que vous n'en aviez pas.

— C'est faux. Nous avons une fille, ma femme et moi. Elle est peut-être morte. Probablement même. Mais nous ne le savons pas de façon certaine.

Brenda n'était pas sûre d'avoir bien compris. Si, pourtant.

— Que s'est-il passé? demanda-t-elle en détachant avec soin les syllabes.

— À dix-huit ans, une fois l'école terminée, elle est allée en Europe. Nous pensons qu'elle faisait du stop, même si elle avait une carte de chemin de fer. Elle est partie avec une amie, mais leur association n'a pas duré.

— Et?

Sur la main de Brenda, la pression s'accrut.

— Personne ne le sait. Elle a commencé son voyage en Angleterre. Nous pensons qu'elle a ensuite passé quelques semaines en France. Quelqu'un se souvient de l'avoir vue près de Notre-Dame de Paris. C'était peut-être une autre fille qui lui ressemblait. Elle avait dit avoir l'intention d'aller au Maroc. C'est tout. Elle n'a laissé aucune trace – pas de cartes postales, rien.

— Comment est-ce possible? Comment peut-on disparaître de la sorte?

— Ça arrive. Pas à nous uniquement. Toutes les deux semaines, nous faisons paraître une annonce dans le *Herald Tribune* de Paris. Pour l'inviter à rentrer à la maison. Il y en a plusieurs. Toute une colonne, en fait. « Rentre. Tout est pardonné. » Vous voyez le genre.

— C'est affreux, affreux.

— Quand c'est arrivé – quand nous nous sommes rendu compte qu'elle était perdue –, je suis allé en France et je l'ai cherchée pendant un mois. J'ai fait la tournée des ambassades, je me suis adressé à la police française. Personne ne savait par où commencer. C'était sans espoir.

— Quand a-t-elle disparu?

— Il y a quatre ans. Elle avait dix-huit ans. Si elle était encore en vie, elle en aurait presque vingt-deux, aujourd'hui.

— À quelle époque de l'année êtes-vous allé en France?

La question lui semblait soudain de la plus haute importance.

— Pâques. Je suis parti pour Paris le lundi de Pâques.

« Jack et moi étions à Paris, à ce moment-là ! » faillit-elle s'écrier. À la place, elle dit :

— Oh, Barry. Je suis désolée. Pour votre fille. Le plus dur, c'est sans doute de ne pas savoir.

— Voilà ce que je voulais dire à propos du fait de faire semblant, je suppose. C'est peut-être malhonnête, mais il est plus simple – moins douloureux, en tout cas – de répondre à des questions comme la vôtre en disant que je n'ai pas d'enfant. Plus simple que d'expliquer et de penser à ce qui aurait pu être. C'est comme si nous devions apprendre à être un couple sans enfant, ma femme et moi. C'est plus dur pour Ruth que pour moi. Elle se fait des reproches. Elle ne supporte pas ce qui est arrivé. Elle a changé du tout au tout.

— J'en mourrais, dit Brenda, sincère.

— Probablement pas.

— Je vous jure que si.

Le serveur vint les resservir de café et déposa sur la table une petite assiette dans laquelle étaient disposées des menthes au chocolat.

— Un peu de brandy? demanda-t-il.

— Rien pour moi, dit Brenda.

— Ce sera tout, fit Barry.

Le visage solennel, ils se regardèrent l'un l'autre. Puis Barry porta la main de Brenda à ses lèvres et posa un baiser sur le bout de ses doigts.

Chapitre vingt et un

L a nouvelle liberté sexuelle n'avait pas touché Brenda, même si elle avait touché presque tout le monde autour d'elle. Jack et elle connaissaient d'autres couples qui, après des années de vie commune, avaient pris des dispositions pour favoriser l'assouvissement de leurs besoins et de leurs désirs intimes. À l'occasion, la femme de Bernie Koltz, Sue, part en week-end sans Bernie.

— Sue est à l'extérieur, ce week-end, dit alors Bernie à Jack.

Il laisse la phrase en suspens à la manière d'un fruit mûr sur une assiette, comme s'il mettait Jack au défi de le faire tomber.

— Est-ce qu'il lui arrive, à lui aussi, d'être « à l'extérieur » ? avait un jour demandé Brenda.

Sans en avoir la certitude, Jack pensait que oui.

— Je l'espère de tout cœur, avait déclaré Brenda, catégorique.

Elle n'avait jamais été folle de Sue Koltz.

Lorsque, il y a un an, Robin et Betty Fairweather avaient divorcé, Betty était allée à Porto Rico panser ses plaies. Un soir, elle avait ramené à sa chambre d'hôtel un homme dont elle n'avait jamais su le nom.

— Robin s'envoie en l'air à gauche et à droite. Pourquoi est-ce que je n'en ferais pas autant ?

Voilà ce qu'elle avait dit à Brenda à son retour, sans la moindre trace de culpabilité, de tristesse, de regret ni de honte.

— D'ailleurs, au lit, ce type savait y faire cent fois mieux que son altesse royale, mon ex-mari, avec son tout petit moineau.

La fille de Bill et Sally Block, Lucy, âgée de dix-sept ans, vit à Wheaton avec un homme de trente-six ans. Récemment, Sally est allée lui rendre visite. Ensemble, elles ont cousu des rideaux et recouvert de papier peint les murs de la salle de bains.

La plus vieille amie de Brenda mène une existence de putain de luxe. Rita Simard, alias Rita Kozack, alias Rita LaFollet, a fait l'école élémentaire et l'école secondaire avec Brenda. Avant ses douze ans, elle avait déjà des seins de femme. Elle vit aujourd'hui sur la rive nord dans une tour de verre étincelante, aux frais d'une ribambelle d'hommes d'affaires de l'extérieur.

Larry Carpenter, le voisin, égaye ses soirées en racontant de croustillantes anecdotes : sodomies, fellations et accouplements avec des oies. En l'écoutant, Brenda songe à l'idée que sa mère se faisait d'une blague salace : c'est l'histoire d'un homme à qui on demande de mettre les mains dans ses poches et de compter ses doigts...

Le monde a changé, force lui est d'en convenir. Son propre fils, âgé de quatorze ans à peine, a une pile de *Penthouse* sous son lit. Une soirée entre voisins à laquelle Jack et elle avaient par bonheur échappé avait – à en croire les ragots – dégénéré en orgie.

L'été dernier, Janey Carpenter, qui prenait un bain de soleil dans sa cour, avait avoué à Brenda être irritée à mort – baiser toute la nuit, c'était trop.

Calvin White, collègue de Jack à l'Institut, avait emménagé avec Brian Petrie, qui travaillait lui aussi à l'Institut. En amoureux, soupçonnait Brenda.

La chambre de l'hôtel de San Francisco où Jack et elle avaient séjourné l'année dernière était équipée d'un lit vibrateur payant. Pour 6,50 $, ils pouvaient regarder des films cochons. Un matin, ils avaient trouvé, glissée sous leur porte, une carte de visite sur laquelle était écrit : « Dianne, masseuse experte, à toute heure du jour et de la nuit ».

— C'est trop, avait explosé Brenda. J'ai l'impression de me noyer dans le sexe.

Jack lui avait servi un regard salace à la Groucho Marx.

— Trop de sexe ? Comment est-ce possible ?

Plus tard, il lui avait toutefois donné raison :

— Je comprends ce que tu veux dire.

La décontraction, l'ouverture, l'abandon des règles. Tout cela était bel et bien arrivé, du jour au lendemain par-dessus le marché, semblait-il à Brenda. La fidélité était devenue une relique du passé, le mot lui-même était démodé, aussi embarrassant que d'autres mots connexes, comme « mari » et « foyer ».

Il n'y avait pas si longtemps, Brenda avait découvert dans la poche de la chemise de Jack un bout de papier sur lequel il avait griffonné « Fidélité 15 ». Quinze quoi ? s'était-elle demandé. Pendant des jours, le mot « fidélité » l'avait tracassée, et le chiffre bizarre qui y était attaché ouvrait toutes sortes de possibilités, moins réjouissantes les unes que les autres. À quelques reprises, elle avait failli en parler à Jack, mais elle s'était retenue au dernier instant. Le contenu de ses poches était privé. (Jack, lui, ne fouillait jamais dans le sac ni dans les tiroirs de sa femme.) L'énigme avait été résolue d'un coup quand, un matin, il avait dit songer à souscrire à un certificat de placement du Fonds Fidélité à quinze pour cent au lieu de leurs habituelles obligations gouvernementales. Brenda avait ressenti une vague de soulagement consternante – consternante parce qu'elle avait confiance en Jack. Elle avait toujours eu confiance en lui. Et lui en elle.

~

Avant leur mariage, Jack et Brenda avaient abordé franchement la question des rapports sexuels. C'était au printemps 1958 ; peu de temps auparavant, le *Ladies' Home Journal* avait publié une série d'interviews sur la vie sexuelle des Américains.

Les rapports intimes avant le mariage ? C'était risqué. Devaient-ils courir leur chance ? Oui, avait répondu Brenda, même si l'acte

lui-même, l'idée de la douleur croissante qui exploserait en elle, l'effrayait, la terrorisait. La cuillérée à soupe de sperme tenait du mythe. C'était forcément plus, non ? Elle redoutait de même le glas de la finalité : une fois cette étape franchie, que lui resterait-il ? Mais elle était très tentée ; elle avait envie de savoir à quoi tout cela rimait, pourquoi on en faisait tout un plat.

Jack avait dit non. Ils attendaient depuis si longtemps, ils pouvaient bien patienter encore un mois ou deux. C'était difficile à expliquer, à justifier, mais l'ancien mythe du respect de la mariée virginale persistait en dépit des prescriptions de la logique. *La fille que j'épouserai sera/Douce et rose comme une chambre d'enfant/La fille que j'aimerai...* Et patati et patata. D'ailleurs la sexualité ne lui était pas étrangère. Pendant un an, il avait fréquenté assidûment une étudiante du nom de Harriet Post. Harriet était téméraire et sensuelle ; elle possédait un diaphragme depuis le jour de ses dix-huit ans. Elle se montrait empressée et passionnée, selon Jack, et parfois impatiente avec lui. Plus d'une fois, avait-il confié à Brenda, il avait eu l'impression d'être un simple jouet entre ses mains. Elle l'avait harcelé, bousculé :

— Maintenant, criait-elle. Grouille-toi, pour l'amour du ciel !

Par un soir humide, peu de temps avant leur mariage, Jack et Brenda, assis dans la voiture du père de Jack, s'étaient mutuellement confié une version expurgée de leurs expériences sexuelles. Des baisers, oui, avait avoué Brenda. Et quelques caresses. Seulement au-dessus de la taille et par-dessus les vêtements. Sauf une fois, avec Jimmy Soderstrom, dans la réserve forestière. Il avait dégrafé son soutien-gorge et lui avait embrassé le bout des seins. Brenda s'était sentie ridicule, mais elle avait cru défaillir de plaisir.

En contrepartie, Jack lui avait parlé de sa relation avec Harriet Post. Il avait rompu avec elle pour de bon, mais il lui gardait une forme de reconnaissance. Elle lui avait appris certaines choses au sujet des femmes.

Jack et Brenda étaient tous deux d'avis qu'un mariage avait de meilleures chances de réussite si l'homme possédait déjà une certaine expérience dans le domaine de la sexualité. Intuition validée par une série de graphiques dans un livre qu'ils avaient tous deux lu.

Le livre s'intitulait *La porte ouverte. Guide matrimonial à l'usage des contemporains.* Ils l'avaient acheté peu de temps avant leur mariage, solennellement, et l'avaient dévoré. Il y avait des chapitres sur les préliminaires, l'orgasme, les caresses post-orgasmiques, l'éjaculation précoce, l'impuissance et la frigidité. On voyait, en coupe transversale, un pénis et ses testicules, un vagin et les canaux qui le reliaient à l'utérus et aux ovaires. Passages élégants et enflés, ceux-là, prisonniers de la portion inférieure du corps humain.

Le mystère de la vie, c'était qu'un tentacule de chair rigide s'insinue dans un réceptacle de forme correspondante. Voilà donc à quoi rimaient les chansons, les poèmes et les blagues de Bob Hope. Un mystère, une joie qui, dans quelques semaines, s'offriraient à eux.

~

Elle avait eu horriblement mal. Il s'était senti coupable de la douleur qu'il lui infligeait, mais pas au point de s'arrêter.

— Mords mon épaule, lui avait-il chuchoté dans l'obscurité, cette nuit-là.

Elle n'en avait pas envie. La souffrance lui répugnait. Elle n'avait pas envie de lui faire mal, mais, par politesse, elle avait obéi. Pendant toute leur lune de miel, Jack avait eu un cercle de marques de dents sur le haut du bras.

Elle l'avait épousé pour son visage, son air empressé marqué par la perplexité et le repli sur soi. Elle n'avait pas escompté les autres parties de son corps, en particulier les zones cachées, plus

sombres, où la peau était rugueuse, plissée, rougie et couverte de poils. Elle avait mis du temps à s'y habituer.

Elle s'attendait à ce que le timbre clair et aigu d'une clarinette alto accompagnât l'acte d'amour. À la place, il n'y avait eu que des grognements gutturaux dans la gorge de Jack.

Le ratage fut total. Si seulement ils avaient pu revenir en arrière, aux heures délicieuses et interminables qu'ils avaient passées à s'embrasser dans la voiture du père de Jack, la sensation si nette de sa langue attentionnée contre la sienne et les soupirs reconnaissants qu'il poussait quand elle le caressait par-dessus son pantalon de coutil.

Elle avait lu trop d'articles, dont plusieurs dommageables. Un homme doit sentir qu'une femme se donne à lui. Mais comment exprimer cette capitulation totale? Le moment de l'orgasme revêtait une importance capitale. Ses hanches, les bougeait-elle trop ou pas assez? Elle passait tout son temps à analyser, à évaluer, à planifier, à compter, à se demander ce qu'il fallait faire ensuite. Et ensuite?

La pensée de Harriet Post la préoccupait – la tourmentait, en réalité.

Dans la chambre du motel de Williamsburg où ils avaient passé leur lune de miel, elle s'éveillait déprimée et poisseuse, sa chemise de nuit en batiste brodée roulée en boule, déshonorée, au pied du lit. La gelée dans son diaphragme dégageait un parfum doucereux et malsain. Ses jambes lui faisaient mal. Elle avait imaginé des années de douleurs et de malaises.

Et voilà que Jack était de retour au sortir de sa douche matinale, les yeux doux, tendre comme il n'allait plus jamais l'être par la suite, venu une fois de plus déposer à ses pieds, anxieux, tremblant, l'offrande de son amour.

Ils étaient mariés depuis trois ans quand, un beau soir, elle lui avait demandé de but en blanc s'il était circoncis. Il s'était écroulé sur leur lit, incapable de s'arrêter de rire.

— Bon, avait-elle dit froidement, un peu vexée, c'est oui ou c'est non?

— Tu n'en sais vraiment rien ?

— Comment veux-tu que je le sache ? À quoi pourrais-je comparer…

— Oui, oui, finit-il par bredouiller entre deux accès de fou rire.

— Oui, quoi ?

— Oui, je suis circoncis. Oui.

Elle n'avait pu s'empêcher de rire, elle aussi. Il lui était si reconnaissant de son innocence, qualité qui se perdait à vue d'œil.

～

Sans avoir la fibre littéraire, Brenda savait reconnaître les passages significatifs. « Chez certains d'entre nous, la passion éveille des échos plus profonds. »

Chez elle ? Non. Cette pensée lui rongeait le cœur. Au prix d'un énorme effort de concentration, elle avait bien réussi à imaginer quelques étincelles. Elles avaient vacillé devant elle, ces langues de feu à la base bleue et à la pointe dorée, de plus en plus brillantes, nées de l'inertie palpable et solennelle de la chair.

Pareil regain de ferveur avait pris Jack par surprise. Elle l'avait senti se replier, stupéfait.

Telle était donc la cause de tout ce bruit. Ce riche plaisir.

Tous les deux dimanches, ils allaient jouer au bridge chez Bud et Hap Lewis, puis, à leur retour, Jack et elle se ruaient l'un sur l'autre – lui, supposait-elle, mû par le soulagement de ne pas être marié à Hap Lewis et elle par celui de ne pas avoir à subir le contact des grosses mains sombres, baladeuses et velues de Bud sur sa peau. Ces soirs-là, ils étaient particulièrement généreux l'un pour l'autre, langoureux, sûrs d'eux-mêmes, inventifs – en fin de compte, ils devaient beaucoup à Bud et à Hap.

Brenda se demande parfois si Jack fait le lien entre les parties de bridge du dimanche soir et la vivacité de leurs rapports sexuels. Elle-même a fait cette observation des années auparavant, et elle

attend désormais ces moments avec impatience. Les soirs où Jack et elle gagnent sont particulièrement riches en plaisirs. À plusieurs reprises, elle a failli lui en parler, mais elle craint que le seul fait d'attirer son attention sur le phénomène ne les prive de ce qu'ils ont trouvé par hasard et, en un sens, mérité.

Pendant la guerre du Viêt Nam, Brenda avait surpris une conversation entre Jack et son ami Bernie Koltz. Comme les restrictions de la vie moderne avaient pratiquement soustrait la plupart des enjeux à l'arbitrage du bien et du mal, avait soutenu Jack, la guerre était le premier choix moral d'importance que les Américains étaient appelés à faire.

Bernie avait signifié son désaccord. Que fais-tu de la loyauté? avait-il demandé. La loyauté constitue une question morale, et la plupart des adultes font face à cette question, incarnée par la fidélité. (C'était deux ou trois ans avant que la femme de Bernie, Sue, ne commence à prendre des amants.)

À contrecœur, Jack avait admis que Bernie avait peut-être raison, mais, aux oreilles de Brenda, il ne semblait pas convaincu.

Jack lui était-il fidèle? Oui, elle en avait la certitude. En dépit de Harriet Post – dont le nom était gravé en lettres de feu dans la psyché de Brenda –, elle le sentait de nature foncièrement monogame.

Une fois, cependant, deux ou trois ans plus tôt, il était allé présenter une communication au bureau de Milwaukee de l'Institut des Grands Lacs. Il avait séjourné pendant une semaine au Hyatt. À son retour, il lui avait semblé investi de dons inédits. Ses mains et sa bouche, en particulier sa bouche, avaient acquis une assurance nouvelle. Brenda avait pensé lui demander ce qui lui était arrivé à Milwaukee – elle n'aurait eu qu'à aborder la question sous l'angle de l'humour –, mais elle avait résisté à la tentation.

Brenda se disait parfois : j'ai eu une mère sortie de nulle part. Je suis moi-même sortie de nulle part. Pour quiconque, ce mystère-là devrait suffire.

Et pourtant, non. Ses enfants étaient secrets et, en fin de compte, mystérieux. Chez Jack, le mystère grandissait, s'épaississait. Elle se rend compte qu'il y a des pans entiers de la vie de son mari, de la taille de terrains de football, qui lui seront à jamais interdits.

Et, bien sûr, elle avait ses propres secrets. Des années auparavant, alors qu'elle repeignait les murs de sa chambre à coucher, juchée sur un escabeau, elle avait vu, gravés dans la moulure au-dessus de la porte, les mots suivants : « Jake Parker, bâtisseur, 1923 ». Elle avait songé à en parler à Jack, mais elle s'en était abstenue. Il en aurait fait tout un plat, aurait montré l'inscription à ses amis. Elle garda l'image pour elle-même : Jake Parker, jeune, musclé, audacieux.

Bien innocent, ce secret n'avait strictement rien d'une trahison. Par le plus grand des hasards et par la simple force des choses – vingt ans de vie commune, de nos jours, ce n'est pas une mince affaire –, Jack et elle avaient conclu certaines ententes tacites. La distance entre eux était mesurée avec soin, calibrée à la perfection.

Quelle chance ils ont, elle et lui. Il faudrait être fou pour risquer de compromettre un bonheur aussi rare.

Chapitre vingt-deux

Brenda s'était inscrite à l'atelier consacré aux techniques de piqûre ethniques, qui débutait à neuf heures, mais, le matin venu, elle décida de consacrer cette période-là à l'achat d'une nouvelle chemise de nuit. Elle se souvenait d'avoir vu une boutique de lingerie dans la galerie marchande souterraine. The Underneath Shop. En passant devant la vitrine, l'autre jour, Lenora Knox et elle en avaient commenté le nom. À Santa Fe, avait dit Lenora, il y avait une boutique analogue appelée The Bottom Line. À Chicago, avait répliqué Brenda, on trouvait Sky With Diamonds.

L'idée d'acheter une nouvelle chemise de nuit lui était venue tard la veille, après qu'elle eut souhaité bonne nuit à Barry. Devant la porte de la chambre de Brenda, ils s'étaient étreints sans crier gare. Ils étaient entrés en collision, gauchement, et ils étaient demeurés dans les bras l'un de l'autre pendant un long moment, sans bouger, le visage de Brenda pressé contre le col immaculé et raide de la chemise de Barry. Elle avait resserré ses bras autour du cou de l'homme, pour lui, mais aussi pour sa fille disparue et le vide laissé par son absence, y compris la culpabilité suffocante qui rongeait et avait « changé du tout au tout » celle dont il avait mentionné le nom au passage, sa femme, Ruth. Qu'avait-il voulu dire par « changé du tout au tout » ? C'était effroyable, inconcevable. Elle-même n'arrivait pas à imaginer une chose pareille.

Elle s'était fait couler un bain très chaud et s'était attardée dans l'eau pendant une demi-heure, l'esprit engourdi dans la vapeur

d'eau paresseuse. Puis elle était sortie de la baignoire, s'était essuyée avec un soin particulier, sous les bras, entre les orteils, et avait fait glisser sa chemise de nuit en flanelle rose par-dessus sa tête. Du revers du pouce, elle avait touché l'endroit où le col de Barry s'était appuyé sur sa joue.

Elle avait mis beaucoup de temps à s'endormir. L'usure aurait dû adoucir sa vieille chemise de nuit. Pourtant, elle demeurait rêche. Elle lui éraflait les poignets, et Brenda n'arrêtait pas de retrousser les manches avec impatience. Cette chemise de nuit digne d'une grand-mère ne lui avait jamais plu, mais, en hiver, la maison d'Elm Park était parcourue de courants d'air. La chaudière avait fait son temps, et les contre-fenêtres fermaient mal. De temps à autre, Jack et elle évoquaient la possibilité de faire mieux isoler le grenier, mais Jack remettait chaque fois la décision à plus tard. Il enrageait de voir son argent s'envoler dans des recoins invisibles de la vieille maison, en même temps qu'il résistait à l'idée de se soumettre à l'intrusion de coussins de fibre de verre ou de laine minérale qui piquent et encombrent. (Il prenait plaisir à passer la tête par la trappe de la salle de bains pour contempler l'espace nu et poussiéreux, strié de traits d'ombre et de lumière glauque.)

Cette chemise de nuit rose, elle l'avait achetée en solde. Elle se rappelait même le prix exact qu'elle avait payé. Douze dollars. C'était trois ans plus tôt, dans un bazar en plein air. Elle n'aimait même pas le rose, encore moins cette teinte de melon d'eau trop mûr – ce que sa mère appelait du rose cucul.

Agité sur l'oreiller, son visage se dressait, un peu brutal, sévère. Pourquoi, mon Dieu, portait-elle cette chemise de nuit rose délavé qui lui grattait la peau ? Une colère inhabituelle la soulevait et l'empêchait de dormir.

Le matin venu, elle se leva, toujours fatiguée, en s'adressant des réprimandes.

— Qu'est-ce que tu fabriques dans un tel accoutrement, ma vieille ? se demanda-t-elle d'une voix empruntée à Hap Lewis. La dentelle fiche le camp, au nom du ciel ! L'élastique se détache de

la manche. Pas étonnant que ça pique ! C'est l'heure de dire adieu à cette guenille, mon chou.

Elle la fit passer par-dessus sa tête, la roula en boule, la tordit sans ménagement et la laissa tomber dans la corbeille.

Le lit de Verna, imperturbable, inoccupé, semblait indifférent à la rage de Brenda. Quant à sa valise, elle n'avait pas bougé depuis samedi. Avait-elle été tournée sur elle-même ? Peut-être.

Brenda se dit que quelque chose de grave était peut-être arrivé à Verna – un instant, elle eut en tête l'image d'un corps entré de force dans une bouche d'aération. Si elle en touchait un mot à Betty Vetter ? Non, c'était ridicule. Verna, s'imagina-t-elle, était une femme qui voyageait légèrement. Pas de chemise de nuit du tout, pas même de brosse à dents. Verna de Virginie. Chanceuse, libre, dépouillée, transparente, invisible, talentueuse.

À la boutique, Brenda fut la première cliente de la journée. Une vendeuse joviale – elle avait une vingtaine d'années, selon les estimations de Brenda, et des incisives légèrement espacées – lui fit voir les chemises de nuit à sa taille, et Brenda se dirigea vers la salle d'essayage, les mains pleines.

Elle enfila d'abord une chemise longue en nylon double épaisseur, de couleur blanche, à l'ourlet garni d'un volant froncé. Non, le blanc allait l'été, quand on avait pris du soleil, mais pas maintenant. En plus, le vêtement avait quelque chose de trop élisabéthain ; il lui rappela *La Duchesse de Malfi*.

Elle fit ensuite passer un fourreau noir et soyeux par-dessus sa tête. Il glissa sur son corps en froufroutant, puis s'accrocha à sa peau à la manière de lèvres à peine humectées. Sur la poitrine, il y avait un frêle éventail de dentelle, et une fine bride retenait le tout – en lui mordant, hélas, les clavicules. Joli, ce vêtement, mais inconfortable ; un peu court, aussi. Il s'arrêtait gauchement à mi-mollet – la longueur affectionnée par les ballerines, disait-on à l'époque où Brenda fréquentait l'école secondaire.

Après, elle fit l'essai d'un machin couleur crème façon Anne, la maison aux pignons verts, faite d'un tissu rappelant le linon. Tout

partait d'un large empiècement qui, bien que transparent, ne faisait pas mauvais genre. Les longues manches bouffantes étaient bordées de dentelle à l'ancienne. Adorable. Parfait, en réalité. Non, pourtant : les épaules étaient trop larges. Pas étonnant, se dit-elle en consultant l'étiquette – c'était du seize. (Dieu merci, elle ne portait pas du seize.) Elle ôta le vêtement avec soin, reconnaissante.

Elle mit ensuite un long truc vert épinette, tout en godets ajustés de forme complexe. C'était fait en France et magnifiquement fini. Sifflant entre ses dents, Brenda se dit : ça y est, j'ai trouvé. C'était splendide. Elle s'examina dans le miroir. Non, trop serré à la hauteur du buste.

Une autre chemise de nuit, faite de satin pourpre, se nouait sur les épaules, lui donnant un air faussement théâtral.

Même chose pour celle de chiffon orange : encore *La Duchesse de Malfi*. Un truc d'ensorceleuse.

Il y avait aussi une chemise de nuit café au lait, sorte de toile d'araignée soyeuse qui ne lui allait pas trop mal et dans laquelle ses épaules avaient l'air douces. Mais une chemise de nuit brune n'était jamais qu'une chemise de nuit brune. Non.

Peut-être quelque chose de fleuri, alors. Mais la chemise de nuit longue et froncée qu'elle essaya lui allait encore moins bien que celle qu'elle avait jetée. (Elle se demanda si la femme de chambre avait déjà vidé la corbeille.)

Un tout petit bout de tissu lavande, de la couleur d'un ciel d'hiver, avait l'air d'une combinaison plus que d'une chemise de nuit. Sans compter qu'elle ne pouvait pas rentrer le ventre en permanence.

— Qu'est-ce que vous cherchez exactement ? demanda la vendeuse en passant la tête par la porte.

— Je n'en suis pas certaine, répondit Brenda.

Elle enfilait un vêtement en nylon brossé jaune. Des épaules à l'ourlet, il pochait lamentablement. Affreux. Il ne lui manquait plus qu'un bougeoir. Il y avait même des boutons.

Que cherchait-elle?

À côté, une femme essayait un soutien-gorge. La vendeuse l'aidait à l'agrafer. À la sévérité de sa voix, Brenda comprit qu'il s'agissait d'une cliente déterminée.

— Et alors? fit cette voix ample et puissante qui s'entendait malgré la cloison. C'est comment, dans le dos?

— Un peu serré.

Brenda se représenta une plantureuse poitrine moulée – double proue solide et fusionnelle qui se propulsait vers l'avant, mue par un système nerveux autonome.

— Ce que je veux... explosa la femme, avec un moment d'hésitation, ce que je veux...

Brenda écoutait. La vendeuse écoutait. Jusqu'aux chemises de nuit accrochées sur leur cintre en plastique qui étaient tout ouïe.

— Ce que je veux, c'est une meilleure séparation.

La réponse fut douce, immédiate. On aurait dit celle d'une petite fille.

— Ah bon... Si c'est ce que vous voulez...

— C'est ce que je veux.

La voix avait retenti comme un roulement de tonnerre.

Brenda s'en alla sans rien acheter. Elle se dit qu'elle avait perdu l'habitude de vouloir. Elle était seule à blâmer. Faute d'entraînement, elle avait tout simplement oublié comment faire, comment ouvrir la bouche et dire : je veux. Peut-être n'avait-elle jamais su s'y prendre. Vouloir exige plus que la force des mots mis bout à bout. Il faut pour vouloir une énergie résolue et inébranlable dont Brenda avait été privée. L'idée du temps qu'elle avait perdu en courses vaines la chagrina. La passion avec laquelle elle s'était mise en quête de serviettes pour la salle d'eau du rez-de-chaussée, ou encore de la recette idéale de quiche aux épinards. Ces entreprises semblaient avoir été conçues à seule fin d'éprouver sa propre authenticité. Presque chaque fois, elle avait tourné les talons – comme aujourd'hui –, légère comme l'air, les mains vides.

De retour dans sa chambre, elle sortit sa chemise de nuit de la corbeille, la suspendit à un cintre, en lissa les épaules, fit courir un doigt sur la dentelle en voie de désintégration et tira dessus comme pour dire « Tout le monde s'en balance » ou « Salut, ma vieille ».

Elle se sentit éperdue de bonheur. Quelque chose d'heureux lui arrivait.

Dix heures trente. Elle avait rendez-vous avec Barry dans le hall.

Elle renifla. La chambre empestait la fumée de cigarette. La valise fermée de Verna lui souriait de toutes ses dents métalliques.

Chapitre vingt-trois

Entre onze heures et onze heures et demie, dans la salle de la Constitution, Barry Ollershaw présenta une communication intitulée *Lixiviation assistée au chlore des minerais d'uranium*. Assise dans la quatrième rangée, Brenda écoutait, observait. Des termes étranges – radionucléide, thorium, radium 226 – lui passaient au-dessus de la tête, mots d'apparence solide et rectangulaire, aux syllabes fermement soudées les unes aux autres, légèrement rouillées, à la manière de lingots entreposés depuis longtemps dans une chambre forte. Faute de signes reconnaissables, de repères qui lui eussent permis de s'orienter, elle se demanda s'il était au milieu de sa communication ou sur le point de finir.

Les applaudissements la prirent par surprise, tant ils étaient nourris, généreux. Détendu, maintenant, Barry croisa le regard de Brenda au-dessus du lutrin, puis remit de l'ordre dans ses notes et s'appuya confortablement sur les coudes.

Des questions vinrent de la salle. Les hommes (et la femme) qui les posèrent semblaient imbus d'une gravité bénigne.

— Avez-vous songé aux effets de...? Les recherches futures devraient s'orienter vers...? À votre avis, docteur Ollershaw...?

Docteur! Aux États-Unis, évidemment, tous ceux qui possédaient un doctorat avaient droit à ce titre.

Dans la première rangée, un vieillard maigre à la tête neigeuse et au nez en bec d'aigle se leva à l'aide de deux cannes et parla longuement d'une douce voix d'universitaire, légèrement chevrotante. Ses propos furent salués par un tonnerre d'applaudissements

et de rires. Il s'agissait, comprit Brenda, d'un petit monde clos, riche en plaisanteries d'initiés et en personnalités chéries. Bizarrement, elle éprouva une certaine satisfaction à la pensée que Barry, dont l'existence lui avait jusque-là semblé dépendante de la sienne propre – n'était-il pas son sauveur, son confident, son camarade du vingt-quatrième étage ? –, appartenait de plein droit à ce monde spécialisé. Là, il était reconnu, écouté ; là, on lui donnait raison. Absurdement, la fierté l'embrasa.

Il répondit d'un ton empreint de respect, en pesant ses mots. En ce sens, il n'était pas si différent de Jack.

L'année précédente, à San Francisco, elle était allée entendre Jack prononcer une conférence sur les schémas du peuplement indien dans le centre-ouest du pays. Il avait parlé pendant une heure en ne consultant ses notes qu'à quelques reprises. D'où lui venaient cette somme de connaissances et cette décontraction ? Quand, au juste, les avait-il acquises ? Elle ignorait qu'il sût tant de choses au sujet des schémas de peuplement indien.

— Tu ne m'as jamais parlé de la cohésion familiale dans les sociétés tribales, lui avait-elle dit après, sur un ton de reproche.

Presque aussi surpris qu'elle, il avait répondu calmement :

— Ça n'a rien de passionnant, tu sais.

La vérité, c'est qu'elle n'avait jamais vraiment compris la profession de Jack, jamais vraiment saisi à quoi un historien occupait ses journées. Le bureau où Jack travaillait à l'Institut se résumait à une boîte tapissée de liège et bien rangée, équipée d'un fauteuil aux roulettes grinçantes. Jour après jour, Jack s'assoyait là, feuilletait des documents, prenait des notes ; en contrepartie, on lui assurait un salaire, une assurance médicale et un régime de retraite garanti.

De quoi meublait-il toutes ces heures ? s'était-elle souvent demandé. Elles devaient bien avoir un contenu, un minimum de substance. Mais quoi ? Quand Rob et Laurie étaient petits, elle lui téléphonait parfois vers midi. À l'époque, il apportait son repas :

ils venaient d'emménager dans la maison d'Elm Park et avaient besoin du moindre sou pour payer l'hypothèque.

— Qu'est-ce que tu as fait ce matin ? lui demandait-elle.

Elle l'imaginait assis à son bureau, détendu, en train de déballer son sandwich ou de polir sa pomme sur son genou, de contempler les feuilles de son unique philodendron.

Ses réponses étaient vagues, parfois évasives. « Un peu de tout », « J'ai colligé de nouvelles données » ou encore « J'ai vérifié des références ». En ce temps-là, les tâches de Brenda étaient monotones mais clairement définies : le matin, elle avait fait un peu de lessive, récuré les carreaux de la salle de bains, préparé le lait maternisé, fait un gâteau et passé l'aspirateur dans le salon. Elle avait une image romantique d'un Jack presque oisif.

Plus tard, elle avait compris que c'était en raison de la nature de son travail. Les historiens ne s'employaient pas à résoudre des problèmes courants. Ils les trouvaient eux-mêmes, les puisaient dans la banque du passé comme autant de trésors précieux et y travaillaient pendant des années.

Voilà maintenant trois ans que Jack préparait son livre sur les notions de commerce et de propriété chez les Indiens. De loin en loin, elle faisait un peu de dactylographie ou de classement pour lui, et elle avait une bonne idée de la portée du livre à naître. Ce qu'elle n'avait pas trouvé le courage d'avouer à Jack, c'est qu'elle trouvait le projet d'une navrante futilité.

Évidemment, elle se trompait peut-être. Des douzaines d'universitaires attendaient peut-être impatiemment une étude exhaustive du sujet. Peut-être était-elle effectivement destinée à combler un vide criant. Peut-être jetterait-elle un éclairage nouveau sur de vieilles et troublantes questions auxquelles personne n'avait encore répondu.

Brenda en doutait.

À une certaine époque, elle aurait sans doute pu poser des questions à Jack à propos de son livre ; après trois ans, il était

trop tard – surtout qu'elle le soupçonnait de nourrir les mêmes doutes qu'elle.

Trois ans de travail, et il en était encore au milieu du sixième chapitre. Au cours de la dernière année, il n'y avait presque pas touché. D'autres projets, disait-il, le retenaient. M. Middleton, dans la soixantaine et à quelques années seulement de la retraite, lui déléguait de plus en plus de tâches administratives. Le plan et les notes du livre jonchaient le bureau de Jack ou dormaient dans son vieux porte-documents. Il avait du mal à travailler à la maison, disait-il. Laurie le dérangeait sans arrêt. La musique de Rob jouait si fort qu'elle emplissait les moindres recoins de la maison. Le week-end, le téléphone n'arrêtait pas de sonner. Il faisait froid dans la pièce du rez-de-chaussée qui lui tenait lieu de cabinet de travail. Il évoquait la possibilité de s'acheter une petite chaufferette électrique et, un samedi matin, il avait même examiné les modèles offerts chez Ward. Brenda lui avait suggéré de s'installer dans un coin de leur chambre à coucher, où il faisait bon et où il y avait plus de lumière. En avançant cette idée, elle avait éprouvé un petit pincement de culpabilité : après tout, elle avait réquisitionné la chambre d'amis – de loin la pièce la plus lumineuse de toute la maison – pour ses courtepointes. Par ailleurs, son art exigeait un bon éclairage, de la lumière naturelle dans la mesure du possible. Elle passait beaucoup plus d'heures dans cette pièce que lui ne le ferait. Sans compter qu'elle était plus sérieuse.

Cette vérité-là avait quelque chose de renversant, car, au début, c'est Jack qui était le plus sérieux des deux, lui dont le travail avait la préséance. À l'époque, elle faisait taire les enfants pour qu'il puisse lire ; elle les emmitouflait dans leur habit de neige et les emmenait jouer au parc Scoville pour lui permettra de travailler à ses articles. Son mari était historien ; comme le mot lui plaisait, alors ! Pour poursuivre cette activité un peu surannée, Jack avait besoin d'un cocon protecteur douillet. Elle le lui fournissait, ce cocon, elle le lui fournissait avec joie.

Et maintenant elle voulait lui en donner davantage. Elle voulait le libérer – elle avait tenté de le faire, même si le courage lui avait manqué –, le relâcher comme on relâche un poisson. Elle voulait lui dire de renoncer à son livre, s'il était franchement convaincu de son inutilité.

Elle avait réfléchi au moyen d'aborder la question. Le meilleur moment serait un dimanche matin, au lit. Leurs dimanches, vestiges de leurs années de bohème étudiante, étaient décontractés, sans obligations. Au réveil, il leur arrivait souvent de faire l'amour, tandis que les rayons du soleil inondaient la pièce, butaient contre les murs blancs, se réfléchissaient sur la courtepointe bleue et verte, caressaient le doux profil de Jack, épousaient le contour de ses paupières fermées.

— Écoute, Jack, se proposait-elle de lui dire. Tu n'es pas obligé d'aller jusqu'au bout de ce projet simplement parce que tu y as consacré trois années de ta vie.

Ou encore :

— Écoute, Jack, personne ne trépigne d'impatience dans l'attente de la parution de ton livre. Pourquoi ne pas renoncer et t'attaquer à un projet qui te tienne vraiment à cœur ?

— Écoute, Jack, dirait-elle en riant légèrement pour ne pas lui donner l'impression qu'elle ne croyait pas en lui. Écoute, mon amour, de toute évidence, le cœur n'y est pas.

Le problème, c'est qu'elle ne savait pas ce qu'il y avait dans le cœur de Jack. Peut-être n'y avait-il rien, rien du tout. Elle craignait par-dessus tout de faire la lumière sur ce qui n'était peut-être qu'un vaste néant.

Chapitre vingt-quatre

La veille, pendant le repas, Brenda avait demandé à Barry Ollershaw en quoi consistait le travail des ingénieurs métallurgistes.

— Pourquoi ne pas assister à une des séances du matin ? lui avait-il proposé

Lui-même présentait une communication sur les minerais d'uranium.

— Ce sera d'un ennui mortel, l'avait-il prévenue, mais au moins vous aurez une idée de ce que nous faisons.

Assis face à Brenda dans le casse-croûte de l'hôtel, il mordit à belles dents dans un sandwich club.

— Vous étiez prévenue, dit-il.

Brenda avoua ne pas avoir saisi un traître mot de ce qui s'était dit.

— Autour de moi, les autres avaient l'air carrément... fascinés.

Il mastiquait, heureux.

— Disons que les choses se sont mieux passées que je ne l'escomptais.

— C'est de la complaisance, l'accusa Brenda.

— Tout le monde a besoin d'un peu de complaisance, de temps en temps.

Tout en lui donnant raison, Brenda dit :

— Je me demande bien pourquoi. Pourquoi nous avons besoin de récompenses, je veux dire. Nous n'en sommes plus là. Du moins, je me plais à le croire.

— On se plaît effectivement à le croire, dit Barry. Surtout quand on considère le fonctionnement artificiel des jurys, le côté purement factice de la plupart des prix. Ils ont une façon de s'adresser à nos faiblesses qui...

Il s'interrompit, haussa les épaules.

— Je redoute le moment où on annoncera les courtepointes primées, cet après-midi, dit Brenda. J'ai hâte, mais en même temps j'ai peur. C'est insensé, non ? D'une certaine manière, c'est même dégradant.

— Auriez-vous travaillé aussi fort à vos courtepointes en l'absence d'un concours ?

Brenda réfléchit un moment à la question.

— Peut-être. Oui. Je crois bien que oui.

— Vous avez de la chance.

— Auriez-vous écrit la même communication si vous n'aviez pas été invité à venir la présenter devant tous ces gens, ce matin ?

— Probablement pas. J'ai toujours un projet en marche, mais le fait de présenter le résultat de ses travaux en public a quelque chose d'emballant. Question d'orgueil, je suppose.

— Nous sommes tous superficiels, au fond, dit Brenda. C'est ce que répète Hap Lewis, une amie à moi.

— J'imagine que votre mari, Jack, fait aussi partie du circuit.

Il avait prononcé le prénom de Jack avec délibération, comme s'il s'agissait d'un mot étranger, imprononçable, l'avait précautionneusement laissé prendre du volume.

— Quel circuit ?

— Celui des communications, des congrès et patati et patata.

— Jack ? Oui, c'est vrai. Ce matin, j'ai justement pensé à une conférence qu'il a prononcée l'année dernière sur les schémas de peuplement indiens. Pendant qu'il parlait sur l'estrade, j'ai eu la curieuse impression d'entendre quelqu'un que je connaissais à peine. J'avais affaire à un homme d'âge moyen, à une sommité dans le domaine, au nom du ciel. Sa voix, ses gestes, son visage derrière le micro, tout semblait si différent.

— Il a probablement senti la différence, lui aussi. Parce que vous étiez là, je veux dire.

— J'en doute, dit Brenda. Je pense qu'il m'avait oubliée. Il était dans son autre moi, en quelque sorte. Son moi professionnel, son moi d'historien.

— Moi, en tout cas, j'ai senti la différence, dit Barry. Quand j'ai levé les yeux de mes notes et que je vous ai vue assise là. En blouse verte. Une femme en blouse verte. Je me suis senti comme si j'avais vingt-cinq ans, pas cinquante.

— C'est vrai? demanda Brenda, absurdement flattée.

— J'aimerais vous offrir un cadeau, cet après-midi.

— Un cadeau!

Elle déposa son sandwich et fixa Barry.

— Pourquoi pas? demanda-t-il.

— Je ne peux pas vous laisser m'acheter un cadeau. Pourquoi m'en offririez-vous un, de toute façon? Parce que j'ai assisté à votre communication? J'y suis allée de mon plein gré.

— Vous avez vu le vieux monsieur distingué assis au premier rang, ce matin?

— Celui aux cheveux blancs avec deux cannes?

— C'est M. Denton. Professeur à Cornell. Professeur émérite, s'il vous plaît. Ce matin, il est venu me remettre une enveloppe renfermant mes honoraires. Tout à fait inattendus, je m'empresse de le préciser, et extrêmement généreux.

— De l'argent trouvé, dit Brenda en souriant au-dessus de son café. Symptôme du régime de récompenses dont nous venons de parler.

— Ce que je voudrais en faire – ne m'interrompez pas, je vous prie –, c'est aller dans les boutiques avec vous et vous acheter un manteau.

— Un manteau?

— Oui.

— Dites-moi, Barry, est-ce que vous vous feriez encore du souci pour mon imper, par hasard?

— Oui, absolument.

— Il va refaire surface. Je suis sûre qu'il va refaire surface. Ne m'avez-vous pas dit que ce type dont j'oublie le nom, celui qui partage votre chambre, doit venir cet après-midi et...

— Storton McCormick. Il a annulé. C'est M. Denton lui-même qui me l'a dit. Il a laissé savoir qu'il serait dans l'impossibilité de présenter sa communication cet après-midi. Et il n'a pas remis les pieds à la chambre. Pas que je sache, en tout cas.

— Il va pourtant réapparaître, tôt ou tard. Il n'a pas encore officiellement quitté l'hôtel, non?

— Non, mais personne ne l'a vu.

— Nous ne sommes encore que mardi et...

— Entre-temps, vous êtes coincée dans cet hôtel, sans manteau.

— J'ai tout ce qu'il me faut sur place : la salle d'exposition, les ateliers, tout.

— Vous n'avez encore rien vu de Philadelphie. C'est une ville remarquable, remplie de...

— Je visiterai Philadelphie une autre fois, c'est tout.

— Et comment comptez-vous rentrer à Chicago sans manteau? Qu'est-ce que vous allez faire, Brenda, si votre imper n'est pas de retour d'ici jeudi? Vous entortiller dans le rideau de douche? Il fait froid dehors. Nous sommes en janvier.

— Écoutez-moi une minute.

— Quoi?

— D'abord, c'est moi qui ai perdu mon manteau, pas vous.

— Ce qu'il y a, c'est que...

— Ce qu'il y a, c'est que je ne m'en fais pas pour le manteau et vous ne devriez pas vous en faire non plus. Jeudi est encore loin et...

— Ça n'a rien à voir avec le manteau. Je veux juste vous acheter un cadeau.

— Et les roses? Vous m'avez déjà...

— Un vrai cadeau.

— Mais pourquoi, au nom du ciel, voudriez-vous...

— Parce que vous êtes venue à ma communication en blouse de soie verte...

— ... en blouse de polyester.

Elle avait parlé gravement, histoire de remettre les pendules à l'heure.

— Sans compter que, hier soir, vous m'avez écouté divaguer en me tenant la main.

— J'ai quarante ans, dit Brenda.

— Vous êtes aussi adorable...

— ... et mariée.

— Et mariée. C'est là que le bât blesse, j'imagine.

Elle s'efforça de rire.

— Qu'est-ce que vous voulez dire ?

— La loi interdit d'acheter des cadeaux aux femmes mariées, je suppose.

— Ça n'a rien à voir. Vous me comprenez parfaitement. C'est juste que...Elle hésita.

— ... j'aurais l'impression d'être...

— ... mon obligée ? risqua-t-il.

— Voilà. Exactement. Votre obligée.

— Même si je vous donne l'assurance – je peux difficilement me mettre à genoux ici, au milieu du restaurant, sans me donner en spectacle –, même si je vous jure sur l'honneur que la réalisation de mon souhait le plus cher n'entraîne aucune obligation de votre part...

— Je sais, je sais. Mais j'éprouverais malgré tout un malaise. C'est difficile à expliquer. En tout cas, je me sentirais mal de vous laisser me faire un cadeau. En fait, vous ne le savez pas encore, mais, une fois le repas terminé, j'ai l'intention de vous provoquer en duel pour avoir le droit de régler l'addition.

— Je m'amuse comme un petit fou, vous savez.

— Vous aimez vous disputer avec moi ? demanda Brenda, souriante. À propos de l'achat d'un manteau ?

— Être ici. Manger un sandwich. Être assis en face d'une jolie femme.

— Je m'amuse bien, moi aussi, dit-elle à sa grande surprise. Je vous assure.

— Brenda Bowman. Fabricante de courtepointes. Citadine jusqu'au bout des ongles. J'en ai les larmes aux yeux.

— C'est vrai?

Elle le regarda. Il avait les yeux légèrement embués. Spontanément, elle lui toucha la manche.

— J'adore les scènes sentimentales, dit-il en lui prenant la main. Même *Mary Poppins* me fait pleurer.

Jack aussi, faillit-elle lui dire. Mais elle se retint.

— Je peux vous poser une question? demanda-t-elle plutôt.

— Allez-y. À condition qu'il ne s'agisse pas de génie métallurgique.

— C'est à propos d'une chose que vous avez dite hier. Concernant votre femme.

— Ruth.

— Vous avez dit...

Brenda eut du mal à trouver les mots.

— Je crois que vous avez dit qu'elle avait changé du tout au tout.

— Oui.

Il lâcha la main de Brenda.

— Que vouliez-vous dire? Elle a changé comment? De quelle façon?

— De toutes les manières possibles et imaginables. Elle s'est perdue. Il aurait fallu que vous la connaissiez avant...

— Elle était comment?

— Dynamique. Active. Elle faisait des recherches à l'université. Elle est botaniste. Ou plutôt : elle était botaniste. Elle jouait au tennis. Comme une pro.

Il ouvrit les mains.

— Maintenant, elle ne fait plus rien.

— Rien du tout?

— Évidemment, elle est sous sédatif la plupart du temps. Quand bien même...

— Oh, Barry...

— Et bien sûr, dit-il, sa voix baissant d'un ton, nous ne nous aimons plus.

Brenda ne ressentit aucune surprise. Sans savoir pourquoi, elle s'y attendait.

— Plus du tout ?

— Plus du tout, dit-il en détachant avec soin chaque syllabe.

— Même pas...

— Ni spirituellement, ni psychologiquement, ni physiquement. Ça arrive parfois. C'est ce qu'on nous a dit. Quand un enfant meurt, l'homme ou la femme tient l'autre responsable...

— Que faites-vous ?

Pour la toute première fois, il parla d'une voix dure.

— Drôle de question. Que voulez-vous que je vous dise, au juste ?

— Comment vous en sortez-vous ? Voilà ce que je veux savoir.

— Si vous voulez parler de mon emploi du temps, c'est fort simple : je trime dur. Je travaille le week-end. Je travaille le soir. Je suis aussi ingénieur-conseil. Ce boulot m'oblige à voyager souvent. J'ai trois ou quatre projets de recherche en cours. Je fais de la natation, un peu de voile. Nous avons de nombreux vieux amis qui...

— Et pour...

Elle hésita, incertaine de la question qu'elle voulait poser.

— Si vous voulez savoir si je suis fidèle – c'est l'impression que vous me donnez –, la réponse est non. Je l'ai été – ne m'interrompez pas, je tiens à aller jusqu'au bout. J'ai été fidèle pendant un an et demi, ce qui, vous en conviendrez, est relativement long.

— Oui, je suis d'accord.

Brenda hocha tout de suite la tête, grimaçant intérieurement à l'idée de sa complaisance.

— Elle a été hospitalisée deux fois, poursuivit-il. On ne peut pas la laisser seule. Pour le moment, sa sœur vit avec nous. Ce qui

explique que j'aie pu me libérer pour ce congrès. Ce qui explique que je sois là à vous ennuyer à mort avec mon histoire déprimante.

— Que faites-vous, cet après-midi ? demanda Brenda au bout d'un moment.

— J'espérais faire des courses avec vous. Mais j'ai l'impression que ce projet... est tombé à l'eau.

— Pourquoi ne viendriez-vous pas à la cérémonie de remise des prix ? C'est à trois heures, à la salle d'exposition. Il y a des centaines de courtepointes. Des tas d'autres choses aussi. Vous allez adorer.

— Vraiment, Brenda ? Oui, vous avez sans doute raison.

Chapitre vingt-cinq

— **B**renda Bowman, enfin ! Je vous ai cherchée absolument partout.

C'était Susan Hammerman qui, agitant les bras, se frayait un chemin au milieu de la foule. Sur son front, une légère pellicule de transpiration luisait gaiement.

— Enfin, vous êtes là.

— Susan, je vous présente Barry. Barry, voici Susan Hammerman. Elle est de Chicago, elle aussi. Susan est tisserande.

— Enchantée, Barry. Vous avez bien dit Barry ? Vous faites des courtepointes, vous aussi ?

— Eh bien, non, je...

— Pardonnez-moi. Je n'avais pas vu votre insigne. Ah, vous êtes un de ceux-là.

— J'en ai bien peur, hélas.

— Quoi qu'il en soit, Brenda, je tenais à vous féliciter. Quand j'ai vu que vous aviez eu droit à une mention honorable, j'ai tout de suite...

— Merci.

— Nous pouvons être fières de notre bonne vieille ville de Chicago, aujourd'hui.

— Je viens juste d'arriver. Je crains de ne pas...

— Lottie a reçu une mention honorable, elle aussi. Macramé. Et vous avez sans doute vu mon nom...

— Non. Que s'est-il passé ?

— Deuxième prix. J'ai failli perdre connaissance. Deux années d'affilée... Quelle chance, tout de même...

— Félicitations, dit Barry.

— Bravo, Susan. C'est fantastique.

— J'en perds la tête. Tiens, voilà Lottie. Il faut que je lui dise un mot. Heureuse d'avoir fait votre connaissance, Barry. À bientôt, Brenda. C'est fou, non?

— Brenda Bowman! C'est donc là que vous vous cachiez.

— Barry, je vous présente Betty Vetter, à qui on doit toute cette organisation. Betty, Barry Ollershaw.

— Ah, un des affreux...

— J'en ai bien peur, hélas.

— Brenda, vous savez où se trouve Verna? Je l'ai cherchée partout. Je l'ai fait appeler, j'ai tout tenté.

— Je ne l'ai pas vue. En fait...

— Quand je pense que la lauréate du premier prix n'est pas là pour accepter son ruban...

— Vous avez demandé...

— J'ai songé à faire un autre appel au micro, mais, avec tout ce vacarme, je me demande à quoi bon.

— J'allais moi-même vous parler de Verna, Betty, parce que, à vrai dire...

— Vous voulez bien me dépanner? Quand on va annoncer son nom, auriez-vous la gentillesse de monter sur l'estrade pour accepter le prix en son nom? Dites quelques mots de remerciements, n'importe quoi. C'est beaucoup vous demander, mais...

— Moi?

— Vous êtes sa compagne de chambre et donc, si vous me suivez, la personne tout indiquée.

— Mais je ne la...

— Vous êtes adorable, franchement adorable. On se voit plus tard, d'accord?

— Bonté divine, Brenda, où étiez-vous donc?

— Lenora ! Je vous présente Barry Ollershaw. Barry, voici Lenora Knox, elle fait des courtepointes, elle aussi.

— Comment allez-vous, Lenora ?

— À vrai dire, pas trop bien. J'ai une de ces migraines... À cause du vacarme. Vous êtes dans quel domaine ?

— Je fais partie de l'autre groupe, celui des métallurgistes.

— Ah bon ? Si j'avais eu mes lunettes, j'aurais vu votre insigne. Je vous ai cherchée toute la matinée, Brenda. J'espérais dîner avec vous, mais...

— Vous êtes libre demain ?

— Demain, je donne mon atelier sur la courtepointe de genre. À propos de l'animisme. C'est là que...

— Ah bon ? Ça m'a l'air intéressant.

— J'allais oublier. Félicitations pour la mention honorable.

— Merci. Je suis franchement surprise.

— Vous avez probablement entendu les rumeurs qui circulent au sujet des juges.

— Non. Quelles rumeurs ?

— Morton Holman. Quelqu'un a relevé – trop tard, malheureusement – l'apparence de conflit d'intérêts. Apparemment, on va étudier la question. En prévision du congrès de l'année prochaine.

— Je vois.

— Et Dorothea Thomas. Une femme merveilleuse, simplement merveilleuse. Comme artisane, elle n'a pas sa pareille. Mais quand il s'agit d'aller au fond des choses pour départager des œuvres...

— Eh bien ?

— Elle est... euh... vous savez bien. Je ne sais plus qui disait qu'il fallait injecter du sang neuf. Et assurer une meilleure répartition régionale.

— Oui, je suppose, fit Brenda.

— Tiens, si ce n'est pas madame B. en personne ! Comment va cette chère madame B., aujourd'hui ?

— Barry, je vous présente Hal Rago. Hal, Barry Ollershaw.

— Ravi de vous rencontrer, Barry. Sincèrement.

— Tout le plaisir est pour moi, Hal. J'ai lu votre article sur Brenda dans le journal d'hier.

— Bien, très bien. En tout cas, il va être encore question d'elle dans le journal d'aujourd'hui.

— Ah non, fit Brenda.

— Eh oui. On m'a communiqué la liste des lauréates hier, et il y a dans le journal de cet après-midi un bel article sur vous toutes. Au fait, vous ne connaîtriez pas cette Verna de Virginie, par hasard? Je me proposais de lui offrir un souper bien arrosé, ce soir, et de publier un «pleins feux» sur elle dans l'édition de demain.

— J'ai peur de ne vous être d'aucun secours, Hal.

— Personne ne sait où elle est. Le genre timide et effacé, probablement. Dommage. Quand elle se rendra compte de toute la publicité qu'elle a perdue...

— Oui, dit Brenda.

— Dites, j'ai l'impression que quelqu'un a un numéro du journal, là-bas.

— Celui d'aujourd'hui?

— On dirait bien, oui.

— Allons demander...

— Vous permettez que je jette un coup d'œil?

— C'est à quelle page?

— Ça, par exemple! Un article sur l'art qui fait la une!

— Décidément, la vie nous réserve des surprises.

— Ce n'est pas trop tôt.

— Doux Jésus.

— Regardez-moi ces photos.

— Pas mal.

— Qu'est-ce qui vous fait rire? demanda Brenda à Barry. Il était plié en deux.

— Je m'excuse. C'est plus fort que moi.

— Je peux ravoir le journal? Je ne vois pas ce qu'il y a de si drôle.

— Le titre, fit-il, haletant. Non, pas ça. Je veux parler du sous-titre.

— C'est un titre, voilà tout.

— « *Second avènement* rate de peu le deuxième prix. »

— Et alors ?

— Vous ne trouvez pas ça drôle, vous ?

— Pas particulièrement, répondit Brenda.

— C'est merveilleux, impayable.

— Je ne...

— Le plus drôle, fit-il en s'essuyant les yeux, c'est qu'il n'a probablement pas fait exprès.

— Hmmmm.

— C'est merveilleux, merveilleux.

Repris par un accès de fou rire, il dut prendre appui sur un poteau.

— Merveilleux.

— Hmmmm, répéta Brenda en lui souriant.

Elle défaillait de bonheur.

Chapitre vingt-six

De la chambre de Barry, à dix-neuf heures, Brenda téléphona chez elle à Elm Park et parla aux enfants. C'est Laurie qui répondit.

— C'est maman! hurla-t-elle. Elle nous appelle de Philadelphie. Rob, va prendre le téléphone en haut, c'est maman.

— Comment vas-tu, ma puce?

Tenant le combiné à deux mains, Brenda entrevit une image floue de sa fille de douze ans, Laurie, son visage rond illuminé, teinté de rose par sa chaleur interne, sa douce bouche ouverte et avide – avide à fendre le cœur.

— Tu sais quoi, maman? J'ai fait une salade César et Bernie – il est venu souper à la maison – a dit que c'était la meilleure qu'il ait mangée de sa vie.

— Bernie est venu à la maison? C'est bien. Quand ça?

— Salut, maman.

Rob avait pris l'autre appareil. Il semblait engourdi, hébété, distant.

— Les choses se passent bien, à Philadelphie?

— Disons que ça...

— Tu as entendu parler de la tempête de neige?

— Tu veux dire...

— C'était dans les journaux, à la télé...

— Nous avons reçu presque trente centimètres.

— Vingt-cinq.

— Dans le *Tribune,* on dit trente. Tu aurais dû voir ça. Un vrai voile blanc. Congé aujourd'hui. Toutes les écoles sont fermées. À Scoville, il y a un arbre énorme qui a...

— Personne ne travaille, dit Laurie. Presque personne...

— Tout est fermé, les magasins, tout. Même les stations-service.

— Pas moyen de sortir les voitures des garages, les portes n'ouvrent pas à cause de la neige.

— Parle-nous de Philadelphie, dit Rob de sa voix d'adulte. C'est comment?

— Eh bien, c'est...

— Et l'avion? Tu as eu mal au cœur?

— Tu sais bien que je n'ai jamais...

— Le chasse-neige n'est pas encore passé dans la rue ici. Holmes et Mann, oui, mais pas Franklin. C'est parce que...

— J'en ai par-dessus la tête, s'écria Laurie.

— Comment tu peux en avoir par-dessus la tête? Il en est tombé trente centimètres, dit Rob.

— Entre la maison des Carpenter et la nôtre, je voulais dire. Elle s'est empilée, tu devrais voir ça. Si tu nous avais vus sauter du toit du garage, tout le quartier...

— C'est un record. On n'avait pas vu autant de neige depuis 1942. Pas au total, mais jamais il n'en était tombé autant sur une si courte période.

— Comment va papa? Il...

— Ce soir, toutes les chaînes de radio vont dire si les écoles seront ouvertes demain. On n'a pas encore décidé.

— Les écoles élémentaires seront fermées, dit Laurie, mais pas les écoles secondaires.

— Où as-tu entendu ça? Pas à la radio, en tout cas.

— C'est quelqu'un qui me l'a dit.

— Je l'aurais juré.

— Vous vous tirez bien d'affaire, au moins? demanda Brenda.

— Ouais. Hier, nous avons mangé des hamburgers. Je ne sais pas où papa les a achetés. Il est rentré tard à cause de la tempête. On a fermé l'autoroute Eisenhower. C'était la première fois. Ça te donne une idée de toute la neige qui est tombée.

— À la télé, ils ont montré un homme qui a fait une crise cardiaque en déneigeant sa voiture.

— Il va s'en sortir. On l'a conduit à l'hôpital.

— Qui ça? Qui a fait une crise cardiaque?

— Un type à la télé. On ne le connaît pas.

— Grand-papa et grand-maman vont bien? Vous êtes allés les voir, dimanche?

— Ouais.

— Ça va bien.

— Où est papa? Je peux lui dire un mot?

— Je pense qu'il est encore au travail.

— Ouais.

— Je croyais que vous m'aviez dit que tous les bureaux étaient fermés.

— Quoi?

— À cause de la neige. Vous avez dit que tout était fermé et que personne n'était allé au travail.

— Ouais, mais je pense que papa y est allé quand même. En tout cas, il est parti.

— Et Philadelphie, maman? Tu as vu la cloche de la Liberté?

— Non, mais j'ai reçu une mention honorable. Pour *Second avènement*.

— Super.

— C'est la courtepointe fleurie?

— Non, ça, c'est une des autres.

— Génial.

— Bon, il vaut mieux que j'y aille, les enfants. On se voit jeudi, d'accord? Vous êtes sûrs que tout se passe bien?

— Tu as dit jeudi?

— Papa est au courant. C'est sur le babillard de la cuisine. Le numéro du vol et tous les détails.

— Demain, nous allons essayer d'emprunter une souffleuse à neige. Tu te souviens des Patterson? Les voisins des McArthur? Ils en ont une.

— Écoutez, les enfants. Dites à papa que je l'embrasse, d'accord?

— Quoi?

— Elle a dit de dire à papa qu'elle l'embrasse.

— Oui, c'est ce que j'avais cru comprendre.

— N'oubliez pas.

— Oublier quoi? Bon, d'accord.

— Au revoir, les enfants. À jeudi.

— Salut, maman.

— Vous me manquez.

— Tu nous manques aussi, maman.

— À bientôt.

Chapitre vingt-sept

Elle les aimait, elle les aimait tellement. Pendant une minute, elle garda la main sur le combiné, refusant de rompre le lien d'amour entre ses enfants et elle.

— Et alors? demanda Barry qui, à l'autre bout de la pièce, versait du gin dans des verres. Tout va bien?

— Tout va bien, oui, répondit Brenda.

Un peu étourdie, elle se retourna pour accepter le verre qu'il lui tendait.

— Se rendre compte que ses enfants se débrouillent parfaitement sans qu'on soit là force à l'humilité, c'est tout.

— Ça rend modeste, hein?

Il s'assit sur le lit et but une gorgée.

— Ce n'est pas ça.

Elle s'assit face à lui.

— Non, c'est plutôt stupéfiant.

Ce qui l'étonnait le plus, c'est qu'il avait suffi de quatre petites journées de séparation pour qu'elle oublie tout à fait comment ils étaient. Rob et Laurie... Ce qu'ils pouvaient être égocentriques. D'un égocentrisme pur et transcendant, toutefois. Leur narcissisme scintillait à la manière d'un élément primitif, avec plus de force et d'éclat que le radium. Et l'intensité de leur attachement au moment présent – la banalité des records de la météo, le récit mouvementé de leur journée de tempête – l'avait profondément touchée. Cette simplicité, cette ouverture aux sensations, ils la portaient comme

une parure. La contamination de l'ennui viendrait, sans doute, sans doute, mais plus tard.

Ce qu'elle pouvait les aimer. Dire que quelques jours plus tôt, elle les avait jugés indignes et incapables d'amour. Comment était-ce possible? demanda-t-elle à Barry.

Il était d'humeur philosophique.

— L'amour vient par vagues, je suppose. Comme les ondes sonores et les ondes lumineuses et tout ce qu'il y a dans la nature. Il souffle le chaud et le froid. S'allume, s'éteint.

— Les choses devraient se passer autrement, fit Brenda, inébranlable. Que faites-vous de l'amour indéfectible? Vous savez bien, ajouta-t-elle en émettant un rire bref, la flamme éternelle?

— Vous voulez parler de l'amour dont nous rêvons tous? De celui que nous croyons tous mériter?

— Ce n'est peut-être pas ce que nous voulons tout le temps.

— Peut-être pas, non. J'imagine qu'on s'illusionne en croyant pouvoir aimer quelqu'un avec une constance pareille. Être aimé de cette façon, ça pourrait nous tuer. Un peu comme si on nous bombardait avec un canon à rayons.

Brenda déposa son verre sur la table de chevet.

— C'est possible, mais l'idée me déprime.

— Moi aussi. Mais si on réalisait des essais empiriques, je suis certain qu'on ne découvrirait pas un seul exemple d'amour constant, sans bornes, qui brûle avec exactement la même force, jour après jour. Sauf peut-être dans la littérature et les chansons populaires.

— Peut-être aussi ma mère. Il faut dire qu'elle n'avait que moi. À part elle...

— À part elle?

— Je suppose que l'amour a des ratés, de temps à autre.

— Des intermittences.

Il siffla son gin d'un coup.

— Le mot est mieux choisi, en effet. Les intermittences de l'amour.

— Qu'en est-il de vous et...

Il évita le nom, décrivit un cercle avec son verre.

— Vous et...

— Jack, dit-elle, serviable, préférant traiter la question de façon prosaïque.

— Vous et Jack, donc.

Il avait adopté un ton empreint d'un cynisme lourd, mais un peu timide.

— Je suppose que la flamme brûle toujours avec autant d'intensité. Pas d'intermittences ni rien de ce genre.

— Je ne sais pas, répondit-elle avec une grande prudence.

Elle avait posé sa main raisonnable à plat sur le couvre-lit, les doigts écartés.

— Je suppose que nous avons été... relativement...

— ... chanceux?

— Oui. Pour l'essentiel, en tout cas.

Il lui demanda si elle voulait encore du gin. Elle secoua la tête.

— Brenda la chanceuse, dit-il, laissant les mots flotter entre eux.

C'était presque vrai, ce qu'elle avait dit à propos de la constance de la flamme. Mais pas tout à fait. Quatre ans plus tôt, Brenda s'était réveillée dans sa chambre blanche et bleue et avait jeté un coup d'œil à son mari. Dans le sommeil, le visage de Jack lui avait semblé lisse, fermé, étranger.

« Je ne l'aime plus », avait-elle dit pour elle-même ou plutôt pour les murs blancs.

Quelques minutes plus tard, il s'était réveillé, avait désarmé le réveil et s'était serré contre elle, tandis qu'elle s'enfonçait dans le brouillard de sa nouvelle tristesse. Ils avaient exécuté les gestes de l'amour, et Brenda avait observé la scène avec une terrible froideur : maintenant, il va faire ceci, maintenant, il va faire cela. Pendant qu'il prenait sa douche, un peu plus tard, elle était restée au lit, songeant : là, il se savonne le cou, là, il se savonne les orteils, debout sur une jambe. Le voilà qui sort de la douche en jetant en secret des regards satisfaits dans la glace, se tapote le ventre, penche la tête d'un côté d'un air entendu, marmonne entre ses dents.

À son retour dans la chambre, moite et poudré, il avait eu la surprise de la trouver encore au lit.

— Tu ne te lèves pas, ce matin ? lui avait-il demandé avec une nonchalance impardonnable.

Il avait disparu. L'amour s'était évanoui. Le monde était gâché. Pendant des mois, elle n'avait pas su quelle conduite tenir. En réalité, il n'y avait rien à faire. Prisonnière de sa réputation de femme toujours de bonne humeur, elle avait dû faire comme si de rien n'était. Essayer de sauver les apparences.

Jack, cependant, n'avait pas été tout à fait dupe de ses faux-semblants. Elle l'avait surpris en train de la dévisager d'un air curieux, inquisiteur.

— À quoi tu penses ? lui demandait-il trop souvent.

Sans aucune raison, il l'avait invitée à dîner au restaurant Chez Jacques au beau milieu de la semaine. Il l'avait pressée de s'inscrire à un cours du soir. Il l'avait amenée voir une reprise de *Laura* au Arts Theater, où elle avait subi la douce pression de sa main sur sa cuisse. Beaucoup plus tard, elle avait même appris qu'il avait eu un long et confidentiel entretien avec Brian Petrie au bureau à propos de l'opportunité de la faire voir par un psychiatre. (Brian, qui était lui-même passé par là, avait déconseillé cette approche.)

Le soir, quand ils étaient seuls, il l'encourageait à lui parler de sa mère, morte l'automne précédent.

Évidemment ! Évidemment. C'était tout à fait lui de s'imaginer que telle était la source du problème : le choc que lui avait causé la mort subite de sa mère et la colère qu'elle éprouvait à l'endroit du médecin qui aurait pu la sauver. Sa réserve, son apathie, ses crises de larmes intempestives, ses frénésies de consommation, il mit tout sur le compte de la mort de sa mère, qui n'y était pourtant pour rien. Les yeux de Jack, lorsqu'il cherchait à deviner les sentiments de sa femme, étaient si tristes et si blessés qu'elle avait envie de sortir de la pièce en courant.

Cet hiver-là, Brenda dormit toute raide à côté de cet étranger superficiel et présomptueux qu'elle autorisa à croire encore en leur

amour. Sa patience, sa sollicitude, ses mains caressantes – surtout ses mains caressantes – la rendaient folle, mais elle lui laissa croire le contraire.

Pendant qu'il était au travail, elle restait assise à la cuisine à se demander comment elle avait pu donner sa vie à cet être creux. Elle avait ressuscité son moi de dix-neuf ans en s'étonnant de la folie passagère qu'elle avait prise pour de l'amour. Un matin, elle était ainsi restée assise pendant deux heures. De sa bouche s'échappait une curieuse mélopée basse et flottante qui refusait obstinément de se muer en larmes.

Au printemps, ils étaient allés en France. Il l'avait surprise en produisant les billets, qu'il avait rapportés un soir, accompagnés d'un itinéraire. Était-ce pour un congrès, une recherche à laquelle il travaillait ? Non, avait-il dit, c'étaient des vacances, juste pour eux deux. À cette pensée, le cœur de Brenda lui avait manqué. Juste pour eux deux. Elle se détestait dans le rôle de la névrosée en proie au chagrin et lui en voulait d'avoir créé ce rôle pour elle, d'avoir fait d'elle une invalide qu'il espérait consoler de la mort de sa mère en lui offrant un coûteux voyage en France.

La première semaine avait été un cauchemar. La folle multiplication des visites touristiques sapait l'énergie de Brenda. De la journée qu'ils avaient passée à Versailles, elle conservait le souvenir d'une épreuve muette et inodore. Pendant des heures, ils avaient déambulé platement dans des salles plates ; la galerie des Glaces n'avait été qu'un défilé flou de surfaces barbouillées qui leur renvoyaient des images gauchies de leur déception.

Les efforts déployés par Jack pour intéresser Brenda aux tapisseries des Gobelins – il avait choisi exprès une visite donnée en français plutôt qu'en anglais – lui avaient semblé artificiels, teintés d'une fausse abnégation et pitoyables, et elle s'en était voulu de la gratitude démesurée avec laquelle elle accueillait ces petites attentions. À l'heure des repas, dans des bistros parisiens, elle nouait ses doigts à ceux de Jack, soumise, et méprisait la hâte qu'il mettait à répondre.

Puis ils avaient loué une voiture et mis le cap sur la Bretagne, région où la campagne était humide et puante, les villes, prudes et poussiéreuses. Dans le pare-brise de la petite Peugeot blanche, ils voyaient des nuages s'amonceler au-dessus des collines – nuages bruns et fuligineux aux bords retroussés comme des soufflés déposés sur des plateaux de néant. C'était magnifique : elle s'était forcée à en convenir. Le soleil qui tutoyait les toits d'ardoise donnait l'impression d'être un cousin plus vieux et plus sage de celui qui brillait en Amérique. Dans l'arrière-pays, ses rayons pâles traversaient la dentelle verte des branches avant de balayer les champs de moutarde et de trèfle, et les ombres faisaient penser aux motifs bleus et entremêlés du vase cloisonné qu'ils avaient dans leur chambre, cadeau de noces de M. et Mme Middleton. Quand Brenda lui en avait parlé, Jack s'était contenté de hocher la tête, comme si la même pensée lui était venue au même instant.

Dans les hôtels glaciaux, les douillettes sentaient le moisi ; les lits étaient froids et affaissés au milieu, ce qui les obligeait à s'accrocher chacun de son côté, de part et d'autre du no man's land délimité par le respect de Jack pour le terrible chagrin qu'éprouvait sa femme et l'incapacité de Brenda à lui avouer qu'elle ne l'aimait plus.

La cuisine française était extraordinaire. Brenda, qui n'avait jamais mangé de rognons de sa vie, s'était extasiée devant la délicatesse des rognons de veau flambés au cognac, accompagnés d'une sauce à la moutarde ; elle en avait commandé trois soirs de suite. Jack, assis face à elle, la regardait se faire plaisir, rempli d'espoir.

Un soir, sur une route secondaire étroite bordée de verdure, leur *Guide Michelin* les avait conduits vers une petite église de campagne voûtée, faite de pierres moussues. Elle avait des fenêtres arrondies, très petites et très hautes, et une lourde porte en chêne ouvrant sur une sorte de caverne sombre et humide. À l'instant où ils avaient déposé une pièce de un franc dans la boîte métallique, une lumière électrique s'était allumée, révélant – l'espace de trois

minutes marquées par un tic-tac – une ancienne peinture sur bois placée au-dessus de l'autel. On y voyait des villageois en tenue médiévale, le corps sain, bien nourris et éperdus de gratitude. Ils transportaient des paniers de fruits et de légumes dans une église et, chose étonnante, l'église en question était celle où ils se trouvaient – à l'époque où elle était encore neuve, évidemment. Le toit était un carré de chaume jaune et propre ; les murs étaient faits de pierres blanchâtres nouvellement équarries ; le ciel était frais et pimpant ; le monticule sur lequel trônait l'église, qu'on aurait dit nivelé depuis peu, baignait dans une lueur surréelle.

À l'extinction de la minuterie, ils avaient de nouveau été plongés dans les ténèbres, sauf que des couleurs y palpitaient. Brenda discernait le toit voûté de l'église et ses poutres de bois élégantes, les pierres enfumées de ses vieux murs et, à côté d'elle, le visage sépulcral de Jack. Elle avait osé mettre ses bras autour de son cou, puis ils s'étaient mis à sangloter tous les deux, comme si on leur en avait enfin donné la permission. À cet instant, Brenda eut l'impression qu'ils formaient un seul être, un seul corps.

Son long cauchemar, la fin de l'amour, avait inexplicablement pris fin. Pour une quelconque raison, l'amour était revenu. Jack s'était peut-être dit que le deuil de Brenda avait suivi son cours naturel jusqu'à l'épuisement – non sans raison, peut-être, car Brenda n'avait jamais réussi à démêler tout à fait l'écheveau des causes du désespoir qui l'avait habitée cet hiver-là. En rétrospective, elle se disait qu'elle avait été malade ; elle avait en quelque sorte reçu une visite importune. Et la conviction que cela risquait de se reproduire ne l'avait plus jamais quittée.

Elle songea à faire part de cette révélation à Barry. En un sens, l'aveu rétablirait l'équilibre entre eux : sa vie malheureuse à lui, sa vie heureuse à elle.

Elle décida de s'en abstenir, ne serait-ce que parce qu'elle aurait eu l'impression de commettre une trahison en évoquant tout haut un conflit résolu en silence.

— Nous avons été plutôt gâtés par la vie, c'est vrai, réussit-elle à dire à Barry Ollershaw en suivant le pli de son pantalon, hypnotisée par le bout ciré de ses chaussures noires.

— Dans ce cas, dit-il un peu sèchement, vous avez eu une chance exceptionnelle.

Par souci de gentillesse, elle ajouta :

— Évidemment, nous avons eu des hauts et des bas.

— Évidemment.

Il lui toucha les cheveux.

Il y eut un silence.

— À quelle heure part votre avion, jeudi ? demanda-t-elle au bout d'un moment.

— Mercredi, vous voulez dire. Demain.

— Mercredi ? Vous ne restez pas jusqu'à jeudi ?

— Je dois aller à Montréal. Je croyais vous l'avoir dit, Brenda. En fait, j'en suis certain. Je pars demain, vers deux heures.

Elle se redressa, éberluée.

— Vous me l'avez dit, c'est vrai, mais j'ai pensé... Le banquet des métallurgistes a lieu demain soir, non ? Alors je me suis dit...

Tout en parlant, Barry traversa la chambre et alla se servir un autre verre de gin. Quelque chose à propos de réunions, d'un contrat avec le gouvernement, de gens à voir à Ottawa, d'un rendez-vous arrangé à la dernière minute, au prix d'efforts considérables.

Elle secoua la tête, incrédule.

— Je suis juste surprise, dit-elle. Je me suis imaginé des choses. Je me suis fait des idées, c'est tout.

Chapitre vingt-huit

Comme la soirée était douce, finalement, ils décidèrent de sortir faire une promenade. Barry, qui portait un veston de tweed et un pull à col roulé, prêta à Brenda son pardessus molletonné. À l'exception des manches, un peu trop longues, il lui allait à merveille. Elle ne put contenir sa surprise.

— Il me va, dit-elle en se tournant vers le miroir.

— Je suppose, dit-il en marquant une pause théâtrale, que... comment s'appelle-t-il, déjà?

— Jack.

Elle sourit de toutes ses dents.

— Je suppose que Jack est grand comme l'Everest.

— Oui, fit-elle, même si Jack, à la vérité, faisait à peine plus de un mètre quatre-vingts. Haut comme une tour.

Elle indiqua sa taille en s'aidant de ses bras.

— Un orignal de la banlieue de Chicago. C'est bien ma chance!

Ils éclatèrent de rire tous les deux.

Nous nous moquons de Jack, songea Brenda, piquée par cette injustice. Jack qui, absent et innocent, n'avait rien fait pour mériter d'être tourné en dérision. Pauvre Jack, métamorphosé en rustre surdimensionné. De quel droit le traitaient-ils ainsi? Au nom de quoi se permettait-elle pareille liberté, elle?

Bras dessus, bras dessous, ils arpentèrent gravement les rues éclairées de la ville, sans se presser, et jetèrent des coup d'œil dans les vitrines, où s'entassaient des flacons de parfum, des bijoux, des

livres, des fruits frais, des bouteilles de vin, des robes, des chaussures, des meubles.

Ils s'arrêtèrent devant l'une d'elles. Derrière la vitre, on avait reconstitué un salon : un luxueux canapé à carreaux, une table en verre aux pattes de laiton ornées, une lampe en grès surmontée d'un large abat-jour plissé et un faux feu embrasant un faux foyer.

— Comme c'est joli, fit Barry. Achetons tout.

— D'accord, répondit Brenda. Mais en avons-nous les moyens ?

— C'est à ça que sert le crédit, très chère.

— Nous ne nous sommes encore jamais endettés.

— Il est grand temps que nous intégrions le vingtième siècle, vous ne trouvez pas ?

— Dans ce cas... dit Brenda.

Ils s'attablèrent près de la fenêtre dans un petit établissement à l'éclairage tamisé appelé le Cheesecake Café, où ils commandèrent du café garni de crème fouettée et de gingembre moulu.

— Charmant, dit Brenda en admirant dans la pénombre les tables de marbre net et frais, les chaises en fer forgé.

Le café était surtout occupé par de jeunes gens en couple, au visage ovale et calme, parfaitement en paix avec eux-mêmes dans la lueur des minuscules lampes-tempête. À la table voisine de la leur, deux jeunes hommes jouaient aux échecs, et Brenda saisit une bribe de la conversation qu'ils tenaient :

— Ça te semblera peut-être cruel, mais...

Se penchant vers elle, Barry lui posa une question, mais ses mots furent noyés par le vacarme soudain d'une sirène.

— Pardon ? dit-elle en portant la main à sa tasse.

Un camion de pompiers passa bruyamment.

Barry répondit quelque chose, mais elle ne put distinguer les mots. Un deuxième camion de pompiers fonçait dans la rue, et Brenda vit le reflet rouge de son flanc traverser la vitrine du café.

— C'est sans doute un gros incendie, dit-elle dans l'air soudain chargé de clameurs.

Les clients repoussaient leur chaise, se levaient, s'entassaient devant les vitres. De l'extérieur leur parvint la rumeur de gens qui couraient et criaient dans la rue. La caissière, une jolie jeune femme en jupe longue, sortit et rentra au bout d'une minute en grelottant.

— C'est le Franklin Court Arms, annonça-t-elle d'une voix nette et distincte trahissant autant d'émotion que de soulagement.

Brenda eut un hoquet de surprise et mit la main sur le pardessus.

— Allons-y, dit Barry.

— Oui.

Déjà, elle s'attaquait aux gros boutons.

Le café n'était qu'à trois pâtés de maisons de l'hôtel et ils firent le gros du trajet au pas de course en contournant les badauds. L'ample et lourd manteau battait les chevilles de Brenda, la ralentissait.

— Méfiez-vous de la glace, lui cria Barry.

— Nous y sommes presque. C'est après le coin, non ?

— Je crois, oui. Voilà le magasin de meubles.

— Vous sentez de la fumée, vous ? Moi, je ne sens rien.

— Nous y voilà.

— Regardez-moi cette foule.

— Doux Jésus.

— Je n'en crois pas mes yeux.

Devant le Franklin, une foule compacte grouillait sur le trottoir et dans la rue.

Qu'ils sont disciplinés, songea Brenda à la vue de centaines de personnes qui soufflaient des ballons d'air glacé, parlaient entre elles à voix basse, battaient calmement la semelle. Un cordon de policiers encerclait l'entrée principale de l'immeuble.

— C'est probablement une fausse alerte, dit quelqu'un à Brenda et à Barry.

— Peut-être même un exercice, quoiqu'on se demande...

— Difficile à dire. Il s'agit peut-être d'une alerte à la bombe. Il y a une importante minorité irlandaise à Philadelphie.

— Enfin, tout le monde a été évacué. C'est ce que les autorités pensent, en tout cas. Il faut reconnaître qu'elles ont fait du bon travail.

— Bah, c'est probablement l'œuvre de quelqu'un qui a trop bu, qui s'est laissé emporter.

— Les congrès...

— Je suis certaine d'avoir senti de la fumée. Tu n'as rien senti, toi ? Tu as dit que tu avais...

— Nous avons dû descendre par les escaliers, pour l'amour du ciel. Ils ne nous ont pas laissés prendre les ascenseurs. Quinze étages, à pied...

— C'est à cause des câbles...

— C'est vrai. J'ai lu quelque part que...

— À moins que ce soit un incendie criminel. Comme à Las Vegas.

— D'accord, mais où est la fumée ? Vous voyez des flammes ? Je parie que c'est une fausse alerte.

— Je viens d'entendre un policier dire que c'est un feu de poubelle. À un des étages supérieurs.

— Au vingt-huitième, d'après ce que j'ai entendu. Qu'est-ce qu'on vous a dit, à vous ?

— Je t'ai parlé de la fois où notre tente avait pris feu au camp de louveteaux ?

— Tu as été dans les louveteaux ? C'est difficile à imaginer.

— Un des moniteurs est entré pour fumer en cachette et a mis le feu au tapis de fond. Nous ne l'avons pas dénoncé ; nous l'adorions. Je l'ai revu il y a environ un an. Il est juge itinérant dans le nord de l'État de New York. Toujours charmant. Je n'ai pas pu m'empêcher de remarquer qu'il fume toujours des Winston.

— Un feu de poubelle ? Vous êtes sûr ?

— D'une certaine façon, c'est décevant. Chaque fois qu'il se passe quelque chose d'excitant, on a affaire à un feu de poubelle. Métaphoriquement, s'entend.

— Seigneur Dieu, vous voulez dire qu'ils nous ont tous fait sortir pour...

— Vous devriez plutôt remercier le...

— C'est éteint? Vraiment éteint?

— Sûrement. D'ailleurs, les pompiers ressortent. Regardez là-bas, derrière le policier.

— Ils doivent être d'humeur massacrante. Faire sortir trois camions parce qu'un abruti a mis le feu dans sa corbeille.

— Sans compter tous les gens qu'ils ont dû faire évacuer...

— Encore heureux qu'il soit si tôt. En pleine nuit, imaginez la panique.

— Tu te souviens de l'incendie de Long Island...

— Ça, c'était un vrai incendie.

— Des gens sautaient...

— Une poubelle. Seigneur Dieu.

— C'est terminé, mesdames et messieurs.

— Dites donc, ils laissent les gens rentrer, là-bas.

— Dépêchons-nous. Je gèle.

— Tiens, prends ce manteau. Pourquoi tu n'as rien dit, au nom du ciel? Tu sors à peine d'un vilain rhume et...

— Je vais bien. Tu t'inquiètes toujours pour rien.

— J'ai bien le droit de m'inquiéter.

— Doucement, mesdames et messieurs. Doucement.

— Regardez-moi la queue devant les ascenseurs.

— Nous ne sommes pas près de monter. Nous serons encore là à minuit.

— Tu veux monter à pied?

— Quinze étages? Tu veux rire?

— Ça te ferait probablement du bien. Pense à toutes les calories que...

— Non, merci. Sans façon.

— Quand les enfants vont apprendre que nous avons monté quinze étages à pied...

— On y va à pied ? demanda Brenda à Barry.

— Vingt-quatre étages ? Pourquoi pas ? Il n'y a pas d'autre moyen, de toute façon.

La cage d'escalier était bondée de clients qui grimpaient, haletaient, s'appuyaient sur la rampe, marmonnaient des obscénités, s'encourageaient mutuellement. Les murs en béton résonnaient. Brenda songea à certaines fêtes improvisées auxquelles elle avait assisté à Elm Park – il y avait la même gaieté, la même bonhomie jubilatoire et la même dépense d'énergie.

Au onzième étage, Barry et elle s'arrêtèrent pour souffler, assis contre le mur, tandis que des gens défilaient devant eux. Ils se reposèrent de nouveau au vingtième étage.

— Je vais avoir du mal à marcher demain, dit Brenda en se massant les mollets.

Ils s'appuyèrent l'un contre l'autre, hilares. Ils riaient encore lorsque, ouvrant la porte de la chambre de Brenda, ils découvrirent un homme et une femme qui, debout devant la fenêtre, se tenaient par la main. L'homme, qui semblait balourd et effrayé, eut pourtant un geste ample, en hôte parfait. La femme leur fit un large sourire de bienvenue. Elle avait un visage animé, une bouche rouge et de longs cheveux blonds indociles.

— Enfin, s'écria-t-elle, nous faisons connaissance.

« Où est-ce que j'ai déjà vu ce visage ? » se demanda Brenda.

Non, pourtant. Le visage souriant était celui d'une étrangère. C'était plutôt le manteau qui avait quelque chose de familier.

— Comment allez-vous ? dit la femme, qui s'avançait en leur tendant la main. Je m'appelle Verna.

Voici tout ce que Brenda trouva à répondre, au bout d'un moment :

— Je crois que c'est mon manteau que vous portez.

Chapitre vingt-neuf

Storton McCormick, homme aux bonnes manières typiques de la côte est, porte un costume si foncé qu'il en semble presque noir. Il parle d'une voix tonnante, à la manière d'un annonceur de radio.

— Barry Ollershaw ? Je vous connais de réputation, évidemment. Vous êtes canadien, non ? Enchanté, madame Bowman. Asseyez-vous tous les deux, je vous en prie.

Verna s'excuse à profusion. Prenant Brenda à part, elle lui dit :

— Vous allez croire que je suis une voleuse. Que j'aie pu partir avec votre manteau... Mais il était là, accroché dans la chambre de Storton, et nous avions passé une nuit fabuleuse, phénoménale. Le matin, Storton a dit : « Allons nous rouler dans la neige. » Pas au sens propre, naturellement. Bon... Le lundi matin, on lui téléphone de son bureau – une urgence. « Viens à New York avec moi », m'a-t-il dit. Pourquoi pas ? ai-je répondu. J'ai passé ma vie à dire non à tout. Une enfance catholique, Baltimore, les bonnes sœurs. Nous avons pris le train. C'était merveilleux. Plus que merveilleux. Je n'arrive pas à croire que je connais cet homme depuis seulement... quoi ? Trois jours ? Quatre, si on compte aujourd'hui. Nous nous sommes rencontrés dans l'ascenseur. Vous imaginez ? C'est horriblement cliché, mais...

— J'ai votre ruban bleu, lui dit Brenda. Vous saviez que vous aviez obtenu le premier prix ?

Verna pousse un cri perçant, tourne sur elle-même à la manière d'une gitane, puis défait la fermeture éclair de son sac bleu et rouge, d'où elle tire une bouteille de bourbon.

— Je ne me déplace plus sans tout ce qu'il faut pour faire la fête. Plus jamais je ne raterai une occasion de célébrer. J'en ai déjà trop manqué.

Ils dénichent quatre verres.

— À la santé de toutes les fabricantes de courtepointes du monde, dit Storton McCormick.

— À la santé de la Société internationale des machinchouettes, répond Verna en trinquant avec Brenda.

— À la nôtre, dit Brenda.

— À la nôtre, répète Barry en se levant. À cette soirée.

~

Pendant la majeure partie de la nuit, ils restèrent tous deux éveillés dans la chambre de Barry. (Après une seule et unique tournée de bourbon à l'eau, ils avaient d'un commun accord convenu que Verna et Storton passeraient la nuit là où ils étaient.)

Devraient-ils partager un lit? Ils en avaient débattu d'abord avec légèreté, puis sur un ton solennel, et enfin de nouveau avec légèreté. Ils commandèrent des sandwichs et du café avant de se déshabiller.

— Quelle chemise de nuit ridicule, fit Brenda en grimaçant.

— Que dites-vous de ça? répondit Barry en désignant son pyjama, beige et orné de passepoils bruns. L'horreur.

— Verna s'imagine sûrement que nous...

— Sans aucun doute.

— Le problème, dit Brenda, c'est que je n'arrive pas à me détacher. Je ne parle pas uniquement de mes vœux de mariage. Je veux parler de toute ma vie.

En s'emparant d'un sandwich, Barry dit d'une voix grave :

— Ce que vous voulez dire, c'est que vivre uniquement dans le moment présent ne vous convient pas.

— C'est tellement cucul. Quelqu'un s'absente pendant une semaine, et que se passe-t-il ? Je trouve ça trop prévisible. L'idée qu'une chose doive arriver du seul fait qu'elle est possible me répugne.

En souriant, Barry lui demanda si elle avait l'habitude de résister au possible.

— En général, non.

Elle avait enlevé ses pantoufles pour s'allonger sur le lit.

— Mais quand Verna a parlé de son intention de ne plus jamais manquer de célébrations...

— Je vous écoute.

— Quand je l'ai entendue prononcer ces mots, je me suis rendu compte que j'avais déjà décidé, moi, que j'allais en manquer quelques-unes. Que j'étais prête à en manquer quelques-unes.

— Quel stoïcisme, fit Barry au bout d'un moment.

Il s'était allongé, lui aussi, mais sur l'autre lit.

— Quelle résignation.

— Au moins, vous n'avez pas dit : « Quel puritanisme. » Vous m'en voyez ravie.

— Pas ça. Non, ce n'est pas de cette façon que je vois les choses.

— Évidemment, le fait que mes règles aient débuté ce matin facilite la décision.

Il avait envie de parler. Il était deux heures du matin ; la chambre baignait dans l'obscurité ; il se montra d'une parfaite franchise. En vérité, confia-t-il à Brenda, il n'était pas du tout doué pour l'adultère. Les gestes ne lui venaient pas facilement. Il mettait du temps à s'habituer. D'abord, il avait eu une brève aventure avec une secrétaire de son bureau. Puis avec une amie de la famille qui avait divorcé. Puis avec une femme passablement plus jeune que lui dont il avait fait la connaissance en jouant au golf. Il se méprisait dans le rôle du soupirant – celui à qui il revient de téléphoner, de remuer ciel et terre pour plaire à ses conquêtes, d'offrir des

babioles. Depuis deux ans, il avait connu sa part de maladresses quasi adolescentes, de gaucheries absurdes. Il était, croyait-il, ce qu'on appelait aujourd'hui un « mauvais coup ». Il avait probablement été marié pendant trop longtemps à la même femme.

— Je sais, répondit Brenda, sans savoir vraiment.

Elle songeait à l'intimité de l'acte sexuel.

— Sans compter, poursuivit Barry, qu'on se rend vite compte que les possibilités offertes par les contacts charnels sont limitées. Et qu'une heure d'extase dans un lit à deux places n'efface qu'un certain nombre de degrés de solitude.

Brenda finit après tout par parler à Barry de l'année où elle avait cessé d'aimer Jack, de leur voyage en Bretagne. Après l'avoir écoutée en silence, il dit d'une voix perplexe :

— Un de ces moments catalytiques, je suppose. Aussi irrationnels qu'indéniables.

— Vous avez déjà vécu une expérience semblable ?

Elle tourna la tête vers lui.

— Je veux dire des moments où le monde, soudain, est en ordre, propre comme un sou neuf ?

— Un moment de transcendance ? Oui, je crois, mais pas souvent.

— C'est rare, je pense. Surtout pour deux personnes en même temps.

— Oui, admit-il. Ça n'arrive pratiquement jamais.

Ils parlèrent longuement de la femme de Barry, Ruth. Guérirait-elle ? Sinon, qu'arriverait-il à leur couple ?

— Nous nous sommes fait trop de mal, dit Barry. Nous sommes deux invalides ; curieusement, nous dépendons toujours l'un de l'autre. C'est d'ailleurs notre ultime folie.

— Ça ne peut pas durer toujours. Ça ne suffit pas.

Il la surprit en protestant.

— Ce n'est pas si mal, tout compte fait. J'ai probablement noirci le tableau. Il y a de bons jours. Nous mangeons ensemble, le matin. Par beau temps, nous apercevons la baie. Seulement...

— Quoi ?

— Nous n'avions que vingt-deux ans quand nous nous sommes mariés. Voilà ce que nous nous sommes donné l'un à l'autre. Notre vie tout entière. Des corps encore jeunes. Ça, on ne peut pas le refaire.

— Non, admit Brenda. C'est vrai.

— Vous êtes fatiguée ? demanda-t-il après un silence.

— Oui. Et vous ? Vous réussirez à dormir ?

— Non, je ne crois pas.

Nouveau silence.

— Je pense que j'y arriverais si je pouvais vous tenir dans mes bras un instant. À moins, ajouta-t-il sur un ton badin, qu'il ne s'agisse pour vous d'une infidélité technique.

Il est si facile de procurer du réconfort. (C'est en refusant le confort de ses bras, se dit-elle plus tard, qu'elle aurait commis une infidélité.) Franchissant l'espace entre les deux lits, elle se glissa contre lui. Les bras de Barry, autour de la flanelle rose épaisse, lui semblèrent musclés et chauds. Cette chaleur et jusqu'à l'odeur de son corps d'homme lui étaient familières. Les jambes de Barry épousèrent les siennes ; l'espace d'un moment, elle sentit la chair plus dense de son pénis palpiter contre sa cuisse. Elle se sentit devenir lumineuse, transparente.

Le sommeil leur vint presque en même temps, mais Brenda, à demi consciente, entrevit brièvement les couleurs et les passions du monde, les rues escarpées d'anciennes cités, les orbites calmes des planètes.

Ils se réveillèrent une fois, à l'instant où, à la faveur d'un changement de position, leurs corps se séparèrent. Les lèvres de Barry, en lui frôlant l'oreille, dirent peut-être ceci :

— Je t'aime.

— Je t'aime aussi, chuchota Brenda.

Enfoncée dans la coquille vertigineuse du sommeil profond, elle eut l'impression que c'était vrai, du moins en partie.

Chapitre trente

L'année précédente, quand Jack et Brenda étaient allés à San Francisco pour le congrès de la Société nationale d'histoire, leur avion avait tourné autour de la baie pendant quelques minutes en trajectoire d'attente, puis, au terme d'une brève descente dans l'air scintillant, s'était posé sur le tarmac brûlant. Atterrissage de routine, aussi doux que possible une fois passée la secousse initiale, mais, pour une raison ou pour une autre, les passagers, spontanément, s'étaient mis à applaudir à l'instant où les roues touchaient le sol.

Brenda avait jeté un regard de côté à Jack : pourquoi ces applaudissements ? Il avait agité la main – geste qui signifiait : « Va savoir » ou « Il y a des choses qui ne s'expliquent pas. »

Il est possible qu'un passager, en proie à une légère euphorie après un bon repas, ait battu des mains et provoqué une réaction en chaîne. Les autres l'avaient imité par conformisme et simple gentillesse. Pourquoi pas ? N'étaient-ils pas heureux de se retrouver ici, sous le ciel blanc de la Californie ? Souriant dans l'allée de ses lèvres peintes en rouge, l'agent de bord faisait soudain l'effet d'un don du ciel, précieux comme un cadeau de la Providence, comme la santé. Dans le débordement d'affection qui unit les passagers entre eux au terme d'un long voyage, pourquoi ne pas rendre grâce à la solidité de la terre ?

Par comparaison, l'atterrissage de Brenda à O'Hare en ce jeudi soir fut sec et sans cérémonie. L'avion ne s'était pas encore immobilisé que, déjà, les hommes d'affaires tendaient la main pour

récupérer leur porte-documents. Le parfum du cuir et des impers mouillés se fit plus insistant. Ils étaient de retour chez eux. Sans encombre. On déboucla les ceintures de sécurité. Brenda enfila son manteau. Par le hublot, elle aperçut une tranche du ciel sombre et industriel de Chicago, poisseux, dense, hachuré par les projecteurs. À l'extrémité de la piste luisante, moins de deux cents mètres plus loin, un autre avion décollait, et Brenda eut l'impression que ses feux de queue clignotants promettaient une destination plus exotique : Marrakech, Bombay ou Dieu sait où.

Elle était de retour à la maison. Elle boutonna son imper, serra sa ceinture. Il faudrait le faire nettoyer, ce manteau. Outre la petite tache sur le col, il y avait un cerne noir à la hauteur de l'ourlet. Peut-être Verna s'était-elle vraiment roulée dans la neige, après tout.

Jack serait là à l'attendre. Il serait seul, sans les enfants, comme elle chaque fois qu'elle venait l'accueillir au terme d'un bref voyage. Cette habitude, à l'instar de bien d'autres, était trop profondément ancrée pour justifier une analyse approfondie ou même une pensée. Ils l'avaient sans doute prise afin de ne pas encombrer inutilement leurs retrouvailles, d'avoir le temps de reprendre pied pendant le trajet du retour.

Jack aurait préparé deux ou trois anecdotes amusantes.

— D'abord, les bonnes nouvelles, dirait-il.

Les séparations semblaient l'obliger à redevenir un étranger drôle et distrayant.

Le sentiment d'étrangeté persisterait jusqu'à Elm Park. Malgré la circulation, le trajet lui semblait toujours plus court qu'elle ne l'avait escompté. Plus ils s'approcheraient de chez eux, plus les rues et les maisons lui sembleraient familières, jusqu'à ce que, après avoir quitté Euclid pour Horace Mann, qui donnait sur le boulevard Franklin, ils arrivent enfin. Ils se gareraient devant la maison, où toutes les fenêtres seraient éclairées. Rob et Laurie ne se donnaient jamais la peine d'éteindre les lumières et Jack, pourtant aussi négligent qu'eux, ne pourrait s'empêcher de marmonner entre les dents :

— On dirait un arbre de Noël, pour l'amour du ciel.

Elle s'imagina en train d'ouvrir la porte : d'abord le vestibule, puis les boiseries en chêne cirées du hall et, pâle et raffinée, la lumière du vieux plafonnier en laiton. Dans la cuisine, les carreaux seraient collants sous les semelles, mais quelqu'un aurait pris le temps de donner un coup de balai. Brenda aurait tôt fait de renouer avec les odeurs persistantes du souper et les miettes autour du grille-pain, autant de rappels familiers.

Laurie se jetterait dans les bras de sa mère, la serrerait très fort, ne la lâcherait pas ; son corps si doux l'anéantirait à force d'amour. Rob resterait à l'écart, les manches de son pull retroussées, récuré à fond, un peigne dépassant de sa poche arrière. Il l'épierait d'un œil inquiet pendant une heure, puis il se détendrait.

Ils boiraient une tasse de thé à la menthe, tous les quatre. La boîte de sachets sur la tablette de même que les tasses elles-mêmes affirmeraient leur existence propre, à la fois nouvelle et familière. Le courrier serait étalé sur la table : des factures, surtout, peut-être une lettre de Patsy Kleinhart, qui ne s'était jamais mariée et qui était maintenant institutrice à Hawaii. Il y aurait peut-être aussi une invitation à un cocktail d'après Noël ou à la soirée dansante annuelle des anciens de DePaul, à laquelle ils avaient toujours eu l'intention d'assister, sans jamais donner suite.

Jack, sa réserve d'anecdotes divertissantes épuisée, se plongerait dans la lecture du journal. S'ils y pensaient, ils regarderaient peut-être les nouvelles à la télé. Puis ils iraient se coucher.

— Alors, dirait Jack en la prenant dans ses bras, c'était comment ? Raconte.

Ils bavarderaient pendant une heure, peut-être davantage. Elle lui parlerait de Verna de Virginie, qui allait venir à Chicago en avril pour une exposition solo à la galerie Calico, rue Dearborn. Elle lui dirait qu'on l'avait invitée à faire partie du jury dans la catégorie des courtepointes « de fantaisie », l'année prochaine. Le congrès se déroulerait à Charleston, en Caroline du Sud ; l'hôtel était déjà retenu ; une femme du Nouveau-Mexique, avec qui elle

s'était liée d'amitié, avait été nommée au comité de direction. Tous ces détails intéresseraient Jack – même si Brenda sait bien ce que veut dire «Raconte». Jack est comme son père qui, tous les dimanches matin, à leur arrivée, demande :

— Et alors, les enfants, quoi de neuf?

«Quoi de neuf?» demande grand-papa Bowman, comme s'il était avide de nouveautés, alors qu'il tient par-dessus tout à ce qu'on lui dise qu'il n'y a rien de neuf, qu'aucune calamité ne s'est abattue sur eux au cours des sept jours qui se sont écoulés depuis leur visite précédente. Il veut qu'on lui parle de choses en cours, de choses qui ont fait leurs preuves, et Jack, son fils, sait d'instinct quoi lui dire et quoi lui cacher. Son père ne prise guère les révélations; il ne tient pas à ce qu'ils lui ouvrent toutes grandes les portes de la moindre cellule de leur corps.

— Tu m'as manqué, dira Brenda à Jack dans le noir, sachant que c'est ce qu'il a besoin d'entendre et que c'est la vérité.

— Tu m'as terriblement manqué, dira-t-il avant de lui demander si elle a pensé à verrouiller la porte.

— Oui, répondra-t-elle en préparant son corps à la tendresse.

À cette heure, il lui arrive parfois de sentir le retour de son moi plus jeune, de l'ancienne Brenda – sereine, calme, peu exigeante, épargnée par l'ombre, la mort et les colères compliquées –, un moi qui a le curieux courage d'un tout jeune enfant. La visite est en général de courte durée, mais cordiale. Brenda, plus vieille, moins heureuse, mais indomptablement saine d'esprit, accueille son ancienne alliée et, l'espace d'un moment, fait corps avec elle. Puis, dans les minutes qui précèdent le véritable sommeil, elle lâche prise et part toute seule à la dérive.